Helmut Kromrey
Empirische Sozialforschung

Helmut Kromrey

Empirische Sozialforschung

Modelle und Methoden der
Datenerhebung und Datenauswertung

Unter Mitarbeit von
Rainer Ollmann

3. überarbeitete Auflage

*Cristiane
Wirth
4'90*

Leske Verlag + Budrich GmbH, Opladen 1986

CIP-Kurztitelinformation der Deutschen Bibliothek

Kromrey, Helmut:
Empirische Sozialforschung: Modelle u. Methoden
d. Datenerhebung u. Datenauswertung / Helmut Kromrey. –
Opladen: Leske und Budrich, 1986.
(Uni-Taschenbücher; 1040)
ISBN 3-8100-0427-8
3. Auflage

© by Leske Verlag + Budrich GmbH, Opladen 1986
Druck: Hain-Druck KG, Meisenheim/Glan
Buchbinderische Verarbeitung: Sigloch-Henzler, Stuttgart
Einbandgestaltung: A. Krugmann, Stuttgart
Printed in Germany

Inhalt

Vorbemerkung

Grundlagenkenntnisse über Methoden empirischer Datenbeschaffung und Datenauswertung sind in den verschiedensten Feldern beruflicher Praxis ebenso gefragt wie in unterschiedlichsten Studiengängen an Fachhochschulen, Pädagogischen Hochschulen, Akademien und Universitäten. Zugleich wird aber auch der damit angesprochene Wissensbereich durchweg als schwierig und „unangenehm" empfunden. Insbesondere der mit erfahrungswissenschaftlichem Denken wenig Vertraute findet über die existierenden Lehrbücher häufig nur schwer Zugang zum Stoff. Dabei erweist sich das Voraussetzen von Vorkenntnissen ebenso als hinderlich wie die von Problemen der Forschungspraxis losgelöste Darstellung und die vorherrschende konzeptionelle Trennung in Verfahren der Datenerhebung („Methodenlehre") und Verfahren der Auswertung (Statistik und Datenverarbeitung).

Der hier vorliegende Text ist der Versuch, eine Lücke zu schließen. Er ist vor allem für einen Personenkreis geschrieben, der sich in den Problemkreis *neu einarbeiten* will, also etwa für Studenten im Grundstudium der Sozialwissenschaften, für Teilnehmer projektorientierter Studiengänge sowie für Personen außerhalb der Hochschulen, die sich einen Überblick über *Vorgehensweisen und Probleme empirischer Wissenschaft* verschaffen möchten.

Aus didaktischen Erwägungen ist das *Gliederungsprinzip* nicht eine methodologisch-wissenschaftliche Systematik, sondern der *Ablauf eines realen Forschungsprozesses.* Ausgehend von Erfahrungen aus unterschiedlichen Lehrveranstaltungsformen und aus Forschungsarbeiten wird angestrebt, im Text in zweifacher Hinsicht Inhalte miteinander zu verbinden, die man ansonsten meist getrennt dargeboten findet. Zum einen werden grundlegende wissenschaftstheoretische und methodologische Aussagen gemeinsam mit Problemen der Forschungspraxis abgehandelt. Zum anderen werden Probleme und Techniken der Datenerhebung in Verknüpfung mit Problemen und Methoden der Datenauswertung dargestellt. Allerdings muß das Feld der Datenauswertung, um den Umfang in Grenzen zu halten, auf Prinzipien der Datenaufbereitung und auf Modelle der deskriptiven Statistik beschränkt bleiben.

Die Darstellung legt Wert darauf, nicht auf abstraktem Niveau stehenzubleiben, sondern jeweils *praktische Beispiele* einzubeziehen. Obwohl methodologische und mathematisch-statistische Vorkenntnisse nicht vorausgesetzt werden und obwohl der zur Verfügung stehende Platz angesichts der Fülle des abzuhandelnden Stoffs sehr eng ist, wird versucht, Verständlichkeit nicht um den Preis der Oberflächlichkeit zu erzielen. So findet der interessierte Leser einerseits in den Fußnoten *weiterführende Hinweise* und andererseits nach jedem Kapitel eine ausgewählte *Bibliographie* zum vertiefteren Studium.

Für kritische Anmerkungen zum vorliegenden Werk, insbesondere was das Erreichen der genannten (und sicher recht hoch gesteckten) Ziele angeht, wäre der Autor sehr dankbar.

Bochum, im September 1980   Helmut Kromrey

Das vorliegende Lehrbuch hat in den aufgeführten Zielgruppen eine erfreulich positive Aufnahme gefunden, so daß es jetzt bereits in dritter Auflage erscheinen kann. Besonders danken möchte ich den wohlwollenden Kritikern, die mir Hinweise auf ausräumbare Schwächen gegeben haben. Ein nicht ausräumbarer Mangel, der allerdings jedem Lehrbuch anhaften muß, ist die notwendige Beschränkung auf nur wenige Modelle und Ansätze. Um nicht eine − gerade für den Anfänger verwirrende und undurchschaubare − Fülle sich teilweise widersprechender methodologischer und wissenchaftstheoretischer Positionen darstellen und gegeneinander abgrenzen zu müssen, habe ich mich dafür entschieden, jeweils nur einige Ansätze und Verfahren *exemplarisch* abzuhandeln. Dies gilt insbesondere für die Ausrichtung an der wissenschaftstheoretischen Position des Kritischen Rationalismus. Ich schließe mich hier der Auffassung von Kreutz an, daß bei aller − auch „ideologischer" − Verschiedenheit von Positionen und von Forschungsinstrumenten „die verschiedenen Techniken doch nicht so weit voneinander unterschieden (sind), daß nicht die bei einer Technik gefundene Lösung für alle anderen Techniken wertvolle Hinweise liefern würde".*

Dennoch ist es mir wichtig klarzustellen, daß hier keinesfalls der Anspruch erhoben wird, *die* empirische Sozialforschung in ihrer Gesamtheit abzugrenzen; vielmehr skizziert der vorliegende Text das Vorgehen der „traditionellen", quantitativ orientierten empirischen Sozialforschung. Für eher qualitative Verfahren wird in den einzelnen Kapiteln auf die Spezialliteratur verwiesen. Im übrigen habe ich

---

* Kreutz, Henrik, 1972: Soziologie der empirischen Sozialforschung, Stuttgart S. 151.

versucht, Probleme eines standardisierten und quantitativ orientierten Vorgehens an den jeweiligen Stellen möglichst deutlich herauszuarbeiten, um so die Übertragung der Gedankengänge auf andere Ansätze und Verfahren zu erleichtern.

Jeder, der sich auf das Feld empirischer Sozialforschung begeben will, sollte sich klar darüber sein, daß es keine Patentrezepte für alle Fälle gibt, sondern daß das jeweils geeignete „Design" in gründlicher Auseinandersetzung mit dem Forschungsgegenstand immer neu entwickelt werden muß.

Bochum, im Januar 1986   *Helmut Kromrey*

1. Empirische Sozialforschung und empirische Theorie

1.1 Begriffsklärung

Empirie ist aus dem Griechischen hergeleitet und bedeutet von daher „Sinneserfahrung". Empirische Wissenschaft ist demnach *der* Teil der Wissenschaften, der auf der Erfahrung durch die menschlichen Sinne (auf Beobachtung in allerweitester Bedeutung) beruht; empirisches Vorgehen ist „Ausgehen von Erfahrungstatsachen". Daß dies nicht gleichbedeutend ist mit theorielosem Vorgehen, vielmehr ohne Rückgriff auf Theorien (explizite oder zumindest „Alltagstheorien") gar nicht möglich ist, wird noch zu verdeutlichen sein.

Bei der Erfassung von „Erfahrungstatsachen" bedient man sich bestimmter Techniken wie Beobachtung, Experiment, Befragung usw. Eine bedeutsame forschungslogisch-methodologische Version erfahrungswissenschaftlicher Vorgehensweise ist unter dem Namen „Kritischer Rationalismus" ausformuliert (*Albert* im Anschluß an *Popper*). Die rigorose Position, wie sie von *Albert* vertreten wird, kann zwar in der praktischen Sozialforschung nicht durchgehalten werden; sie ist jedoch weitgehend die wissenschaftstheoretische Basis empirischer Forschung. Wenn im folgenden von der Position des Kritischen Rationalismus ausgegangen wird, so bedeutet dies wiederum nicht, daß andere wissenschaftstheoretische „Schulen" (etwa marxistisch-materialistische oder dialektisch-kritische Positionen) auf empirisches Vorgehen bei der Informationsbeschaffung über die Realität verzichten könnten oder wollten.[1]

1 So unterscheidet sich etwa das Methodenlehrbuch zur „marxistisch-leninistischen Sozialforschung" von W. Friedrich und W. Hennig (1975) in weiten Teilen nicht grundsätzlich von entsprechenden Lehrbüchern „bürgerlicher" Sozialforschung. Und auch Adorno als ein Exponent der „kritischen Theorie" besteht auf dem Selbstverständnis von Soziologie als Erfahrungswissenschaft (z. B. in Horkheimer, M.; Adorno, T. W., 1962: Sociologica, II, Frankfurt/M.).

1.2 Einige Prinzipien der empirischen Forschungsmethode in der Version des „Kritischen Rationalismus"

Das Hauptprinzip empirischer Forschungsmethodologie — wie sie vom Kritischen Rationalismus vertreten wird — lautet:

Alle Aussagen müssen an der Erfahrung überprüfbar sein, müssen sich in der Konfrontation mit der Realität überprüfen lassen. Mit anderen Worten: *Alle Aussagen einer empirischen Wissenschaft müssen prinzipiell an der Erfahrung scheitern können* (vgl. *Popper* 1971, 15).

Das hat drei einschränkende Konsequenzen für den Geltungsbereich so abgegrenzter erfahrungswissenschaftlicher Aussagen:

1) Nur solche *Begriffe* können in erfahrungswissenschaftlichen Aussagen benutzt werden, die sich auf die erfahrbare Realität beziehen („empirischer Bezug" der benutzten Begriffe, negative Beispiele: gute Fee, Zentaur).

2) Die formulierten *Sätze* oder Aussagen empirischer Wissenschaft müssen eine Beschreibung von Zusammenhängen oder *Sachverhalten* bieten, die ebenfalls prinzipiell[2] erfahrbar sind (empirischer Bezug der Gesamtaussage; negatives Beispiel: Leben nach dem Tode).

3) Die Sätze müssen so *formuliert* sein, daß sie prinzipiell[2] widerlegbar sind. D. h. als empirische Aussagen nicht zugelassen sind analytisch wahre Aussagen (z. B. Tautologien) sowie „Es-gibt"-Sätze (Existenzaussagen). Eine Tautologie wäre z. B.: „Wenn der Hahn kräht auf dem Mist, ändert sich das Wetter, oder es bleibt, wie es ist." Keine Tautologie, jedoch trotzdem analytisch wahr wäre z. B.: „Wenn irgendein Gegenstand ein soziales System ist, dann besteht es aus Personen, die miteinander interagieren" (*Opp* 1976, 118). Im letzteren Fall ist nämlich der Begriff „soziales System" u. a. *definiert* als eine Menge von Personen, die miteinander interagieren. Eine Existenzaussage wäre z. B.: „Es gibt weiße Raben". Da niemals sämtliche Raben in Gegenwart, Vergangenheit und Zukunft auf die Farbe ihrer Federn überprüft werden können, ist die Aussage empirisch nicht widerlegbar.

Beispiel: Der folgende Satz könnte Teil eines empirischen Aussagenzusammenhangs sein: „In neugebauten Vorortwohnsiedlungen sind die Nachbarschaftskontakte weniger intensiv als in innerstädtischen älteren Wohngebieten."

---

2 „Prinzipiell" erfahrbar bzw. „prinzipiell" widerlegbar soll heißen, daß Sätze zugelassen sind, die Aussagen enthalten über Sachverhalte, die zwar „im Moment" nicht erfahrbar (und somit auch nicht widerlegbar) sind — etwa weil geeignete Instrumente fehlen, um ein Ereignis beobachtbar zu machen, oder weil (noch) nicht präzise genug gemessen werden kann —, die aber „im Prinzip" erfahrbar sind, z. B. sobald geeignete Beobachtungsinstrumente erfunden werden (etwa Elektronenmikroskop oder Teilchenbeschleuniger als Beispiele aus den Naturwissenschaften).

Zu 1):

Alle verwendeten *Begriffe* (soweit es außerlogische Termini sind) beziehen sich auf die erfahrbare Realität (neugebaute Vorortwohnsiedlungen; Nachbarschaftskontakte; innerstädtische ältere Wohngebiete).

Zu 2):

Der zum Ausdruck gebrachte *Sachverhalt* (Zusammenhang von Alter und Lage der Wohngebiete mit der Intensität von Nachbarschaftskontakten) ist real erfahrbar, empirisch feststellbar.

Zu 3):

Der Satz ist widerlegbar, sowohl was den zum Ausdruck gebrachten Sachverhalt betrifft als auch von seiner *Formulierung* her (keine analytisch wahre Aussage, keine Existenzaussage). Man könnte in einer Reihe von neuen Vorortwohnsiedlungen und in einer Reihe älterer innerstädtischer Wohngebiete die Intensität von Nachbarschaftskontakten messen (ohne jetzt schon auf die Meßproblematik eingehen zu wollen) und dabei finden, daß in mindestens einer neugebauten Vorortwohnsiedlung die Intensität der Nachbarschaftskontakte *nicht* weniger intensiv ist als in mindestens einem innerstädtischen älteren Wohngebiet. Dann wäre die Aussage falsch (falsifiziert); denn in der Formulierung wie oben hat sie die Form eines „All-Satzes" (= für alle Ereignisse oder alle Fälle der beschriebenen Art gilt, daß ...) und ist gleichbedeutend mit folgendem Wortlaut: „Für alle x und y gilt: Wenn x eine neugebaute Vorortwohnsiedlung und y ein innerstädtisches älteres Wohngebiet ist, dann sind in x die Nachbarschaftskontakte weniger intensiv als in y." Oder formal: (x, y) (Nx < Ny).

Eine Formulierung wie die folgende wäre dagegen prinzipiell *nicht* widerlegbar: „Es gibt neugebaute Vorortwohnsiedlungen, in denen die Nachbarschaftskontakte mindestens gleich intensiv sind wie in innerstädtischen älteren Wohngebieten." Man könnte tausend und noch mehr Fälle vorweisen, in denen die Aussage nicht zutrifft: es bliebe dennoch die Möglichkeit, daß es irgendwo und irgendwann eine Vorortsiedlung gibt, gegeben hat oder geben wird, für die die Aussage richtig ist. Und sobald man einen einzigen solchen Fall gefunden hat, ist die Aussage wahr: sie ist (endgültig) verifiziert.

Anhand der beiden Aussageformen (Allsätze oder nomologische Aussagen und Es-gibt-Sätze, Existenz-Aussagen) läßt sich die A s y m - metrie zwischen Falsifikation und Verifikation feststellen. All-Aussagen sind prinzipiell nicht verifizierbar; aber eine einzige konträre Beobachtung reicht, um sie zu falsifizieren (als endgültig falsch zu erweisen). In ihrem Geltungsbereich (räumlich und zeitlich) nicht eingegrenzte Existenz-Aussagen sind prinzipiell nicht falsifizierbar; aber eine einzige übereinstimmende Beobachtung reicht, um sie zu verifizieren (als endgültig wahr zu erweisen).

Diese Feststellung hat allerdings einen gewichtigen Haken (worauf noch näher einzugehen sein wird), nämlich: Die Beobachtung muß korrekt sein, genauer: die Aussage über die Feststellung eines Sachverhalts, der mit der All-Aussage im Widerspruch (bzw. mit der Existenz-

15

Aussage im Einklang) steht, muß „wahr", muß unwiderlegbar richtig sein. „Wahr sein" heißt in diesem Zusammenhang: mit den Fakten übereinstimmen.

Zunächst aber bleibt festzuhalten: 1) Aussagen der Erfahrungswissenschaften (Hypothesen, Theorien) sollen über die Realität eines Gegenstandsbereiches, für den sie aufgestellt wurden, informieren. 2) Sie müssen an eben dieser Realität, für die sie gelten sollen, scheitern können. Dieser Anspruch grenzt empirische Theorien von anderen wissenschaftlichen und sonstigen Aussagesystemen ab; man nennt dies das Abgrenzungskriterium empirischer Wissenschaft. Erfahrungswissenschaft erhebt somit keinen allumfassenden Geltungsanspruch. Das genannte Abgrenzungskriterium definiert vielmehr „aus dem Bereich möglicher Fragestellungen und möglicher Erkenntnisobjekte (der ‚Welt' überhaupt) ein Segment ..., das als Bereich dessen, was überhaupt von dieser Wissenschaft untersucht werden soll, gilt und zu dessen Erkenntnis ein Satz bestimmter methodischer Regeln sich als brauchbar erwiesen haben soll" (*Hülst* 1975, 12).

Wenn nun aber in einer erfahrungswissenschaftlichen Theorie nur widerlegbare Hypothesen zugelassen, nicht widerlegbare Aussagen verboten sind, dann besteht das Problem darin, wie man an „wahre Aussagen" kommen soll. Die Hypothesen können noch so oft mit den Beobachtungsergebnissen übereinstimmen, sie können dennoch niemals endgültig bewiesen, d.h. verifiziert werden.[3] Das gilt jedenfalls für die oben vorgestellte sprachlogische Form der All-Aussage. Und solche Aussagen, die Geltung unabhängig von Raum und Zeit beanspruchen (nomologische Gesetze), soll der empirische Wissenschaftler (nach den Forderungen des Kritischen Rationalismus) anstreben. Daß es für die Sozialwissenschaften solche Gesetze (noch) nicht gibt, ändert nichts an dem geforderten Prinzip der Gewinnung von wissenschaftlicher Erkenntnis mittels nomologischer Aussagen.

Um sich angesichts dieser Schwierigkeit dennoch an die – nicht endgültig erreichbare – Wahrheit heranzutasten, wird von kritischen Rationalisten als *eine* Strategie (nach einer frühen Version *Poppers*) das folgende Vorgehen bei der Überprüfung empirischer Aussagen empfohlen: Hat sich eine Hypothese oder eine Theorie als empirisch falsch erwiesen (und war die zur Falsifikation führende Beobachtung korrekt), dann wird diese Hypothese/Theorie verworfen. Daß heißt nicht, daß sie samt und sonders in den Papierkorb oder sonstwohin wandert: sondern sie darf in der *gegenwärtigen Formulierung* keine Geltung mehr beanspruchen. Sie muß unter Berücksichtigung der neugewonnenen Erkenntnisse umformuliert werden, so daß ihr „Falschheitsgehalt" eliminiert wird. Diese neue Theorie oder Hypothese

---

3 Daß ein All-Satz nicht (endgültig) verifiziert werden kann, heißt nicht, daß die All-Aussage niemals (endgültig) wahr sein könne. Nur: Die (mögliche) Wahrheit der Aussage kann niemals endgültig bewiesen (= verifiziert) werden.

ist wiederum empirischen Tests zu unterwerfen. Wird sie wieder falsifiziert, ist sie erneut zu modifizieren und empirisch zu testen usw. Bestätigen dagegen die empirischen Befunde die Hypothese/Theorie, wird diese als *vorläufig bestätigt* im Bestand empirischer Theorien/ Hypothesen beibehalten und bei nächster Gelegenheit einer schärferen Überprüfung (einem empirischen Test unter härteren Bedingungen) ausgesetzt. Hypothesen/Theorien, die wiederholten und verschärften empirischen Tests standgehalten haben, gelten als *bewährte Aussagen* (nicht: wahre Aussagen).

Damit aber ist der Prozeß des Forschens nicht zu Ende. „Bewährte Aussagen" werden im allgemeinen solche sein, deren Geltung durch einschränkend definierte Randbedingungen oder andere Einschränkungen des Geltungsbereichs relativ eng eingegrenzt worden ist, die also keine echten All-Aussagen sind. Der empirische Wissenschaftler soll nun versuchen, aus solchen Hypothesen/Theorien „mittlerer Reichweite" allgemeinere, umfassendere Hypothesen/Theorien zu formulieren, deren Geltungsbereich die bewährten Aussagen als Teilmenge enthält, aber zusätzlich noch weitere Phänomene mit erklärt. Solche allgemeineren Hypothesen haben einen höheren Informationsgehalt;[4] aus ihnen können spezifischere Hypothesen unter Angabe bestimmter Randbedingungen oder Anfangsbedingungen deduktiv abgeleitet werden. Bei der Überprüfung dieser allgemeineren Aussagen geht der — idealtypische — Erfahrungswissenschaftler wieder so vor, wie eben geschildert: empirischer Test → bei Falsifikation Umformulierung → erneuter Test → bei Bestätigung Verschärfung der Überprüfungsbedingungen → usw.

Das heißt also: An die „Wahrheit" tastet sich die empirische Wissenschaft durch Versuch und Irrtum, durch Ausscheiden falscher Aussagen, durch verschärften Test bestätigter, durch Erweiterung bewährter Aussagen heran. Das „Wahrheitskriterium" — ein weiterer wichtiger Begriff — ist somit einzig und allein die Konfrontation mit erfahrbarer Realität. Als Kriterium der Wahrheit gilt nicht „höhere Einsicht", nicht der Regreß auf letzte Quellen oder Autoritäten (etwa die Bibel oder Karl Marx), sondern einzig und allein der langwierige Weg von Versuch und Irrtum beim Vergleich von theoretischer Aussage und beobachtbarer Realität.[5]

---

4 Unter hohem „Informationsgehalt" (oder: hohem empirischen Gehalt) einer Aussage wird verstanden: Sie sagt relativ viel über die Realität aus, bzw. sie schließt viele potentielle Realitätszustände aus. Das Tautologiebeispiel vom Hahn auf dem Mist hat keinen Informationsgehalt; die Aussage informiert überhaupt nicht über das Wetter; sie schließt keinen potentiellen Wetterzustand aus.

5 Das Entscheidungskriterium „Übereinstimmung der theoretischen Aussage mit den Tatsachen" oder „Korrespondenz von Theorie und Realität", wie es hier angesprochen wird, verweist auf die sog. „Korrespondenztheorie der Wahrheit".

Nun mag dieses so postulierte Vorgehen bei der empirischen Suche nach und der Annäherung an „Wahrheit" logisch einleuchten. Dennoch stellen zwei gravierende Probleme die empirische Wissenschaft vor grundlegende Schwierigkeiten.

Problem 1:

Das absolute Postulat der endgültigen Zurückweisung einer Aussage, sobald auch nur ein einziger Fall auftaucht, der im Widerspruch zu der Theorie/Hypothese steht, gilt logisch nur für nomologische, für raum-zeitlich uneingeschränkt gültige Gesetzesaussagen. Da es solche Aussagen für die Sozialwissenschaften derzeit nicht gibt, würde es auch keine empirischen sozialwissenschaftlichen Gesetzmäßigkeiten vorzuweisen geben. Dies wäre natürlich keine für die Sozialforschung (auch nicht für Wissenschaftstheoretiker) befriedigende Situation, so daß ein Ersatz für nomologische Aussagen gefunden werden muß.

Problem 2:

Das zweite Dilemma allerdings existiert auch im Falle nomologischer Gesetze. Es entsteht, weil die Entscheidung über die (endgültige) Zurückweisung einer empirischen Hypothese bei konträren Beobachtungen sich bei genauerem Hinsehen als weitaus schwieriger erweist, als bisher vereinfachend dargestellt wurde. Denn die Hypothese (= die auf Vermutungen basierende Aussage) über reale Phänomene kann ja nicht unmittelbar mit der Realität konfrontiert werden, sondern lediglich mit einer auf Beobachtungen fußenden anderen *Aussage über* die Realität (Beobachtungsaussage, Protokollsatz, Basissatz). Und diese Protokollaussage über ein Ereignis kann selbst falsch sein; sie müßte, um als Grundlage für die Entscheidung über die Hypothese dienen zu können, verifiziert werden können (= Basissatzproblem).

Zu 1):
Verzicht auf nomologische sozialwissenschaftliche Aussagen?

Eine der Rettungsmöglichkeiten aus diesem Dilemma wurde oben schon angedeutet: Man wird sinnvollerweise bei gegebener Sachlage nicht sozialwissenschaftliche Hypothesen/Theorien mit uneingeschränktem Geltungsanspruch, sondern zunächst Aussagen mittlerer Reichweite formulieren. Man gibt also einschränkende Randbedingungen an; beispielsweise soll ein postulierter Zusammenhang nur für entwickelte Industriegesellschaften westlicher/kapitalistischer Prägung gelten oder nur für sogenannte primitive Stämme einer bestimmten Entwicklungsstufe oder nur für eine bestimmte geschichtliche Epoche oder nur für einen begrenzten geographischen Raum oder ... Im Extremfall kann dabei der Informationsgehalt durch Formulierung von ceteris-paribus-Klauseln (= unter ansonsten gleichen Bedingungen) soweit eingeschränkt werden, daß empirisch überhaupt kein einziger Fall mehr den Bedingungen dieser Aussage gerecht werden kann. Damit aber ist die Aussage/Theorie nicht mehr empirisch überprüfbar, sie ist gegen die Erfahrung „immunisiert". Ein Beispiel hierfür ist das statische Marktmodell in der Volkswirtschaftstheorie, das allenfalls noch heuristische Funktionen erfüllen kann (als vorläufige, wenn auch unrealistische Annahme zum Zweck des besseren Verständnisses eines Sachverhalts).

Die zweite Rettungsmöglichkeit — die in den Sozialwissenschaften am häufigsten gewählte — ist, nicht deterministische Hypothesen (immer wenn x, dann auch y), sondern statistische Aussagen zu formulieren. So ist z. B. eine Aussage über räumliche Mobilität: „Ältere Leute sind weniger mobil als jüngere Personen" im allgemeinen *nicht* so gemeint: „Für alle Personen x und y gilt: Immer wenn Person x älter ist als Person y, dann ist x weniger mobil als y." Sondern man meint damit entweder: „Für die *Gruppe* der alten Menschen gilt, daß sie im Durchschnitt weniger mobil ist als die Gruppe der jungen Menschen." Oder — auf die Einzelperson gemünzt —: „Die Wahrscheinlichkeit, mobil zu sein, ist für eine ältere Person geringer als für eine jüngere."

Beide Aussagen sind mit der Beobachtung von Fällen vereinbar, in denen die eine oder andere ältere Person dennoch mobiler ist als die eine oder andere jüngere Person. Nur sind solche Fälle eben weniger wahrscheinlich als die umgekehrte Merkmalskombination, so daß sich *im Durchschnitt* die formulierte Hypothese bestätigen dürfte. Aber selbst wenn man für eine ganze Gruppe von älteren Personen feststellen sollte, daß sie mobiler ist als eine andere Gruppe jüngerer Personen, kann dennoch eingewendet werden, daß möglicherweise die Auswahl der Personen in den untersuchten Gruppen, bezogen auf die Gesamtheit aller älteren und aller jüngeren Menschen nicht repräsentativ gewesen sei. Damit tauchen schon einige der statistischen Probleme auf, die in einer Einführung in die Methoden empirischer Sozialforschung und Statistik zu behandeln sein werden.

Zu 2):
Basissatzproblem

Soll eine Protokollaussage über eine Beobachtung, die im Gegensatz zu einer nomologischen Hypothese steht, ausreichen, um diese Hypothese in der vorliegenden Form endgültig zu widerlegen? Man nehme etwa die Hypothese über Nachbarschaftskontakte in unterschiedlichen Wohngebieten (s. o.) und folgenden Protokollsatz über ein Paar von Beobachtungen: „In der Vorortsiedlung x sind zum Zeitpunkt t die Nachbarschaftskontakte intensiver gewesen als im innerstädtischen Gebiet y zum gleichen Zeitpunkt t."
Es ergäbe sich logisch überhaupt kein Problem, die Hypothese auf-

grund dieses Protokollsatzes (Basissatzes) zurückzuweisen, sofern dieser als wahr bewiesen (verifiziert) werden könnte. Das aber ist – ärgerlicherweise – nicht möglich. Denn der Forscher ist ja nicht ohne implizite Unterstellung der Richtigkeit anderer Hypothesen zu dieser Aussage gekommen, z. B.: Immer, wenn ich die Beobachtungs- oder Befragungsinstrumente A, B, C von geschulten Mitarbeitern auf beliebige Erhebungsobjekte (hier: Wohnsiedlungen) anwenden lasse, werden die Ergebnisse der Erhebung von Eigenschaften der Objekte (hier: Nachbarschaftskontakt-Intensität) zu korrekten Abbildungen der realen Phänomene führen. Aber: Solche Hintergrundhypothesen sind ihrerseits genausowenig verifizierbar wie andere empirische Hypothesen. Wenn es deshalb so ist, daß der Protokollsatz (Basissatz) nicht verifiziert werden kann, dann können wir eigentlich auch die zu überprüfende Hypothese durch einen solchen Satz nicht falsifizieren (als endgültig falsch zurückweisen), falls sich beide Aussagen widersprechen.

Die Lösung dieses Dilemmas ist nur konventionalistisch, d. h. durch Vereinbarung der Wissenschaftlergemeinde (des sozialen Systems „Erfahrungswissenschaft") möglich. Man vereinbart: Die Forschungsprozesse, die zum Protokollsatz (oder allgemeiner: zur Datenmatrix) geführt haben, müssen intersubjektiv überprüfbar und nachprüfbar sein. Wenn ein anderer Forscher an der Richtigkeit der Protokollsätze zweifelt, muß er in der Lage sein, den Vorgang genau zu replizieren. Zumindest muß er das ganze Vorgehen gedanklich nachvollziehen können, um eventuelle Schwachstellen im Forschungskonzept aufdecken zu können. Das ganze Vorgehen muß gut dokumentiert, jede Entscheidung muß explizit gemacht und begründet werden. Mit anderen Worten: der empirische Forscher muß sich offen der Kritik anderer Wissenschaftler und der Öffentlichkeit stellen (das ist die Bedeutung des Wortes „Kritik" in der Bezeichnung „Kritischer Rationalismus").[6]

Wenn diese Bedingungen erfüllt sind, dann gilt per Vereinbarung der Protokollsatz so lange als richtig, wie er nicht durch begründete Methodenkritik ins Wanken gebracht oder durch andere Forschungsergebnisse selbst widerlegt worden ist.[7] Wird also die Datenbasis, die zur Falsifikation einer Hypothese/Theorie geführt hat, selbst hinsichtlich ihrer Gültigkeit und Zuverlässigkeit widerlegt, dann kann die zunächst falsifizierte Hypothese/Theorie wieder in den Kreis der noch nicht falsifi-

---

6 Dieser unbequemen Forderung geht ein großer Teil der Forschungspraxis nur allzu gern aus dem Wege.

7 „. . . so vermeidet das Falsifikationskriterium der kritischen Rationalisten nur dann die absurde Konsequenz, daß eine einmalige widersprechende Beobachtung zum Sturz einer etablierten Theorie führt, wenn zugleich als Bedingung erfolgreicher Falsifikation die Reproduzierbarkeit des falsifizierten Basissatzes verlangt wird" (Berger 1974, 21).

zierten empirischen Aussagen zurückgeholt werden. Damit aber erweist sich nach der Unmöglichkeit der Verifikation empirischer Hypothesen auch deren (endgültige) Falsifikation als zumindest zweifelhaft. Das ansonsten nicht lösbare Basissatz-Problem wird nur per Vereinbarung umschifft: Solange das Vorgehen der Forschung dem jeweils besten methodischen Standard entspricht, sollen die empirischen Befunde als brauchbare Annäherung an die realen Phänomene akzeptiert werden. „Die Basissätze werden durch Beschluß, durch Konvention anerkannt, sie sind Festsetzungen" (*Popper* 1971, 71).

Ein weiteres Stichwort ist bisher schon mehrfach gefallen: empirische Theorie. Z. B. wurde es als die zentrale Aufgabe eines Wissenschaftlers erfahrungswissenschaftlicher Richtung bezeichnet, Theorien über die Realität eines Gegenstandes aufzustellen und diese zu überprüfen. Die empirische Forschung hat also nicht das Sammeln verstreuter Einzelinformationen zum Ziel — auch wenn dies angesichts mancher Datenfriedhöfe so aussehen mag —, sondern sie hat (wie jede wissenschaftliche Forschung) die *systematische* Erfassung von Zusammenhängen zum Ziel. Und solche systematische Beschreibung der Zusammenhänge von Sachverhalten geschieht in der Form von Theorien. Empirisch bewährte Theorien sind nichts anderes als die „Systematisierung des gesammelten Wissens" (*Zetterberg* 1973, 103).

Unter *Theorie* soll daher im folgenden verstanden werden:

ein *System logisch widerspruchsfreier* Aussagen (Sätze, Hypothesen) über den jeweiligen Untersuchungsgegenstand mit den zugehörigen Definitionen der verwendeten Begriffe.

Eine *Hypothese* ist zunächst nicht mehr als eine Vermutung über einen Tatbestand. Nach Auffassung des Kritischen Rationalismus ist es für das wissenschaftliche Vorgehen der Bestätigung oder Widerlegung von Hypothesen gleichgültig, wie der Forscher an seine Hypothesen kommt: ob aus seinem Alltagsvorverständnis über den Tatbestand, ob aus Zeitungsberichten, ob durch induktive Herleitung aus beobachteten singulären Ereignissen. Interessant ist einzig und allein, ob sich die Vermutung empirisch widerlegen oder bestätigen läßt.

Zu einer Theorie gehören nun mehrere Hypothesen, und zwar nicht ungeordnete isolierte Hypothesen über dies und jenes; sondern von einer Theorie reden wir erst bei einem *System von Hypothesen* über einen Gegenstandsbereich, und zwar einem logisch widerspruchsfreien System. Das heißt, die einzelnen Sätze oder Hypothesen müssen sich auf den gleichen Gegenstandsbereich beziehen, und sie dürfen sich nicht logisch ganz oder teilweise gegenseitig ausschließen.

Die Hypothese über die Intensität von Nachbarschaftskontakten in alten bzw. neuen Wohngebieten (s. o.) könnte z. B. Bestandteil einer — hier frei erfundenen — Mini-Theorie über den Zusammenhang zwischen Wohndauer, räumlicher Nähe und Kontakthäufigkeit sein oder als Ableitung aus ihr folgen.

Beispiel:

1) Je näher Personen zusammenwohnen, desto häufiger nehmen sie miteinander Kontakt auf.
2) Je häufiger Personen interagieren, desto intensiver wird die Beziehung zwischen ihnen.
3) Je länger Personen in einem Gebiet wohnen, desto stabiler wird das Interaktionsnetz im Nachbarschaftsbereich.
4) Je älter und zentraler gelegen Wohngebiete sind, desto höher ist ihre Bebauungsdichte.
5) In älteren innerstädtischen Wohngebieten wohnen die Menschen länger als in neugebauten Vorortwohnsiedlungen.
6) In neugebauten Vorortwohnsiedlungen sind die Nachbarschaftskontakte weniger intensiv als in innerstädtischen älteren Wohngebieten.

Erste Anforderung an empirische Hypothesen war, sie müssen an der Erfahrung prinzipiell scheitern können. Alle sechs Aussagen genügen dieser Anforderung: Sie sind so formuliert, daß sie widerlegbar sind; sie enthalten nur Begriffe mit empirischem Bezug; jede Aussage bezieht sich auf einen Sachverhalt, der prinzipiell erfahrbar ist.

Die *zweite Anforderung* — bezogen auf den Begriff Theorie — wird auch erfüllt: Die Aussagen stehen in einem systematischen Zusammenhang zueinander und beziehen sich auf den gleichen Gegenstandsbereich; es sind nicht ungeordnete isolierte Aussagen.

Auch die *dritte Anforderung* ist erfüllt: Die Aussagen sind miteinander logisch verträglich; was in einer Hypothese gesagt wird, steht nicht in Widerspruch zu den jeweils anderen Aussagen.[8]

Das Aussagensystem weist in diesem Beispiel sogar noch Merkmale einer axiomatisch formulierten Theorie auf, und zwar ist die sechste Aussage die (deduktive) Ableitung aus vorhergehenden Sätzen. Die Aussagen 1 bis 5 sind Axiome; die Aussage 6 ist eine abgeleitete Hypothese (ein Theorem); sie enthält nicht mehr Informationen als schon in den Axiomen stecken. Genauer: sie faßt hier die Informationen der Axiome 1, 2 und 4 zusammen.[9]

Was an einer „Theorie" im oben skizzierten Sinne jetzt noch fehlt, sind die Definitionen der verwendeten Begriffe (beispielsweise „Intensität von Nachbarschaftskontakten", „Bebauungsdichte")

1.3 Zum Verhältnis von empirischer Theorie und Realität

Daß empirische Theorien/Hypothesen überhaupt einen B e z u g zur Realität haben müssen, war oben als eine Grundforderung genannt worden: alle Hypothesen müssen an der Erfahrung scheitern

---

8 Logisch unverträglich wäre das Aussagensystem z. B., wenn Hypothese (3) lautete: „Je länger Personen in einem Gebiet wohnen, desto seltener nehmen sie miteinander Kontakt auf." In diesem Fall nämlich führen die Kombinationen (4 und 1) sowie (5 und 3) zu entgegengesetzten Aussagen.
9 Häufig ermöglicht erst eine solche Ordnung der Hypothesen nach Axiomen und Theoremen (Formalisierung) das Aufdecken logischer Widersprüche.

können. Daraus folgt, daß die Formulierung von Hypothesen *am Beginn* der Forschungstätigkeit stehen muß und daß erst danach über den Einsatz von Methoden und Instrumenten zur Gewinnung von Informationen entschieden werden kann. Denn wie sollte eine Theorie/Hypothese an der Erfahrung scheitern können, wäre sie nicht vorher — *vor* der gezielten Erfahrung durch Beobachtung — schon vorhanden gewesen?

Es gibt aber einen weiteren, weniger trivialen Grund, weshalb zunächst theoretische Überlegungen angestellt werden müssen und danach erst Forschungsaktivitäten einsetzen können. Und dieser Grund gilt nicht nur für hypothesentestende Untersuchungen, sondern für *jede*, auch noch so deskriptive Datensammlung.

Keine Beschreibung eines realen Tatbestandes kann sozusagen fotographisch die Realität in ihrer ganzen Komplexität abbilden; jede Beschreibung muß sich auf einen relativ kleinen Ausschnitt aus der Wirklichkeit beschränken. Es muß immer eine gezielte S e l e k t i o n der Merkmale des Untersuchungsgegenstandes vorgenommen werden, die beobachtet werden sollen.

Damit stehen wir vor der schwierigen Frage: Welchen Teil der Realität wollen wir abbilden, welche Merkmale sollen als besonders relevant behandelt und somit erhoben werden? Welche Merkmale sollen wir als weniger relevant betrachten und bei der Datensammlung außer acht lassen? Erst wenn wir eine gezielte Auswahl vorgenommen haben, können wir *systematisch* beobachten, befragen, Daten erheben. Nur eine systematische Beobachtung eines Objektbereichs kann gewährleisten, ,,daß regelhafte Beziehungen seiner Struktur oder der Veränderung der Struktur . . . erkannt werden. Eine Beobachtung ist prinzipiell theoriegeleitet, d. h. unabhängig von impliziten oder expliziten theoretischen Vorurteilen, ideellen Vorwegnahmen oder Vorentscheidungen . . . kann keine Erfahrung gemacht werden" (*Hülst* 1975, 14)[10]

Ist nun eine *Theorie* oder eine *Hypothese* empirisch zu testen, dann gibt natürlich die Formulierung der Theorie/Hypothese bis zu einem gewissen Grade die Auswahl der zu beobachtenden Merkmale vor. Lautet die Aufgabe dagegen, einen nur global abgegrenzten *Gegenstandsbereich* zu beschreiben, dann muß zunächst aufgrund sorgfältiger Überlegungen (,,dimensionale Analyse", vgl. Kap. 3.1) eine Liste der relevanten Merkmale erstellt werden.

Wir benötigen ein — wie *Zetterberg* (1973) es nennt — d e s k r i p tives S c h e m a, eine Begriffsanordnung, die uns zu den Phänomenen und den Aspekten hinführt, denen wir unsere Aufmerksamkeit zuwenden wollen. Die Erstellung einer solchen Liste relevanter Eigen-

---

10 ,,Beobachtung" ist in diesem Zusammenhang in sehr weitgefaßtem Sinn zu verstehen als ,,jede Form sinnlicher Wahrnehmung".

schaften, eines solchen deskriptiven Schemas, setzt wiederum zumindest implizite theoretische Überlegungen über die Eigenschaften des Gegenstandsbereichs und die Beziehungen zwischen diesen Eigenschaften voraus. So berichtet *Zetterberg* davon, daß z. B. die für Meinungserhebungen benutzten „objektiven (statistischen) Merkmale" einer Person wie Alter, Geschlecht, Familienstand, Einkommen, Beruf, Parteipräferenz, Konfession, Erziehung und andere Indikatoren der sozialen Position in der Gesellschaft von den Meinungsforschern scheinbar zwar durch reines Ausprobieren gewonnen wurden. Tatsächlich aber ist es der Versuch, alle Faktoren zu erfassen, die Meinungen und Einstellungen zu differenzieren scheinen; also: im Hintergrund dieser Liste objektiver statistischer Merkmale der Person — hier handelt es sich um ein solches deskriptives Schema — steht eine Theorie über die Auswirkungen von „objektiven" Persönlichkeitsmerkmalen (statistischen Merkmalen) auf „subjektive" Persönlichkeitsmerkmale: Meinungen, Einstellungen (*Zetterberg* 1973, 118-119).

An der Entwicklung dieser Liste objektiver statistischer Merkmale von Personen wird auch die **wechselseitige Abhängigkeit von Theorie und Empirie** deutlich: Je besser die theoretischen Kenntnisse, um so brauchbarer wird das deskriptive Schema, das die Erhebung lenkt. Je besser das deskriptive Schema, um so theoretisch relevanter werden die erhobenen Daten, um so besser sind die Voraussetzungen für die Fortentwicklung der Theorie. Die theoretischen Kenntnisse oder — wo solche nicht in gesicherter Weise vorhanden sind — die Vermutungen, Hypothesen über bestimmte Sachverhalte und Beziehungen strukturieren sozusagen erst den Gegenstandsbereich, lenken die Aufmerksamkeit auf bestimmte, als relevant angesehene Aspekte oder „Dimensionen".

Am *Beispiel* der Mini-Theorie über den Zusammenhang zwischen Wohndauer, räumlicher Nähe und Kontakthäufigkeit sei dies noch einmal verdeutlicht. Aus den formulierten Aussagen ergibt sich unmittelbar, welche Merkmale von Wohngebieten und welche Merkmale der Bewohner relevant sein (beobachtet werden) sollen, bzw. welche anderen Merkmale im gegebenen Zusammenhang als unbedeutend außer acht gelassen werden können. Wir hätten also Merkmale zu erheben wie: räumliche Nähe des Zusammenwohnens von Haushalten, Häufigkeit des Kontakts zwischen Mitgliedern verschiedener Haushalte, Intensität der Kontakte, Alter und Lage der Wohngebiete, Bebauungsdichte, Wohndauer der Haushalte. Unberücksichtigt lassen wir nach dieser Theorie dagegen Merkmale wie: Einkommen der Bewohner, Schulbildung, Art der Berufstätigkeit, Alter der Bewohner, Kinderzahl und Alter der Kinder in den Haushalten.

Nun könnte es natürlich sein, daß jemand hierbei ein ungutes Gefühl hat und meint, zumindest Einkommen, Bildung, Berufstätigkeit, Alter, Kinderzahl müßten auch noch erhoben werden. Das wäre dann ein eindeutiges Zeichen dafür, daß offenbar im Hinterkopf eine umfassendere Theorie vorhanden ist, die lediglich nicht ausformuliert wurde. In dieser impliziten Theorie könnten

Hypothesen vorkommen wie: Je höher die Schulbildung, desto reservierter verhält sich eine Person gegenüber ihren Nachbarn. Je älter eine Person, desto stärker ist sie an Nachbarschaftskontakten interessiert. Je höher die Kinderzahl und je jünger die Kinder, desto mehr Anknüpfungsmöglichkeiten und -notwendigkeiten ergeben sich für Familien im Nachbarschaftsbereich. (usw)

Eine Strategie, die sich darauf beschränken würde, lediglich diejenigen Beobachtungsmerkmale aufzulisten, die dem Forscher oder der Forschergruppe spontan einfallen, wird meist dann Schiffbruch erleiden, wenn nicht auch die im Kopf existierenden Hypothesen mit ausformuliert und zu einem Hypothesensystem (oder zu alternativen Hypothesensystemen) geordnet werden. Die Folge einer solchen Strategie nämlich wird häufig sein, daß den Forschern später – wenn die Daten ausgewertet werden – aufgeht, daß relevante Merkmale übersehen worden sind und daß aufgrund dieser Lücken die gesamte erhobene Datenbasis für die zu bearbeitende Problemstellung möglicherweise nicht viel wert ist.

Aus diesen wenigen Überlegungen heraus wird bereits deutlich, wie sehr Hypothesenbildung bzw. Theoriekonstruktion, Datenerhebung und Auswertung (d. h. Anwendung von Erhebungstechniken und statistischen Modellen) miteinander verwoben und aufeinander angewiesen sind. Der Forscher wird bei den theoretischen Formulierungen bereits die Methoden der Datenerhebung und die möglichen statistischen Auswertungsverfahren mit bedenken müssen, ebenso wie er später bei der Berechnung statistischer Kennziffern ohne Rückbezug zu den theoretischen Überlegungen nur bedeutungslose Zahlen erhalten würde.

Zusammengefaßt: Theorien sind für den Erfahrungswissenschaftler die wesentlichen ,Werkzeuge', die ihm seinen Zugang zur Realität ermöglichen. Die Theorie liefert 1) die grundlegende Orientierung; sie definiert den Objektbereich, sie legt fest, welche Aspekte der Realität zum Gegenstand der Forschungstätigkeit gemacht werden sollen.[11] Die Theorie stellt 2) das begriffliche Bezugssystem zur Verfügung; sie erlaubt, die als relevant definierten Aspekte (Dimensionen) des Objektbereichs systematisch darzustellen, zu klassifizieren und Beziehungen zu postulieren. In Theorien werden 3) empirisch ermittelte Fakten zu Generalisierungen bzw. zu Systemen solcher Generalisie-

---

11 Der Wechsel von einem vorherrschenden Paradigma zu einer alternativen theoretischen Sicht bringt in einer Wissenschaft unter Umständen völlig neue Problemstellungen in den Vordergrund des Interesses (vgl. Kuhn 1967). – Wie stark unterschiedliche theoretische Orientierungen die Wahrnehmung und Interpretation sozialer Sachverhalte und damit die Auswahl der „relevanten" Untersuchungsmerkmale in alternative Richtungen lenken können, wird am Beispiel individualistischer und struktureller Theorieansätze diskutiert von H. Esser: Methodische Konsequenzen gesellschaftlicher Differenzierung, in: Zeitschrift für Soziologie, Jg. 8, H. 1, 1979, 14ff.

rungen zusammengefaßt. Je nach dem Grad ihrer Allgemeinheit kann man zwischen Ad-hoc-Theorien, Theorien mittlerer Reichweite und solchen höherer Komplexität ("allgemeinen" Theorien) unterscheiden (vgl. *König* 1973, 4ff.). Eine Theorie ermöglicht 4) die Vorhersage zukünftiger Ereignisse. "Wenn eine Zusammenfassung von Beobachtungen in Form von Verallgemeinerungen erstellt worden ist, erwartet man, daß dieselben Strukturen und Beziehungen auch dort gefunden werden, wo noch keine Erfahrungen oder Beobachtungen gemacht werden konnten, und man erwartet die Gültigkeit dieser Beziehungen auch in der Zukunft" (*Hülst* 1975, 22). Schließlich gibt sie 5) Hinweise auf vorhandene Wissenslücken.[12]

1.4 Empirische Verfahren und alternative Wissenschaftspositionen

Zu Beginn wurde bereits darauf hingewiesen, daß empirisches Vorgehen bei der Beschaffung von Informationen über die Realität nicht beschränkt sei auf eine Sozialwissenschaft, die sich als streng erfahrungswissenschaftlich versteht (sich also etwa auf den Kritischen Rationalismus beruft). Zwar sollen in diesem Text für die Ableitung von Regeln zur Gewinnung empirischer Informationen die Auffassungen des Kritischen Rationalismus (oder allgemeiner: der deduktiv-nomologischen Position der Erfahrungswissenschaft) die wissenschaftstheoretische Basis darstellen. Das heißt jedoch nicht, daß in anderen wissenschaftstheoretischen Programmen a) empirisches Vorgehen etwa bedeutungslos sei[13] oder b) die Regeln des empirischen Vorgehens (die Methodenlehre) — sofern man auf empirisch gesichertes Wissen zurückgreifen möchte — sich wesentlich von den hier vorzustellenden unterschieden.[14]

Um dies zu verdeutlichen, seien einige Aussagen zum sozialwissenschaftlichen Forschungsprozeß aus dem (bereits zitierten, vgl. Anm. 1) Methodenlehrbuch zur marxistisch-leninistischen Sozialforschung von

12 Zu den genannten fünf Funktionen von Theorien in der Erfahrungswissenschaft s. auch Hülst 1975, 21f. sowie ausführlicher Goode, W. J.; Hatt, P. K., 1952: Methods in Social Research, New York.
13 Unbestritten ist allerdings, daß das empirische Vorgehen in anderen Wissenschaftsprogrammen nicht die zentrale Rolle spielt wie bei der strikt erfahrungswissenschaftlichen Position. Bei letzterer ist der ausschließliche Bezug zur Realität nicht nur das Kriterium der Abgrenzung gegenüber anderen Richtungen, sondern auch das Wahrheits(annäherungs-)kriterium.
14 Daß die Beschäftigung mit Methoden empirischer Sozialforschung und Statistik deshalb auch für denjenigen nicht nutzloser Ballast ist, der einer sog. "bürgerlichen" Wissenschaft ablehnend oder zumindest distanziert gegenübersteht, darauf haben wiederholt auch Autoren hingewiesen, die sich als "kritisch" verstehen (vgl. etwa E. Leiser, 1978: Einführung in die statistischen Methoden der Erkenntnisgewinnung, Studien zur Kritischen Psychologie, Köln, Xff.).

W. Friedrich und *W. Hennig* (1975) zitiert. Aus ihnen geht hervor, daß im Hinblick auf die Methodologie die Auffassungen teilweise deckungsgleich sind. Die Unterschiede liegen insbesondere im Bereich des Entdeckungszusammenhangs (Wie kommt der Wissenschaftler zu seinem Forschungsproblem? Was ist das Erkenntnisinteresse?) und der Verwertung der Forschungsergebnisse (Für wen und in wessen Interesse werden die neu gewonnenen Erkenntnisse genutzt?).

Nach der Vorstellung des Kritischen Rationalismus vollzieht sich der Erkenntnisprozeß in ständiger Wechselbeziehung zwischen Theorie/Hypothese und Empirie: Eine Hypothese über die Realität wird formuliert, wird an der Realität überprüft, wird aufgrund der gewonnenen Erfahrungen modifiziert, wird wieder überprüft usw. Im genannten Lehrbuch von *Friedrich/Hennig* heißt es zum sozialwissenschaftlichen Forschungsprozeß:

(Sozialwissenschaftliche Forschung) „stellt eine Einheit von theoretischer und empirischer Erkenntnis, von Theorie und Praxis dar. Theoretische und empirische Erkenntnisschritte sind im Forschungsprozeß wechselseitig aufeinander bezogen . . ." (S. 25).

Und weiter:

„Von Forschung oder vom Forschungsprozeß sprechen wir dann, wenn die Erkenntnistätigkeit

— den Kriterien und Normen des *wissenschaftlichen* Erkenntnisprozesses genügt;[15]

— eine *empirische* Analyse des Forschungsobjekts einschließt;

— auf die Gewinnung *neuer* Erkenntnisse gerichtet ist.

Diese allgemeinen Kennzeichen gelten auch für unsere marxistisch-leninistische Sozialforschung, für den sozialwissenschaftlichen Forschungsprozeß." (S. 25)

Dort also ebenso wie bei der hier dargestellten Position geht es nicht um die wiederholte Deskription altbekannter Tatsachen, sondern um Erkenntnisfortschritt. Wenn dabei *andere* Dinge erforscht werden, dann drückt sich darin kein unterschiedliches Methodenverständnis, sondern ein unterschiedliches Erkenntnisinteresse aus.

So ist z.B. nach Auffassung der analytisch-nomologischen Wissenschaftsposition die Fragestellung, unter der ein Forschungsgegenstand untersucht werden kann, „prinzipiell beliebig" (d.h. vom Forscher oder einer anderen Instanz willkürlich formulierbar). Dagegen wird aus dialektisch-marxistischer Sicht sozialwissenschaftliche Forschung gezielt „eingesetzt, um *neues* Wissen zu erlangen, mit dem *wesentliche* Probleme des gesellschaftlichen Lebens gelöst werden

---

15 Das sind in diesem Fall die marxistisch-leninistische Erkenntnistheorie und Weltanschauung (a.a.O., 41); im Falle sog. „bürgerlicher" Sozialforschung werden solche Kriterien und Normen von der analytisch-nomologischen Erkenntnistheorie aufgestellt.

sollen" (a.a.O., S. 27; Hervorhebungen jeweils im Original). Hierin kommt erneut die im ersten Zitat schon geforderte Einheit von Theorie und Praxis zum Ausdruck.

1.5 Exkurs: Unterschiede erkenntnistheoretischer Schulen

Vorbemerkung:

Wie schon der Abschnitt 1.4, beansprucht auch dieser Abschnitt nicht, in irgend einer Weise einen Überblick über die angerissenen unterschiedlichen Wissenschaftspositionen zu geben (eine ausführlichere vergleichende Auseinandersetzung findet sich z. B. bei *Bogumil/ Immerfall* 1985). Vielmehr wird jeweils nur der eine oder andere Aspekt herausgegriffen, um zu illustrieren, daß es *die* Wissenschaft als ein einheitliches und unbestrittenes System der Erkenntnisgewinnung nicht gibt. So existieren höchst unterschiedliche Richtungen, die man der besseren Übersichtlichkeit wegen zu einigen Hauptströmungen zusammenfassen kann; etwa:
- *analytisch-nomologische Richtung* mit Ausprägungen wie Empirismus, logischer Empirismus, Positivismus, Neo-Positivismus, Kritischer Rationalismus, Falsifikationismus, Fallibilismus;
- *hermeneutisch-dialektische Richtung* mit Bezeichnungen wie kritisch-emanzipatorische Richtung, Frankfurter Schule, Kritische Theorie, Historismus, Verstehen-Ansatz, hermeneutischer Ansatz;
- *dialektisch-materialistische Richtung* mit Bezeichnungen wie marxistische, neo-marxistische Richtung, marxistisch-leninistische Wissenschaft, Materialismus (vgl. *Esser/Klenovits/Zehnpfennig* 1977/I, 163ff.).

Hier seien lediglich anhand zweier Kriterien gegenübergestellt: der Kritische Rationalismus (stellvertretend für die analytisch-nomologische Position) und die Kritische Theorie der Frankfurter Schule (stellvertretend für die hermeneutisch-dialektische Position).

1. Kriterium: „Kritik" und Erkenntnisziel:

Strikt erfahrungswissenschaftliche Soziologen verfolgen das Ziel, soziale Phänomene zu *beschreiben* und zu *erklären*. Die angestrebte Theorie ist ein System von empirisch prüfbaren Aussagen. Dabei hat die Empirie eine dominierende Stellung. Die Realität, so wie sie vom Forscher beobachtet werden kann, soll alleinige und letzte Entscheidungsinstanz darüber sein, ob eine Theorie richtig oder falsch ist. Die Entscheidung soll von jedem nachvollzogen werden können: die theoretischen Aussagen und deren empirische Überprüfung müssen intersubjektiv nachvollziehbar, intersubjektiv überprüfbar sein.

Kritik heißt beim „Kritischen Rationalismus": Die Forschungsergebnisse und das Vorgehen beim Erzielen der Ergebnisse sind der ständigen kritischen Überprüfung anderer Forscher, der Öffentlichkeit, ausgesetzt. Erkenntnisziel der Forschung ist die Aufklärung über das, was wirklich ist (wobei die Annäherung an die Wahrheit — „was wirklich ist" — mittels Aussonderung empirisch falsifizierter und härterer Überprüfung bestätigter Theorien versucht wird). Eine *Bewertung* der Realität gehört nicht zum Gegenstand der Wissenschaft[16] (Wertneutralitätspostulat, da Werte nicht wissenschaftlich — „intersubjektiv" — begründbar sind).

Für den *dialektisch-kritischen Ansatz („kritische Theorie")* ergibt sich eine ganz andere Zieldefinition: Nicht nur die Beschreibung und Erklärung sozialer Phänomene (nomologisches Wissen) ist ihr Gegenstand, sondern — vor allem — auch die kritische *Beurteilung* der sozialen Tatbestände. *Kritik* heißt hier nicht kritische Überprüfung theoretischer Aussagen *an* der Realität, sondern kritische Auseinandersetzung *mit* der Realität. Nicht ein eher technisches - wie bei der analytisch-nomologischen Richtung —, sondern ein emanzipatorisches Erkenntnisinteresse ist für dialektisch-kritische Ansätze konstitutiv.

Kritik an der Wirklichkeit als wissenschaftliches Ziel ergibt sich aus der Tatsache, daß der Mensch als wollendes Subjekt den soziologischen Gegenstand, also die soziale Wirklichkeit, selbst produziert hat, und zwar geleitet von Werten und Bedürfnissen. Eine in diesem Sinne als kritisch verstandene Sozialwissenschaft wird sich also „mit der Analyse ‚nomologischen Wissens' nicht begnügen; sie bemüht sich darüber hinaus, zu prüfen, wann die theoretischen Aussagen invariante Gesetzmäßigkeiten des sozialen Handelns überhaupt und wann sie ideologisch festgefrorene, im Prinzip aber veränderliche Abhängigkeitsverhältnisse erfassen. ‚Emanzipatorisch' wird dieses Erkenntnisinteresse deshalb genannt, weil es auf ‚Selbstreflexion' abzielt . . . Eine so verstandene kritische Soziologie ist natürlich nicht wertfrei. Die gegebenen gesellschaftlichen Verhältnisse werden ja daraufhin befragt, ob das, was ist (z. B. ideologische festgefrorene Abhängigkeitsverhältnisse), auch dem entspricht, was statt dessen sein könnte und sein sollte (etwa Selbstreflexion, Mündigkeit)" (*Bellebaum* 1977, 29ff., unter Verweis auf *Habermas*).

Auf solche Aussagen, die sich nicht nur auf das beziehen, was ist, sondern auch auf das, was sein sollte, ist das Kriterium empirischer Prüfbarkeit und intersubjektiver Kontrolle nicht mehr anwendbar. Für einen so konzipierten Erkenntnisprozeß ist denn auch die Funktion empirischer Sozialforschung nicht mehr so zentral wie bei einem strikt erfahrungswissenschaftlichen Ansatz; sie hat aber selbstverständlich auch hier ihren unverzichtbaren Platz.

---

16 Das schließt nicht aus, daß der Forscher als Person, in seiner Eigenschaft als kritisches Mitglied der Gesellschaft eine Bewertung der Realität vornehmen kann und soll.

2. Kriterium: Thematisierung der Wirklichkeit

Aus *erfahrungswissenschaftlicher Sicht* können die Tatbestände der Realität unter einer Unzahl verschiedener Themen angegangen werden. Der Gegenstand sagt nicht aus sich heraus, wie wir ihn betrachten sollen, sondern wir tragen Fragen an den Gegenstand heran. Der Blickwinkel, unter dem wir einen Tatbestand betrachten, ist prinzipiell beliebig. Beispielsweise können wir Gruppen hinsichtlich ihres Einflusses auf andere Gruppen untersuchen, wir können die Machtstruktur einer Gruppe analysieren, wir können uns auch auf die Rolle von Außenseitern oder von Meinungsführern in Gruppen beschränken. Die Begriffe, die wir aufgrund theoretischer Überlegungen oder Vermutungen definieren, „strukturieren die Wirklichkeit".[17]

Vom *dialektisch-kritischen Ansatz* dagegen werden die sozialen Tatbestände als Produkt der jeweiligen gesellschaftlichen Verhältnisse begriffen, in denen auch der Forscher selbst agiert. Der Forscher kann deshalb nicht losgelöst von der gesellschaftlichen Wirklichkeit einzelne soziale Tatbestände untersuchen. Vielmehr haben die Gegenstände − als gesellschaftlich geformte − sozusagen ihre „eigenen Begriffe": die *Gegenstände* lenken die Erkenntnis. „Das entscheidende Spezifikum ist dabei die Tatsache, daß die Theorie über die bewußt gestaltete Praxis Einfluß nimmt. Das heißt, der Einfluß der Praxis findet nicht in vager Form, etwa als ‚soziologischer Alltag' Eingang in den Forschungsprozeß, sondern die Ausführung eines soziologischen Forschungsvorhabens ist selbst Teil der bewußt gestalteten gesellschaftlichen Prozesse. Insofern ist die Auffassung des Forschers von der Gesellschaft zwingend vorgegeben ... Indem also die gesellschaftlichen Prozesse gestaltet werden auf der Grundlage der Kenntnis der grundlegenden Bewegungsgesetze der Gesellschaft, kann die Ausführung von soziologischen Forschungsvorhaben auch nichts weiter sein als ein Stück dieser Gestaltung, die direkte Vorarbeit zu praktischen Maßnahmen" (*Koch* 1976, 56f.). Will der Forscher aus dieser Situation ausbrechen, muß er die eigene Situation in ihren Abhängigkeiten reflektieren, er muß den Sinn dieses Zusammenhangs und dessen Einflüsse auf die Erkenntnis zu durchdringen suchen (nach Habermas: „hermeneutische Explikation").

---

17 D. h. sie legen z. B. fest, ob wir regelmäßige Kontakte zwischen Personen als ein Netz von Interaktionen zwischen Individuen oder als ein „soziales System" (oder Teilsystem) betrachten.

1.6 Literatur zu Kap. 1

Albert, Hans, 1971: Plädoyer für kritischen Rationalismus, München
-,1973: Probleme der Wissenschaftslehre in der Sozialforschung, in: *König*, R. (Hg.), Handbuch der empirischen Sozialforschung, Bd. 1, Stuttgart (3. Aufl.), 57-103
-,1972: Theorie und Realität, Tübingen
Bellebaum, Alfred, 1977: Handlungswert der Soziologie. Vermittlungs- und Verwertungsprobleme, Meisenheim a. G.
Berger, Hartwig, 1974: Untersuchungsmethode und soziale Wirklichkeit, Frankfurt/M.
Bogumil, Jörg; *Immerfall*, St., 1985: Wahrnehmungsweisen empirischer Sozialforschung. Zum (Selbst-)Verständnis des sozialwissenschaftlichen Erfahrungsprozesses, Frankfurt/M., New York
Esser, Hartmut; *Klenovits*, K.; *Zehnpfennig*, H., 1977: Wissenschaftstheorie, 2 Bde., Stuttgart
Friedrich, Walter; *Hennig*, W., 1975: Der sozialwissenschaftliche Forschungsprozeß. Zur Methodologie, Methodik und Organisation der marxistisch-leninistischen Sozialforschung, Berlin-DDR
Giesen, Bernhard; *Schmid*, M., 1976: Basale Soziologie: Wissenschaftstheorie, München
Hartmann, Heinz, 1970: Empirische Sozialforschung, München, Kap. 1-3, 9
Hülst, Dirk, 1975: Erfahrung – Gültigkeit – Erkenntnis. Zum Verhältnis von soziologischer Empirie und Theorie, Frankfurt/M., New York
Koch, Ursula, 1976: Bürgerliche und sozialistische Forschungsmethoden? Zur Rezeption empirischer Sozialforschung in der DDR, Frankfurt/M.
König, René, 1973: Einleitung in: Handbuch der emprischen Sozialforschung. Bd. 1, Stuttgart (3. Aufl.), 1-20
Kuhn, Thomas S., 1967: Die Struktur wissenschaftlicher Revolutionen, Frankfurt/M.
Lakatos, Imre; *Musgrave*, Alan (Hg.), 1974: Kritik und Erkenntnisfortschritt, Braunschweig
Opp, Karl-D., 1976: Methodologie der Sozialwissenschaften, Reinbek
-,1984: Wissenschaftstheoretische Grundlagen der empirischen Sozialforschung, in: *Roth*, E. (Hg.): Sozialwissenschaftliche Methoden. Lehr- und Handbuch für Forschung und Praxis, München, Wien, 47-71
Popper, Karl R., 1971: Logik der Forschung, Tübingen
-,1973: Objektive Erkenntnis, Hamburg
Prim, Rolf; *Tilmann*, H., 1975: Grundlagen einer kritisch-rationalen Sozialwissenschaft, Heidelberg (UTB 221)
Topitsch, Ernst (Hg.), 1972: Logik der Sozialwissenschaften, Köln
Wolf, Willi, 1972: Empirische Methoden in der Erziehungswissenschaft, in: *Erziehungswissenschaft 3*, Frankfurt/M. (Funkkolleg), 81-125
Zetterberg, Hans L., 1973: Theorie, Forschung und Praxis in der Soziologie, in: *König*, R. (Hg.), Handbuch der empirischen Sozialforschung, Bd. 1, Stuttgart (3. Aufl.), 103-160

2. Forschung als Entscheidungsprozeß

Die Methoden der empirischen Sozialforschung sind Verfahrensregeln formaler Art, die sicherstellen sollen, daß ihre Ergebnisse einen angebbaren Grad von Verbindlichkeit haben. Zu diesem Zweck hat sich die empirische Sozialforschung auf ein bestimmtes Vorgehen bei der Untersuchung sozialer Realität geeinigt. Dieses bezieht sich auf Entscheidungen, die im Forschungsprozeß zu treffen sind.

Im folgenden Abschnitt werden die in jedem Forschungsprojekt notwendigen Entscheidungen sowie dabei auftretende Probleme kurz aufgelistet, ohne schon näher erläutert werden zu können. Ihre ausführliche Behandlung bleibt den späteren Kapiteln vorbehalten. Die Funktion des Abschnitts 2.1 ist insbesondere, den „roten Faden" für den weiteren Text zu liefern. Dabei sollte sich der Leser jedoch bewußt bleiben, daß die hier gewählte Reihenfolge der Entscheidungen idealtypischen Charakter hat. Im realen Forschungsablauf werden Überschneidungen, Sprünge und Rückkoppelungen die Regel sein (*Walter-Busch* 1975, 48ff.).

2.1 Der Forschungsprozeß als eine Reihe ineinander verzahnter Entscheidungen

Jedes Forschungsvorhaben impliziert vom Beginn bis zum Abschluß eine Fülle von Entscheidungen über den Umgang mit anfallenden Problemen (Eingrenzung des Themas, Wahl der Instrumente, Auswahl der Untersuchungsobjekte, Anwendung statistischer Verfahren usw.), die erhebliche Auswirkungen auf das Forschungsresultat haben können und deshalb zur Sicherung der intersubjektiven Nachprüfbarkeit sorgfältig zu dokumentieren sind. *Schrader* (1971) behandelt solche bewußt zu entscheidenden Fragen in seinem „Planungs- und Bewertungsschema für ein problemorientiertes, nicht-experimentelles Forschungsprojekt" unter immerhin 44 Paragraphen. Die in jedem Forschungsvorhaben notwendigen Entscheidungen lassen sich nicht eindeutig in eine zeitliche Reihenfolge bringen. Sie sind vielfältig ineinander verzahnt, und häufig wird in einer fortgeschrittenen Forschungsphase die Rückkehr zu Punkten erforderlich, die eigentlich schon „abgehakt" waren.

Inhaltlich richten sich die vom Forscher zu treffenden Entscheidungen auf folgende Punkte (einige der dabei zu beantwortenden Fragen sind jeweils mit aufgeführt):[17a]

a) Klärung des „Entdeckungs-" und des „Verwertungszusammenhangs":
— Handelt es sich um ein dem Forscher vorgegebenes oder ein von ihm selbst gestelltes Problem?
— Wessen Probleme werden aufgegriffen? Wessen Interessen werden berührt?
— Für welche Zwecke sollen die Ergebnisse verwendet werden?

b) Präzisierung der Problemformulierung, „dimensionale Analyse" (*Zetterberg* 1973):
— Welche Bereiche („Dimensionen") der Realität sind durch die Problemstellung explizit angesprochen?
— Welche Dimensionen werden berührt, ohne direkt angesprochen zu sein?
— Können die als relevant angenommenen Dimensionen zusammengefaßt werden, oder müssen sie differenziert betrachtet werden?

c) Zuordnung von sozialwissenschaftlichen (per Definition eingeführten oder zum Grundvokabular gehörenden) Begriffen zu den als relevant angenommenen Dimensionen (= Abbildung der Realität durch Symbole, im allgemeinen durch sprachliche Symbole):
— Welche Selektion unter den prinzipiell unendlich vielen Aspekten, unter denen die relevanten Bereiche der Realität gesehen und beschrieben werden können, ist mit dieser Zuordnung impliziert?
— Werden durch die Wahl der für Definitionen verwendeten Merkmale möglicherweise vorhandene Beziehungen zwischen den realen Erscheinungen verschleiert, „wegdefiniert"?
— Sind die Definitionen für die gewählte Fragestellung „zweckmäßig"?

d) Einordnung der Problemstellung in vorhandene Kenntnisse (Theorien, Forschungsergebnisse); Hypothesenbildung unter Verwendung der definierten Begriffe:

17a Zur Funktion der folgenden Aufzählung vgl. die Vorbemerkung auf der vorhergehenden Seite.

- Welche Kenntnisse sind über Beziehungen zwischen den durch die Problemstellung angesprochenen Dimensionen bereits vorhanden? Welche Vermutungen können zusätzlich formuliert werden?
- Welche Untersuchungsanlage (z. B. sample survey, Experiment, Sekundäranalyse) ist dem Forschungsproblem angemessen?

e) Auswahl von „Indikatoren" für die verwendeten Begriffe (falls erforderlich):
- Haben die Begriffe einen direkten empirischen Bezug (d. h. sind sie direkt beobachtbar/meßbar)?
- Faßt der Begriff mehrere Dimensionen der Realität zusammen, so daß von einzelnen Aspekten auf den Gesamtbegriff (auf das sprachliche Konstrukt) geschlossen werden muß?
- Ist das mit dem Begriff bezeichnete reale Phänomen zwar prinzipiell beobachtbar, praktisch jedoch nur unter großen Schwierigkeiten?
- Ist der mit dem Begriff bezeichnete Sachverhalt überhaupt nicht direkt beobachtbar, so daß vom Vorliegen anderer, direkt beobachtbarer Sachverhalte auf das Vorhandensein des gemeinten Phänomens geschlossen werden muß?
- Welche Kenntnisse über besonders wichtige Dimensionen eines mehrdimensionalen Phänomens sind vorhanden, um geeignete Indikatoren auswählen zu können?
- **Welche Kenntnisse über Zusammenhänge zwischen nicht (oder nicht ohne weiteres) direkt beobachtbaren Sachverhalten und anderen, beobachtbaren Sachverhalten sind vorhanden, um Indikatoren für die nicht beobachtbaren Phänomene auswählen zu können (z.B. Kenntnisse über Wirkungszusammenhänge)?**

f) Festlegung der zu unterscheidenden Ausprägungen der Begriffe resp. der Indikatoren sowie Angabe der Meßinstrumente („Operationalisierung" der Begriffe):
- Auf welchem Skalenniveau wird gemessen?
- Mit welchen „Instrumenten" sollen die Ausprägungen der Variablen festgestellt werden? Nach welchen Regeln sollen die Instrumente angewendet werden? Wie muß die Situation beschaffen sein, in der die Messung vorgenommen wird?
- Sind die Indikatoren und die gewählten Ausprägungen „gültig", d.h. erfassen sie genau diejenigen Tatbestände und diejenigen Differenzierungen der Realität, die mit der Forschungs-Problemstellung gemeint sind?
- Werden durch operationale Festlegungen möglicherweise vorhandene Beziehungen zwischen den realen Erscheinungen „wegoperationalisiert"?

– Sind die verwendeten Instrumente zuverlässig, d. h. führt ihre wiederholte Anwendung – auch von verschiedenen Forschern – unter gleichen Bedingungen zu gleichen Ergebnissen?

g) Auswahl der Objekte (Merkmalsträger), bei denen die Variablenausprägungen gemessen werden sollen:
– Wer sind die Merkmalsträger (z. B. Personen, Gebiete, Zeitschriftenartikel, Zeitpunkte)?
– Sollen alle Objekte, auf die sich die Problemstellung bezieht, untersucht werden oder nur ein Teil davon? Bei Teilauswahlen: Sollen besonders typische Fälle herausgegriffen werden, oder ist eine „repräsentative" Auswahl erforderlich?

h) Erhebung der Daten (Protokollierung der beobachteten Merkmalsausprägungen je Untersuchungsobjekt; „Feldarbeit") und Aufbereitung der Daten:
– Ist eine Primärerhebung erforderlich, oder existieren die benötigten Informationen bereits anderswo (Sekundärauswertung)?
– Sind besonders geschulte Personen für die Datenerhebung erforderlich?
– Kann die Zuverlässigkeit der Datenerhebung kontrolliert werden? Sind die verwendeten „Meßinstrumente" zuverlässig?
– In welcher Weise sollen die Beobachtungsprotokolle aufbereitet werden? Ist im Hinblick auf die Auswertung eine Übertragung auf Datenträger (für automatische Datenverarbeitung) erforderlich?

i) Verringerung der Unübersichtlichkeit der Informationsfülle, Straffung und Verdichtung von Informationen (Anwendung statistischer Modelle und Verfahren):
– Sollen die erhobenen Daten quantitativ ausgewertet werden?
– Existieren geeignete statistische Modelle, die bei gegebenem Meßniveau der Struktur der Realität angemessen sind?

k) Interpretation der Ergebnisse; Rückbezug zu den Punkten a) bis i).

Im *Interpretationsprozeß* sind folgende Fragen zu klären:
– Sind die statistischen Modelle sowohl dem Meßniveau der Daten als auch der empirischen Realität angemessen? Werden die im Hinblick auf die Problemstellung wesentlichen Informationen ausgewertet? Können also die berechneten Beziehungen zwischen den Daten (= zwischen den Reihen von Zahlen) überhaupt in Beziehungen zwischen Dimensionen der Realität zurückübersetzt werden? (vgl. i). Wenn ja:
– Gelten die ermittelten Beziehungen nur für die untersuchte Menge von Objekten (= rein deskriptive Untersuchung), oder können die Ergebnisse auf ähnliche Objekte oder auf eine größere Gesamtheit

verallgemeinert werden? (vgl. g: Problem der Repräsentativität der Stichprobe)
- Sind die Daten zuverlässig gemessen/erhoben und aufbereitet worden? Können die ermittelten Beziehungen zwischen den Daten also als Beziehungen zwischen den Variablen interpretiert werden? (vgl. h: Problem der Zuverlässigkeit)
- Sind geeignete Methoden gewählt worden? Die Fragestellung bei traditionellen empirischen Untersuchungen lautet: Welche Methoden der Datenerhebung sind geeignet, 1. die Dimensionen der Realität adäquat zu erfassen, ohne sie 2. durch die Datenerhebung selbst zu verändern?[18]
- Sind die Ausprägungen der Variablen in geeigneter Weise abgegrenzt worden? Können also die ermittelten Beziehungen zwischen den Variablen als Beziehungen zwischen den (empirischen) Indikatoren interpretiert werden? (vgl. f)
- Sind die geeigneten Indikatoren für die mit Begriffen bezeichneten Sachverhalte gewählt worden? Können die ermittelten Beziehungen zwischen den Indikatoren als Beziehungen zwischen den (mit Begriffen bezeichneten) Dimensionen der Realität interpretiert werden? (vgl. e und f: Problem der Gültigkeit der Operationalisierung)
- Werden die vorher formulierten Hypothesen bzw. Theorien (vgl. d) durch die Ergebnisse (vorläufig) bestätigt? Oder müssen die Hypothesen verworfen bzw. umformuliert werden? (Falsifikationsproblem). Lassen sich aufgrund der Ergebnisse neue Hypothesen formulieren?
- Ergeben sich durch die Resultate der Untersuchung Konsequenzen für die Auswahl und Abgrenzung der (bezüglich der Problemstellung) als relevant angenommenen Dimensionen der Realität sowie für die Definition der benutzten Begriffe (d. h. wurden relevante Dimensionen nicht berücksichtigt, haben sich Definitionen als nicht brauchbar erwiesen)? (vgl. b und c)
- Welche Konsequenzen für die eingangs formulierte Problemstellung lassen sich aus den Ergebnissen ableiten? Können die auf der Ebene der Symbole (Begriffe, Sprache) gefundenen Erkenntnisse auf die Realität bezogen werden (Praxisrelevanz; Verwertungszusammenhang)?

2.2 Entdeckungs-, Begründungs- und Verwertungszusammenhang

Die Punkte b bis k werden im folgenden noch eingehend behandelt. Einige nähere Erläuterungen zum Punkt a scheinen jedoch schon an

18 Zu alternativen Vorgehensweisen („Aktionsforschung") vgl. Kap. 9.2.

dieser Stelle erforderlich. Dazu soll die häufig benutzte Unterscheidung zwischen Entdeckungs-, Begründungs- sowie Verwertungs- und Wirkungszusammenhang der Forschung (z. B. *Friedrichs* 1977, 50ff.) herangezogen werden. Sie geht im wesentlichen auf *Reichenbach* zurück (context of discovery, context of justification) und erweist sich als nützlich in der Einschätzung des Werturteilsfreiheits-Postulats der Erfahrungswissenschaft, das sich nur auf den sog. B e g r ü n d u n g s - z u s a m m e n h a n g bezieht, worunter „die methodologischen Schritte zu verstehen (sind), mit deren Hilfe das Problem untersucht werden soll" (*Friedrichs* 1977, 52f.). Befürworter der W e r t u r t e i l s f r e i h e i t setzen nämlich per Definition fest: Lediglich die Probleme des Begründungszusammenhangs gehören zum eigentlichen Bereich der Forschung, in dem mit den Mitteln der Erfahrungswissenschaft begründbare und intersubjektiv nachprüfbare Resultate erzielt werden können.

Für das Feld des Begründungszusammenhangs soll nun gelten:

a) *Werturteile* (normative Aussagen) können nicht *Inhalt* erfahrungswissenschaftlicher Aussagen sein. Werturteile sind nicht intersubjektiv nachprüfbar, sie informieren nicht über einen Gegenstandsbereich, sondern über die wertende Person. Bei identischen Sachverhalten können verschiedene Personen zu unterschiedlichen Wertungen gelangen.

b) Werturteile können dagegen sehr wohl zum *Gegenstand* sozialwissenschaftlicher Untersuchungen und erfahrungswissenschaftlicher Aussagen gemacht werden (z. B. Analyse des Ideologiegehalts von Propagandasendungen).

c) *Vorab* zu fällende Werturteile schließlich sind *Grundlage* jeder wissenschaftlichen Aussage. Wissenschaftstheorie und Methodologie sind normativ: Sie setzen fest, welche Aussagen als zum Bereich der definierten Wissenschaft zugehörig gelten sollen und welche nicht (s. o. „Abgrenzungskriterium"); sie setzen fest, unter welchen Bedingungen eine Aussage als wahr oder zumindest vorläufig bestätigt akzeptiert bzw. wann sie als falsch zurückgewiesen werden soll. Solche immanenten Basisregeln des Forschens sind es gerade, die intersubjektiv überprüfbare wissenschaftliche Entscheidungen ermöglichen (sollen). Sie beruhen auf dem Konsens der Wissenschaftler einer „Wissenschaftlergemeinde" (scientific community), sind also nicht in das Belieben des *einzelnen* Forschers gestellt (vgl. *Albert* 1972 u. 1973).[19]

Diese *wissenschaftsimmanenten Normen* informieren in diesem Fall nicht über die Person des einzelnen Forschers (vgl. a), sondern über die „Wissenschaftlergemeinde", nämlich über deren Regeln für „wissenschaftliches Vorgehen".

---

19 Methodologische Standards, die zu bestimmten Zeitpunkten allgemein anerkannt sind, müssen jedoch nicht „für alle Zeiten" festgeschrieben sein (vgl. die Diskussion bei Galtung 1978).

Das *Werturteilsfreiheits-Postulat* kann nach diesen Überlegungen dahingehend präzisiert werden: Innerhalb des Begründungszusammenhangs erfahrungswissenschaftlicher Forschung ist auf andere als wissenschaftsimmanente Wertungen zu verzichten! Abgesehen davon, daß sehr schwer abgrenzbar ist, welche Forschungsentscheidung schon (bzw. noch) zum „Begründungszusammenhang" gehört (eine Durchsicht der einzelnen Punkte in Abschn. 2.1 dürfte das deutlich machen), bleibt weiterhin umstritten, ob eine Realisierung des Werturteilsfreiheitspostulats — auch in der präzisierten Formulierung — zumindest denkbar ist. Unbestritten dagegen ist, daß in den Bereichen des Entdeckungs- und des Verwertungszusammenhangs der Forschung eine Fülle von (nicht wissenschaftsimmanenten) Werturteilen zu fällen ist.

Dabei ist unter Entdeckungszusammenhang „der Anlaß zu verstehen, der zu einem Forschungsprojekt geführt hat" (*Friedrichs* 1977, 50). Hier spielen Interessen immer eine Rolle, etwa: das Erkenntnisinteresse eines Wissenschaftlers, der aufgrund vorliegender widersprüchlicher Befunde sozialwissenschaftliche Theorien testen und fortentwickeln möchte; problembezogene politische Interessen, wenn z. B. vom Forscher (oder Auftraggeber) soziale Situationen gesehen werden, die nicht im Einklang mit bestimmten Soll-Vorstellungen stehen. Insbesondere bei Auftragsforschung sollte also bei der Lektüre von Forschungsberichten immer die Frage geklärt werden, wessen Probleme und Interessen aufgegriffen worden sind (bzw. wessen Probleme/Interessen ausgeklammert wurden!)

Letzteres verweist bereits auf die enge Verzahnung von Entdeckungszusammenhang und Verwertungs- sowie Wirkungszusammenhang der Forschung, worunter die „Effekte einer Untersuchung verstanden werden, ihr Beitrag zur Lösung des anfangs gestellten Problems" (*Friedrichs* 1977, 54). Jede Untersuchung erweitert Wissen über soziale Zusammenhänge, kann zur Lösung sozialer Probleme beitragen (wenn die neugewonnenen Kenntnisse mit diesem Ziel eingesetzt werden) oder diese Lösung verhindern bzw. zumindest verzögern (wenn Kenntnisse bewußt zurückgehalten werden oder wenn durch Untersuchung bestimmter sozialer Fragen andere Probleme unbeachtet bleiben).

2.3 Literatur zu Kap. 2

Alemann, Heine von, 1977: Der Forschungsprozeß. Eine Einführung in die Praxis der empirischen Sozialforschung, Stuttgart

Albert, Hans, 1972: Wertfreiheit als methodisches Prinzip. Zur Frage der Notwendigkeit einer normativen Sozialwissenschaft; in: *Topitsch*, E. (Hg.), Logik der Sozialwissenschaften, Köln, 181-210

-, 1973: Probleme der Wissenschaftslehre in der Sozialforschung; in *König*, R.

(Hg.), Handbuch der empirischen Sozialforschung, Bd. 1, Stuttgart (3. Aufl.), 57-103

Atteslander, Peter, 1969: Methoden der empirischen Sozialforschung, Berlin, Kap. I, X.

Buchhofer, Bernd, 1979: Projekt und Interview. Eine empirische Untersuchung über den sozialwissenschaftlichen Forschungsprozeß und seine sozio-ökonomischen Bedingungen, Weinheim

Friedrich, Walter; *Hennig*, W., 1975: Der sozialwissenschaftliche Forschungsprozeß. Zur Methodologie, Methodik und Organisation der marxistisch-leninistischen Sozialforschung, Berlin-DDR, Teil B Kap. 1.1-1.3, 3.3

Friedrichs, Jürgen, 1977: Methoden empirischer Sozialforschung, Reinbek, Kap. 1, 2.1, 3

Galtung, Johan, 1978: Methodologie und Ideologie, Frankfurt/M.

Riley, Mathilda, W., 1963: Sociological Research. A Case Approach, New York

Schrader, Achim, 1971: Einführung in die empirische Sozialforschung, Stuttgart, Berlin

Walter-Busch, Emil, 1975: Probleme der Wissenschaftstheorie in der Methodenlehre empirischer Sozialforschung, in: Zeitschrift für Soziologie, Jg. 4, Heft 1, 46-69

Zetterberg, Hans L., 1973: Theorie, Forschung und Praxis in der Soziologie, in: *König*, R. (Hg.), Handbuch der empirischen Sozialforschung, Bd. 1, Stuttgart (3. Aufl.), 103-160

3. Die empirische „Übersetzung" des Forschungsproblems

3.1 Problempräzisierung und -strukturierung: dimensionale und semantische Analyse

Wenn der Wissenschaftler sein Forschungsproblem abgegrenzt hat (bzw. bei Auftragsforschung: wenn ihm die Fragestellung vorgegeben worden ist) und wenn er sich über die Relevanz des Problems, über damit verbundene Interessen klar geworden ist, dann ist doch in aller Regel die Problemformulierung noch recht grob. Bevor er sich ernsthaft Gedanken über seine konkrete Forschungsplanung machen kann, wird er noch einige Überlegungen in die Präzisierung der Aufgabenstellung investieren müssen.

In dieser Phase des Forschungsprozesses läßt sich nun das Vorgehen – zumindest analytisch – danach unterscheiden, ob die Aufgabenstellung auf die Überprüfung einer Hypothese/Theorie gerichtet ist (theorietestende/hypothesentestende Analyse), oder ob es sich um die Beschreibung eines mehr oder weniger komplexen sozialen Sachverhalts oder Zusammenhangs handelt (deskriptive Untersuchung)[20].

Im Falle einer *deskriptiven Untersuchung* nämlich (z. B. als Vorstadium zur Theoriebildung oder bei Auftragsforschung) wird es sich um eine allenfalls vorläufige Abgrenzung handeln. Vor jeder Datenerhebung muß daher präzise festgelegt werden, welche Aspekte (Dimen-

---

20 In Wirklichkeit ist diese strikte Trennung in deskriptive Studien auf der einen und analytische/theorietestende Untersuchungen auf der anderen Seite zu grob. Jede Beschreibung setzt gewisse Annahmen über den Gegenstandsbereich (zumindest also „Alltagstheorien") voraus. Und zu testende Hypothesen/Theorien haben einen unterschiedlichen Allgemeinheitsgrad, wobei die Trennungslinie zwischen (noch) „Verbalisierung beobachteter empirischer Regelmäßigkeiten" und (schon) „Theorie" unscharf wird.

sionen) der immer sehr vielschichtigen sozialen Realität mit empirischen Mitteln abgebildet werden sollen, über welche Sachverhalte und Beziehungen konkret Informationen zu beschaffen sind. Die Aufgabenstellung lautet in solchen Untersuchungen: „Diagnose" des Gegenstandsbereichs. Die für diese Diagnose zu verwendenden Begriffe aber müssen zunächst festgelegt werden; und damit die Forschungsresultate nicht lediglich einen bestehenden Datenfriedhof vergrößern, sollten die verwendeten Begriffe „theoretisch relevant" sein (darauf wird an späterer Stelle noch eingegangen; vgl. auch Abschn. 1.3: „deskriptives Schema").

Handelt es sich bei der Aufgabenstellung dagegen um die *Überprüfung einer Theorie,* dann hat es der Forscher schon mit „theoretischen Begriffen" zu tun, das heißt mit Begriffen, die bewußt so allgemein und umfassend gehalten sind, daß sie üblicherweise mehr als eine eng abgrenzbare Menge konkreter Ereignisse umgreifen (es sei erinnert an das o. g. Ziel empirischer Sozialwissenschaft, möglichst allgemeine Theorien mit hohem Informationsgehalt zu formulieren und zu testen). In diesem Falle muß festgelegt werden, welches die konkreten empirischen Beziehungen und Sachverhalte sein sollen, auf die die theoretische Aussage anzuwenden sei. Mit anderen Worten: Aus der (allgemeinen) Theorie sind unter Einhaltung logischer Regeln spezifische Hypothesen für spezifische Sachverhalte abzuleiten (Deduktion). Hierzu ist es in aller Regel notwendig, die in der Theorie verwendeten „theoretischen Begriffe" oder Konstrukte zu spezifizieren, d. h. ihren Bedeutungsgehalt festzulegen (s. u.: „semantische Analyse"). Für die dann angesprochenen spezifischen Sachverhalte muß sich die (allgemeine) Theorie „bewähren". Jede denkmögliche empirische Situation, die von der Theorie ausgeschlossen wird, ist ein „potentieller Falsifikator" dieser Theorie. Festlegung der zwecks Hypothesentests zu untersuchenden konkreten empirischen Beziehungen und Sachverhalte heißt also: aus der Gesamtheit der potentiellen Falsifikatoren einer Hypothese (bzw. Theorie) eine Auswahl zu treffen.[21]

Gemeinsam ist beiden Ausgangssituationen die Notwendigkeit, die *empirische Wirklichkeit mit Begriffen zu verknüpfen;* also entweder relevante Dimensionen der zu untersuchenden Realität mit Begriffen zu bezeichnen oder umgekehrt – von theoretischen Begriffen ausgehend – die Begriffe mit konkreten Aspekten der Wirklichkeit in Beziehung zu setzen, anzugeben, welche Aspekte der Realität im kon-

---

21 Dieser Konfrontation der Theorie mit Fakten (Beobachtungsdaten) mittels „empirischer Anwendung der abgeleiteten Folgerungen" haben jedoch drei andere Prüfungsdurchgänge voranzugehen: (1) der logische Vergleich der Folgerungen (der abgeleiteten Hypothesen) untereinander, d. h. die Suche nach internen Widersprüchen, (2) die logische Analyse der Theorie auf ihren empirischen Gehalt (vgl. oben, Abschn. 1.2), (3) der Vergleich mit alternativen Theorien (Popper 1971; Opp 1976, Kap. VIII).

kreten Untersuchungsfall unter den Begriff subsumiert werden sollen. Es muß — mit anderen Worten — eine Korrespondenz zwischen empirischen Sachverhalten und sprachlichen Zeichen hergestellt werden.

Dies geschieht durch Definitionen, in denen Aspekte der Realität (nach Zweckmäßigkeitsgesichtspunkten) durch sprachliche Zeichen (= Begriffe) repräsentiert werden. Der Definition hat also entweder eine dimensionale Analyse des Gegenstandsbereichs voranzugehen (bei deskriptiven Studien); d. h. die für die Diagnose relevanten Aspekte der zu untersuchenden Situation werden herausgearbeitet und mit Begriffen (mit sprachlichen Symbolen) „bezeichnet". Oder (bei hypothesentestenden Analysen) der für die Untersuchung geltenden Definition hat eine semantische Analyse der theoretischen Begriffe voranzugehen; d. h. es wird geklärt, in welcher Bedeutung die interessierenden Begriffe im theoretischen Zusammenhang verwendet werden und welche Aspekte der Realität den — vorgegebenen — theoretischen Begriffen entsprechen (sollen). Hier zeigt sich die Problematik, die daraus resultiert, daß beim empirischen Vorgehen die Hypothese (die theoretische Aussage) nicht direkt mit der Realität konfrontiert werden kann, sondern nur mit *Aussagen über* die Realität. Die Verknüpfung des Begriffs mit empirischen Sachverhalten hat nun in der Erfahrungswissenschaft in einer Weise zu geschehen, daß durch Beobachtung, Befragung, Inhaltsanalyse usw. entscheidbar wird, ob der gemeinte Sachverhalt in der Realität vorliegt oder nicht (man nennt dies Operationalisierung, operationale Definition, Referition).

In den vorangegangenen Abschnitten sind einige zentrale Fachausdrücke zunächst ohne hinreichende Erläuterung eingeführt worden. Sie werden jedoch an geeigneter Stelle noch ausführlich behandelt. Vorerst seien hier zwei Worte herausgegriffen: „Begriffe" und „Dimensionen". Beide beziehen sich aufeinander; und zwar soll — nach *Zetterberg* (1973) — unter Dimension eine „Eigenschaft der Wirklichkeit", des Gegenstandsbereichs verstanden werden; Begriffe dagegen sind Bestandteil der Sprache, mit denen der Gegenstandsbereich „besprochen", bezeichnet wird. Man kann für die gleiche Dimension der Realität verschiedene Begriffe prägen — Synonyme wie Automobil oder Kraftfahrzeug oder Auto oder Kfz —; man kann auch für unterschiedliche Gegenstände der Realität den gleichen Begriff benutzen (Homonyme, Homogramme), wobei sich erst aus dem Kontext ergibt, ob z. B. der Hahn auf dem Hühnerhof oder der an der Wasserleitung gemeint ist.

Zusammengefaßt: Bei deskriptiver Aufgabenstellung wird es die erste Aufgabe des Forschers sein, die nach der Fragestellung zu erfassenden Dimensionen der Wirklichkeit festzulegen und abzugrenzen. Wenn dies auf der gedanklichen Ebene geschehen ist — zugegebenermaßen eine Abstraktion —, dann muß der Forscher dazu die geeigneten deskriptiven

Kategorien definieren. Diesen gesamten Vorgang nennt *Zetterberg* „dimensionale Analyse"[22]. Ziel der dimensionalen Analyse bei sozialwissenschaftlichen Forschungen ist demnach die Aufstellung eines Begriffssystems der Dimensionen des Sozialen. Dieses Begriffssystem ist der Orientierungsrahmen bei deskriptiver Forschung. Das Begriffssystem soll zugleich auch „theoretisch relevant" sein, damit die Ergebnisse zur Theoriebildung und -fortentwicklung verwendet werden können. Bei hypothesentestenden Untersuchungen, bei denen man ja von Begriffen ausgeht, die bereits (im verwendeten theoretischen Zusammenhang) konventionell festgelegt worden sind, steht am Anfang die präzise semantische Analyse[23] der Begriffe. D. h. die Begriffe werden in ihre konventionell gesetzten Bedeutungskomponenten zerlegt; es wird festgestellt, auf welche Bedeutungsdimensionen sich der theoretische Begriff bezieht. In Analogie zum zuerst geschilderten Vorgehen könnte man von einer „Analyse der Bedeutungsdimensionen" sprechen.

Was ist nun mit dem zuletzt so häufig benutzten Begriff „Dimension" gemeint (und zwar gleichgültig, ob „Bedeutungsdimension" oder „Dimension der Wirklichkeit")?

Als *Beispiel* möge der Begriff „individuelle Lebensqualität" dienen. Mit ihm wird ein empirischer Sachverhalt bezeichnet, der u. a. dadurch gekennzeichnet ist, daß er nicht nur einen einzigen Aspekt hat, daß er also nicht „eindimensional" ist. Der gemeinte Sachverhalt „Lebensqualität" setzt sich vielmehr nach übereinstimmender Vorstellung aus einer Vielzahl von Teilaspekten (eben: „Dimensionen") zusammen, die sehr unterschiedlich ausgeprägt sein können: Umweltqualität insgesamt, Wohnumwelt, Wohnung, Konsummöglichkeiten, Freizeit, Berufs- und Arbeitssituation, Familiensituation und noch manches mehr. Alles dies sind „Dimensionen der Lebensqualität", Aspekte der Realität, aufgrund derer wir entscheiden (können), ob die Lebensqualität „hoch" oder „niedrig" ist, genauer: ob die Lebensqualität als hoch oder niedrig gelten soll.

---

22 „In der modernen soziologischen Theorie richtete sich die Aufmerksamkeit in starkem Maße auf die Entwicklung von Definitionen deskriptiver Kategorien (Taxonomien). Wir wollen dies dimensionale Analyse nennen. . . . Den besonderen Aspekt der Wirklichkeit, den ein Wissenschaftler behandeln will, nennen wir eine „Dimension der Natur". Diese Dimensionen werden mit verschiedenen Namen oder „Begriffen" bezeichnet." (Zetterberg 1973, 105). − Statt von dimensionaler Analyse kann man auch − wie Holm − von „dimensionaler Auflösung" des Forschungsproblems sprechen: „Die . . . explizierte Fragestellung befähigt nun jedoch noch nicht dazu, einen Fragebogen zu entwerfen. Zuvor muß noch ein außerordentlich wichtiger Schritt getan werden. Wir nennen diesen: ‚Auflösung der Fragestellung in ein aus verschiedenen Variablen (oder Dimensionen) gebildetes Modell'. Oder kurz: ‚dimensionale Auflösung' " (Holm 1975, 15).

23 „Semantik" nennt man die Lehre von den sprachlichen Zeichen und ihrer Bedeutung.

Nehmen wir von den aufgezählten Dimensionen eine heraus: die Familiensituation. Auch hiermit ist wieder ein empirischer Sachverhalt gemeint, der nicht eindimensional ist. Wiederum kann man verschiedene Aspekte unterscheiden: Grad der emotionalen Sicherheit (z. B. Konfliktfreiheit, Familiengebundenheit der Kinder usw.), materielle Sicherheit, Familienzyklus und einiges mehr. Auch von diesen „Unterdimensionen" sei eine herausgegriffen: Familien- oder Lebenszyklus. Erneut handelt es sich um einen empirischen Sachverhalt, der offensichtlich nicht eindimensional ist; denn darunter wird eine Kombination der Merkmale Alter, Familienstand, Kinder im Haushalt verstanden. Beispielsweise bezeichnen die Kombinationen: „jung/verheiratet/kinderlos" eine „Familie im Gründungsstadium" und: „alt/verheiratet/Kinder nicht mehr im Haushalt der Eltern" eine „reduzierte Familie".

Erst die Merkmale, aus denen sich „Familienzyklus" zusammensetzt – Alter, Familienstand, Kinder im Haushalt – sind „eindimensional": Jedes dieser Merkmale kann auf einer einfachen Skala abgebildet werden: Altersangabe in Jahren, Familienstand auf einer Nominalskala (ledig, verheiratet, geschieden etc.) und Kinder im Haushalt in natürlichen Zahlen.

Unter „Dimensionen" sind also diejenigen Einzelheiten zu verstehen, die an einem empirischen Sachverhalt unterschieden werden können. Je nach Fragestellung kann diese dimensionale Unterscheidung weit vorangetrieben werden (im Beispielsfall etwa bis hin zu Individualmerkmalen wie Alter, Familienstand, Kinderzahl), oder man wird sich auf einer höheren Abstraktionsstufe bewegen (z. B. wenn Dimensionen der Lebensqualität in verschiedenen Regionen zu untersuchen sind). Auf derjenigen Ebene, bis zu der die dimensionale Unterscheidung vorangetrieben wird, setzt der Forscher für die zu unterscheidenden Dimensionen Begriffe ein, die zu definieren und für die gegebenenfalls Indikatoren festzulegen sind.[24]

Präzisierung der Fragestellung, dimensionale bzw. semantische Analyse sind (wie die gesamte Konzeptualisierung des Forschungsvorhabens) wichtige und für den erfolgreichen Verlauf eines Forschungsprojekts kritische Punkte. Festlegungen auf dieser Stufe können in einer späteren Untersuchungsphase nicht mehr zurückgenommen, Unterlassungen nicht mehr korrigiert werden. Die folgenden Beispiele sollen dies verdeutlichen (s. auch Kriz 1981, Kap. 6 bis 9).

3.2 Beispiel einer dimensionalen Analyse: Berufserfolg und soziale Herkunft

Die Aufgabenstellung für eine *deskriptive Untersuchung* möge sein: Es sollen Daten zur Beschreibung der Bildungs- und Berufssituation von Kindern aus Elternhäusern unterschiedlicher Sozialschichten erhoben und ausgewertet werden.

24 Zum Verfahren der Dimensionsanalyse vgl. auch Lazarsfeld 1959; kritisch dazu Cicourel 1974, 29ff.

Zunächst stellt sich die Frage (vgl. Kap. 2.1 a): Wie steht es um den „Entdeckungszusammenhang"? Eine solche Forschungsaufgabe würde sicher nicht formuliert, wenn nicht bestimmte Probleme aufgetaucht wären, bestimmte Vermutungen oder Kenntnisse über die Zusammenhänge der angesprochenen Aspekte der Wirklichkeit bestünden. Z. B. könnte jemand die Erfahrung gemacht haben, daß Arbeiterkinder es sowohl in der Schule als auch später im Beruf schwerer haben, „nach oben" zu kommen (oder umgekehrt, daß Kinder aus Mittelschicht- oder Oberschichtmilieu es in beiden Bereichen leichter haben). Der Ausgangspunkt der Überlegungen könnte aber auch ein ganz anderer sein: Nämlich daß wir — nach *Schelsky*[25] — in einer hochmobilen Gesellschaft leben, in der im Prinzip jeder die Chance hat, bei entsprechender Leistung „aufzusteigen", und in der die Schule die eigentliche Zuweisungsinstanz für soziale Chancen sei.

Das Forschungsproblem, das hier formuliert wurde, ist — allerdings in stark erweiterter Form — in einer inzwischen klassischen Studie für die USA von *Blau* und *Duncan*[26] untersucht worden. Deren forschungsleitende Hypothese war — wiederum stark vereinfacht —: „Die soziale Herkunft beeinflußt sowohl direkt als auch indirekt — über die ermöglichte Bildung — den beruflichen Erfolg der Kinder." Diese theoretische Annahme (Vermutung über Chancenungleichheiten in der Gesellschaft) illustriert, daß von rein deskriptiven Untersuchungen eigentlich niemals gesprochen werden kann. Die formulierte These läßt sich formalisiert so darstellen:

$$\underbrace{\text{Soziale Herkunft} \rightarrow \text{Bildung} \rightarrow \text{Berufserfolg}}$$

Sollen die Ergebnisse auch praktische/politische Relevanz haben („Verwertungszusammenhang"), müssen die empirischen Informationen über dieses Problemfeld sowohl relativ präzise als auch begründet sein. Schon daraus ergibt sich die Notwendigkeit, den Sachverhalt gedanklich klar durchzustrukturieren. Zunächst einmal ist zu klären: Was ist „soziale Herkunft"? Welchen Einfluß könnte die soziale Herkunft auf Schulerfolg und späteren Berufserfolg der Kinder ausüben? Was ist „Bildung" und — schließlich — was ist „beruflicher Erfolg" der Kinder?

Außerdem — da man ganz gewiß nicht alle Aspekte der zu Beginn global formulierten Aufgabenstellung in einer einzigen Untersuchung wird analysieren können —: Welche Aspekte sind besonders relevant?

25 Schelsky, Helmut, 1962: Soziologische Bemerkungen zur Rolle der Schule in unserer Gesellschaftsverfassung; in: ders. (Hg.), Schule und Erziehung in der industriellen Gesellschaft, Würzburg (2. Aufl.), 9-50
26 Blau, Peter M.; Duncan, O. D., 1967: The American Occupational Structure, New York

Welche können im gegebenen Zusammenhang als weniger relevant vernachlässigt werden? Mit anderen Worten: Man benötigt Selektionskriterien. „Im gegebenen Zusammenhang" verweist hier auf das Erkenntnisinteresse, aber auch auf den Verwendungszusammenhang: Für welche Zwecke sollen die Resultate der Forschung verwendet werden? Das Ergebnis der dimensionalen Analyse und der Problempräzisierung wird z. B. bei Auftragsforschung entscheidend vom Auftraggeber und dessen Interessen abhängen. In dieser Phase strukturieren Erkenntnisziele und Werte bis zu einem gewissen Grade das potentielle Ergebnis der Forschung, indem sie nämlich den Kreis möglicher Erkenntnisse eingrenzen: Was jetzt ausgeblendet wird, darüber werden keine Forschungsresultate gewonnen.

Zurück zur ersten Frage: Was könnte „soziale Herkunft" in der realen Situation einer Gesellschaft wie den USA in den 1960er Jahren sein? Welche Merkmale könnten (bei gegebener Fragestellung) relevant sein? Ein „brain storming" (Ideen-Sammlung) der Forschergruppe möge die folgende Liste erbringen:

1) Engere soziale Umwelt des Individuums (Familie):
   - sozialer Status der Familie (Elternhaus; größerer Familienverband in der Gegenwart: Verwandte; Familientradition: „guter Name")
   - soziales Netzwerk der Familie (Mitgliedschaft in einflußreichen Organisationen, gute Beziehungen durch persönliche Bekanntschaften von Familienmitgliedern etc.)
   - Verhaltensstile in der Familie (etwa Erziehungsstile, Leistungsorientierung, soziales Klima, Autoritätsstruktur)
   - demographische Merkmale der Familie (Haushaltsgröße, Altersstruktur, Geschwister, Rang in der Geschwisterfolge etc.)

2) Weitere soziale Umwelt:
   - Wohngebiet (Nachbarschaft, „Adresse")
   - Stadt/Land
   - homogene/heterogene soziale Umwelt

3) Zugehörigkeit zu gesellschaftlichen Gruppen:
   - ethnische Gruppen (etwa Neger, Italo-Amerikaner)
   - Randgruppen

Diese Liste ist natürlich unvollständig, dürfte jedoch bereits zu lang sein, als daß sie in der Regel in *einem* Forschungsprojekt bzw. in *einer* Untersuchung voll berücksichtigt werden könnte. Die Forschergruppe möge sich dafür entscheiden, „soziale Herkunft" auf „sozialer Status des Elternhauses" zu reduzieren. Diese Entscheidung wäre zur Sicherung der intersubjektiven Überprüfbarkeit („Objektivität") explizit zu begründen. Soll die Reduzierung dem Anspruch der Wertneutralität genügen, müßte die Begründung sogar im Rahmen der Untersuchungsfragestellung gelingen. D. h. der Nachweis müßte möglich sein, daß außer den Merkmalen des sozialen Status des Elternhauses alle übrigen aufgelisteten Aspekte (Dimensionen) der sozialen Herkunft keinen nennenswerten Einfluß auf die Bildung und auf den Berufserfolg der Kinder ausüben. Sie wären also „im gegebenen Zusammenhang" unerheblich. Das Problem ist nur: Um diesen Nachweis führen zu können, müßten bereits sämtliche relevanten Informationen verfügbar sein; dann aber wäre natürlich das Forschungsvorhaben überflüssig.

Nach der Entscheidung für die Reduzierung auf den *sozialen Status des Elternhauses* sind nun die Teildimensionen hiervon zu bestimmen. Das Ergebnis könnte folgende Liste sein:

1) Beruf
   - Berufsbezeichnung
   - Berufsprestige
   - mit der Berufsposition verbundener Einfluß (Macht)
   - Selbständigkeit/Abhängigkeit (Freiheitsspielraum bei der Ausgestaltung der Arbeit)
   - berufliche Sicherheit (Kündbarkeit, Zukunftsaussichten etc.)
   - berufliche Belastung (Schwierigkeit, Eintönigkeit der Arbeit, Arbeitszeit etc.)

2) Vermögen (Geld, Wertsachen, Grund und Boden, Produktivvermögen etc.)

3) Einkommen
   - durch Erwerbstätigkeit erzielt (selbständige, unselbständige Erwerbstätigkeit)
   - durch Vermögen erzielt (durch Produktionsmittel, aus anderen Vermögensanlagen)

4) Bildung
   - Schulbildung (formale nichtberufliche Schulbildung, Berufsschule)
   - Erwachsenenbildung, 2. Bildungsweg, allgemeine Weiterbildung
   - berufliche Ausbildung, berufliche Weiterbildung
   - „Geistesbildung", Persönlichkeitsbildung
   - außerhalb des Schulsystems (z. B. durch Selbststudium) erlangtes Wissen

Es zeigt sich, daß auch diese Liste von Merkmalen noch zu umfangreich sein dürfte, so daß auch hier wieder eine Selektion stattzufinden hat; dies aber nicht nur hinsichtlich der Merkmale, sondern auch im Hinblick auf die Personen, die durch die Bezeichnung „Elternhaus" angesprochen sind: Sollen die Merkmale für *alle* Mitglieder der Familie erhoben werden? Oder nur für das Elternpaar oder nur für eine Person (Vater oder Mutter)? Oder soll ein Gesamtwert für die ganze Familie gefunden werden (etwa: Gesamteinkommen oder Durchschnittseinkommen pro Kopf oder Einkommen des Hauptverdieners)? Auch hier ist die Auswahlentscheidung wieder zu begründen, sind die Selektionskriterien offenzulegen.

Was hier für den Aspekt (die Dimension) „soziale Herkunft" bzw. den Teilaspekt (die Teildimension) „sozialer Status des Elternhauses" vorgeführt wurde, hätte in ähnlicher Weise für „Bildung der Kinder" und „beruflicher Erfolg der Kinder" zu geschehen.

In Anlehnung an *Blau/Duncan* (1967), und zwar an deren „Basismodell", sei die Fragestellung im folgenden eingeschränkt auf die Ermittlung des Zusammenhangs der Merkmale „sozialer Status des Elternhauses"[27] (gemessen an den beiden Merkmalen: Berufsprestige und Bildung), „Bildung des Befragten"[28] (gemessen am Merkmal: formale schulische Bildung) sowie „Berufserfolg des Befragten" (gemessen am Merkmal: Berufsprestige)[29]. Was die Merkmalsträger (die Personen, für die in der Untersuchung die Merkmale Bildung und Berufsprestige erhoben werden) angeht, so wird die Analyse auf die Väter (als Repräsentanten für das Elternhaus) und auf die Söhne begrenzt.

Wie könnte eine solche *Selektion* der Merkmale und der Merkmalsträger aus der Vielzahl der aufgelisteten möglichen Merkmale und der Zahl möglicher Merkmalsträger *begründet* werden? Nun, man wird wieder auf Theorien zurückgreifen, auch wenn dies nicht immer deutlich gemacht wird, vielleicht sogar dem Forscher selbst nicht klar ist. Mögliche Begründungen könnten lauten: Ich beschränke „Elternhaus" auf den Vater des Befragten, weil das „männliche Familienoberhaupt" (in einer Gesellschaft wie den USA) die Stellung der Familie in der gesellschaftlichen Hierarchie definiert: Ehefrau und Kinder besitzen demgegenüber lediglich einen davon abgeleiteten Status. Aus ähnlichen Gründen beschränke ich die Untersuchung auf die Söhne (mögliche theoretische Basis: Strukturfunktionalismus).

Was die Auswahl der Statusmerkmale angeht, so seien als besonders relevant für die Charakterisierung des Herkunftskontextes angesehen:

27 Sozialer Status des Elternhauses = df. die Position, die die Herkunftsfamilie in der gesellschaftlichen Hierarchie einnimmt.
28 Bildung = df. über offizielle gesellschaftliche Institutionen vermittelte Kenntnisse und Fähigkeiten, wobei der erfolgreiche Besuch solcher Institutionen durch ein Zertifikat bescheinigt wird.
29 Berufsprestige = df. der Rang eines Berufes in einer nach dem gesellschaftlichen Ansehen gebildeten Rangordnung aller Berufe.

a) das Berufsprestige des Vaters, denn die gesellschaftliche Stellung drückt sich vor allem im Prestige der Berufsposition aus (vor allem diese ist nach außen sichtbar); b) die erreichte formale Bildung des Vaters; denn: Je höher die Bildung des Elternhauses, um so höher das Anspruchsniveau für die an die Kinder weiterzuvermittelnde Bildung; je höher die Bildung des Elternhauses, desto günstiger die Voraussetzungen, die in der vorschulischen Sozialisation an die Kinder weitergegeben werden (z. B. Sprache).

Als „nicht relevant" werden im Basismodell von *Blau/Duncan* unberücksichtigt gelassen: Höhe und Art des Einkommens (mögliche Begründung: enger statistischer Zusammenhang mit Berufsprestige); andere als formale Bildung („soziale" Relevanz erhalten vor allem die offiziell dokumentierten Bildungsabschlüsse); soziale und räumliche Umwelt (diese definiert nur indirekt den Status des Elternhauses; die Segregation verläuft umgekehrt: sozialer Status → Umwelt).

Im Hinblick auf die Bereiche Bildung und Berufserfolg der Söhne werden als problemrelevant angesehen: die formale schulische Bildung sowie das Prestige der Berufsposition.

·Damit wird nun die zu Beginn formulierte forschungsleitende Hypothese durch folgende Einzelhypothesen *spezifiziert* (die nur noch einen Ausschnitt aus der Anfangsfragestellung abdecken):

a) Der Berufserfolg (Berufsprestige) der Söhne wird positiv beeinflußt durch deren eigenen Bildungsabschluß (Zuteilung gesellschaftlicher Chancen durch die Schule):

Bildung des Sohnes ———— + ————→ beruflicher Erfolg des Sohnes

b) Die Höhe des Bildungsabschlusses wird positiv beeinflußt sowohl von der Berufsposition des Vaters als auch von dem Bildungsniveau des Vaters (höheres Anspruchsniveau und bessere Voraussetzungen aus dem Elternhaus):

berufliche Position des Vaters ———— + ———→ Bildung des Sohnes
Bildung des Vaters ———— + ———→ Bildung des Sohnes

c) Der berufliche Erfolg wird zusätzlich positiv beeinflußt durch die Berufsposition des Vaters („delayed effect"; bei gleicher bildungsmäßiger Voraussetzung hat die höhere Berufsposition des Vaters einen fördernden Einfluß, z. B. über Einfluß, Beziehungen, Vorurteile der Personalchefs). Die Bildung des Vaters dagegen hat — so die Annahme — keinen „delayed effect" und wirkt sich ausschließlich indirekt auf dem Weg über die Bildung des Sohnes aus:

berufliche Position des Vaters ———— + ———→ beruflicher Erfolg
des Sohnes

Zusammengefaßt ergibt sich das folgende (formalisierte) Untersuchungsmodell (vgl. zum bisherigen Argumentationsgang Kap. 2.1, Punkte a bis d):

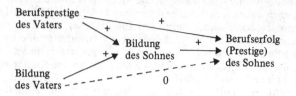

Wie ist das Resultat der hier beispielhaft vorgestellten dimensionalen Analyse (und deren Verwertung für ein Untersuchungsmodell) einzuschätzen?

Die Gesamtheit möglicher Einflußfaktoren auf den Berufserfolg der Kinder reduziert sich auf drei Größen und wird lediglich im Hinblick auf die Söhne untersucht. *Eine* Konsequenz für die Verwertung der Ergebnisse: Informationen für eine Politik oder für Bemühungen mit dem Ziel, etwa die gesellschaftliche Situation der Frau zu verändern, sind aus dieser Untersuchung nicht zu gewinnen.

Voraussetzung für die Berechtigung der Reduzierung des komplexen Beziehungsfeldes auf die genannten Einflußgrößen ist — entweder —: Alle anderen Einflußgrößen sind im Vergleich zu diesen drei in ihrer Wirkung gering und können daher für den hier interessierenden Zusammenhang vernachlässigt werden. Oder: Andere Einflußgrößen mögen zwar auch sehr bedeutsam sein (etwa Zugehörigkeit zu einer ethnischen Gruppe); sie interessieren (den Forscher oder Auftraggeber) aber nicht. Die zweite Begründung kann man lediglich akzeptieren oder nicht akzeptieren. Die erste Begründung dagegen kann richtig oder falsch sein. Wenn aber andere als die drei Einflußgrößen auf Berufserfolg nicht erhoben werden, kann man sie im Rahmen dieser Untersuchung auch nicht empirisch überprüfen. Die Annahme könnte durchaus falsch sein; in diesem Falle wären aber die gesamten Ergebnisse der Analyse möglicherweise auch falsch, nämlich dann, wenn andere — nicht berücksichtigte — Einflußgrößen nicht nur auf die abhängige Variable, sondern auch auf explikative Variablen[30] Einfluß ausüben. Zum Beispiel könnte das Einkommen des Vaters sowohl die erreichbare Bildung des Sohnes positiv beeinflussen (Lernmaterial, Nachhilfestunden etc.) als auch zusätzlich den späteren Berufserfolg (der „Geldadel" hilft sich gegenseitig, oder gar: „Kauf" einer hochangesehenen Posi-

---

30 „Explikative Variablen" (häufig auch „unabhängige Variablen") nennt man die Merkmale, die nach den Modell-Annahmen die „abhängige Variable" (hier: Berufserfolg der Söhne) beeinflussen.

tion). In einem solchen Fall würde aber die Hineinnahme des Merkmals „Einkommen des Vaters" die Restbeziehung zwischen Bildung und Berufserfolg vermindern und zu einer anderen Interpretation der empirischen Resultate führen. Das Untersuchungsmodell hätte dann folgendes Aussehen:

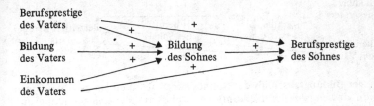

Zur *Übung* sollten Sie versuchen, Antworten auf folgende Fragen zu finden:

— Welchen Einfluß hatte der gesellschaftliche Kontext auf die endgültige Formulierung der Forschungsfrage bei *Blau* und *Duncan* sowie auf die Festlegung der Begriffsdimensionen (Frage der Wertbeziehung)?

— Hätte in der gegebenen gesellschaftlichen Situation (USA 1962) bei gegebener Aufgabenstellung eine andere Perspektive gewählt werden können (Frage der Beliebigkeit der angewendeten „Auswahlkriterien")?

— Wurde eventuell durch die gewählte Perspektive die Chance für andere gesellschaftliche Probleme (hier z. B. die gesellschaftliche Situation der Frau), das Interesse der Forschung zu finden, vermindert?

— Bei gegebener Forschungsperspektive schließlich: Wie könnte eine eventuelle Einengung des Blickwinkels verhindert werden?

Die strategische Bedeutung der dimensionalen Analyse bei der Konzipierung eines Untersuchungsmodells soll noch kurz an einem Vergleich der empirischen Ergebnisse von *Blau* und *Duncan* mit denen einer Nachfolgeuntersuchung im Raum Konstanz durch *W. Müller*[31] aufgezeigt werden. In beiden Fällen wird das bisher entwickelte Schema zugrunde gelegt und zunächst ·geringfügig erweitert: die

31 Müller, Walter, 1976: Bildung und Mobilitätsprozeß — Eine Anwendung der Pfadanalyse, in: Hummell, H. J.; Ziegler, R., Korrelation und Kausalität, Band 2, Stuttgart, 292-312 (zuerst 1972)

Variable „Berufsprestige des Sohnes" wird zu zwei Zeitpunkten gemessen, nämlich bei Berufseintritt (1. Beruf) und zum Zeitpunkt der Untersuchung (derzeitiger Beruf).

Blau und *Duncan* berichten anhand ihrer Daten für die USA von folgenden Befunden:[32]

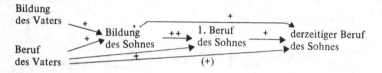

Der Bildungsabschluß des Sohnes hängt bis zu einem gewissen Grade von dessen sozialer Herkunft ab, wobei die Merkmale Bildung und Beruf des Vaters zusammen 26% der Unterschiede in der Schulbildung der befragten Söhne „statistisch erklären".[33] Das würde die Interpretation rechtfertigen, daß der Einfluß des Elternhauses auf den erzielten Schulabschluß (und das heißt: die Chancenungleichheit im Bildungssystem) gar nicht so groß ist, wie oft behauptet wird. Die Schulbildung wiederum wirkt sich sowohl auf die erste Berufsposition als auch auf den Beruf zum Zeitpunkt der Untersuchung aus; aber auch hier sind die statistisch ermittelten Beziehungen nicht so stark, wie die Thesen von der „Status-Vererbung" und von der Funktion der Schule als Zuweisungsinstanz für soziale Chancen vermuten lassen. Gleiches gilt für den unabhängig von der vermittelten Bildung erkennbaren Effekt des Vaterstatus auf den Berufserfolg des Sohnes. Fazit: Die gängige These vom Aufstieg durch Leistung in einer „offenen Gesellschaft" wird durch die empirischen Befunde, gewonnen auf der Basis des skizzierten Untersuchungsmodells, nicht widerlegt. Insgesamt lassen sich in den Daten von *Blau* und *Duncan* nur 42% der festgestellten Unterschiede im Berufsprestige der Befragten auf die Variablen des Untersuchungsmodells und die dort postulierten Beziehungen zurückführen.

Die Daten der Nachfolgeuntersuchungen von *Müller* für den Konstan-

---

32 Auf die Details der in der statistischen Auswertung berechneten Koeffizienten kann hier — ohne die notwendigen statistischen Grundlagenkenntnisse bereits vermittelt zu haben — nicht eingegangen werden. Vereinfacht soll die Stärke der Beziehungen zwischen den Variablen wie folgt symbolisiert werden: (+) = sehr geringe, + = geringe bis mittelstarke, ++ starke, +++ = sehr starke Beziehung.

33 Genauer: 26% der Varianz der Variablen „Bildung des Sohnes" wird durch die beiden Herkunftsvariablen kontrolliert. Zum Verständnis der hier geführten Argumentation — das statistische Modell der Varianzzerlegung kann an dieser Stelle natürlich nicht eingeführt werden, vgl. dazu Kap. 8 — sollte folgende Überlegung genügen: Je größer der Anteil der „erklärten Varianz", um so stärker ist der statistisch festgestellte Zusammenhang zwischen zwei oder mehreren Merkmalen.

zer Raum zeigen bei Zugrundelegen des *Blau* und *Duncan*-Modells durchaus ähnliche Beziehungen. Lediglich der Einfluß der eigenen Schulbildung auf die erste Berufsposition erweist sich hier als deutlich stärker. *Müller* bleibt jedoch nicht bei diesem Befund stehen, sondern nimmt eine geringfügige Änderung der Untersuchungsanlage vor. Er führt die dimensionale Analyse einen Schritt weiter und unterteilt das Merkmal „Bildung des Sohnes" in a) Bildung vor Eintritt in das Berufsleben sowie b) Weiterbildung. Eine getrennte Auswertung der erhobenen Daten für die Personen, die ihre Ausbildung vor Eintritt in das Berufsleben endgültig abgeschlossen haben (a.a.O., 302f.), und diejenigen, die sich nach der ersten Berufstätigkeit noch weitergebildet haben (a.a.O., 304f.), macht nun interessante Unterschiede deutlich.

Für Personen mit „normaler Karriere" (Elternhaus → Schule → Beruf) zeigt sich eine sehr starke Abhängigkeit ihres „Berufserfolgs" von

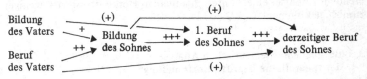

sozialer Herkunft und Schulbildung: 81% der beobachteten Berufsprestige-Unterschiede lassen sich durch die Variablen im Untersuchungsmodell „erklären". Dabei ist sowohl der Einfluß des Elternhauses auf die Schulbildung (44% erklärte Varianz) als auch der Effekt des Bildungsabschlusses auf den Einstiegsberuf sowie des Einstiegsberufs auf den späteren Berufserfolg erheblich. Es zeigt sich also eine klar erkennbare Linie der „Status-Vererbung": soziale Herkunft → Bildung → erster Beruf → späterer Beruf.

Daß dies in den Daten für die gesamte Zahl der Untersuchungspersonen nicht so erkennbar wird, liegt an der Gruppe, die den mühevollen Weg der Weiterbildung nach Eintritt in den Beruf gewählt hat. Bei diesen ist der Einfluß des Elternhauses auf ihre Bildung (13% erklärte Varianz) ebenso wie der Effekt des ersten Berufs auf den späteren Berufserfolg erheblich geringer. Auch das gesamte Variablenmodell kann nur knapp halb soviel Unterschiede im Berufsprestige erklären wie bei der Kontrollgruppe.

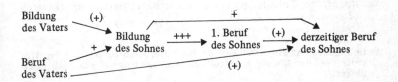

Wenn also der Prozeß der Perpetuierung ungleicher Startchancen durchbrochen werden soll – so kann jetzt das Fazit lauten –, dann bedarf es dazu zusätzlicher individueller Bemühungen. Das traditionelle Schulsystem erfüllt nach diesen Resultaten offenbar nicht die Aufgabe, die ihm vielfach zugeschrieben wird: nämlich Lebenschancen nach Leistung zu verteilen oder gar Chancenungleichheit zu reduzieren. Eher scheint das Gegenteil zuzutreffen. *Müller* faßt dies wie folgt zusammen: „Durch die Erweiterung von *Blau* und *Duncans* Modell konnten wir zeigen, daß Bildungsbemühungen während der beruflichen Karriere sich in einer Verbesserung des beruflichen Status auszahlen und zudem wesentlich weniger von Bindungen der sozialen Herkunft abhängen als der Erfolg im „Ersten Bildungsweg". Die größere Distanz zur Herkunftsfamilie, die Berufstätige im Vergleich zu den – in der Regel jüngeren – Schülern haben, läßt die bildungsfördernden bzw. -hemmenden Impulse eines unterschiedlichen Herkunftsmilieus weniger zum Zuge kommen" (a.a.O., 311).

3.3 Beispiel einer semantischen Analyse: der theoretische Begriff „Entfremdung"

Während Begriffe, die im Zuge einer dimensionalen Analyse des zu untersuchenden Gegenstandsbereichs den Aspekten der Realität per Definition zugeordnet werden, also immer empirischen Bezug haben, muß dies bei theoretischen Begriffen nicht so sein. Eine semantische Analyse theoretischer Begriffe zum Zwecke der empirischen Überprüfung von Theorien/Hypothesen beinhaltet deshalb zwei Schritte: a) Es müssen die Bedeutungskomponenten (Bedeutungsdimensionen) herausgearbeitet werden, die dem Begriff im verwendeten theoretischen Zusammenhang (evtl. in alternativen theoretischen Zusammenhängen) zukommen, und es müssen b) die empirischen Sachverhalte bestimmt werden, die diesen Bedeutungsdimensionen entsprechen. Dabei kann sich durchaus herausstellen, daß ein Begriff im theoretischen Zusammenhang zwar von seiner (intensionalen) Bedeutung her eindeutig verwendet wird, daß ihm aber überhaupt keine oder doch nur sehr wenige empirische Sachverhalte entsprechen (überhaupt kein bzw. sehr geringer empirischer Bezug).[34]

Im folgenden soll die Suche nach den Bedeutungen eines theoretischen Begriffs ansatzweise skizziert werden. Dabei ist zu bedenken, daß die präzise Bedeutungsanalyse theoretischer Begriffe im allgemei-

---

34 Im folgenden Abschnitt 3.4 wird auf diese „Doppelbedeutung" von Begriffen unter den Bezeichnungen „Intension" und „Extension" nochmals eingegangen.

nen ein intensives Literaturstudium erfordert. Sinnvollerweise beginnt man mit der Sammlung einer Reihe von Definitionen in verschiedenen Nachschlagewerken und fachbezogenen Handbüchern; dabei wird man bereits Hinweise auf existierende Standardveröffentlichungen zum Thema finden. Danach folgt die Durchsicht der Literatur, die sich mit den in Frage stehenden theoretischen Konzepten befaßt. Schließlich sind die vorgefundenen Bedeutunskomponenten (Bedeutungsdimensionen) der interessierenden Begriffe zu ordnen, zu präzisieren und gegeneinander abzugrenzen. Bis zu diesem Punkt entspricht dies dem Vorgehen bei der dimensionalen Analyse eines Untersuchungsgegenstandes (Ideensammlung; Systematisierung der Aspekte, die zur Beschreibung des Untersuchungsgegenstandes in Betracht kommen; vgl. S. 44ff.). Während aber das Ziel der dimensionalen Analyse die problemadäquate *Beschreibung eines (empirischen) Sachverhalts* ist, geht es bei der semantischen Analyse um den *Nachvollzug des Sprachgebrauchs* eines Begriffs in verschiedenen sprachlichen Kontexten.

Ähnlich wie bei der dimensionalen Analyse wird der Forscher auch bei der semantischen Analyse nach der Sammlung und Systematisierung der Bedeutungsdimensionen eines Begriffs zu entscheiden haben, welche der vorgefundenen Bedeutungsdimensionen für *seine* Analyse besonders relevant sind und somit für seine eigene Begriffsdefinition verwendet werden sollen.

Der hier beispielhaft gewählte Begriff „Entfremdung" ist nach einer willkürlich herausgegriffenen Definition (*Weigt* 1968): „eine Kategorie der marxistischen Philosophie. Wird auch als Entäußerung, Selbstentfremdung, Versachlichung, Verdinglichung bezeichnet. Beschreibt eine historisch-gesellschaftliche Gesamtsituation, in der die Beziehungen zwischen Menschen als Verhältnisse zwischen Sachen, Dingen erscheinen. Die durch materielle und geistige menschliche Arbeit hervorgebrachten Produkte, gesellschaftlichen Verhältnisse, Institutionen und Ideologien treten den Menschen als fremde, beherrschende Mächte gegenüber."[35]

E. Mandel (1968)[36] versucht, den Begriff und seine Bedeutung direkt auf die Werke von K. Marx zurückzuführen, der von der „praktischen Feststellung des Elends der Arbeiter" ausgegangen sei (d. h. von einem empirischen Sachverhalt); ihm sei — nachdem er „die Entfremdung nacheinander auf religiösem . . . und auf juridischem Gebiet (das Privatinteresse entfremdet den Menschen von der Gemeinschaft) entdeckt hatte" — schließlich klar geworden, „daß das Privateigentum eine allgemeine Quelle der Entfremdung darstellt . . . Indem er die politische Ökonomie einer systematischen Kritik unterwirft, entdeckt er, daß

35 Weigt, Peter, 1968: Revolutionslexikon, Frankfurt/M., 16
36 Mandel, Ernest, 1968: Entstehung und Entwicklung der ökonomischen Lehre von Karl Marx (1843-1863), Frankfurt/M.

diese dazu neigt, die gesellschaftlichen Widersprüche, das Elend der Arbeiter, welche in der Erscheinung der entfremdeten Arbeit sozusagen zusammengefaßt sind, zu verschleiern" (a.a.O., 156f.). In der Sicht von Marx werden hier also einige *Gebiete,* in denen das Phänomen Entfremdung auftaucht, eine allgemeine *Erscheinungsform* (= Elend) und eine mögliche *Ursache* genannt. Die Suche nach den Bedeutungsgehalten des Begriffs Entfremdung bei Marx und bei anderen Autoren, die diesen Begriff im marxistischen Sinn benutzen, müßte natürlich fortgesetzt werden. Das soll hier nicht geschehen; hier soll lediglich der Anfang einer solchen Arbeit aufgezeigt werden. Grob zusammengefaßt könnte das Ergebnis so ausfallen: Der *nicht* entfremdete Mensch verwirklicht sich in der gesellschaftlichen Arbeit, findet sich im Produkt seiner Arbeit wieder; er äußert einen Teil seiner Persönlichkeit darin, ist sozusagen ein Teil des Produkts. Die moderne Produktionsweise stört diese Beziehung; der Mensch tritt als verdinglicht, als Sache (nämlich als bezahlte, beliebig austauschbare Arbeitskraft) in Erscheinung; Arbeitskraft, Arbeitswerkzeug und Arbeitsprodukt gehören ihm nicht mehr, sondern dem Besitzer der Produktionsmittel. Die Arbeit und ihr Ergebnis werden damit dem Arbeiter entfremdet, treten ihm als feindliche Dinge gegenüber. „Mit der *Verwertung* der Sachenwelt nimmt die *Entwertung* der Menschenwelt in direktem Verhältnis zu. Die Arbeit produziert nicht nur Waren: sie produziert sich selbst und den Arbeiter als eine Ware ..."[37]

Der theoretischen Bedeutung von Entfremdung würden nach einer solchen Analyse auf der empirischen Ebene gesellschaftliche Verhältnisse (etwa Rechtsordnung, Arbeitsbedingungen, Produktionsorganisation, Vermögensverteilung), also „objektive" Bedingungen entsprechen, die außerhalb des *einzelnen* Menschen existieren. Dies ist jedoch nicht die einzige Sichtweise. So stellt etwa *Sartre* kategorisch fest: „Wir weisen jede irreführende Gleichsetzung des entfremdeten Menschen mit einer Sache, der Entfremdung selbst mit physikalischen, die Bedingungsverhältnisse der äußeren Welt beherrschenden Gesetzlichkeiten strikt ab".[38] Und *Bottigelli* wendet den Begriff vom Objektiven ins Subjektive, wenn er schreibt: Der (entfremdete) „Arbeiter *fühlt sich* außerhalb der Arbeit frei und in der Arbeit *fühlt er sich* unfrei".[39]

37 Marx, Karl, 1844: Ökonomisch-philosophische Manuskripte („Pariser Manuskripte"), Abschnitt: entfremdete Arbeit; hier zitiert aus: Fetscher, I. (Hg.), 1966: Karl Marx – Friedrich Engels, Studienausgabe, Band 2, Frankfurt/M., 76 – Eine ausführliche „marxistische Analyse der Entfremdung" hat L. Sève vorgenommen (1978, Frankfurt/M.)
38 Sartre, J.-Paul, 1964: Marxismus und Existentialismus, Reinbek, 74f.
39 Bottigelli, Emile, 1969: Die Entstehung von Marx' Kapital, Trier, S. 8.

Zusätzlich sei deshalb eine alternative semantische Analyse des Begriffs „Entfremdung" vorgestellt. Sie stammt von *Seeman*[40] und soll verdeutlichen, daß aus unterschiedlicher Interpretation theoretischer Begriffe durchaus unterschiedliche empirische Untersuchungsansätze folgen (können), die auch unterschiedliche Resultate erbringen (können). Der Gedankengang von *Seeman* zielt darauf ab, einen Begriff „Entfremdung" (alienation) zu erhalten, mit dem empirische Aussagen möglich sind (der also mit empirisch angebbaren Merkmalen korrespondiert). Seine Vorüberlegung: „Entfremdung" ist etwas nicht direkt Beobachtbares; jedenfalls nicht in der Bedeutung, in der *Seeman* diesen Begriff auffaßt: als eine „dispositionale Eigenschaft" von Personen. D. h. der Autor bezieht den Entfremdungsbegriff nicht auf den Sachverhalt, den Marx als Entfremdung beschrieben hat, sondern er bezieht den Begriff auf die *individuellen* Erfahrungen dieser Gegebenheiten der Umwelt. Wenn *Seeman* nun diese – sagen wir – „subjektive Entfremdung" für den Forscher (und auch für den Arbeiter selbst) erfahrbar machen will, dann muß er den Begriff auf erfahrbare Sachverhalte beziehen: Er muß *Korrespondenzregeln*[41] finden, nach denen aus beobachtbaren Sachverhalten auf die nicht direkt erfahrbare dispositionale Eigenschaft geschlossen werden kann. Dies geschieht, indem *Seeman* von der Existenz und der sozialen Wirksamkeit einer *Verhaltensform* ausgeht, die als *entfremdetes* Verhalten zu bezeichnen ist. Verhalten aber ist erfahrbar: erfragbar, beobachtbar.

Durch die Wendung vom Objektiven ins Subjektive wird der Begriff „Entfremdung" *mehrdimensional:* Auf die gleichen Umweltbedingungen können Individuen durchaus in unterschiedlicher Weise reagieren, und sie können unterschiedliche dispositionale Eigenschaften aufbauen. Also wird es auch unterschiedliche Typen entfremdeten Verhaltens (unterschiedliche Dimensionen entfremdeten Verhaltens) geben.

Die *erste Dimension* des subjektiven Begriffs von Entfremdung ist für *Seeman* „powerlessness" (Machtlosigkeit); sie drückt sich aus in der individuellen Wahrnehmung fehlender Möglichkeiten, Einfluß auf Ereignisse im sozialen und politischen Umfeld auszuüben (Politik, Wirtschaft, Gesellschaft) und dementsprechend in dem Verzicht auf Handlungen, die auf Einflußnahmen in solchen Bereichen gerichtet sind (powerlessness = fehlende Kontrolle über Wirkungen, Folgen, Ergebnisse in gesellschaftlichen Handlungsbereichen).

Die *zweite Dimension* wird mit „meaninglessness" bezeichnet (etwa:

---

40 Seeman, Melvin, 1959: On the Meaning of Alienation, in: American Sociological Review, 24, 783-791; ders., 1972: Alienation and Engagement, in: Campbell, A.; Converse, P. E. (eds.), The Human Meaning of Social Change, New York, 467ff.
41 Korrespondenzregeln verknüpfen Zeichen mit Sachverhalten.

Orientierungslosigkeit). Der Autor versteht darunter, daß das Individuum sich nicht klar ist über gesellschaftliche Handlungszusammenhänge; daß für ihn die Minimalanforderungen an die Transparenz von Entscheidungsprozessen, von denen er betroffen ist, nicht erfüllt sind; daß seine Erwartungen, er könne zufriedenstellende Voraussagen über die Folgen von Handlungen machen, gering sind (meaninglessness = Unfähigkeit, die Mechanismen von Situationen, denen man selbst zugehört, zu begreifen, zu durchschauen).

Die *dritte Dimension* von Entfremdung ist nach *Seeman* „normlessness". Darunter versteht er die Überzeugung des Individuums, unter gegebenen gesellschaftlichen Bedingungen sei für ihn ein gesetztes Ziel nur über sozial nicht akzeptiertes (unapproved) Verhalten erreichbar; die gesellschaftlich erlaubten Mittel und Wege, individuelle Ziele zu erreichen, sind ihm verschlossen.

Als *vierte Dimension* nennt der Autor „value isolation". Entfremdete Personen messen − wie Intellektuelle − solchen Zielen, Werten oder Überzeugungen niedrigen individuellen Belohnungswert zu, die üblicherweise in einer gegebenen Gesellschaft hoch bewertet werden und umgekehrt. Diese Form von Entfremdung rückt das Individuum in die Nähe der Verhaltenskategorie des „Innovators" (die Arbeiterklasse als Avantgarde).

Eine *fünfte Dimension* entfremdeten Daseins wird von *Seeman* „selfestrangement" genannt (wörtlich: Selbstentfremdung). Damit ist gemeint: der Grad der Abhängigkeit des aktuellen Verhaltens von antizipierten zukünftigen Belohnungen oder Bestrafungen; und zwar Belohnungen/Bestrafungen, die außerhalb der Aktivität selbst und außerhalb des Individuums liegen. Diese Dimension bezieht sich mit anderen Worten auf die Unfähigkeit des Individuums, sich Aktivitäten zuzuwenden, die aus sich selbst heraus belohnenden Charakter haben. Dieser letztere Entfremdungstyp entspricht dem, was in der Sozialpsychologie als der „externalisierte" Persönlichkeitstyp bezeichnet wird: Das Individuum hat normative Regeln nicht internalisiert (verinnerlicht), sondern orientiert sein Verhalten an den zu erwartenden (externen) Belohnungen und Bestrafungen.

Eine *sechste Dimension* schließlich wird „social isolation" genannt, womit die niedrige individuelle Erwartung, sozial akzeptiert, anerkannt zu werden, gemeint ist.

Zu diesem Verfahren des Inbeziehung-Setzens eines theoretischen Begriffs zu erfahrbaren Sachverhalten, aufgrund derer dann auf das Vorliegen oder Nichtvorliegen des theoretisch gemeinten Sachverhalts geschlossen werden kann, ist zweierlei anzumerken:
1) Die formulierten Korrespondenzregeln sind selbst wieder Hypothesen; sie können falsch sein. Hier wird z. B. postuliert, daß ein Zustand „subjektiver Entfremdung" mit bestimmten Verhaltensstilen einer Person korrespondiert. Es ist aber durchaus denkbar, daß für ein Individuum zwar „eigentlich" ein Zustand subjektiver Entfremdung gegeben ist, daß dieses Individuum aber dennoch (und

sei es unter großen psychischen Anstrengungen) in der Lage ist, einen bestimmten Verhaltensstil zu unterdrücken.

2) Dadurch, daß der theoretische Begriff nicht direkt auf Erfahrbares bezogen werden kann, sondern erst „semantisch interpretiert" werden muß, kann er auf geänderte Bedingungen in geänderten historischen Kontexten angewendet werden (Beispiel: „Verelendungstheorie"). Im Extremfall kann aber auf diese Weise auch eine Theorie gegen jede empirische Überprüfung, gegen empirische Erfahrungen immunisiert werden. Beispielsweise können zunächst Vorüberlegungen angestellt werden, welche empirischen Sachverhalte, die etwas mit der Theorie zu tun haben, denn mit den theoretischen Aussagen konform gehen; und danach würden dann die Korrespondenzregeln zwischen theoretischem Begriff und empirischen Sachverhalten so formuliert, daß die „richtigen" Resultate bei einer empirischen Untersuchung herauskommen müssen.

3.4 Begriffe und Definitionen

Wir waren in den Überlegungen so weit gediehen, daß wir — ausgehend von einer Forschungsfrage — nach der Präzisierung der Problemstellung eine dimensionale Analyse des Gegenstandsbereichs oder eine Bedeutungsanalyse theoretischer Begriffe vorgenommen haben. D. h. im Falle einer deskriptiven Analyse haben wir uns Gedanken gemacht über die möglichen Zusammenhänge innerhalb des zu untersuchenden Gegenstandsbereichs, über die zu unterscheidenden „relevanten" Dimensionen des Sachverhalts; und jetzt müssen wir zweckentsprechende Begriffe finden, die 1) eine der Problemstellung gemäße Differenzierung des Gegenstandsbereichs zulassen und die 2) auch potentiell theoretisch relevant sind. Oder wir haben im Falle der Hypothesen- oder Theorieprüfung eine Bedeutungsanalyse, eine semantische Analyse der in den zu testenden Hypothesen verwendeten theoretischen Begriffe vorgenommen, um abzuschätzen, in welcher Weise sie sich auf konkrete empirische Sachverhalte beziehen lassen. In beiden Fällen ist es nötig, die Begriffe so präzise zu definieren, daß unsere Argumentation intersubjektiv nachprüfbar wird.[42]

Was bedeutet nun Definition? Ganz generell sind Definitionen *Verknüpfungen zwischen sprachlichen Zeichen* nach bestimmten Regeln. Definitionen sind also *nicht* Verknüpfungen zwischen Zeichen und „Sachverhalten" nach Korrespondenzregeln.[43] „Definitorische Aussagen werden dazu verwendet, den wissenschaftlichen Sprachge-

---

42 In diesem Zusammenhang sei an die Klärung des Begriffs „empirische Theorie" erinnert (Kap. 1.2), wo bereits der Terminus „Definition" vorkam.

43 Verknüpfungen zwischen Zeichen und empirischen Sachverhalten werden zwar häufig — etwas irreführend — als „operationale Definitionen" bezeichnet; im strengen Sinne handelt es sich jedoch nicht um Definitionen, sondern — im Sprachgebrauch von Bunge — um Referitionen.

brauch festzulegen. Sie sind also Mittel der Festsetzung von Verwendungsregeln für Ausdrücke der Wissenschaftssprache" (*Albert* 1973, 73). Die Gesamtheit der Ausdrücke der Wissenschaftssprache (Termini) stellt die spezifische „Terminologie" einer wissenschaftlichen Disziplin dar, sie ist - vor allen Methoden wie Experiment, Test, Beobachtung usw. – deren „Grundwerkzeug" (*Heller/Rosemann* 1974, 19).

3.4.1 Nominaldefinition I: Voraussetzungen

Da es unterschiedliche Auffassungen über Art und Funktion von Definitionen gibt, sei hier zunächst ausgegangen von der in den Erfahrungswissenschaften üblichen Form des Definierens, der sog. Nominaldefinition.

Eine Definition soll danach sein:
die Festlegung der Bedeutung eines Begriffs (des Definiendums) durch einen bereits bekannten Begriff oder durch mehrere bereits bekannte andere Begriffe (Definiens). Definitionen sind konventionelle Festlegungen der Bedeutung sprachlicher Zeichen (*Giesen/Schmid* 1976, 33; vgl. auch *Opp* 1976, 189ff.).

Eine *Nominaldefinition* ist also formal nichts weiter als eine tautologische Umformung; das Definiendum ist bedeutungsgleich, identisch mit dem Definiens. Mit anderen Worten: bei der Nominaldefinition geht man davon aus, daß zwei Zeichen oder Ausdrücke (Definiendum und Definiens) dieselbe Bedeutung haben, sich auf dieselben Gegenstände der Realität beziehen lassen. Das impliziert zugleich, daß eine solche definitorische Beziehung zwischen zwei Ausdrücken *keinen* empirischen Bedingungszusammenhang zwischen verschiedenen Gegenständen, sondern eine logische Relation zwischen Ausdrücken und Zeichen unserer Sprache darstellt.

Schreibweise: Definiendum: = df.: Definiens
                      A   = df.: B, C, D

Damit Definitionen in dieser Form möglich sind, müssen bereits einige Begriffe existieren, die undefiniert eine präzise Bedeutung haben (Voraussetzung also: gemeinsame Sprache, gemeinsamer kultureller Hintergrund). In jede Definition gehen notwendigerweise undefinierte Begriffe ein, die in ihrer Bedeutung als bekannt vorausgesetzt werden: Das Definiendum als Unbekanntes wird durch Bekanntes im Definiens erläutert. Für die Theoriebildung auf der Grundlage nominaldefinierter Begriffe heißt dies, daß im Idealfall eine möglichst kleine Gruppe außerlogischer Termini zu finden ist (= ursprüngliche oder einfache Begriffe), aus denen mit Hilfe verschiedener Kombinationen untereinander und mit logischen Termini alle anderen außerlogischen Begriffe der Theorie definiert werden können (= abgeleitete Begriffe) (*Zetterberg* 1973, 113).

Zusammengefaßt: Nominaldefinitionen haben keinen empirischen Informationsgehalt. Dennoch sind sie weder überflüssig noch Selbstzweck; denn sie sollen die Mitteilung und die Diskussion in der Wissenschaft erleichtern; sie sollen vor allem die intersubjektive Kontrolle des empirischen Forschungsprozesses ermöglichen. Was nicht präzise definiert ist, kann auch nicht eindeutig nachgeprüft werden.

3.4.2 Begriffe und Begriffsarten: Funktionen, theoretischer und empirischer Bezug von Begriffen

An dieser Stelle sei eine Aussage in Abschn. 1.3 wieder aufgegriffen, die lautet, auch für den Fall deskriptiver Untersuchungen sollten die Begriffe, mit denen die Realität strukturiert werden soll, „theoretisch relevant" sein. Warum? Daß es offensichtlich sinnlos und für den Fortschritt einer Wissenschaft nutzlos ist, nicht weiter verwertbare Datenfriedhöfe mit „rein" deskriptiven Untersuchungen zu produzieren, ist nur die eine Seite. Die andere ist, daß durch Begriffe der Gegenstandsbereich der Forschung erst strukturiert wird. Begriffe haben insofern die Funktion, aus der Fülle, aus der Vielfalt von Merkmalen eines Gegenstandsbereichs diejenigen Aspekte herauszufiltern, die im gegebenen Zusammenhang als relevant angesehen werden, und die übrigen Aspekte als für den gegebenen Zusammenhang irrelevant außer acht zu lassen (Selektivität der Begriffe).

Mit anderen Worten: Ein Begriff erfaßt niemals *alle* Merkmale eines Gegenstands oder Sachverhalts, sonst müßte für jeden individuellen Gegenstand oder Sachverhalt eine spezielle Bezeichnung (ein Name) gefunden werden. Vielmehr treten bestimmte Eigenschaften und Beziehungen ins Blickfeld, andere bleiben unberücksichtigt. Entsprechend legt ein Begriff (und mehr noch die jeweilige Gesamtheit der wissenschaftlichen Begriffe, die Terminologie) bestimmte Fragestellungen nahe und blendet andere aus. Diese Selektivität kann nicht willkürlich geschehen, sondern sie muß von einem Vorverständnis, von − zumindest − Alltagstheorien über die Struktur des mit dem Begriff zu bezeichnenden Gegenstandsbereichs ausgehen.

Nehmen wir ein so einfaches Wort wie „Tisch", so verstehen wir darunter ganz selbstverständlich die Bezeichnung für einen Gegenstand, der in der Regel nicht zum Sitzen konstruiert wurde, der im allgemeinen eine waagerechte Platte auf einem meist senkrechten Ständer aufweist usw. Welche Merkmale uns auch noch einfallen mögen; jedenfalls wird es eine Liste von relativ wenigen Merkmalen sein, die wir zur Entscheidung benötigen, ob ein Gegenstand Tisch ist oder Nicht-Tisch. Und es zeigt sich an den vagen Merkmalsformulierungen wie „im allgemeinen eine waagerechte Platte", daß „Tisch" von seiner Funktion und nicht so sehr von seiner Erscheinung her definiert wurde, daß also von der Verwendungsmöglichkeit oder der tatsächlichen Verwendung her entschieden wird, ob etwas Tisch ist oder nicht.

Das setzt aber voraus, daß wir eine „Alltagstheorie" besitzen, für welche Zwecke in der Regel ein Tisch verwendet wird und welche Eigenschaften ein Gegenstand besitzen muß, damit er als Tisch geeignet ist. Nicht der Gegenstand als solcher setzt also seine Definition als „Tisch" fest, sondern unsere Art der Nutzung. Deshalb werden wir auch Eigenschaften wie Farbe, Form der waagerechten Tischplatte oder ob aus Metall oder Holz oder Glas bestehend oder ob vier oder drei Beinen oder einem einzigen im Fußboden verankerten Ständer versehen usw. als im gegebenen Zusammenhang (nämlich für die Entscheidung, ob Tisch oder Nicht-Tisch) irrelevant außer acht lassen. Irrelevant, weil wir aus unserer „Theorie" wissen, daß z. B. die Farbe für die Verwendungsfähigkeit eines Gegenstands als Tisch unerheblich ist.

Noch einmal: Wir bilden durch Begriffe die jeweils relevanten, die Einzelerscheinung übergreifenden, allgemeinen Eigenschaften eines Gegenstandsbereichs ab. Dazu benötigen wir eine „Theorie" über den Realitätsausschnitt, den wir mit solchen notwendigerweise verallgemeinernden Begriffen auf gedanklicher Ebene strukturieren wollen. Je besser, je verläßlicher die Theorie, nach der wir den Gegenstandsbereich strukturieren, desto präziser werden die Beschreibungen; und umgekehrt: je präziser die Beschreibungen, desto besser werden wir unsere Theorie über den Gegenstandsbereich formulieren können. Deshalb sind wir bei jeder Begriffsbildung nicht nur auf eine vorab vorhandene Theorie angewiesen, sondern formulieren zusätzlich die Forderung: auch die für deskriptive Zwecke verwendeten Begriffe sollen so definiert werden, daß sie *theoretisch verwertbar* sind; nur dann sind die Ergebnisse der Beobachtungen auf die „Vorab-Theorie" beziehbar.

Wenn ein Begriff vorhanden und seine Bedeutung entweder aufgrund des allgemeinen Sprachgebrauchs oder durch explizite Definition klar ist, erlaubt uns dieser Begriff, aus der Vielfalt von Gegenständen Klassen identischer Fälle zu bilden. Bei genauem Hinsehen erweisen sich allerdings die Elemente dieser Klassen als gar nicht identisch; sie sind vielmehr *identisch lediglich im Hinblick auf eine begrenzte Zahl von Merkmalen* und können unterschiedlich sein hinsichtlich sämtlicher anderer möglicher Merkmale (vgl. das Beispiel „Tisch"). Man nennt dies die Klassifikationsfunktion von Begriffen.

Begriffe ermöglichen es aber nicht nur, Gegenstände zu klassifizieren. Durch Auswahl und Definition von Begriffen wird zusätzlich entschieden, welche unserer verschiedenen Beobachtungen zusammengehören, welche Daten und welche Sinneseindrücke nicht als Informationen über isolierte Phänomene, sondern als „ganzheitlicher Komplex" behandelt werden soll.

Nehmen wir als *Beispiel* den *Begriff „Wettbewerb"*, so faßt dieser die Aktivitäten mindestens zweier Personen zusammen, falls zusätzliche Bedingungen erfüllt sind: nämlich, daß die Aktivitäten der Personen auf das gleiche Ziel gerichtet sind, daß es sich bei diesem Ziel um ein knappes Gut handelt (etwa Geld bei wirtschaftlichem Wettbewerb oder der Sieg bei sportlichem Wettbewerb) und daß jeder der „Wettbewerber" weiß, daß mindestens eine andere Person das gleiche Ziel verfolgt, ihr das knappe Gut also streitig machen könnte. Das heißt, die Aktivitäten von mindestens zwei Personen werden *nicht als getrennte Ereignisse* gesehen, *sondern* sie werden *als eine Einheit* aufgefaßt und unter einem einzigen Begriff subsumiert.

Formuliert man weniger einschränkende Bedingungen, welche Aktivitäten zu einem zusammenhängenden Komplex zusammengefaßt werden sollen, kommt man beispielsweise zum soziologischen *Begriff der „Interaktion"*:

> *Interaktion = df. gegenseitiges, aneinander orientiertes*
> *Handeln mindestens zweier Personen.*

In beiden Fällen werden Ereignisse, die prinzipiell auch isoliert betrachtet werden könnten, zu einer Einheit zusammengefaßt und mit einem speziellen Begriff bezeichnet. Man nennt dies die S y n t h e s e - f u n k t i o n von Begriffen.

Ob die Klassifikation und evtl. Synthese von Sachverhalten *zweckmäßig* ist, hängt von der zu behandelnden Fragestellung ab. Im wirtschaftlichen Bereich wird ein Begriff wie „Wettbewerb" sicher zweckmäßig sein; bei anderen Fragestellungen wird vielleicht der Begriff „Interaktion" zweckmäßiger sein, so daß „Wettbewerb" als Teilklasse aller Interaktionen erscheint. In anderem Zusammenhang wiederum mag „Interaktion" eine Strukturierung vornehmen, die zu grob ist, und man wird eventuell einen spezielleren Begriff wie „Kommunikation" für eine andere Teilklasse von Interaktionen und die damit vorgenommene Strukturierung des Gegenstandsbereichs vorziehen.

Zusammengefaßt: Begriffe sind Kategorien von Beobachtungen, die unter einem bestimmten Gesichtspunkt als identisch betrachtet und behandelt werden. Begriffe „konstituieren" die Wirklichkeit aus der Sicht des Sprechers.[44] Begriffsbildung und Begriffsdefinition sind ein wichtiger Abschnitt von zentraler Bedeutung in jeder Untersuchung.

---

44 Manche Autoren bleiben bei dem bisher verfolgten Gedankengang nicht stehen und führen zunächst noch den Ausdruck „Prädikator" ein, worunter ein spezifisches sprachliches Symbol zu verstehen ist, mit dem der gedanklich abgegrenzte Realitätsausschnitt bezeichnet wird (hier z. B. „Tisch" oder „Interaktion"). Der identische Realitätsausschnitt kann jedoch mit unterschiedlichen Prädikatoren bezeichnet werden: an die Stelle von „Tisch" tritt z. B. in der englischen Sprache der Prädikator „table". „Begriffe" sind aus dieser Sicht erst die „Abstraktionsklassen synonymer Prädikatoren" (Friedrich/Hennig 1975, 75). Diese für manche Zwecke sicher sinnvolle Differenzierung wird im vorliegenden Text nicht aufgegriffen. Hier wird unter „Begriff" ein sprachliches Zeichen und dessen Bedeutung verstanden.

Werden Definitionsmerkmale unzweckmäßig gewählt, können wesentliche Beziehungen in der Realität verschleiert, „wegdefiniert" werden. Beispiel: „soziale Schicht" sei definiert durch eine *Kombination* von Merkmalen der sozialen Herkunft, der eigenen Bildung, des Berufsprestiges und des Einkommens. Wenn man dies tut, dann werden damit alle Beziehungen „wegdefiniert", die sich in Hypothesen ausdrücken könnten wie: Je höher der Status des Elternhauses, desto höher die Bildung der Kinder und deren späteres Berufsprestige sowie deren Einkommen (vgl. Kap. 3.2). Setzt sich ein bestimmter Sprachgebrauch auf der Grundlage begrifflicher Strukturierung der sozialen Realität durch, dann können auch bestimmte *Fragestellungen* nicht mehr aufgeworfen werden, weil sie in der Sprache nicht vorgesehen sind.

Nochmals zum Theoriegehalt und zum empirischen Bezug von Begriffen: Die unterschiedlichen Grade an Theoriegehalt sowie die Art des empirischen Bezugs werden in einer Unterscheidung deutlich, die *A. Kaplan* vorgenommen hat. Er klassifiziert Begriffe in direkte und indirekte Beobachtungstermini, Konstrukte und theoretische Begriffe. Zumindest der Unterscheidung zwischen direkten Beobachtungstermini und den nur indirekt beobachtbaren Sachverhalten kommt für die empirische Sozialforschung eine zentrale Bedeutung zu.

Nach *Kaplan* (1964, 54ff.) bietet sich folgende Einteilung an:

a) *Beobachtungstermini* (observational terms): Diese lassen sich aufgrund relativ einfacher und direkter Beobachtungen anwenden (Bsp. Einkauf, Spaziergang, Bevölkerung, Arbeitsgruppe, Alter, Geschlecht, Klausurteilnehmer, Papagei). Man nennt solche Begriffe mit direktem empirischen Bezug auch empirische oder deskriptive Begriffe.

b) *Indirekte Beobachtungstermini* (indirect observables): Diese können nur mit Hilfe einer Kombination von Beobachtung und Schlußfolgerung angewendet werden; die bezeichneten Tatbestände sind nicht direkt beobachtbar, die Begriffe haben einen indirekten empirischen Bezug. Man benötigt direkt erfahrbare Indikatoren, die auf das Vorliegen oder Nichtvorliegen des durch den Begriff gemeinten Sachverhalts hindeuten (Bsp. Norm: Indikator = Belohnung/Bestrafung bestimmter Verhaltensweisen; Erreichbarkeit: Indikator = Fußweg in Minuten oder Entfernung in km; Sozialstatus: Indikatoren = Berufsprestige und/oder Bildung und/oder Einkommen und/oder Ansehen des Wohngebiets und/oder materieller Besitz etc.).

c) *Konstrukte* (constructs): Sie werden weder aufgrund direkter noch aufgrund indirekter Beobachtungen angewendet, sind aber aufgrund von Beobachtungen definiert (Bsp. soziale Mobilität = df. Ergebnis des Vergleichs des sozialen Status der gleichen Person zu verschiedenen Zeitpunkten).

d) *Theoretische Begriffe* (theoretical terms): Sie beziehen sich auf Zusammenhänge zwischen einzelnen Variablen (Bsp. Urbanismus: Es wird das gleichzeitige Vorhandensein einer ganzen Reihe von Eigenschaften und Erscheinungen unterstellt, z. B. städtischer Lebensstil mit Merkmalen wie Anonymität, geringe soziale Kontrolle, Beschränkung enger sozialer Beziehungen auf einen Kern von Verwandten und Freunden, besondere Kommunikationsformen etc.; weiteres Beispiel: soziales System).

Mit Ausnahme von a) sind für die Entscheidung über das Vorliegen der mit den Begriffen bezeichneten Tatbestände Indikatoren erforderlich.

3.4.3 Nominaldefinition II: Eigenschaften

Zurück zu den Eingangsüberlegungen zur Nominaldefinition (Abschn. 3.4.1). Nach Auffassung der „Schule" des Begriffsnominalismus sind Begriffe etwas dem bezeichneten Phänomen gegenüber Äußeres; der Zusammenhang von Begriff und Gegenstand ist rein konventioneller Art. Begriffe sind lediglich ein prinzipiell auswechselbares Etikett. Auch der Zusammenhang von Definiens und Definiendum ist veränderbar. Die nominalistische Maxime für die Begriffsbestimmung, für die Definition lautet: Jedes Wort kann verschiedene Bedeutungen tragen (Homogramme, Homonyme) und jede Bedeutung kann durch verschiedene Wörter repräsentiert werden (Synonyme). Begriffe spielen die Rolle des „Wegweisers" zur Wirklichkeit; sie leuchten denjenigen Teil der Wirklichkeit aus, auf den sie gerichtet sind.

Diese Funktion wird umso besser erfüllt, je stärker zwei Bedingungen beachtet werden: Präzision und empirischer Bezug.

Beispiel für die Nominaldefinition von „politische Partei" (lies: Definition der Zeichenkombination „politische Partei", die jetzt noch bedeutungsleer ist): Eine politische Partei (P) soll sein: (= df.) eine Organisation (O) mit eingeschriebenen Mitgliedern (M) und demokratischer Binnenstruktur (dB), die an Wahlkämpfen teilnimmt (W) und sich um Regierungsbeteiligung bewirbt (R). Oder: P_1 = df. O, M, dB, W, R.[45]

Damit ist explizit, präzise und erschöpfend bestimmt, was als politische Partei gelten *soll*. Gegen diese Definition kann man höchstens einwenden, sie sei *unzweckmäßig*, weil sie z. B. zu viele Vereinigungen ausschließt, die aus bestimmten Gründen auch in eine Untersuchung über politische Parteien einbezogen werden sollten.

Ein anderer Forscher könnte deshalb definieren: P_2 = df. O, M, dB.

Oder ein dritter: P_3 = df.: O, M, W, R.

Oder ein vierter: P_4 = df.: O, M, R.

Oder ein fünfter: P_5 = df.: O, M, R, V.[46]

45 „P_1", weil prinzipiell beliebig viele Definitionen möglich sind.
46 „V" soll hier heißen: verfolgt keine verfassungsfeindlichen Ziele.

Jeder dieser so definierten Begriffe verbindet mit der gleichen Zeichenkombination „politische Partei" eine andere Gesamtheit von empirischen Phänomenen, strukturiert also den Gegenstandsbereich in anderer Weise, zieht andere Grenzen. Hieran wird die Klassifikationsfunktion von Begriffen recht deutlich: Jeder der so definierten Begriffe P_1 bis P_5 klassifiziert die Gesamtheit der „Organisationen" in anderer Weise als Partei oder Nicht-Partei. Aber auch: Mit der gleichen Wortkombination „politische Partei" werden andere Bedeutungen verbunden.

Nach diesen Vorüberlegungen können nun *Nominaldefinitionen* genauer bestimmt werden als:

„Aussagen über die Gleichheit der extensionalen und intensionalen Bedeutung zweier oder mehrerer Begriffe: Ein zu definierendes sprachliches Zeichen (Definiendum) wird mit einem definierenden Zeichen (Definiens) gleichgesetzt. Knüpft diese Gleichsetzung an einen vorhandenen Sprachgebrauch an, spricht man von einer deskriptiven, schafft sie erst einen neuen Sprachgebrauch, von einer stipulativen Nominaldefinition" (*Esser/Klenovits/Zehnpfennig* 1977, Bd. 1, 79).

Dabei heißt Intension (intensionale Bedeutung) eines nominalistischen Begriffs: die Menge der *Eigenschaften* von Objekten, die zur Definition herangezogen werden (im Falle der Definition P_1 sind dies: O, M, dB, W, R; im Falle der Definition P_5 sind dies: O, M, R, V; zur Entscheidung ob z. B. ein Objekt eine „politische Partei" im Sinne von P_1 ist, werden *nur* die Eigenschaften O, M, dB, W, R berücksichtigt).

Demgegenüber heißt Extension (extensionale Bedeutung) eines nominalistischen Begriffs: die Menge der *Objekte*, für die die in der Definition geforderten Eigenschaften vorliegen. Im Falle der Definition P_1 sind dies alle Objekte, die die Eigenschaften O, M, dB, W, R besitzen. Die Extension von P_1 etwa ist vermutlich geringer als die von P_4, da P_1 sämtliche Eigenschaften von P_4 einschließt (O, M, R) und zusätzlich noch zwei weitere (dB, W) enthält; P_1 führt mehr definitorische Bedingungen ein, die eine Organisation erfüllen muß, um als „politische Partei" zu gelten.

Der *Vorteil* nominalistischer Definitionen ist deren *Präzision*. Das Definiendum bedeutet genau das, was im Definiens steht, nicht mehr und nicht weniger. Der *Nachteil* dieser Beliebigkeit der Begriffsbildung liegt in der mangelnden Möglichkeit des Vergleichs von Forschungsergebnissen, die aufgrund unterschiedlicher Definitionen gewonnen wurden. Aussagen, die für politische Parteien = df. P_1 gelten, beziehen sich auf einen anderen Gegenstandsbereich als Aussagen über politische Partein = df. P_2, und zwar wegen der unterschiedlichen Extension (wegen des unterschiedlichen „Begriffsumfangs") von P_1 und P_2. Identisch sind lediglich die verwendeten Worte. Empirische Regelmäßigkeiten, die für den Gegenstandsbereich P_1 zutreffen, müssen deshalb nicht in gleicher Weise auch für die Gegenstandsbereiche P_2, P_3, P_4 oder P_5 zutreffen.

Eine weitere Eigenschaft von Nominaldefinitionen ist die, daß eine *Nominaldefinition niemals falsch* sein kann; denn sie macht keine Aussagen über die Eigenschaften der Realität. Sie legt lediglich fest, welche Eigenschaften ein empirischer Gegenstand oder Sachverhalt aufweisen muß, um unter die Menge der Gegenstände oder Sachverhalte zu fallen, die mit der Definition begrifflich abgegrenzt worden sind.[47] Aus dem gleichen Grund kann eine Nominaldefinition auch niemals „richtig" sein. Das Beurteilungskriterium Falschheit/Richtigkeit *trifft auf Nominaldefinitionen nicht zu;* stattdessen ist nach ihrer *Zweckmäßigkeit* zu fragen.

Nominaldefinitionen sind Klassifikationsvorschriften; sie sind Anweisungen an die Beobachter: Nur Tatbestände, die die folgenden Bedingungen erfüllen, sollen mit dem Begriff (z. B. „politische Partei") bezeichnet werden; allen anderen Tatbeständen soll dieser Begriff nicht zugeschrieben werden (= Nicht-P). Im Extremfall könnte es so sein, daß empirisch überhaupt kein Tatbestand die im Definiens aufgeführte Eigenschaftskombination besitzt und somit der definierte Begriff überhaupt keine Entsprechung in der Realität hätte (Extension = null: alle Objekte fallen unter die Kategorie Nicht-P). Auch damit wäre die Definition nicht „falsch", sie wäre allerdings völlig unbrauchbar: die Klassifikationsvorschrift wäre derart, daß sich überhaupt nichts in unterschiedliche Klassen einteilen ließe.

3.4.4 Realdefinitionen

Grundsätzlich anders als die Auffassung des Begriffsnominalismus ist die Auffassung des Begriffsrealismus. Wiederum sehr verkürzt dargestellt kann man sagen: der *Begriffsrealismus* betrachtet Begriffe als unmittelbare Widerspiegelung der Erscheinung. Natürlich — welchem Gegenstand welcher Begriff zugeordnet wird, das ist gesellschaftliche Konvention. Aber: Es ist nicht in das Belieben des einzelnen „Definierers" gestellt, welche Facetten des Gegenstandes mit einem Begriff hervorgehoben und welche außer acht gelassen werden. Der Begriff strukturiert nicht den Gegenstandsbereich, sondern er zeichnet die Struktur des Gegenstandsbereichs nach. Der Begriff ist sozusagen eine Eigenschaft des Gegenstandsbereichs selbst; er bildet auf der Ebene der Sprache „*das Wesen*" *des Gegenstands/Objekts* ab. Was aber an

---

47 Nominaldefinitionen werden deshalb verschiedentlich auch „festsetzende Definitionen" genannt. Die „Festsetzung" muß jedoch für eine Untersuchung nicht endgültigen Charakter haben. Gerade wenn Begriffe — insbesondere bei deskriptiven Studien — die Rolle eines „Wegweisers" zur Realität (vgl. S. 65) erfüllen oder „sensibilisierend" für die Analyse wirken sollen (vgl. Dechmann 1978, 145 ff.), kann sich im Laufe des Forschungsprozesses eine gegenüber der Anfangsdefinition modifizierte Begriffsfassung als angemessener erweisen.

einem Sachverhalt wesentlich ist, ist von diesem Sachverhalt abhängig und nicht von der Willkür desjenigen, der einen Begriff definiert.

Die Realdefinition ist deshalb eine Aussage über Eigenschaften eines Gegenstands oder Sachverhalts, die im Hinblick auf diesen Gegenstand/Sachverhalt *für wesentlich gehalten* werden (und nicht − wie bei der Nominaldefinition − im Hinblick auf eine an den Gegenstand/Sachverhalt herangetragene Fragestellung). Realdefinitionen sind also *Behauptungen* über die Beschaffenheit oder über das „Wesen" eines Phänomens und haben damit den gleichen Status wie empirische Hypothesen: sie müssen sich an der Realität des bezeichneten Phänomens bewähren, und sie können richtig oder falsch sein.

Heißt jetzt das Definiendum − das zu Definierende − „politische Partei", dann stehen im Definiens Eigenschaften, die das Wesentliche des Phänomens „politische Partei" zum Ausdruck bringen sollen. Das Phänomen selbst und dessen Eigenschaften sind durch die Definition zu erschließen. Es soll also nicht für die Zwecke der Kommunikation ein bestimmter Sprachgebrauch hier und jetzt lediglich vereinbart werden. Vielmehr wird vorausgesetzt, daß es den zu definierenden Begriff mit seinem gegenstandsbezogenen Vorstellungsinhalt bereits gibt: das Definiendum hat eine eigene, vom Definiens unabhängige Bedeutung.

Der Unterschied im sprachlogischen Status von Real- und Nominaldefinition drückt sich bereits in den Formulierungen aus, die im Zusammenhang mit den beiden Definitionstypen gewählt werden. Bei einer Nominaldefinition wird immer deutlich gemacht, daß „per Definition" einem Definiendum bestimmte Eigenschaften zugeschrieben werden: „P$_1$ = df. O, M, dB, W, R." Oder verbal: „Unter einer politischen Partei *soll verstanden werden* . . ." Oder: „Wenn im folgenden von politischer Partei die Rede ist, dann ist damit gemeint . . ." Oder: „*Ich definiere* für die vorliegende Untersuchung politische Partei wie folgt: . . ."

Bei einer Realdefinition dagegen würde es heißen: „Eine politische Partei ist O, M, dB, W, R." Oder: „Als das Besondere einer politischen Partei sind die folgenden Merkmale anzusehen: . . ." Oder: „Wesentlich für politische Parteien sind die Merkmale: . . ."

Solche Unterscheidungen schon bei der Schreibweise und bei der Wahl der verwendeten Wörter sind − wie *Opp* (1976, 95) hervorhebt − durchaus nicht „ein überflüssiges Produkt pedantischer Logiker". Andernfalls könnten Unklarheiten darüber entstehen, ob lediglich ein Vorschlag über die präzise Verwendung eines bestimmten Ausdrucks gemacht wird (Nominaldefinition) oder ob etwas über die Realität ausgesagt werden soll.

Wird *bei einer Nominaldefinition* von politischer Partei der Beobachter mit einer Organisation konfrontiert, die zwar nach allgemeiner Überzeugung als politische Partei eingestuft wird, die aber mindestens eines der Definitionsmerkmale nicht aufweist, dann ist die Konsequenz: Diese Organisation fällt nicht in die Menge der als politische Partei definierten Organisationen und wird nicht in die Untersuchung einbezogen. Falls diese Konsequenz als nicht sinnvoll erscheint, ist die

Definition nicht etwa falsch, sondern unzweckmäßig. Handelte es sich *dagegen* um eine *Realdefinition* von politischer Partei, dann ist die Konsequenz eine andere: die Definition ist falsch, sie muß geändert werden.

Nehmen wir an, die Einschätzung werde allgemein akzeptiert: Die NPD ist eine politische Partei. Nehmen wir ferner an, es sei empirisch wahr, daß die NPD keine demokratische Binnenstruktur aufweist. Dann stimmt in der Realdefinition „P ist O, M, dB, W, R" ein Bestandteil nicht: Wir haben eine politische Partei gefunden, die keine demokratische Binnenstruktur aufweist. „Demokratische Binnenstruktur" ist also offenbar keine Eigenschaft, die „das Wesen" einer politischen Partei ausmacht. Wenn man weiter davon ausgeht, daß auch eine staatliche Einheitspartei eine politische Partei ist, dann trifft für diese empirisch nicht zu, daß sie sich im Wahlkampf um Regierungsbeteiligung bewirbt; eine Wahl hat dort eine andere Bedeutung: Bestimmung der Repräsentanten dieser Partei für die Regierungsorgane. Wenn dies so ist, dann ist aber auch die Eigenschaft „sich in Wahlkämpfen um Regierungsbeteiligung bewerben" nicht ein „wesentliches" Bestimmungsmerkmal politischer Parteien. Die Realdefinition wäre dann auch in dieser Hinsicht falsch. Und so könnte es im Prinzip jedem der anderen genannten Definitionsmerkmale ergehen.

Da die Realdefinition etwas aussagt über den Gegenstand, so wie er unabhängig von dieser Definition schon existiert und nicht erst *durch die Definition* konstruiert und strukturiert wird, kann sie in vielfacher Hinsicht empirisch falsch sein.

Realdefinitionen können aber nicht nur falsch sein, sie können praktisch auch *niemals vollständig* sein. Man kann unmöglich sämtliche Eigenschaften, die ein bereits bekannter Gegenstand hat, in die Definition aufnehmen. Anspruch und Ziel von Realdefinitionen ist es ja gerade, nur „das Wesentliche" hervorzuheben. Aber das, was wirklich wesentlich *ist* – nicht was vereinbarungsgemäß als wesentlich erachtet werden *soll* –, kann nicht mit letzter Sicherheit bestimmt werden; in unterschiedlichen historischen Epochen können jeweils andere Aspekte eines Phänomens wesentlich sein (man denke etwa an den Wandel der Bedeutung von „Familie").

Zusammengefaßt: Unter Realdefinition versteht man die Angabe des „Wesens" der Sache, die mit dem zu definierenden Begriff bezeichnet wird. Das Definiendum (z. B. P) soll durch bestimmte Eigenschaften (z. B. O, M, dB, W, R) definiert werden, *weil* diese zum „Wesen" des bezeichneten Phänomens – hier: P – gehören. Wegen der Unklarheit des Begriffs „Wesen" bleibt allerdings die Bedeutung von „Realdefinition" letztlich recht vage; es bleibt unbestimmt, was denn – um die gleiche Terminologie zu verwenden – „das Wesen der Realdefinition" ausmacht. So arbeitet beispielsweise *Hempel* (1974, 17ff.) drei mögliche Bedeutungen des Begriffs „Realdefinition" heraus – analytische Definition oder Bedeutungsanalyse, empirische Analyse, Begriffsexplikation –, die mit den Ausführungen dieses Abschnitts nur teilweise übereinstimmen.

Als wichtiger *Merkposten* bleibt festzuhalten: Intersubjektive Überprüfbarkeit des Forschungsprozesses setzt präzise Definitionen voraus. Diese haben üblicherweise die Form von Nominaldefinitionen: „Wir verstehen unter x einen Gegenstand mit den Eigenschaften E_1 bis E_n." Die für die Nominaldefinition notwendige gedankliche Ordnung des Gegenstandsbereichs erhält man durch die dimensionale Analyse des Gegenstandsbereichs; bei theorietestenden Untersuchungen ähnelt die semantische Analyse der Bedeutungsdimensionen theoretischer Begriffe dem Verfahren der Realdefinition. Das Ergebnis wird jedoch dann in Form einer Nominaldefinition für den Geltungsbereich der Untersuchung festgeschrieben. Notwendig ist, daß am Ende eine präzise Definition der verwendeten Begriffe steht, die operationalisierbar ist.

Auch *Friedrich/Hennig* (1975, 84) schreiben den „festsetzenden Definitionen".(Nominaldefinitionen) eine „zentrale Rolle ... bei der wissenschaftlichen Begriffsbildung" zu und warnen vor der Verwendung von Realdefinitionen im hier beschriebenen Sinne. Bei diesen könne es „leicht geschehen, daß Fragen, die die Feststellung der Tatsachen des Objektbereichs der Theorie betreffen (empirische Analysen), in unsauberer Weise mit Fragen der terminologischen Festsetzungen vermengt werden und dadurch die Begründung von Tatsachenbehauptungen unterbleibt, weil der Eindruck entsteht, es handele sich ja nur um eine festsetzende Definition" (a.a.O., 85).

3.5 Literatur zu Kap. 3

Albert, Hans, 1973: Probleme der Wissenschaftslehre in der Sozialforschung, in: *König,* R. (Hg.), Handbuch der empirischen Sozialforschung, Bd. 1, Stuttgart (3. Aufl.), 57-102
Bunge, Mario, 1967: Scientific Research, 2 Bände, Berlin, Heidelberg
Cicourel, Aaron V., 1974: Methode und Messung in der Soziologie, Frankfurt/M.
Dechmann, Manfred D., 1978: Teilnahme und Beobachtung als soziologisches Basisverhalten; Bern, Stuttgart
Esser, Hartmut; *Klenovits,* K.; *Zehnpfennig,* H., 1977: Wissenschaftstheorie, Bd. 1, Stuttgart
Friedrich, Walter; *Hennig,* W., 1975: Der sozialwissenschaftliche Forschungsprozeß, Berlin-DDR, Teil A, Kap. 3
Giesen, Bernhard; *Schmid,* M., 1975: Basale Soziologie: Wissenschaftstheorie, München
Hartmann, Heinz, 1970: Empirische Sozialforschung, München, Kap. 4, 9
Heller, Kurt; *Rosemann,* B., 1974: Planung und Auswertung empirischer Untersuchungen, Stuttgart
Hempel, Carl G., 1974: Grundzüge der Begriffsbildung in der empirischen Wissenschaft, Düsseldorf
*Holm,*Kurt, 1975: Das Modell des Untersuchungsgegenstands, in: ders. (Hg.), Die Befragung 1, München (UTB 372), 14-21

Kaplan, Abrahahm, 1964: The Conduct of Inquiry: Methodology for Behavioral Science, San Fransisco

Kriz, Jürgen, 1981: Methodenkritik empirischer Sozialforschung. Eine Problemanalyse sozialwissenschaftlicher Praxis, Stuttgart

Lazarsfeld, Paul F., 1959: Evidence and Inference in Social Research; in: *Lerner,* D. (ed.), Evidence and Inference, New York

Opp, Karl-D., 1976: Methodologie der Sozialwissenschaften, Reinbek

Popper, Karl R., 1971: Logik der Forschung, Tübingen

Prim, Rolf; *Tilmann,* H., 1975: Grundlagen einer kritisch-rationalen Sozialwissenschaft, Heidelberg (UTB 221), Kap. 3-6

Zetterberg, Hans L., 1973: Theorie, Forschung und Praxis in der Soziologie; in: *König,* R. (Hg.), Handbuch der empirischen Sozialforschung, Bd. 1, Stuttgart (3. Aufl.), 103-160

4. Strategien der Operationalisierung und Indikatorenauswahl

Bevor auf die in der Überschrift genannten Stichworte eingegangen wird, sei kurz an die Anforderungen erinnert, die an eine erfahrungswissenschaftliche Theorie bzw. an Hypothesen im erfahrungswissenschaftlichen Zusammenhang gestellt werden:

1) Erfahrungswissenschaftliche Theorien müssen *empirischen Bezug* haben, d. h. sie müssen empirisch überprüfbar sein, müssen an der Erfahrung scheitern können (Begriffe mit empirischem Bezug; sprachlogische Struktur der Aussagen; Aussagen über einen wahrnehmbaren Gegenstandsbereich, für den sie gelten sollen; Möglichkeit von Prognosen über zukünftige Entwicklungen etc.).

2) Die benutzten Begriffe der Theorie müssen *präzise definiert sein.*

3) Wenn der empirische Bezug der in der Theorie (Hypothese) verwendeten Begriffe nur indirekt herstellbar ist (z. B. Gruppenkohäsion, Feindschaft), müssen *Indikatoren* angebbar sein, die auf das Vorhandensein der mit dem Begriff gemeinten Sachverhalte schließen lassen (Beispiel ,,Gruppenintegration", mögliche Indikatoren: Bejahung der Gruppe, Hilfsbereitschaft innerhalb der Gruppe, Bereitschaft der Gruppenmitglieder zu gemeinsamem Handeln). Bei mehrdimensionalen Begriffen sollte jede relevante Bedeutungsdimension durch mindestens einen Indikator repräsentiert werden.

4) Die Begriffe müssen *operationalisierbar* sein. D.h.: zu den Begriffen (bei direktem empirischem Bezug) bzw. zu den Indikatoren (bei Begriffen mit nicht direktem empirischem Bezug) müssen *Beobachtungsoperationen* angebbar sein, so daß entschieden werden kann, ob der mit dem Begriff gemeinte Tatbestand in der Realität vorliegt bzw. in welchem Ausmaß er vorliegt.

Um die Punkte 3) und 4) geht es in diesem Kapitel.

4.1 Indikatoren

Bleiben wir zunächst bei dem Beispiel über den Zusammenhang von sozialer Herkunft und Schul- sowie Berufserfolg. Die definierten Begriffe „sozialer Status des Elternhauses", „Bildung" und „Berufserfolg" der Kinder haben alle einen empirischen Bezug: Es gibt in der sozialen Realität so etwas wie eine soziale Rangordnung in der Gesellschaft, wie Bildung einer Person oder wie Berufserfolg. Aber alle Begriffe sind zunächst praktisch nicht direkt beobachtbar, wahrnehmbar, erfahrbar, sondern nur indirekt auf dem Umweg über die Beobachtung von Sachverhalten, die etwas mit Statuseinschätzung, mit Bildung, mit Berufserfolg zu tun haben. Wir benötigen also Indikatoren, die uns das Vorliegen der mit den Begriffen bezeichneten Sachverhalte anzeigen, „indizieren".

Zum Teil wurden im Beispielsfall bei der dimensionalen Analyse die Begriffsinhalte zwar schon so weit reduziert, daß die dann definierten Bedeutungsinhalte direkt erfahrbar werden. So wurde „sozialer Status des Elternhauses" eingeengt auf Berufsprestige und formale Schulbildung des Vaters (bzw. „Familienoberhaupts"). Von diesen beiden Teildimensionen könnten wir *formale Schulbildung im Prinzip* direkt erheben: Einsichtnahme in die Abschlußzeugnisse oder in Zeugnislisten von Bildungsinstitutionen. *Praktisch* allerdings ist dieser Weg nicht gangbar, und man wird auf Auskünfte der Personen angewiesen sein, an denen man das soziale Problem untersuchen möchte: im Beispielsfall wird man Antworten der Söhne auf entsprechende Fragen in einem Fragebogen als Indikatoren für den eigentlich interessierenden Sachverhalt „formale Schulbildung des Vaters" heranziehen.

Beim *Berufsprestige* ist *nicht einmal im Prinzip* die Ausprägung dieses Merkmals direkt erhebbar. Vielmehr ist in zwei Etappen vorzugehen:

Einerseits können die Bezeichnungen der Berufstätigkeit von Personen wiederum im Prinzip direkt erhoben werden (z. B. über die Beschäftigtenkarteien der Arbeitgeber), praktisch jedoch ist auch dieser Weg nicht gangbar. Man benötigt wieder Antworten der Söhne auf entsprechende Fragen als Indikatoren für die tatsächliche Berufstätigkeit des Vaters. Dabei ergibt sich eine weitere Schwierigkeit: „Berufstätigkeit des Vaters" kann sich auf die gesamte Zeit von dessen Berufstätigkeit beziehen; und falls jemand nicht immer die gleiche Berufsposition hatte, was soll dann als Indikator für die generelle Variable „Berufsposition" erfragt werden: die letzte Berufsposition? Oder diejenige, die der Vater am längsten innegehabt hat? Oder — dafür sprächen theoretische Überlegungen — die Berufsposition, die der Vater zum Zeitpunkt innehatte, als es um die Entscheidung ging, welche Ausbildung der Sohn erhalten sollte? Oder gar — auch dafür sprächen theoretische Überlegungen — die Berufsposition, die der Vater gar nicht hatte, sondern anstrebte? Denn möglicherweise ist das berufliche Anspruchsniveau des Vaters die eigentliche Triebfeder für die Pläne, die er im Hinblick auf seinen Sohn verfolgt.

Unterstellt, dies sei gelöst: dann hat man mit der Bezeichnung der Berufsposition aber noch nicht das Berufs-„prestige" erhoben. Hierzu benötigt man *zusätzlich* eine generalisierte Rangordnung für alle vorkommenden Berufspositionen hinsichtlich des Prestiges, des Ansehens, das diese in der Gesellschaft genießen (denn Berufsprestige war ja nicht definiert worden als Einschätzung des Ansehens der Berufstätigkeit im Bewußtsein des Inhabers der Position selbst). *Blau* und *Duncan* haben eine solche Rangordnung auf der Basis einer Reihe von Befragungen mit Hilfe von Regressionsanalysen berechnet (Befragungen, die unabhängig von der geschilderten Untersuchung durchgeführt worden waren). Jetzt erst — nach Ermittlung der jeweiligen Berufspositionen der Väter mit Hilfe einer Befragung der Söhne und nach Ermittlung einer generalisierten Rangordnung der Berufe — können (aus der Kombination der Ergebnisse dieser beiden Vorgehensweisen) der Variablen „Berufsprestige" konkrete Werte zugewiesen werden, d. h. Berufsprestige kann nun „gemessen" werden.

Entsprechend wird hinsichtlich der Bildung und des Berufserfolgs der Söhne verfahren: Antworten auf Fragen nach ihrem höchsten Bildungsabschluß dienen als Indikatoren für „Bildung", Antworten auf Fragen nach ihrer gegenwärtigen Berufsposition gelten zusammen mit der generalisierten Rangordnung der Berufe auf einer Prestigeskala als Indikatoren für „Berufserfolg".

Die von *Blau* und *Duncan* (1967) entwickelte Berufsprestige-Skala weist Punktwerte zwischen 0 und 96 auf.[48] Hier einige *Beispiele:*

0 - 4 Punkte: Kohlengruben-Hilfskräfte und -arbeiter, Gepäckträger, Arbeiter in Sägemühlen usw.

(. . .)

25 - 29 Punkte: Büroboten, Zeitungsausträger, Straßenbauarbeiter, Raffineriearbeiter usw.

(. . .)

50 - 54 Punkte: Musiker und Musiklehrer, Angestellte in der kommunalen Verwaltung, Buchhalter, Briefträger, Vorarbeiter in der Metallindustrie usw.

(. . .)

70 - 74 Punkte: angestellte Manager im Großhandel, Lehrer, selbständige Unternehmer im Auto- und Ersatzteilhandel usw.

(. . .)

80 - 84 Punkte: College-Präsidenten, Professoren, Herausgeber und Chefrepor-

---

48 Man möge sich überlegen, welche Probleme eine solche Skala aufwirft. Unter dem Stichwort „Variablenbildung" wird später darauf eingegangen.

ter, Elektroingenieure, höhere Regierungsangestellte, angestellte Manager im Dienstleistungsbereich usw.

(...)

90 - 96 Punkte: Architekten, Zahnärzte, Chemie-Ingenieure, Rechtsanwälte, Richter, Physiker, Chirurgen usw.

Zurück zum Stichwort „Indikatoren". Von *Nowak* (1963) stammt die nützliche Unterscheidung in definitorische, korrelative und schlußfolgernde Indikatoren.

Definitorische Indikatoren sind danach solche, durch die die zu untersuchende Merkmalsdimension selbst erst definiert wird. In unserem Standardbeispiel ist „Bildung" als „formale Schulbildung" definiert und „höchster Schulabschluß" ist ein definitorischer Indikator, falls dieser höchste Schulabschluß direkt erhoben wird. Die Antwort auf die Frage nach dem höchsten Schulabschluß dagegen ist streng genommen kein definitorischer, sondern ein externer korrelativer Indikator (s. u.): Wir schließen von der Antwort auf die entsprechende Frage, daß der erfragte Sachverhalt tatsächlich vorliegt, weil wir wissen, daß die Ausprägung der Antworten von Befragten häufig mit der Ausprägung des eigentlich zu erhebenden Sachverhalts übereinstimmt.

Es gibt aber auch Begriffe, die durch Antworten auf ein Befragungsinstrument definiert sind: z. B. „soziometrischer Status" = df. Anzahl der positiven Wahlen, die ein Individuum in einer Gruppe erhält; oder: „response set" = df. die Tendenz des Befragten, unabhängig von dem erfragten Sachverhalt bestimmte Antwortalternativen vorzuziehen.

Bei **korrelativen Indikatoren**[49] ist der Bedeutungsgehalt der Indikatoren (im Unterschied zu definitorischen Indikatoren) nicht mehr gleich dem Bedeutungsgehalt der Begriffe, für die sie stehen. Man unterscheidet hier noch zwischen internen und externen korrelativen Indikatoren.

Intern korrelativ sind Indikatoren für Teilaspekte eines mehrdimensionalen Sachverhalts (einer mehrdimensionalen oder komplexen Merkmalsdimension), wenn sie mit den übrigen Komponenten des definierten Begriffs korrelieren (mit anderen Worten: Indikatoren für eine der Teildimensionen, die selbst Bestandteil des Definiens sind). *Extern korrelativ* sind Indikatoren für Sachverhalte, die *nicht* Bestandteil der Definition eines Begriffs sind, aber dennoch mit der begrifflich bezeichneten Merkmalsdimension korrelieren.

49 Dem statistischen Begriff „Korrelation" liegt folgende Fragestellung zugrunde: Wie oft kommen gewisse Erscheinungsformen gleichzeitig oder in regelmäßiger zeitlicher Aufeinanderfolge mit gewissen anderen Erscheinungsformen vor, so daß von einem „Zusammenhang" zweier (oder mehrerer) Variablen gesprochen werden kann? Beispielsweise würde man sagen, daß die Variablen „Bildung" und „Einkommen" (positiv) korrelieren, wenn gilt: Je höher die Bildung von Personen ist, desto höher ist tendenziell auch deren Einkommen.

Wenn also „sozialer Status" einer Person definiert ist als „Position der Person in der gesellschaftlichen Hierarchie, wie sie sich aufgrund ihrer Bildung, ihres Berufs und ihres Einkommens ergibt", und wenn Bildung, Beruf und Einkommen positiv korrelieren, dann ist jedes dieser Merkmale für sich genommen ein interner korrelativer Indikator für „sozialen Status". Nehmen wir an, es gelte zusätzlich die Beziehung: „Je höher der soziale Status einer Person, desto luxuriöser und teurer die Ausstattung ihrer Wohnung, insbesondere die des Wohnzimmers". In diesem Fall korreliert „Wohnzimmerausstattung" mit „sozialer Status", und die – etwa von einem Interviewer eingeschätzte – Qualität der Wohnzimmerausstattung wäre ein korrelativer Indikator für sozialen Status (und zwar ein externer korrelativer Indikator, da nicht Bestandteil der Begriffsdefinition).[50]

Läßt sich die Korrelation zwischen Indikator und indiziertem Merkmal nicht theoretisch als ein konstanter Zusammenhang begründen, sondern lediglich als bisher beobachtbare empirische Regelmäßigkeit, dann ist die „Gültigkeit" (s. u.) eines solchen Indikators fragwürdig. So könnten sich etwa im Zeitablauf die Einrichtungsgewohnheiten ändern, und es könnte bei Personen mit hoher Bildung und hohem Berufsprestige „in" sein, sich möglichst schlicht und einfach einzurichten („Snob-Effekt": Wir haben es nicht nötig, unseren Status zu „dokumentieren"). Der ehemals „gültige" externe korrelative Indikator „Wohnzimmerausstattung" würde dann falsche Resultate liefern.

Als schlußfolgernde Indikatoren schließlich gelten solche, von denen auf Merkmalsausprägungen von Variablen geschlossen werden kann, die überhaupt nicht direkt beobachtbar sind. Beispiel: dispositionale Eigenschaften von Personen; etwa „Entfremdung" als dispositionale Eigenschaft. Hier muß sich der Forscher mit der Beobachtung manifester Eigenschaften oder Verhaltensweisen der Individuen begnügen und von deren Auftreten auf die Existenz der eigentlich interessierenden Variablen schließen (etwa von Formen „entfremdeten Verhaltens" auf die dispositionale Eigenschaft „Entfremdung"). Dazu müssen Korrespondenzregeln formuliert werden, die ihrerseits den Status von Hypothesen haben und dementsprechend falsch sein können (vgl. Kap. 4.3).

Die vorgestellte Klassifikation von Indikatoren ist deshalb wichtig, weil sie etwas über die <u>Gültigkeit (Validität)</u>[51] der Indikatoren

---

50 Beispiel nach S. Chapin, 1951: The Measurement of Social Status, Chicago; zitiert bei Mayntz/Holm/Hübner (1971, 41).

51 Für die Beurteilung empirischer Untersuchungen werden von Zetterberg (1973) sechs Kriterien genannt: „1. Die Gültigkeit (logische und/oder empirische) der operationalen Anweisungen; 2. die Zuverlässigkeit (Präzision und Objektivität) der operationalen Anweisungen; 3. die „Übereinstimmung" zwischen dem Trend der Daten und dem von der überprüften These vorausgesagten Trend . . .; 4. die Kontrolle alternativer Hypothesen; 5. die Repräsentativität der Auswahl und der Umfang der Gesamtheit; 6. das Maß, in dem die überprüfte These ein wesentlicher Teil der bereits bestehenden Theorie ist" (a.a.O., 143). – Die Kriterien 1, 2 und 5 werden im vorliegenden Text

aussagt. Gültig (oder valide) ist ein Indikator dann, wenn er tatsächlich den Sachverhalt anzeigt, der mit dem definierten Begriff bezeichnet worden ist.

Bei definitorischen Indikatoren sind definitionsgemäß der Bedeutungsgehalt des definierten Begriffs und der Bedeutungsgehalt des beobachteten Indikators oder der beobachteten Indikatoren identisch; wir haben es mit hundertprozentiger Gültigkeit der Indikatoren zu tun.

Bei intern korrelativen Indikatoren ist zumindest teilweise Gültigkeit gesichert: Wenn ein mehrdimensionaler Begriff definiert ist, und wenn als Indikator für den gesamten Vorstellungsgehalt eine der Bedeutungsdimensionen oder eine begrenzte Anzahl von Bedeutungsdimensionen beobachtet werden, dann machen diese Indikatoren definitionsgemäß immerhin einen Teil des Bedeutungsgehalts aus. Wählen wir den Indikator zudem noch so, daß er mit allen anderen Bestandteilen der Definition möglichst hoch korreliert, dann dürfte auch die Gültigkeit als ziemlich hoch einzuschätzen sein. Benutzen wir dagegen einen externen korrelativen Indikator, dann ist die Gültigkeit schon zweifelhafter: Der Indikator korreliert zwar empirisch mit dem gemeinten Sachverhalt, ist aber nicht Bestandteil der Definition des Begriffs (s. o.: „Wohnzimmerausstattung"). Läßt sich die Korrelation zwischen Indikator und indiziertem Merkmal nicht als ein konstanter Zusammenhang *theoretisch* begründen, können wir nie genau wissen, ob bei nächster Gelegenheit dieser empirische Zusammenhang noch bestehen wird.

Noch schwieriger ist die Gültigkeit bei schlußfolgernden Indikatoren abzuschätzen (z. B. beobachtbares Verhalten als Indikator für Einstellungen oder andere dispositionale Eigenschaften). Hier ist der Zusammenhang zwischen Indikator und indiziertem Merkmal überhaupt nicht direkt empirisch überprüfbar, sondern wir sind — krass gesprochen — auf den Glauben an die Richtigkeit unserer Korrespondenzregeln, also unserer Theorie über den Zusammenhang zwischen der interessierenden Eigenschaft und dem beobachtbaren Merkmal angewiesen.

Als *Beispiel*[52] kann die Forschungspraxis dienen, für die Ermittlung von Einstellungen in einem Fragebogen dem Befragten eine Reihe von „Einstellungsfragen" vorzulegen. Die verbalen Reaktionen auf solche Fragen (eben die Antworten) werden nun als Indikatoren für das Vorliegen bestimmter Einstellungen gewertet und hinsichtlich vorab definierter „Einstellungsdimensionen" interpretiert. Die

als „Gütekriterien" empirischer Sozialforschung abgehandelt; Kriterium 3 bezieht sich auf die Anwendung statistischer Auswertungsmodelle. — Kreutz (1972) spricht in diesem Zusammenhang vom „Realitätsgehalt" der erhobenen Daten bzw. der Gesamtergebnisse einer Untersuchung. Die o.g. sechs Kriterien können als Teildimensionen des allgemeineren Begriffs „Realitätsgehalt" verstanden werden.

52 Nach Mayntz/Holm/Hübner 1971, 43.

Einstellung selbst gilt des weiteren als eine Ursache für ein bestimmtes Verhalten in konkreten Situationen:

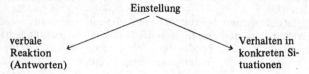

Einstellung

verbale
Reaktion
(Antworten)

Verhalten in
konkreten Si-
tuationen

Konstrukte (denn darum handelt es sich nach der Kaplanschen Terminologie bei Einstellungen) sind jedoch nur dann auch theoretisch sinnvoll, wenn sich möglichst viele Klassen von beobachtbaren Eigenschaften und Verhaltensweisen daraus ableiten lassen. Die Gültigkeit des Schlusses von den als Indikatoren verwendeten Merkmalen (hier Antworten auf „Einstellungsfragen") auf die durch den Begriff bezeichnete Disposition (hier Konstrukt „Einstellung") läßt sich dann immerhin indirekt prüfen. Als Maß dient dann die Korrelation zwischen den Indikatoren und möglichst vielen anderen beobachtbaren Merkmalen, die theoretisch als abhängig von dem Konstrukt angesehen werden. So könnte man etwa zur Ermittlung der Disposition „Autoritarismus" eine Reihe geeignet erscheinender Fragen stellen und auf der Basis der Antworten für jeden Befragten einen Punktwert auf einer „Autoritarismus-Skala" bestimmten. Unabhängig davon möge das Verhalten derselben Personen in bestimmten Situationen daraufhin beobachtet werden, ob und in welchem Ausmaß es „autoritär" oder „nicht autoritär" sei. Wenn Autoritarismus als dispositionale Eigenschaft einer Person sich a) in den Antworten auf die Fragen niederschlägt und diese Disposition der Person zugleich b) eine Ursache für beobachtbares (manifestes) „autoritäres Verhalten" ist, dann wird gelten: Je höher der Punktwert auf der Autoritarismus-Skala, desto autoritärer ist das gezeigte Verhalten in konkreten Situationen. Diese Beziehung läßt sich statistisch prüfen.

Das Problem der Gültigkeit als eines von mehreren „Gütekriterien" für die Beurteilung empirischer Untersuchungen (vgl. Fußnote 51) wird im Abschn. 4.3 (Operationalisierung) nochmals aufgegriffen.

4.2 Indexbildung

Eine in Kap. 2.1 (Punkt b) im Zusammenhang mit der dimensionalen Analyse aufgeführte Frage ist bisher noch völlig offen geblieben, nämlich: „Können die als relevant angenommenen Dimensionen zusammengefaßt werden, oder müssen sie differenziert betrachtet werden?" Mit anderen Worten: Müssen Teildimensionen in *gesonderten* Begriffen repräsentiert oder können sie zu einem Oberbegriff zusammengefaßt werden?

Bezogen auf unser Beispiel war bei Bildung und Berufserfolg der Söhne die Entscheidung klar: Es wurde überhaupt nur jeweils ein Aspekt in die Betrachtung einbezogen: „formale Bildung" und „Prestige der gegenwärtigen Berufsposition" des Sohnes. Beim sozialen

Status des Elternhauses aber haben wir zwei Aspekte unterschieden: einerseits das Berufsprestige des Vaters, andererseits dessen formale Schulbildung. Ist diese getrennte Abbildung zweier Teildimensionen erforderlich, oder könnte man nicht aus beiden Teildimensionen einen zusammengefaßten Index „sozialer Status des Elternhauses" konstruieren?

Die Entscheidung ist zunächst einmal abhängig von unseren theoretischen Annahmen. Die forschungsleitenden Hypothesen hatten zu der formalisierten Darstellung geführt (vgl. Kap. 3.2):

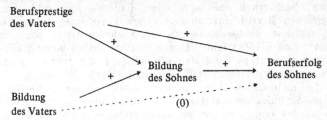

Man erkennt: Nach diesen Hypothesen hat die Teildimension Berufsprestige des Vaters vermutlich andere Wirkungen auf den späteren Berufserfolg des Sohnes als die Teildimension Bildung des Vaters. Es wird angenommen, daß der Beruf des Vaters sowohl die Bildung des Sohnes als auch dessen späteren Berufserfolg beeinflußt. Dagegen wird von der Bildung des Vaters nur ein Einfluß auf die Bildung des Sohnes vermutet. Eine Zusammenfassung dieser beiden Teildimensionen zu einem Gesamtindex würde diese vermuteten Unterschiede im Wirkungszusammenhang verwischen. Das untersuchungsleitende Modell schließt also in diesem Fall eine Indexbildung aus.

Generell gilt für die Indexbildung — was die Zusammenhänge zwischen den Teildimensionen eines Sachverhalts und die Beziehungen dieser Teildimensionen zu der abhängigen Variablen betrifft —: Eine Zusammenfassung der Teildimensionen zu einem Index ist nur dann zulässig, wenn die Korrelationen *zwischen* den Index-Teildimensionen (= den Indikatoren) alle ein positives Vorzeichen haben und wenn die Korrelationen der Teildimensionen (der Indikatoren) mit der abhängigen Variablen alle das gleiche Vorzeichen haben (also entweder alle positiv oder alle negativ sind):

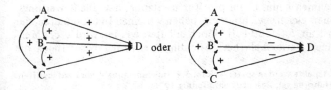

Andernfalls wird durch die Zusammenfassung zu einem Gesamtindex die Struktur der Realität nicht korrekt abgebildet; das Ergebnis wird verfälscht.

Der Hauptgrund für die Verwendung von Indices anstelle einer größeren Zahl isolierter Indikatoren, aber auch anstatt nur eines einzigen Indikators, ist in folgender Überlegung zu suchen: Jeder Indikator ist für sich genommen nur eine teilweise (operationale) Definition eines Begriffs. Die Verwendung *mehrerer* Indikatoren erhöht die Chance, Meßungenauigkeiten zu verringern und so den gemeinten, „wahren" Sachverhalt eher abzubilden. Falls mehrere Indikatoren zum gleichen Begriff untereinander stark korrelieren, messen sie jedoch teilweise identische Aspekte des Sachverhalts; sie sind „redundant". Erst die Zusammenfassung zu einem Index beseitigt diese — bei der Auswertung der Daten störende — Redundanz (d. h. die Mehrfachmessung derselben Teildimensionen eines Sachverhalts).

Auf die methodologischen Probleme sowie auf unterschiedliche Verfahren der Indexkonstruktion soll hier nicht eingegangen werden.[53] Die Logik des Vorgehens und die damit verbundene Problematik sei jedoch an zwei Beispielen zu dem einfachsten Modell — Bildung additiver Indices — kurz illustriert.

Beispiel 1: Index der Zufriedenheit mit der Wohnsituation

In einem *Interview* sei folgende *Frage* gestellt worden: „Wenn Sie Ihre jetzige Wohnung beurteilen: Was gefällt Ihnen daran und was nicht? Ich lese Ihnen einige Merkmale vor, und Sie sagen mir bitte, ob das in Ihrer Wohnung besonders vorteilhaft oder besonders nachteilig ist." (s. Tabelle mit den vorgegebenen Merkmalen zur Wohnungsqualität und den Antwortmöglichkeiten auf der folgenden Seite).

Wir haben damit zehn (Bewertungs-)Dimensionen der Wohnqualität zur Verfügung, zu denen die Befragten jeweils ihre Zufriedenheit („besonders vorteilhaft") oder Unzufriedenheit („besonders nachteilig") bzw. eine indifferente Beurteilung (weder/noch) zum Ausdruck gebracht haben. Es bieten sich nun mehrere Möglichkeiten an, daraus einen (additiven) Gesamtindex der „Wohnzufriedenheit" zu konstruieren.

a) Wir addieren für jeden Befragten die Anzahl der Antwortausprägungen „besonders vorteilhaft" und erhalten eine Variable, die die Werte 0 (überhaupt nicht zufrieden) bis 10 (in jeder Hinsicht zufrieden) annehmen kann. Unter der Voraussetzung, daß alle Bewertungsdimensionen gleichgewichtig sind, haben wir einen Index erhalten, der — wie im Kap. 5 (Meßtheorie) noch erläutert werden wird — das Meßniveau einer Ratio-Skala hat. Allerdings verwertet dieser Index die

---

53 Einige Aspekte werden später — Kap. 5.4: Indexmessung — noch aufgegriffen. Als Einführung vgl. Besozzi/Zehnpfennig 1976.

Antwortvorgaben: Aspekte der Wohnungsqualität	besonders vorteilhaft	besonders nachteilig	weder bes. vorteilhaft, noch bes. nachteilig
1. Zahl der Zimmer			
2. Größe der Wohnung (Wohnfläche)			
3. Wohnungszuschnitt, Grundriß			
4. Ausstattung (mit Bad, Heizung usw.)			
5. Zustand des Wohngebäudes			
6. Belüftung, Besonnung der Zimmer			
7. Schallisolation (Abschirmung gegen Lärm aus Nachbarwohnungen und von der Straße)			
8. Wärmeisolation (Abschirmung gegen Wärme im Sommer, gegen Kälte im Winter)			
9. Höhe der Miete			
10. Möglichkeit (bzw. fehlende Möglichkeit), Gäste zu empfangen und zu beherbergen			

zusätzliche Information nicht, ob ein mit einem Aspekt der Wohnqualität nicht zufriedener Befragter diesen Aspekt lediglich indifferent oder aber als ,,besonders nachteilig" eingeschätzt hat.

Wir könnten deshalb b) zusätzlich in gleicher Weise einen ,,Unzufriedenheitsindex" konstruieren, indem wir die Zahl der Antwortausprägungen ,,besonders nachteilig" für jeden Befragten auszählen.

Man könnte aber auch c) beide Informationen in einem einzigen Index vereinigen, indem man der Antwort ,,besonders vorteilhaft" den Zahlenwert +1 und der Antwort ,,besonders nachteilig" den Zahlenwert -1 zuordnet (die Kategorie ,,weder/noch" erhielte dann den Wert 0). Danach wären dann für jeden Befragten die Zahlenwerte seiner zehn Antworten zu addieren. Die meßtheoretischen Voraussetzungen für ein solches Vorgehen wären jedoch, daß die Antwort ,,weder/noch" wirklich den Nullpunkt darstellt[54] und daß ,,besonders vorteilhaft" das gleiche Gewicht im positiven Sinne hat wie ,,besonders nachteilig" im negativen Sinne (daß also zwischen den Antwort-Alternativen ,,gleiche Abstände" bestehen). Selbst wenn dies als näherungsweise

---

54 und nicht etwa Ausdruck der Unfähigkeit, auf der entsprechenden Teildimension die Qualität einzuschätzen (etwa: Zustand des Wohngebäudes), oder Ausdruck des Nicht-Zutreffens einer Bewertungsdimension für den Befragten (etwa bei Item 10: der Befragte erhält niemals Besuch, da er keine Bekannten hat).

zutreffend eingeschätzt werden sollte, bleibt ein weiterer Nachteil: Der Index ist gegenüber den Alternativen a und b schlechter interpretierbar. So kann beispielsweise ein Wert 0 bei Index c bedeuten: fünf Aspekte besonders vorteilhaft, fünf Aspekte besonders nachteilig; oder: im Hinblick auf jeden Qualitätsaspekt weder/noch; oder: dreimal besonders vorteilhaft, dreimal besonders nachteilig, viermal weder/noch; oder: ... Ähnliches gilt für andere Indexwerte. Lediglich die Extrempunkte -10 und +10 sind eindeutig interpretierbar.

Beispiel 2: Index der Stadtteilbindung

Für den Begriff „Stadtteilbindung" seien die Dimensionen „Zufriedenheit mit der Wohnung" und „soziale Kontakte im Stadtteil" (gemessen am Anteil der Bekannten einer Person, die im Stadtteil wohnen) von entscheidender Bedeutung. In einem Interview werde nach beidem direkt gefragt. Aus der Kreuztabellierung der Variablen ergebe sich die folgende Matrix (nach *Friedrichs* 1977, 167):

Wohnungs-zufriedenheit	*Anteil der Bekannten im Stadtteil:*		
	bis 24% (0)	25-50% (1)	51% u. m.[55] (2)
niedrig (0)	a	b	c
mittel (1)	d	e	f
hoch (2)	g	h	i

Die Matrix stellt einen zweidimensionalen Merkmalsraum dar. Um die neun Zellen auf einen eindimensionalen Index „Stadtteilbindung" abzubilden, muß eine ordinale Anordnung (Rangordnung) der Zellen konstruiert werden. Man kann z.B. beide Variablen als gleich gewichtig ansehen, den Antwortausprägungen (zur Kennzeichnung ihrer Rangordnung) die Zahlenwerte 0 bis 2 zuordnen, diese Zahlenwerte für beide Merkmale addieren (s. Matrix) und das Resultat als Rangordnung der (eindimensionalen) Indexwerte interpretieren (so bei *Friedrichs*, a.a.O.). Man erhielte:

Indexwert:	Matrixzellen:
0	a
1	b, d
2	c, e, g
3	f, h
4	i

[55] Zum Zwecke der Indexbildung wird folgende Umformung der Anteilswerte vorgenommen: Wenn ein Befragter angibt, daß von allen seinen Bekannten weniger als ein Viertel in seinem Stadtteil wohnen (0 bis 24%), so erhält er den Wert „0" zugewiesen, bei einem Viertel bis höchstens der Hälfte den Wert „1", darüber hinaus „2".

Man könnte den Index aber auch nach logischen Überlegungen bilden, etwa: Die Variable „Bekannte im Stadtteil" (B) dürfte für die Stadtteilbindung gewichtiger sein als die „Wohnungszufriedenheit" (W) und wird deshalb zum Gerüst der Indexkonstruktion.

Wenn B unter 25% u. W niedrig oder mittel, dann Bindung = 0 (a, d)*
Wenn B unter 25% u. W hoch,   dann Bindung = 1 (g)*
Wenn B 25 - 50% u. W niedrig,   dann Bindung = 1 (b)*
Wenn B 25 - 50% u. W mittel oder hoch, dann Bindung = 2 (e, h)*
Wenn B 51% u.m. und W niedrig oder mittel, dann Bindung = 3 (c, f)*
Wenn B 51% u.m. und W hoch,   dann Bindung = 4 (i)*
* = Matrixzellen in der Tabelle

Man sieht: die Abbildung der zweidimensionalen Verteilung auf einen eindimensionalen Index führt in den beiden Fällen zu ziemlich unterschiedlichen Resultaten. Die Bildung einer eindimensionalen Rangordnung aufgrund zweier ordinalskalierter Variablen (d. h. für beide Merkmale ist nur die Reihenfolge, die Rangordnung der Ausprägung angebbar) ist problematisch. Man wird gut daran tun, den Index so zu bilden, daß jede Indexausprägung für sich eindeutig interpretierbar ist. Nach dem zweiten Vorschlag wird die Ausprägung „Bindung = 1" dieser Forderung nicht gerecht (sie faßt B unter 25% und W hoch mit B 25-50% und W niedrig zusammen). Nach dem ersten Vorschlag werden gleich die Ausprägungen „Bindung = 1, 2 oder 3" dieser Forderung nicht gerecht.

Mit diesen kurzen Beispielen können natürlich die Probleme der Indexbildung nicht hinreichend abgehandelt werden. Es sollte aber deutlich geworden sein, daß bei jeder Indexkonstruktion zusätzlich Überlegungen und theoretische Absicherungen erforderlich sind, um den Realitätsgehalt der Daten (vgl. Fußnote 51) nicht in Frage zu stellen. In dem Maße, in dem etwa im Beispiel 1 c) die in der Fußnote 54 genannten Voraussetzungen nicht erfüllt sind, spiegeln die Indexwerte *nicht* die Bewertungen der Befragten wieder. Den Unterschieden in den Indexwerten entsprechen dann *nicht* gleiche Unterschiede in der subjektiven Realität der Befragten. Vielmehr sind sie in einem solchen Fall — zumindest teilweise — das Produkt der verwendeten Konstruktionsvorschriften. Generell spricht man bei Daten und Untersuchungsergebnissen, die nicht „realitätsadäquat" sind, von *Forschungsartefakten* (vgl. hierzu im einzelnen die grundlegenden Erörterungen bei *Kriz* 1981, Kap. 6 bis 11).

4.3 Operationalisierung

Was für das Verständnis des Folgenden nötig ist, wurde im wesentlichen schon angesprochen, und zwar im Zusammenhang mit dimensionaler Analyse des Gegenstandsbereichs bzw. semantischer Analyse der Bedeutungsdimensionen von Begriffen, mit den verschiedenen Arten von Begriffen (direkte und indirekte Beobachtungstermini, Konstrukte, theoretische Begriffe), mit Definitionen und mit Indikatorenauswahl. Zur Operationalisierung hieß es bisher sinngemäß, dies sei die Verknüpfung von Zeichen (= Begriffen) mit Sachverhalten durch Korrespondenzregeln (dagegen Definition = Verknüpfung von unbekannten Zeichen mit bekannten Zeichen).

Einfacher formuliert: Unter der Operationalisierung eines Begriffs ist die Angabe derjenigen Vorgehensweisen, derjenigen Forschungs*operationen* zu verstehen, mit deren Hilfe entscheidbar wird, ob und in welchem Ausmaß der mit dem Begriff bezeichnete Sachverhalt in der Realität vorliegt. Dazu gehören die Auswahl der Indikatoren bei nicht direktem empirischem Bezug eines Begriffs sowie die Angabe der Datenerhebungsinstrumente: z. B. eine bestimmte Reihe von Fragen in einem standardisierten Interviewbogen oder eine bestimmte Zahl von Beobachtungskategorien in einem standardisierten Beobachtungsbogen. Weiter gehören dazu Angaben über die Handhabung des Meßinstruments und über die Protokollierung der Meßergebnisse. Die Gesamtheit der operationalen Vorschriften wird häufig auch als ,,operationale Definition" eines Begriffs bezeichnet. In dem hier gebrauchten Sinn ist ,,operationale Definition" jedoch *nicht* eine weitere Definitionsmöglichkeit neben der Nominal- und der Realdefinition, sondern sie ist ein in der Forschung für *jeden* Begriff — gleichgültig, auf welche Art definiert; gleichgültig, ob mit direktem oder indirektem empirischem Bezug — notwendiger *Übersetzungsvorgang* in Techniken bzw. Forschungsoperationen.

Die Forderung nach Operationalisierung (,,operationaler Definition") ist also nicht identisch mit der zu Beginn genannten Forderung, daß in den Erfahrungswissenschaften benutzte Begriffe einen empirischen Bezug haben müssen. Auch Begriffe mit direktem empirischem Bezug (wie z. B. Körpergröße) müssen noch operationalisiert, d. h. in Forschungsoperationen übersetzt werden. Etwa: ,,An einer Wand ist eine Meßlatte mit cm-Einteilung anzubringen; die Personen, deren Körpergrößen gemessen werden sollen, haben sich barfuß und aufrecht an die Wand vor die Meßlatte zu stellen; der Versuchsleiter liest mit Hilfe eines waagerecht auf den Kopf der zu messenden Person gehaltenen Stabs die Körpergröße auf der Meßlatte ab und trägt die cm-Zahl (auf- bzw. abgerundet) in einen Protokollbogen hinter den Namen der gemessenen Person ein". Das wäre eine Möglichkeit der Operationalisierung von Körpergröße; das Meßergebnis hätte Ratioskalenniveau. Eine alternative Operationalisierungsmöglichkeit: ,,Alle Personen stellen sich in einer Reihe auf, so daß der (die) Kleinste ganz vorne steht, der (die) zweitkleinste an zweiter Stelle usw., der (die) Größte schließlich an letzter Stelle steht. Die kleinste Person erhält im Protokollbogen hinter dem Namen die Zahl 1 vermerkt, die zweitkleinste Person die Zahl 2 usw., die größte Person schließlich die höchste Zahl in der aufsteigenden Zahlenfolge." Das Meßergebnis hat jetzt Ordinalskalenniveau.[56]

„Operationale Definition" bzw. Operationalisierung und empirischer Bezug sind also nicht identisch; „operationale Definitionen" setzen allerdings immer den empirischen Bezug des Begriffs voraus. Bei Begriffen mit direktem empirischem Bezug ist die Operationalisierung relativ unproblematisch; bei theoretischen Begriffen oder Konstrukten ist unter Umständen die Liste der operationalen Anweisungen recht lang, und die Korrespondenzregeln sind in stärkerem Maße auf theoretische Annahmen zu stützen, die in der Untersuchung selbst nicht überprüft werden können.

Die bisherigen Überlegungen sollen am Beispiel der Operationalisierung (bzw. „empirischen Interpretation") einer Theorie zusammengefaßt werden. Bei Theorien, die auf beobachtbare Sachverhalte bezogen sein sollen,[57] lassen sich *drei Aussageebenen* unterscheiden.[58]

Erste Ebene – Kerntheorie bzw. substantielle Theorie: Sie besteht aus einer Menge theoretisch relevanter und theoretisch definierter Begriffe (Konstrukte, theoretische Begriffe),[59] die über theoretische Postulate (Hypothesen) miteinander verbunden sind. D. h. die Begriffe werden in einem theoretischen Modell zueinander in Beziehung gesetzt; etwa: „X verursacht Y" oder „Wenn X, dann auch Y" oder „X führt zu Y, wenn gleichzeitig Z vorliegt".

Beispiel:[60]   H $\longrightarrow$ B $\longrightarrow$ E

mit: H   = „soziale Herkunft"
    B   = „Bildung"
    E   = „beruflicher Erfolg"
    $\longrightarrow$ = „... beeinflußt ..." oder „... wirkt sich aus auf ..."

Zweite Ebene – Beobachtungsaussagen (Indikatoren): Empirische Untersuchungen liefern zunächst nur Beschreibungen über beobachtbare Eigenschaften von Untersuchungseinheiten (UE).

Beispiel: Die erste befragte Person (UE$_1$) macht auf entsprechende Fragen die Angabe, sie stamme aus einem Vier-Personen-Haushalt in einer Stadtrand-

---

56 Der Begriff des Skalen- bzw. Meßniveaus wird in Abschn. 5.2.1 und 5.3 erläutert.
57 Vgl. Kap. 1.2 und 1.3.
58 Die folgende Darstellung orientiert sich an H. Esser: Grundlagen der Theoriebildung und Theorieprüfung in den Sozialwissenschaften (vervielf. Manuskript, Duisburg 1979); vgl. auch Esser 1980.
59 Vgl. Abschn. 3.4.2.
60 Vgl. Kap. 3.2.

Eigenheimsiedlung, ihr Vater sei Beamter im gehobenen Dienst, ihr höchster Schulabschluß sei das Abitur, und gegenwärtig sei sie stellvertretender Abteilungsleiter in der Gehaltsbuchhaltung eines mittelgroßen Industriebetriebs.

Solche Beschreibungen sind zunächst als noch losgelöst von der „theoretischen Ebene", als noch nicht mit dem theoretischen Modell verbunden anzusehen.

Dritte Ebene – Korrespondenzregeln zwischen den Begriffen der Theorie und Beobachtungsaussagen: Empirische Hypothesen und Theorien (das theoretische Modell, Ebene 1) müssen, um empirisch überprüfbar – bzw. empirisch kritisierbar – zu sein, mit den Beobachtungsaussagen (Ebene 2) verbunden werden; Dies geschieht über Postulate,[61] welche Beobachtungsaussage welchen Zustand eines *empirischen Phänomens* anzeigt, das im theoretischen Modell durch einen *Begriff* bezeichnet wird (= Korrespondenzregeln); mit anderen Worten: welcher beobachtbare Sachverhalt ein „Indikator" für einen bestimmten Begriff, ein bestimmtes Konstrukt ist.

Beispiel: Als Indikator für „beruflichen Erfolg" sollen die Antworten von Personen auf Fragen nach ihrer gegenwärtigen beruflichen Tätigkeit in Verbindung mit einer Skala des gesellschaftlichen Prestiges von Berufspositionen gelten; je höher das gesellschaftliche Prestige der vom Befragten genannten Berufsposition, desto höher ist deren „beruflicher Erfolg".

Diese Zuordnung ist allerdings nicht gleichbedeutend mit einer Definition in dem Sinne, daß die Indikatoren den im theoretischen Modell verwendeten Begriff vollständig „ausmachen". Sie ist vielmehr eine (mehr oder weniger sichere) *Vermutung,* daß die Indikatoren in der angegebenen Weise „wirklich" mit dem theoretisch definierten Begriff zusammenhängen.[62] Die Korrespondenzregeln (die Hypothesen über die Korrespondenz von Indikatoren und theoretisch definiertem Begriff) gehören damit zwingend zur Gesamttheorie; d. h.: empirisch interpretierte Theorien bestehen aus theoretisch definierten Begriffen *und* theoretischen Postulaten (Hypothesen über den Zusammenhang der Begriffe) *und* Korrespondenzregeln *und* Indikatoren.

---

61 Solche Postulate können sowohl durch „bewährte" Theorien als auch durch vorliegende empirische Einzelbefunde als auch durch „Alltagstheorien" des Forschers begründet werden; sie können aber auch – etwa im Falle definitorischer Indikatoren – rein definitorische Festlegungen sein. In den zuerst genannten Fällen kann man auch von „empirischer Interpretation" theoretischer Terme (durch Interpretativsätze), im letzteren Fall von „Zuordnungsdefinitionen" sprechen (vgl. Hempel 1974).

62 Lediglich im Falle der Verwendung „definitorischer Indikatoren" (vgl. Kap. 4.1) sind Begriff und Indikatoren bedeutungsgleich.

Beispiel: (Zusammenfassung):

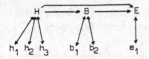

Kerntheorie

Korrespondenzregeln

Indikatoren

mit: h_1 = Berufsprestige des Vaters
h_2 = Bildung des Vaters
h_3 = Status der elterlichen Wohngegend
b_1 = Bildung des Befragten vor Berufsbeginn
b_2 = Weiterbildung nach Berufsbeginn
e_1 = Prestige der gegenwärtigen Berufsposition

Die vorstehende Darstellung verdeutlicht in besonderer Weise das Problem der Gültigkeit der operationalen Vorschriften.[63] Ein Teilproblem davon ist die schon behandelte Frage der Indikatoren-Gültigkeit (Kap. 4.1). In der einschlägigen Literatur wird eine Vielzahl von Dimensionen des Problems Gültigkeit (Validität) beschrieben.[64] Für unsere Zwecke genügt eine Unterscheidung zwischen logischer und empirischer Validität.

Die logische Gültigkeit einer operationalen Vorschrift „betrifft die Beziehung zwischen Sätzen, die die Vorschrift beschreiben, und solchen, die die Definition angeben ... Der besondere Charakter einer idealen Gültigkeitsbeziehung ist sehr schwierig zu formulieren, aber im wesentlichen bedeutet die vollkommene Gültigkeit einer operationalen Definition, daß die operationale Definition denselben Inhaltsbereich hat wie die nominelle Definition" (*Zetterberg* 1973, 119). Die Frage ist also: Entsprechen die operationalen Vorschriften der Begriffsdefinition? Haben sie den gleichen Bedeutungsgehalt?

Auf den ersten Blick scheint es nicht problematisch zu sein, die logische Gültigkeit sicherzustellen. Wollen wir etwas über die Arbeitszufriedenheit der Beschäftigten in der Montan-Industrie erfahren, dann stellen wir den dort Beschäftigten Fragen nach ihrer Arbeitszufriedenheit. Wollen wir wissen, wie Personen in Streß-Situationen reagieren, dann beobachten wir Personen in Streß-Situationen. Die Überlegungen in Kap. 4.1 (Indikatoren) haben aber schon gezeigt, daß es nicht im-

---

63 Nach üblicher Definition sind operationale Vorschriften dann gültig, wenn bei Ausführung der vorgeschriebenen Forschungsoperationen das gemessen wird, was gemessen werden sollte; d. h. wenn der Transfer von der theoretischen Ebene zum Gegenstandsbereich (Beobachtungsebene) gelungen ist. Eine „psychologischere" Definition findet sich bei Scheuch; danach ist Gültigkeit (Validität) „die Eigenschaft eines Ergebnisses, auch das wiederzugeben, was man bei der Interpretation von ihm glaubt, daß es dies wiedergibt" (1973, 134).

64 Vgl. etwa Falter 1977; Hülst 1975, 32ff.

mer einfach ist, die bestmöglichen Indikatoren für einen begrifflich bezeichneten Sachverhalt zu finden.

Die Überprüfung der logischen Gültigkeit operatiönaler Vorschriften kann zu vier möglichen Ergebnissen führen (nach *Zetterberg* 1973, 120f.):

1) Gegeben sei eine Nominaldefinition von ,,Arbeitszufriedenheit" (für unsere Überlegungen ist es gleichgültig, wie diese lauten möge). Die dazugehörige Operationalisierung soll aus Fragen zur Arbeitszufriedenheit bestehen, und zwar wird zu jeder Bedeutungsdimension des definierten Begriffs eine präzise Frage gestellt. In diesem Fall ergibt eine logische Prüfung des Bedeutungsumfangs von nominal definiertem Begriff und operationaler Vorschrift, daß der Inhaltsbereich von beiden identisch ist.

2) Gegeben sei wieder die Nominaldefinition von ,,Arbeitszufriedenheit" sowie eine operationale Definition, die diesmal lediglich aus einer Reaktion ,,Ich bin zufrieden mit der Lüftung am Arbeitsplatz" bestehen möge. Ein Vergleich mit der Nominaldefinition dürfte in einem solchen Falle sicher zeigen, daß der Begriff ,,Arbeitszufriedenheit" mehr umfaßt als nur Zufriedenheit mit der Lüftung. Also: Die Nominaldefinition enthält die operationale Definition und zusätzlich noch andere Aspekte. Graphisch dargestellt (der durchgezogene Kreis möge die Nominaldefinition, der gestrichelte Kreis die operationale Vorschrift symbolisieren):

3) Diesmal sei als operationale Definition lediglich die Aussage gegeben (zu der die Befragten Stellung nehmen sollen): ,,Ich fühle mich hier in X-Stadt wohl." Ein Vergleich mit der Nominaldefinition von ,,Arbeitszufriedenheit" dürfte in diesem Fall ergeben, daß hier mehr angesprochen wird als nur der Aspekt ,,Arbeitszufriedenheit". Also: Die operationale Definition umfaßt die Nominaldefinition und zusätzlich noch andere Aspekte:

4) Nun sei als operationale Definition die Aussage gegeben: ,,Ich schätze meine Freunde und Bekannten hier in X-Stadt." Natürlich sind damit auch die Arbeitskollegen angesprochen; insofern ist der Bereich ,,Arbeitszufriedenheit" berührt. Aber zusätzlich bezieht sich die Aussage auf Freunde und Bekannte, die für die Herausbildung von

„Arbeitszufriedenheit" keine Rolle spielen. Mit anderen Worten: Die operationale Vorschrift umfaßt die Nominaldefinition teilweise und umgekehrt:

Wie aber steht es bei gegebener logischer Validität mit der empirischen Gültigkeit? Gelegentlich ist es zu mühsam oder auch nicht möglich, nach einer „idealen" operationalen Vorschrift vorzugehen. Wenn wir beispielsweise an der Feststellung interessiert sind, in welchem Ausmaß Studenten Bücher aus der Bibliothek entleihen, wäre die Auswertung der Bibliotheksaufzeichnungen eine ideale operationale Vorschrift. Falls das überhaupt möglich ist (Geheimhaltung?), wäre es zumindest recht mühsam, falls die Ausleihe nicht über EDV organisiert ist. Praktikabler wäre es, die Studenten selbst zu fragen, wie viele Bücher sie während einer bestimmten Periode ausgeliehen haben. Das ist relativ leicht machbar. Ist aber ein solches Vorgehen empirisch gültig (d. h. stimmen die Antworten auf die Frage nach der Ausleihhäufigkeit mit der Zahl der tatsächlich ausgeliehenen Bücher überein)?

Die logische Gültigkeit dürfte gegeben sein, wenn wir Ausleihhäufigkeit nominal als Anzahl entliehener Bücher in einer bestimmten Periode definieren und als operationale Definition die Antwort auf die Frage nach der Anzahl der entliehenen Bücher in dieser Periode formulieren. Die empirische Gültigkeit ist natürlich nur empirisch zu überprüfen.

Wir machen also, um sicherzugehen, eine Stichprobe an Ort und Stelle; an dieser wollen wir feststellen, ob unser operationales Vorgehen (hier: Protokollierung der Antworten auf die Frage nach der Zahl entliehener Bücher) dieselben Ergebnisse bringt wie die ideale operationale Vorschrift (nämlich Auswertung der Bibliotheksaufzeichnungen für diejenigen Studenten, die wir befragt haben). Dabei werden wir dann unter Umständen feststellen, daß sieben von acht befragten Studenten die Zahl der von ihnen entliehenen Bücher überschätzen und daß die „besten" Studenten am wenigsten, die „schwächsten" am meisten übertreiben.[65] Das operationale Vorgehen hat also (obwohl logisch gültig) nur eine geringe empirische Gültigkeit, und zwar besonders in Bezug auf die „schwachen" Studenten.

65 So das Ergebnis eines entsprechenden empirischen Vergleichs; s. Stocke, St. M.; Lehmann, H. C., 1930: The Influence of Self Interest on Questionnaire Replies, in: School and Society, Bd. 32, 435-438 (zit. nach Zetterberg 1973, 138ff.); danach wurden beispielsweise bei einem Vergleich der Angaben von Personen, die bei Autounfällen verletzt wurden, mit offiziellen Unterlagen und Dokumenten je nach erfragtem Merkmal Übereinstimmungen zwischen 23,8 (!) und 99,6 Prozent festgestellt (a.a.O., 140).

4.4 Literatur zu Kap. 4

Besozzi, Claudio; *Zehnpfennig,* H., 1976: Methodologische Probleme der Index-Bildung; in: *Koolwijk,* J. van; *Wieken-Mayser,* M. (Hg.): Techniken der empirischen Sozialforschung, Bd. 5, München, 9-55

Esser, Hartmut, 1980: Research Reaction as Social Action and the Problem of Systematic Measurement Error; in: *Brenner,* M. (ed.): Social Method and Social Life, London

Falter, Jürgen W., 1977: Zur Validierung theoretischer Konstrukte – Wissenschaftstheoretische Aspekte des Validierungskonzepts, in: Zeitschrift für Soziologie, Jg. 6, Heft 4, 349-369.

Friedrichs, Jürgen, 1977: Methoden empirischer Sozialforschung, Reinbek, Kap. 2, 4

Galtung, Johan, 1967: Theory and Methods of Social Research, London, Kap. II. 3

Hempel, Carl G., 1974: Grundzüge der Begriffsbildung in der empirischen Wissenschaft, Düsseldorf

Hülst, Dirk, 1975: Erfahrung – Gültigkeit – Erkenntnis. Zum Verhältnis von soziologischer Empirie und Theorie, Frankfurt/M., New York

Kreutz, Henrik, 1972: Soziologie der empirischen Sozialforschung, Stuttgart

Kriz, Jürgen, 1981: Methodenkritik empirischer Sozialforschung. Eine Problemanalyse sozialwissenschaftlicher Forschungspraxis, Stuttgart

Mayntz, Renate; *Holm,* P.; *Hübner,* P., 1971: Einführung in die Methoden der empirischen Soziologie, Opladen, Kap. 1, 2

Nowak, Stefan, 1963: Correlational, Definitional, and Inferential Indicators, in: Polish Sociological Bulletin, Jg. 8, Heft 2, 31-46

Scheuch, Erwin K., 1973: Das Interview in der Sozialforschung (Kap. VII), in: *König,* R. (Hg.), Handbuch der empirischen Sozialforschung, Bd. 2, Stuttgart (3. Aufl.), 134ff.

Wolf, Willi, 1972: Empirische Methoden in der Erziehungswissenschaft, in: *Erziehungswissenschaft 3,* Frankfurt/M. (Funkkolleg), 81-125

Zetterberg, Hans L., 1973: Theorie, Forschung und Praxis in der Soziologie, in: *König,* R. (Hg.), Handbuch der empirischen Sozialforschung, Bd. 1, Stuttgart (3. Aufl.), 103-160

5. Messung und Datenerhebung in den Sozialwissenschaften

5.1 Exkurs: Die Rolle der Statistik bei empirischen Untersuchungen

5.1.1 Statistik als Modelldenken

Vielleicht kennen Sie die nicht so ernstgemeinte Steigerungsform des Begriffs „Lüge": Lüge – verdammte Lüge – Statistik. Wahrscheinlich aber haben Sie schon einmal den – ernster gemeinten – Ausspruch gehört, mit Statistik könne man alles beweisen – auch das Gegenteil. Der Kern der Wahrheit, der in solchen Aussagen steckt, ist die leider durchaus nicht selten zu beobachtende falsche (unsinnige) Anwendung statistischer Modelle; d. h. das gedankenlose Anlegen bestimmter statistischer Modelle an Fragestellungen, für die diese Modelle nicht entworfen worden sind. Man kann eben mit ungültigen Verfahren – mit unangemessenen Modellen – nicht gültige Ergebnisse erzielen.

Wenn hier von „falscher Modellanwendung" die Rede ist, dann sind damit nicht fehlerhafte Berechnungen – also die fehlerhafte Handhabung statistisch-mathematischer Methoden oder Verfahren – gemeint. Vielmehr wird zwischen statistisch-mathematischen Methoden oder Verfahren einerseits und statistischen Modellen andererseits bewußt unterschieden (vgl. *Kriz* 1973, Kap. 1).

Eine Methode oder ein Verfahren benutzt man, um von einem genau definierten Anfangszustand zu einem definierten Endzustand zu gelangen. So gibt es verschiedene Methoden, um aus 12 Zahlen etwa das arithmetische Mittel zu berechnen (z. B. alle 12 Zahlen addieren, dann durch 12 dividieren; oder jede Zahl zunächst durch 12 dividieren, dann die Ergebnisse addieren). Entscheidend ist, daß auch unterschiedliche Methoden zu genau demselben Ziel führen: Der Endzustand ist methoden*unabhängig*.

Bei einem M o d e l l dagegen handelt es sich um ein Abbild einer definierten Ausgangsstruktur unter bestimmten Gesichtspunkten. Als Beispiel möge der Stadtplan als Modell einer Stadt gelten. Man kann ein solches Modell unter verschiedenen Gesichtspunkten erstellen: als maßstabsgetreue Straßenkarte; als Touristenkarte mit Hervorhebung der Sehenswürdigkeiten; als Straßenkarte, in der die Hauptverbindungsstrecken von der Autobahn zum Kongreßzentrum hervorgehoben, andere Straßen allenfalls angedeutet sind. Man kann auch ein dreidimensionales maßstabsgetreues Modell der Stadt erstellen. Jedes dieser Modelle ist für andere Zwecke brauchbar; d. h. Modelle werden jeweils für ganz bestimmte Frage- oder Problemstellungen entworfen, sie werden durch die zugrunde liegende Fragestellung (also durch die Anforderungen an das Modell) entscheidend geprägt. Verschiedene Modelle des gleichen Sachverhalts sind daher − wie das Beispiel „Stadt" zeigt − nur selten direkt miteinander vergleichbar. Modelle können lediglich dahingehend beurteilt werden, ob sie der jeweiligen Frage- oder Problemstellung angemessen sind. Will man etwa die Auswirkungen des geplanten Baus eines neuen Hochhauses auf das Stadtbild am Modell überprüfen, dann ist beispielsweise eine Straßenkarte dafür nicht geeignet.

Verschiedene Modelle derselben Ausgangsstruktur verarbeiten und betonen unterschiedliche Informationen, beantworten verschiedene Fragen. Das Ergebnis ist modell*abhängig*.

In der Statistik gibt es unterschiedliche Modelltypen. Es gibt Modelle, die Beziehungen zwischen Variablen repräsentieren; andere Modelle, die eine Reduktion der vielfältigen Informationen von Daten auf einige wenige besonders „relevante" Größen bezwecken. Zu den letzteren gehört beispielsweise das arithmetische Mittel: Mit dem arithmetischen Mittel wird die Zahlenvielfalt einer ganzen Reihe von einzelnen Ausprägungen einer metrischen Variablen auf eine einzige Zahl reduziert (diese Aussage wird in Kap. 5.3 noch zu präzisieren sein). Wendet man nun das Modell auf nicht metrische Daten an, dann ist das Ergebnis der Berechnung eines arithmetischen Mittels sinnlos.

Beispiel: Man stelle sich vor, man habe in einem Fragebogen die Ja-Antworten auf eine Frage mit der Zahl „1", die Nein-Antworten mit „0", Antwortverweigerungen oder ungültige Antworten mit „9" vercodet. Als „durchschnittliche Antwort" erhalte man nun über alle Befragten einen Wert 1,67. Dieser Wert ist natürlich völlig unsinnig, und zwar nicht etwa, weil falsch gerechnet worden wäre, sondern weil ein unangemessenes statistisches Modell (arithmetisches Mittel) angewendet wurde.

In dem Beispiel ist die Unsinnigkeit unmittelbar einsichtig; in anderen Fällen ist es durchaus nicht immer so offensichtlich, wann Modelle angemessen sind und wann nicht.[66] Die Antwort kann niemals die Statistik allein liefern, sondern sie muß in den Eigenschaften des gemessenen Sachverhalts gesucht werden. Vor der Entscheidung für ein bestimmtes Modell ist also stets zu prüfen, ob in der Realität die Bedingungen erfüllt sind, die für dessen Anwendung vorausgesetzt werden, bzw. – falls die Bedingungen nicht in idealer Weise erfüllt sind – ob gegebene Abweichungen von den Modellannahmen noch in Kauf genommen werden können.

5.1.2 „Quantitative" oder „qualitative" Verfahren in den Sozialwissenschaften?

Neben den inhaltlichen Anforderungen im Zusammenhang mit der Auswahl geeigneter statistischer Modelle (Übereinstimmung der Modellstruktur mit der Struktur der Realität) müssen sozialwissenschaftliche Daten gewissen formalen Voraussetzungen genügen, damit statistisch-mathematische Verfahren/Methoden eingesetzt werden können.

So ist häufig zu hören oder zu lesen, Merkmale, auf die sich das statistische Urteil beziehen soll, müßten *quantifizierbar* sein; Merkmale, die sich nicht quantifizieren ließen, könnten auch nicht statistisch bearbeitet werden. Gibt es denn überhaupt solche Merkmale? Dazu ist zunächst auf begrifflicher Ebene eine Vorklärung nötig.

Die empirische Sozialwissenschaft arbeitet – wie andere Wissenschaften auch – mit Begriffen, mit denen bestimmte Sachverhalte oder Objekte sowie Beziehungen zwischen Sachverhalten/Objekten sprachlich repräsentiert werden (vgl. Kap. 3.4). Präziser ausgedrückt: *Begriffe* sind linguistische (sprachliche, schriftliche) Zeichen *und* zugehörige semantische Regeln (Deutungsregeln; Bedeutungs-Zuordnungsregeln). Die Deutungsregeln sind entweder implizit (man hat durch Teilhabe an einer Sprachgemeinschaft, an einer gemeinsamen Kultur gelernt, was ein Begriff bedeutet), oder sie werden explizit präzisiert (Begriffsexplikationen, semantische Analyse, Definitionen). Deutungsregeln können von *extensionaler* Art sein: Die *Objekte,* die unter den Begriff fallen sollen, werden aufgezählt (z. B. politische Partei = SPD, CDU, CSU, FDP, Grüne oder „Bunte Liste", DKP, . . .). Und sie können von *intensionaler* Art sein: Die *Eigenschaften,* die den mit dem Begriff zu bezeichnenden Objekten gemeinsam sein sollen, werden angegeben (z. B. politische Partei = df. jede Organisation mit den Eigenschaften M, dB, W, R; vgl. Abschn. 3.4.3). Durch die intensionale Definition wird natürlich zugleich auch die Extension des Begriffs festgelegt.

Führen wir uns die Extension eines Begriffs wie „politische Partei" vor Augen, so wird erkennbar, daß der gewählte Begriff eine Einteilung des prinzipiell in Frage kommenden Objektbereichs („Individuenbereichs"; hier: Organisationen) erlaubt in solche Objekte, die als

---

66 etwa bei der Praxis, das arithmetische Mittel der Abiturnoten für die Entscheidung über die Vergabe von Studienplätzen in numerus-clausus-Fächern heranzuziehen.

„politische Partei" gekennzeichnet sind, und solche, für die dies nicht der Fall ist. Der Begriff führt – mit anderen Worten – zu einer *Zerlegung des Objektbereichs* in Teilklassen, die erstens exhaustiv (jedes Objekt gehört in mindestens eine Klasse: nämlich P oder Nicht-P) und zweitens paarweise exklusiv sind (jedes Objekt gehört in höchstens eine Klasse; zusammengenommen: in genau eine Klasse). Solche Begriffe, die beobachtbare Objektmengen (lediglich) in Teilmengen zerlegen oder – anders ausgedrückt – in Klassen „gleicher" Objekte einteilen, nennt man klassifikatorische Begriffe.

Beispiele:
x ist eine *politische Partei* (oder: nicht politische Partei);
x ist *autoritär* (oder: nicht autoritär);
x ist *schwarz* (oder: nicht schwarz);
x *interagiert mit y* (oder: interagiert nicht);
x *konkurriert mit y um z* (oder: konkurriert nicht)[67]

Erlauben Begriffe nicht nur eine Klassifikation der Objektmenge in sich ausschließende Teilklassen (s. o.), sondern implizieren sie zusätzlich noch eine *Rangordnung* der Teilklassen, also einen Vergleich der Elemente hinsichtlich der Stärke oder Intensität eines Merkmals, dann handelt es sich um komparative Begriffe (oder Ordnungsbegriffe).

Beispiele:
Schicht – x gehört zur Oberschicht (oder Mittelschicht oder Unterschicht); x gehört zu einer höheren Schicht als y.
Bildung – x hat niedrige Bildung (oder durchschnittliche Bildung oder hohe Bildung); x hat niedrigere Bildung als y.
Wärme – x ist warm (oder kalt oder heiß); x ist wärmer als y.

Stehen schließlich die Objekte (die Objektklassen), die von einem Begriff bezeichnet werden, nicht nur in einer eindeutigen Rangordnung, sondern sind zusätzlich noch die *Abstände* hinsichtlich eines Merkmals angebbar, spricht man von einem metrischen Begriff. Zusätzlich zur Identifizierbarkeit einer Reihenfolge zwischen den Objekten muß also noch eine Maßeinheit verfügbar sein.

Beispiele:
Länge – x ist soundsoviel km (oder Meilen, oder Meter oder inches) lang; x ist um soundsoviel km (Meilen, m, inches) länger als y.
Einkommen – x hat ein Monatseinkommen von soundsoviel DM (oder Dollar oder Rubel); x hat ein um soundsoviel DM (Dollar, Rubel) höheres Monatseinkommen als y.

Häufig wird nun Quantifizierbarkeit mit der zuletzt genannten Bedingung (Angabe eines Vergleichs-Maßstabs, einer Maßeinheit für

---

67 Je nach der Zahl der „Leerstellen" für Objekte (x, y, z) in solchen Aussagen spricht man von einstelligen (Bsp. 1 bis 3) oder von mehrstelligen Prädikaten (Bsp. 4 und 5).

ein Merkmal) gleichgesetzt und daraus geschlossen, für die Sozialwissenschaften seien quantitative Methoden — wie sie die Statistik bereitstellt — nicht angebracht, da es die Sozialwissenschaften selten mit in diesem Sinne quantifizierbaren Merkmalen zu tun hätten. Stattdessen sei „qualitativen Methoden" der Vorzug zu geben. Diese Auffassung von Quantifizierbarkeit als Voraussetzung für die Anwendung statistisch-mathematischer Verfahren ist jedoch kurzschlüssig; denn so wie es statistische Modelle für metrische Merkmale gibt, so existieren auch solche, die auf komparative oder auf klassifikatorische Merkmale zugeschnitten sind. Es gibt — mit anderen Worten — „quantitative Verfahren" für „qualitative Merkmale". Die Scheinalternative quantitativ versus qualitativ reduziert sich wieder auf die Wahl des angemessenen statistischen Modells.

Um Mißverständnissen vorzubeugen: Diese Argumentation bezieht sich auf die Einsetzbarkeit quantifizierender *Auswertungs*verfahren. Davon zu unterscheiden ist die Diskussion um „standardisierte" versus „qualitative" Verfahren bei der Daten*erhebung,* bzw. genauer: um die „quantitative" versus „qualitative" Perspektive bei der Konzipierung und Anwendung von Datenerhebungsinstrumenten (vgl. Kap. 9.2).

Voraussetzung jedoch für den Einsatz der Statistik ist — statt Quantifizierbarkeit im obigen Sinne — die Meßbarkeit der Merkmale. Es muß natürlich ein für die Sozialwissenschaften geeignetes Meßsystem existieren, das es uns ermöglicht, z. B. auch klassifikatorische Merkmale zu „messen", und das heißt: die durch den Begriff bezeichnete und strukturierte Objektmenge so in eine Menge von Symbolen (im allgemeinen Zahlen) abzubilden, daß die Struktur der empirischen Objekte in der Menge der zugeordneten Symbole (Zahlen) erhalten bleibt (Messen als strukturtreue Abbildung; auf den Meß-Begriff wird in Abschn. 5.2.1 eingegangen; zur Meß-Theorie s. Kap. 5.3).

5.1.3 Statistik und Individualität

Manchmal werden gegen die Verwendung statistischer Modelle in den Sozialwissenschaften Argumente vorgebracht wie: a) die Statistik betrachte die Menschen (oder soziale Organisationen) lediglich hinsichtlich einzelner, isolierter Merkmale und zerreiße damit den für das Soziale wesentlichen „ganzheitlichen" Zusammenhang; und sie mache b) aus einer Vielzahl von Individuen mit je unterschiedlichen Lebenszusammenhängen einen „Einheitsbrei", in dem der einzelne in seiner Besonderheit untergehe, der Blick für das individuell Spezifische verlorengehe.

In beiden Argumenten ist wieder ein wahrer Kern, wenn auch dagegen eingewendet werden kann, daß es a) statistische Modelle gibt, die nicht auf die Analyse isolierter einzelner Variablen beschränkt bleiben, sondern eine größere Zahl von Merkmalen und Zusammenhängen simultan berücksichtigen (multivariate Verfahren), und daß es b) auch sozialwissenschaftliche Untersuchungsansätze gibt, die die Individualität, das Besondere des einzelnen Falles im Blick behalten (z. B. Einzelfallstudien). Dennoch kann natürlich niemals eine wie auch immer verstandene „Ganzheit" analysiert werden, sondern jede empirische Untersuchung muß sich auf eine begrenzte Zahl von Aspekten der Realität beschränken (vgl. Kap. 3). Falls durch diese Beschränkung Relevantes oder Wesentliches ausgeblendet wird, ist dafür jedoch nicht *die* Statistik verantwortlich, sondern dann liegt dies an der Art der Formulierung und Präzisierung der Untersuchungsfragestellung und an deren „Übersetzung" in ein Forschungsdesign. Und natürlich ist es eine Eigentümlichkeit *der* Statistik, daß sich ihre Methoden niemals auf Einzelfälle beziehen, sondern immer auf Gruppen vergleichbarer Fälle.

Statistik ist, wie andere Möglichkeiten der Informationsgewinnung auch, an bestimmte Anwendungsvoraussetzungen gebunden, die im wesentlichen bereits genannt wurden:

— Statistische Modelle implizieren im Vergleich zur abgebildeten Realität erhebliche Vereinfachungen und Formalisierungen. Wenn man das Ziel hat, die unübersichtliche Vielfalt der in einer Datenbasis enthaltenen Informationen zu verdichten, Komplexität zu reduzieren, dann geht das eben nur, indem man wesentliche von unwesentlichen Informationen trennt und die wesentlichen Informationen hervorhebt. Was allerdings im gegebenen Zusammenhang „wesentlich" oder „unwesentlich" sein soll, läßt sich nur von der Fragestellung der Untersuchung her entscheiden.

— Statistische Modelle sind nur auf zähl- und meßbare Tatbestände anwendbar. Da aber „Meßbarkeit" nicht mit „Quantifizierbarkeit" identisch ist (s. o.), wird es im wesentlichen eine Frage der Operationalisierung sein, ob und inwieweit damit Einschränkungen ihrer Anwendbarkeit auf soziale Sachverhalte verbunden sind.

— Statistische Modelle beziehen sich niemals auf den Einzelfall, sondern immer auf Gruppen vergleichbarer Fälle, auf eine irgendwie abgegrenzte „Objektmenge".

Def.: „Unter einer Menge verstehen wir eine Gesamtheit gleichartiger Individuen (oder Objekte oder Ereignisse), an denen ein Merkmal oder mehrere Merkmale beobachtet werden. Jedes Individuum heißt Element der Menge" (*Clauss/Ebner* 1975, 15). — So könnten z. B. die Schüler der Grundschule in X eine „Menge" sein. Die Schüler wären dann die Gesamtheit gleichartiger Individuen (gleichartig hinsichtlich der Eigenschaft „Schüler in X"); die Zugehörigkeit zu einer bestimmten Schulklasse, die Körpergröße, die Note im Fach Deutsch usw. wären „beobachtbare Merkmale"; und jeder Schüler wäre „Element" der definierten Menge.[68]

Besonders zu betonen ist hierbei, daß es nur dann sinnvoll und möglich ist, Einzelfälle — die sich in ihrer spezifischen Kombination von Merkmalsausprägungen jeweils unterscheiden mögen — zusammenzuaddieren, zu einer Gesamtheit oder Menge zusammenzufassen, wenn sie nur im Hinblick auf eine begrenzte Zahl von Merkmalen beobachtet werden und alle anderen Merkmale im betrachteten Zusammenhang unberücksichtigt bleiben. Wenn Firmen z. B. nur hinsichtlich ihres Merkmals Beschäftigtenzahl oder Jahresumsatz oder einer Kombination beider Merkmale verglichen werden und alle anderen Merkmale im gegebenen Zusammenhang unberücksichtigt bleiben (etwa Art der produzierten Güter, Standort, Betriebsklima, privatwirtschaftliches oder öffentliches Unternehmen, Mitwirkungsmöglichkeit der Arbeitnehmer an der Unternehmensleitung usw.), dann setzt das voraus, daß zuerst der Zusammenhang, in dem Informationen gesammelt werden sollen, bekannt sein muß (→ Frage- oder Problemstellung; vgl. Kap. 3: Präzisierung des Forschungsproblems und Dimensionsanalyse).

Die Statistik selbst ist lediglich Handwerkszeug des Sozialforschers, nicht mehr und nicht weniger; ihre Ergebnisse können niemals besser sein als die Daten, auf die die Statistik angewendet wird.

5.2 Variablenbildung; Datenmatrix

5.2.1 Grundlagen: Messen und Meßniveaus

Oben wurde bereits kurz der Ausdruck „Messen als strukturtreue Abbildung" benutzt. Dies ist allerdings nicht die einzige Bedeutung, in der der Begriff Messen verwendet wird. So ist in der Alltagssprache damit im allgemeinen die Vorstellung der Anwendung irgendwelcher Meßgeräte oder Meßinstrumente verbunden: Zeitmessung durch die Stoppuhr, Gewichtsmessung durch die Waage, Längenmessung mit dem Meterstab, Volumenmessung mit dem Litermaß usw. Messen heißt hier also im wesentlichen: Unbekanntes wird mit normiertem Bekanntem verglichen — das unbekannte Gewicht eines Gegenstands mit dem bekannten Gewicht eines anderen Gegenstands (etwa Eichgewicht in kg) oder mit der bekannten Ausdehnungsfähigkeit einer Feder (Federwaage). Das Ergebnis solcher Messungen sind

---

68 Als „Menge" können aber auch z. B. Äußerungen oder Handlungen einer einzigen Person (oder Organisation) in einem bestimmten Zeitraum gelten (Einzelfallstudie). Jetzt würde sich die Fragestellung auf beobachtbare (erfahrbare) Merkmale der Menge „Äußerungen der Person P" oder der Menge „Handlungen der Person P" beziehen.

Zahlen, die die Ausprägung der gemessenen Eigenschaft symbolisieren (x Sekunden für das Durchlaufen der 100-m-Strecke; x cm Körpergröße eines Schülers). Zugleich werden die Verhältnisse zwischen den gemessenen Eigenschaften durch Abstände bzw. Verhältnisse zwischen den Zahlen symbolisiert (etwa die 100-m-Laufzeiten verschiedener Wettkampfteilnehmer, die Körpergrößen verschiedener Schüler).

Durchaus ähnlich sind Definitionen für Messen in den Naturwissenschaften. Etwa: Bei der Messung erhalten Zahlen oder allgemeiner Ziffern „die Aufgabe ..., Eigenschaften zu bedeuten" (*Campbell* 1952, 110). In Analogie zur Naturwissenschaft wird von einigen Autoren auch für die Sozialwissenschaften der Begriff „Messen" verwendet, häufig mit der (schon erwähnten) ausdrücklichen Feststellung, meßbar seien nur solche Eigenschaften, bei denen sich Größenunterschiede oder Unterschiede in der Stärke oder Intensität usw. exakt bestimmen ließen; alles andere seien nicht meßbare, nicht quantitative, sondern qualitative Eigenschaften (vgl. Abschn. 5.1.2).

Ein solches Verständnis liegt dem hier vertretenen Meß-Begriff *nicht* zugrunde. Vielmehr wird Messen in etwa so definiert wie der Psychologe *Stevens*[69] vorschlägt. Danach geht es beim Messen um „die Zuweisung von Ziffern zu Objekten oder Ereignissen nach Regeln ... Und die Tatsache, daß Ziffern nach unterschiedlichen Regeln zugeordnet werden können, führt zu verschiedenen Arten von Skalen und verschiedenen Messungsarten" (a.a.O., 1).

Solche Zuordnungs- oder Abbildungsregeln werden in der axiomatischen Meßtheorie (vgl. Kap. 5.3) entwickelt. D. h. zur Konstruktion einer Theorie des Messens in den Sozialwissenschaften werden zunächst Axiome formuliert (= Sätze, die innerhalb der gleichen Theorie nicht auf andere Sätze zurückführbar sind). Aus diesen Axiomen werden dann die Einzelanforderungen abgeleitet, die zu berücksichtigen sind, um Phänomene der sozialen Realität in einem System von Symbolen strukturtreu abbilden zu können.

Wählt man nun — wie üblich — für die Symbolisierung einer empirischen Objektmenge eine Teilmenge der reellen Zahlen, dann heißt strukturtreue Abbildung in erster Annäherung nichts weiter, als daß im Falle klassifikatorischer Eigenschaften (vgl. Abschn. 5.1.2) durch die zugeordneten Zahlen lediglich die Gleichheit bzw. Ungleichheit der Objekte hinsichtlich des gemessenen Merkmals repräsentiert wird (und sonst nichts), daß bei komparativen Merkmalen nur die Gleichheit/Ungleichheit sowie die Rangordnung der Objekte durch die zugeordneten Zahlen repräsentiert wird usw. Natürlich gelten *für die*

69 Stevens, S. S., 1951: Mathematics, Measurement and Psychophysics; in: ders. (ed.): Handbook of Experimental Psychology, New York

Menge der Zahlen noch zusätzliche Relationen, doch dürfen diese nicht empirisch gedeutet werden.

Im Zitat von *Stevens* (s.o.) wurde bereits angesprochen, daß unterschiedliche Abbildungsvorschriften zu unterschiedlichen Meßskalen führen, daß die Messung also — je nach den anwendbaren Zuordnungsregeln — auf unterschiedlichem „Niveau" erfolgen kann. Die eindeutige Bestimmung des realisierten Meßniveaus (oder Skalenniveaus) ist wichtig für die Entscheidung, welche statistischen Modelle (vgl. Abschn. 5.1.1) bei gegebenen Daten eingesetzt werden können. Das *Meßniveau-Konzept* wird im folgenden in erster Annäherung anhand von Beispielen illustriert; eine genauere Herleitung auf der Basis der axiomatischen Meßtheorie findet sich in Kap. 5.3.

Von einer N o m i n a l s k a l a (von nominalem Meßniveau) spricht man, wenn von den Beziehungen (Relationen) zwischen den Ziffern der Meßskala nur die Gleichheit/Ungleichheit empirisch interpretiert werden darf.

Beispiel:

Empirischer Objektbereich:

a) Klassifikatorisches Merkmal „Konfessionszugehörigkeit" mit den Ausprägungen römisch-kath., evangelisch, jüdisch, übrige Konfessionen, konfessionslos, keine Angabe.

b) Metrisches Merkmal „Alter", bei dem jedoch lediglich folgende Ausprägungen unterschieden werden: erwerbsfähiges Alter, nichterwerbsfähiges Alter, keine Angabe. Alter wurde also auf „klassifikatorischer Ebene" operationalisiert.

Meßsystem:

Die Merkmalsausprägungen (s. 5.2.2) im empirischen Objektbereich werden durch Ziffern „abgebildet", wobei lediglich sicherzustellen ist, daß gleichen Merkmalsausprägungen gleiche Ziffern und unterschiedlichen Merkmalsausprägungen unterschiedliche Ziffern zugeordnet werden; z. B. 1, 2, 3, 4, 0, 9.

Abbildung z. B. durch die Ziffern: 1, 0, 9 (oder beliebige andere Ziffern).

Im empirischen Objektbereich ist also aufgrund des verwendeten Beschreibungsmerkmals (Fall a) bzw. als Ergebnis der Operationalisierung (Fall b) lediglich die Unterscheidung gleich/ungleich möglich. Dementsprechend ist auch eine empirische Deutung der Relationen zwischen den Ziffern der Skala, die darüber hinausginge (etwa Rangordnung oder Abstände) auf diesem Meßniveau nicht zulässig. Sie hätte mit der „gemessenen" Realität nichts zu tun, sondern käme nur aufgrund der Überschußbedeutung des verwendeten Symbolsystems zustande.[70]

70 Im Falle der Nominalskala könnten statt Ziffern auch andere Symbole verwendet werden, z. B. Buchstaben.

Eine O r d i n a l s k a l a (ordinales Meßniveau) liegt vor, wenn von den Beziehungen zwischen den Zahlen der Meßskala neben der Gleichheit/Ungleichheit auch die Rangordnung (größer/kleiner) empirisch interpretiert werden darf.

Beispiel:

Empirischer Objektbereich:

a) Komparatives Merkmal „formale Bildungsqualifikation" mit den Ausprägungen: (noch) kein Bildungsabschluß, Hauptschulabschluß, Hauptschule und Berufsausbildung, Mittlere Reife, Abitur, Fachhochschule oder vergleichbarer Abschluß, Universitätsabschluß.

b) Metrisches Merkmal „Alter", bei dem jedoch lediglich folgende Ausprägungen unterschieden werden: bis 6 Jahre, über 6 bis 14 Jahre, über 14 bis 20 Jahre, über 20 bis 35 Jahre, über 35 bis 50 Jahre, über 50 bis 65 Jahre, über 65 Jahre.

Meßsystem:

Für die Abbildung der empirischen Merkmalsausprägungen durch Zahlen muß gelten: Gleiche Merkmalsausprägungen erhalten gleiche Zahlen, geringere Merkmalsausprägungen erhalten niedrigere und höhere Merkmalsausprägungen erhalten höhere Zahlenwerte zugeordnet; z. B. 0, 1, 2, 3, 4, 5, 6. Abbildung z. B. durch die Zahlen: 1, 2, 3, 4, 5, 6, 7 (oder andere Zahlen, sofern die Rangordnung gewahrt bleibt).

Im empirischen Objektbereich sind aufgrund des verwendeten Beschreibungsmerkmals (a) bzw. als Ergebnis der Operationalisierung (b) die gemessenen „Objekte" sowohl hinsichtlich ihrer Gleichheit/Ungleichheit als auch hinsichtlich ihrer Rangordnung zueinander einschätzbar (etwa: A hat höhere Bildung als B, oder: A ist jünger als B). Dementsprechend darf auch die empirische Deutung der Relationen zwischen den Zahlen der Skala nicht darüber hinausgehen.

Eine I n t e r v a l l s k a l a ist gegeben, wenn von den Beziehungen zwischen den Zahlen der Meßskala auch die Abstände empirisch interpretierbar sind.

Beispiel:

Empirischer Objektbereich:

Metrisches Merkmal „Temperatur", betrachtet in Bezug auf die Fixpunkte: Gefrierpunkt und Siedepunkt des Wassers.

Meßsystem:

Zuordnung von Zahlen mit Hilfe des Meßinstruments Thermometer, eingeteilt in Celsius-Grade: - 273,16 ($^{\circ}$ C) bis + ... ($^{\circ}$C).

Von einer R a t i o s k a l a (Verhältnisskala) schließlich spricht man, wenn zusätzlich noch der Nullpunkt der Meßskala eine empirische Bedeutung hat und wenn dementsprechend auch die Größenverhältnisse zwischen den Zahlen (engl.: ratio) als Verhältnisse zwischen den Merkmalsausprägungen interpretiert werden dürfen: z.B. bedeuten dann doppelt so hohe Zahlenwerte der Skala eine doppelt so hohe (intensive, starke) Merkmalsausprägung.

Beispiel:

Empirischer Objektbereich:

a) Metrisches Merkmal „Netto-Monatseinkommen".

b) Metrisches Merkmal „Temperatur", betrachtet mit Bezug auf einen Punkt, an dem das Konstrukt Temperatur aufhört zu existieren („absoluter Nullpunkt").

Meßsystem:

0 bis ... (Angabe in DM, Dollar, Franc, Rubel etc.).

0 bis ... (Zuordnung von Zahlen mit Hilfe eines Temperaturmeßgeräts und Angabe in Grad Kelvin).

Im Falle der Ratioskala ist die Zahl Null der Meßskala interpretierbar als „eine (positive oder negative) Ausprägung des Merkmals ist nicht vorhanden". Also: 0 DM Einkommen ist gleichbedeutend mit „kein Einkommen"; 0 Grad Kelvin ist gleichbedeutend mit „keine Temperatur". Für die Intervallskala ist eine solche Deutung des Nullpunkts nicht zulässig: 0 °C ist *nicht* gleichbedeutend mit „keine Temperatur".

„Messen" — im hier gemeinten Sinn als strukturtreue Abbildung — ist also die Zuordnung von Symbolen zu Sachverhalten, wobei den zu berücksichtigenden Unterschieden in den Sachverhalten auch Unterschiede in den Symbolen entsprechen müssen *und* wobei den Beziehungen zwischen Sachverhalten auch Beziehungen zwischen den Symbolen entsprechen müssen (das Umgekehrte gilt nicht).

Damit sind drei Festlegungen erforderlich und zu begründen:

— Welche Unterschiede in den Sachverhalten sollen berücksichtigt werden? Dieser Punkt wird im nächsten Abschnitt („Variablenkonstruktion") behandelt.

— Welches ist die Maßeinheit? Oder — was dasselbe bedeutet — mit welchem Instrument wird gemessen? Hiermit werden sich insbesondere die Kapitel zu den empirischen Erhebungsinstrumenten befassen. Aber auch Probleme der Skalen- und Indexbildung sind hiermit angesprochen.

— Nach welchen Regeln werden welche Symbole den Eigenschaften zugeordnet? Zu diesem Punkt gehört praktisch alles, was unter dem Stichwort „Operationalisierung" angesprochen werden kann (etwa Indikatorenfestlegung, aber auch Protokollierung der Beobachtungsdaten); damit sind aber auch die Regeln der angewendeten Meßtheorie gemeint (Kap. 5.3).

Alles in allem dürfte sichtbar geworden sein, daß ein soziologischer Meßbegriff nicht losgelöst vom gesamten sozialwissenschaftlichen Forschungsprozeß gebildet werden kann; praktisch ist die ganze empirische Untersuchung als das sozialwissenschaftliche Meßinstrument anzusehen (*Nippert* 1972). Insbesondere ist zu bedenken, daß bei einer auf *theoretische* Begriffe bezogenen Messung immer eine *doppelte Abbildung* 'vorgenommen werden muß: Auf der ersten Stufe sind zur empirschen Interpretation des theoretischen Begriffs *Indikatoren* zu bestimmen und durch Korrespondenzregeln mit dem theoretischen Begriff zu verknüpfen (vgl. Kap. 4.3). Auf der zweiten Stufe – der Messung im engeren Sinne – ist das Verfahren anzugeben, durch das die beobachteten Ausprägungen der Indikatoren in das Zahlensystem abgebildet werden. Bei der Beurteilung, welche Relationen zwischen den Zahlenwerten der Skala empirisch interpretierbar sind – welche statistischen Maßzahlen z.B. auf die theoretische Ebene „rückübersetzt" werden dürfen –, hat man *beide* Stufen der Operationalisierung zu berücksichtigen (für Beispiele vgl. *Kriz* 1981, 120ff)

5.2.2 Variablenkonstruktion

Der Begriff V a r i a b l e ist schon des öfteren vorgekommen; er ist allerdings – in der Hoffnung, daß das alltagssprachliche Verständnis zunächst ausreicht – bisher undefiniert geblieben. Für die folgenden Ausführungen ist eine Explikation jedoch erforderlich, da der Terminus in unterschiedlichen Zusammenhängen in erheblich verschiedener Bedeutung verwendet wird. So ist „Variable" beispielsweise in der Logik ein Zeichen (eine Leerstelle), für das andere Zeichen (Begriffe, Namen) eingesetzt werden dürfen. Und im Zusammenhang mit sozialwissenschaftlichen Theorien sind mit „Variablen" häufig die in Hypothesen verwendeten allgemeinen, theoretischen Begriffe gemeint, im Unterschied etwa zu Indikatoren. So ist „Alter einer Person" in diesem Sinne keine Variable, sondern allenfalls ein Indikator z. B. für die theoretisch interessierende Eigenschaft „Lebenserfahrung" (die Variable wäre in diesem Falle „Lebenserfahrung", *ein* möglicher Indikator dafür wäre „Lebensalter"). In solchem oder ähnlichem Sinn soll „Variable" hier nicht verwendet werden, sondern ausschließlich in der Bedeutung, die der Begriff in der Statistik hat.

Wenn bisher in diesem Text von „Variable" die Rede war, dann etwa in dem Sinn: Unter einer Variablen wird das Resultat der Operationalisierung eines präzise definierten Begriffs verstanden. Oder: Variablen sind begrifflich definierte Merkmale (Eigenschaften) von Objekten, die mehrere Ausprägungen (mehrere unterscheidbare Zustände hinsichtlich der interessierenden Eigenschaft) annehmen können.

Es sei erinnert an die Argumentation im Zusammenhang mit der „dimensionalen Analyse": Untersuchungsobjekte können niemals in ihrer Gesamtheit empirisch erfaßt werden; sie können immer nur im Hinblick auf bestimmte, für die Fragestellung relevante Eigenschaften beschrieben werden (bei Personen etwa Nationalität, Alter, Schulbildung, Beruf, Einkommen). Solche Eigenschaften sind nun nicht etwas

Punktuelles, sondern sie bezeichnen — wie wir es genannt haben — Dimensionen. Mit „Alter" ist allgemein nicht eine bestimmte Zahl von Jahren, Monaten und Tagen gemeint, sondern die Gesamtheit aller möglichen Alterszustände, unabhängig zunächst, ob wir Altersunterschiede in Jahren oder in Tagen oder in Stunden feststellen möchten. Eigenschaften können eindimensional oder mehrdimensional sein (denken Sie an die vielen Aspekte bei einer Eigenschaft wie sozialer Status; oder nehmen wir die Eigenschaft Volumen eines Körpers: diese setzt sich aus den Teildimensionen Länge, Breite, Höhe zusammen). Eigenschaften, die wir analysieren wollten, haben wir mit — präzise zu definierenden — Begriffen bezeichnet. Der Ausgangspunkt ist also jetzt: eine Reihe von Untersuchungsobjekten und eine Reihe von (mit Begriffen bezeichneten) „Eigenschaftsdimensionen" oder „Merkmalsdimensionen". Damit aber hat man noch nicht „Variablen" im statistischen Sinne.

Was wir bei den Untersuchungseinheiten — z. B. Personen — messen, d. h. beobachten, feststellen können, ist nämlich nicht „die Eigenschaftsdimension", sondern eine einzige, eine ganz spezifische „Ausprägung" dieser Eigenschaft je Person (je Untersuchungseinheit). So möge z. B. ein Befragter die Merkmalsausprägungen „Jugoslawe" auf der Dimension Nationalität, „24 Jahre alt" auf der Dimension Alter, „Hochschulreife" auf der Dimension Schulbildung, „Facharbeiter" auf der Dimension Beruf, „1300 DM" auf der Dimension Nettoeinkommen aufweisen. Die feststellbaren „Ausprägungen" können die unterschiedlichen Auftretenszustände der interessierenden Eigenschaftsdimensionen je nach begrifflicher Strukturierung und Operationalisierung differenzierter oder gröber nachzeichnen: die Dimension Nationalität könnte etwa nur hinsichtlich der beiden Ausprägungen „Deutscher" und „Ausländer" interessieren, die Dimension Alter könnte differenzierter (etwa in Jahren und Monaten) oder weniger differenziert (etwa: unter 18 J., 18 bis unter 35 J., 35 bis unter 50 J., 50 bis unter 65 J., 65 J. und älter) festgehalten werden.

Kommen wir nach diesen Vorüberlegungen zurück zum Begriff der Variablen, der jetzt für unsere Zwecke wie folgt definiert werden kann: Eine Merkmals- bzw. Eigenschaftsdimension, die mit einem Begriff bezeichnet wird und mehrere Ausprägungen annehmen kann, soll Variable heißen. Oder kürzer: Variable = Begriff + (mindestens 2) Ausprägungen. Begriffe mit nur einer einzigen möglichen Ausprägung sind dementsprechend Konstanten (sie haben keine Variation).

Variablen können im Prinzip eine Vielzahl möglicher Werte annehmen. Die Anzahl der möglichen Werte (Ausprägungen) hängt dabei nicht in erster Linie von dem Objekt ab, das mit der Variablen beschrieben werden soll, sondern vor allem von der Differenziertheit der begrifflichen Strukturierung und von der Methode der Datengewinnung, von der Operationalisierung.

Häufig wird unterschieden zwischen *quantitativen* und *qualitativen Variablen:* quantitativ, wenn die Variable mathematisch interpretierbare Zahlenwerte annimmt, qualitativ, wenn die Variable als Ausprägung entweder verbale Bezeichnungen oder Buchstaben annimmt bzw. wenn bei zugeordneten Zahlen nicht deren mathematische Relationen interpretiert werden dürfen. Obwohl diese Unterscheidung auf den ersten Blick einleuchtend scheint, sagt sie — anders als die Unterscheidung zwischen klassifikatorischen, komparativen und metrischen *Begriffen* — kaum etwas über Unterschiedlichkeiten der empirischen Objekte und der Merkmalsdimensionen aus. Vielmehr ist sie hauptsächlich eine Funktion der begrifflichen Strukturierung und Operationalisierung sowie der Qualität der angewendeten Meßverfahren: z. B. Alter in Jahren = quantitativ; Alter in den Ausprägungen jugendlich — erwachsen — alt = qualitativ. Oder: Haarfarbe in den Ausprägungen blond — braun — schwarz — rot usw. = qualitativ; Haarfarbe gemessen über die Wellenlänge des reflektierten Lichts = quantitativ (vgl. 5.2.1).

Welche Ausprägungen unterschieden, wie differenziert Merkmalsunterschiede beschrieben werden sollen, hängt außer von der zu beschreibenden Merkmalsdimension und von der Art des zur Verfügung stehenden Meßinstruments auch von der Differenziertheit der Fragestellung ab, die der Untersuchung zugrunde liegt. Wir haben es hier mit einer weiteren wichtigen *Entscheidung* im Forschungsprozeß zu tun: Wie differenziert sollen Unterschiede im zu untersuchenden Gegenstandsbereich durch Messungen abgebildet werden? Genügt für die symbolische Repräsentation etwa des Begriffs „soziale Schicht" eine Variable, die lediglich zwischen Ober-, Mittel- und Unterschicht unterscheidet? Reicht eine Variable „Temperatur", die nur die Ausprägungen heiß, lauwarm und kalt aufweist?

Die Beantwortung solcher Fragen hat entscheidende Konsequenzen für die zu erzielenden Forschungsergebnisse; und: solche Fragen sind nicht ohne Bezug zur Problemstellung der Untersuchung zu entscheiden. Soll etwa das Verhalten von Wasser in Abhängigkeit von der Temperatur untersucht werden, dann wird eine Temperatureinteilung in heiß, lauwarm und kalt überhaupt nichts nützen; denn die für die Untersuchungsfrage wichtigen Temperaturpunkte 0 Grad Celsius (Gefrierpunkt, Übergang in die Zustandsform Eis) und 100 Grad Celsius (Siedepunkt, Übergang in die Zustandsform Dampf) können von dieser Skala nicht dargestellt werden: Temperaturen unterhalb sowie oberhalb des Gefrierpunkts sind „kalt", Temperaturen unterhalb und oberhalb des Siedepunkts sind „heiß". Eine Variable „Temperatur" mit den Ausprägungen kalt — lauwarm — heiß würde verhindern, daß wir die interessierende Fragestellung überhaupt untersuchen können.

Als *eine Gefahr* bei der Variablenkonstruktion bleibt also festzuhalten: Die *Variable* ist möglicherweise *nicht differenziert genug,* um wichtige Unterschiede des Untersuchungsgegenstandes abzubilden.

Eine *andere Gefahr* bei der Variablenkonstruktion kann in der – entgegengesetzten – Tendenz liegen, daß mit der Variablen möglicherweise *nur scheinbare Unterschiede* des Untersuchungsgegenstandes abgebildet werden, Unterschiede, die lediglich ein Produkt des Meßverfahrens sind, aber keine Entsprechung in der Realität haben. Als Beispiel hierfür sei auf die Berufsprestige-Skala von *Blau* und *Duncan* (1967) zurückverwiesen (vgl. Kap. 4.1). Aufgrund von Regressionsanalysen aus Daten verschiedener Befragungen konstruierten die Autoren einen Prestige-Index, der Werte von 0 bis 96 Punkte annehmen kann und ganz unten z. B. Hilfskräfte und Arbeiter in Kohlengruben, ganz oben z. B. Architekten, Richter, Chirurgen einordnet. Mit diesem Meßinstrument wird eine Präzision und Widerspruchslosigkeit der Ordnung von Berufen auf einer Prestige-Skala sowie eine Genauigkeit der Unterscheidung von gesellschaftlichem Prestige aller Berufe unterstellt, die in dieser Form kaum eine Entsprechung im empirischen Gegenstandsbereich (im Bewußtsein der Befragten) haben dürfte. Die scheinbar präzise Unterscheidbarkeit des gesellschaftlichen Prestiges von Berufen ist nichts anderes als ein Produkt der Anwendung des statistischen Modells Regressionsanalyse (das *im Rahmen der Modellvoraussetzungen,* d. h. unter der Voraussetzung der Gültigkeit der Modellannahmen, eben immer rechnerisch eindeutige und präzise Resultate liefert).

5.2.3 Die Datenmatrix; Prinzipien der Datensammlung

Um sozialwissenschaftliche Hypothesen unter Verwendung statistischer Modelle überprüfen oder um einen Gegenstandsbereich in übersichtlicher Weise mit Hilfe statistischer Kennziffern beschreiben zu können, benötigt man „Daten" über den empirischen Gegenstandsbereich, und zwar nach einem bestimmten Schema geordnete Daten („Datenmatrix"). Bis zur Gewinnung von Daten sind – ausgehend von der Forschungsfragestellung – eine Reihe von Schritten zu durchlaufen, die teilweise bereits behandelt wurden:

a) Das Forschungsproblem ist zu präzisieren, der Gegenstandsbereich ist gedanklich zu strukturieren (dimensionale Analyse, Begriffsbildung); die definierten Begriffe sind zu operationalisieren (Festlegung der Forschungs- und Meßoperationen, Entscheidung über die Differenziertheit der zu sammelnden Informationen = Variablenkonstruktion).

b) Die Objekte, an denen die Untersuchung vorgenommen werden soll, sind zu definieren („Untersuchungseinheiten", z. B. Personen oder Haushalte oder Gemeinden oder Organisationen oder Wahlbezirke oder Zeitungsartikel oder Beobachtungssituationen) und auszuwählen (s. dazu Kap. 6: Auswahlverfahren).

c) Für die ausgewählten Untersuchungseinheiten sind die gewünschten Informationen empirisch zu ermitteln („Feldarbeit"; z. B. sind die ausgewählten Personen oder Haushalte anhand eines standardisierten Interviewbogens zu befragen).

Jeder dieser Schritte impliziert (das sei noch einmal ins Gedächtnis gerufen) theoretische Annahmen über den zu untersuchenden Gegenstandsbereich, die ihrerseits in der Untersuchung nicht geprüft werden können. So sind theoretische Annahmen über den Untersuchungsgegenstand notwendig, um a) die „relevanten" Dimensionen zu bestimmen, die „richtigen" Indikatoren auszuwählen, den Grad an Differenziertheit für die zu beobachtenden Merkmalsunterschiede „in geeigneter Weise" festzulegen (Variablenkonstruktion), um b) die Untersuchungseinheiten zutreffend zu definieren und auszuwählen, um c) die „geeigneten" Datenerhebungsinstrumente zu entwickeln also und anzuwenden. Daten über die (soziale) Wirklichkeit kommen also immer nur unter Zuhilfenahme von Theorien verschiedenster Art zustande (ausführlicher *Harder* 1975).

Was ist nun präzise mit Daten gemeint? Die bisherige Argumentation war bis zu den Problemen der Variablenkonstruktion vorgedrungen (als „Variable" wurde eine mit einem präzise definierten Begriff bezeichnete Eigenschaftsdimension von Untersuchungsobjekten verstanden, für die zusätzlich die möglichen Ausprägungen festgelegt worden sind). Mit der definitorischen Konstruktion von Variablen hat man jedoch noch keine Daten. Auch die Antworten von Befragten auf Fragen in einem Interview oder die akustischen oder visuellen Wahrnehmungen eines Beobachters in einer Beobachtungssituation sind noch keine Daten. „Daten" sind vielmehr erst die vom Interviewer *protokollierten* Antworten bzw. die *Eintragungen* des Beobachters im Beobachtungsbogen. „Die auf der Grundlage begrifflicher Strukturierungen gemachten Beobachtungen von manifesten Eigenschaften werden zu Daten über ein Untersuchungsobjekt erst dadurch, daß sie in standardisierter Form registriert werden" (*Mayntz/ Holm/Hübner* 1971, 34). Daten sind also die in geeigneter Form festgehaltene und abrufbare symbolische Repräsentation der bei den Untersuchungseinheiten beobachteten Merkmale (Eigenschaften).

Obwohl der empirische Sozialforscher es entsprechend der Unterschiedlichkeit möglicher Forschungsfragestellungen mit den unterschiedlichsten Arten von Daten zu tun haben kann, besitzen diese doch eine vergleichbare formale Struktur (*Galtung* 1967, 9ff.).

a) Die erhobenen Daten beziehen sich auf *Untersuchungseinheiten* (UE). Die Untersuchungseinheiten sind diejenigen „Objekte" (im weitesten Sinne), auf die sich die untersuchungsleitenden oder zu prüfenden Hypothesen richten.

b) Die Daten beschreiben die Untersuchungseinheiten nicht in ihrer gesamten Komplexität, in ihrer „Ganzheit", sondern lediglich im Hinblick auf ausgewählte Merkmalsdimensionen bzw. genauer: *Variablen* (X).

c) Beobachtet werden auf den interessierenden Merkmalsdimensionen die jeweiligen „Ausprägungen" für die Untersuchungseinheiten, also die *Variablenwerte* (x).

Durch die spezifischen Ausprägungen (c) je Untersuchungseinheit auf allen interessierenden Eigenschafts- oder Merkmalsdimensionen (b) wird die Untersuchungseinheit (a) „datenmäßig" charakterisiert. Man kann sich jede Untersuchungseinheit als Punkt in einem m-dimensionalen Koordinatensystem vorstellen (man spricht in diesem Zusammenhang von Merkmalsraum).

Beispiel eines zweidimensionalen Merkmalsraums (Merkmale Alter und Netto-Monatseinkommen):

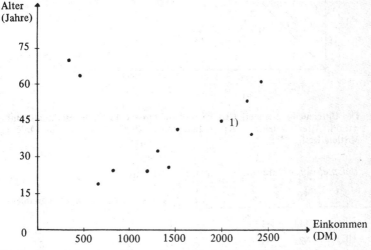

Die Punkte repräsentieren Untersuchungseinheiten; beispielsweise ist die mit 1) gekennzeichnete UE charakterisiert durch die Merkmalskombination: Alter 45 Jahre, Einkommen 2000 DM)

(Für die Darstellung eines dreidimensionalen Merkmalsraums s. nächste Seite)

Schon bei nur vier Merkmalsdimensionen läßt sich der Ort der einzelnen Untersuchungseinheiten im (vierdimensionalen) Merkmalsraum graphisch nicht mehr veranschaulichen. Für die symbolische Darstellung wird deshalb die Form einer Datenmatrix gewählt. Diese erhält man dadurch, daß die protokollierten Variablenwerte für jede Untersuchungseinheit in einer festgelegten Reihenfolge in einer Zeile notiert werden (= Datenvektor), wobei jede Untersuchungseinheit durch einen solchen Datenvektor repräsentiert wird.

Beispiel eines dreidimensionalen Merkmalsraums (Merkmale Alter, Netto-Monatseinkommen und Bildung):

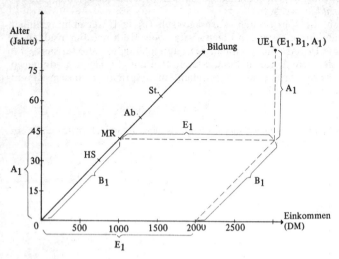

Die Untersuchungseinheit UE_1 wird charakterisiert durch die Merkmalskombination: Alter 45 Jahre – A_1 –, Einkommen 2000 DM – E_1 – und Bildung Mittlere Reife – B_1 –).

Beispiel einer Datenmatrix (formale Struktur):

	X_1	X_2	. . . . .	X_j	. . . . .	X_m	(Variablen-liste)
UE_1	x_{11}	x_{12}	. . . . .	x_{1j}	. . . . .	x_{1m}	
UE_2	x_{21}	x_{22}	. . . . .	x_{2j}	. . . . .	x_{2m}	
⋮	⋮	⋮		⋮		⋮	(Variablen-werte,
UE_i	x_{i1}	x_{i2}	. . . . .	x_{ij}	. . . . .	x_{im}	Daten)
⋮	⋮	⋮		⋮		⋮	
UE_n	x_{n1}	x_{n2}	. . . . .	x_{nj}	. . . . .	x_{nm}	

Untersuchungs-
einheiten

(In diesem Schema ist x_{ij} z. B. die in standardisierter Form protokollierte Antwort des Befragten Nr. i auf die Frage Nr. j; allgemeiner: x_{ij} = der Wert für Untersuchungseinheit i auf der Variablen j).

Beispiel einer so strukturierten Datenmatrix (Auszug):

IdNr	Var1	Var2	Var3	Var4	Var5	Var6	Var7	Var8	Var9
1710	6	20	2	1	1	1	88	850	850
1711	3	27	1	2	2	98	9	0	3200
1712	1	36	2	2	4	5	4	1600	2900
1713	1	18	2	1	5	2	88	1300	1300
1714	5	42	1	3	3	4	88	1450	1450
1715	2	24	2	1	2	1	88	890	890
1716	1	60	1	2	2	98	12	0	7600
1717	4	28	2	1	3	11	88	2600	2600
1718	1	62	2	2	6	12	98	12800	12800
1719	1	27	1	1	4	8	88	2400	2400
1720	6	48	2	2	2	1	1	940	1820
1721	3	32	1	2	7	1	2	910	2450
1722	1	54	2	3	2	6	88	2700	2700
1723	1	33	2	2	2	4	7	1600	3300
1724	5	99	1	2	2	1	2	720	1890
1725	2	27	1	1	2	11	88	2330	2330
1726	1	64	2	2	5	3	98	2800	2800
1727	4	41	2	2	9	10	8	4100	6600
1728	1	19	1	1	2	4	88	1200	1200
1729	7	56	2	2	3	99	99	99999	99999

Codeplan (zur Datenmatrix auf der vorigen Seite):

Variablen-kurzbe-zeichnung	Bedeutung	Variablen-ausprägungen	vorgesehene Spalten auf der Lochkarte
IdNr	Identifikations-nummer des Befragten	lfd. Nr.	1 — 4
Var 1	Nationalität des Befragten	1 - Deutsche 2 - Griechen 3 - Italiener 4 - Jugoslawen 5 - Spanier 6 - Türken 7 - Sonstige 9 - keine Angabe	5
Var 2	Alter des Befragten	Jahre (auf- bzw. abge-rundet) 98 - Alter 98 u. mehr Jahre 99 - keine Angabe	6 — 7
Var 3	Geschlecht des Befragten	1 - weiblich 2 - männlich 9 - keine Angabe	8
Var 4	Familienstand	1 - ledig 2 - verheiratet 3 - verwitwet, geschieden 9 - keine Angabe	9
Var 5	Schulabschluß des Befragten	1 - kein Abschluß 2 - Pflichtschule 3 - weiterführende Schule 4 - Hochschulreife 5 - Berufsschule 6 - Fach- bzw. Fachhochschule 7 - Universität 9 - keine Angabe	10
Var 6	Beruf des Befragten	1 - un- oder angelernter Arbeiter 2 - Facharbeiter 3 - Meister 4 - unterer Angestellter 5 - mittlerer Angestellter 6 - leitender Angestellter 7 - Beamter (einf./mittl. Dienst) 8 - Beamter (gehobener Dienst) 9 - Beamter (höherer Dienst) 10 - Freiberufler 11 - Selbständiger (Kleinbetrieb) 12 - Selbständiger (Mittel- oder Großbetrieb) 13 - Landwirt 98 - nicht berufstätig 99 - keine Angabe	11 - 12
Var 7	Beruf des Ehepartners	wie bei Var 6, außerdem: 88 - entfällt, da nicht verheiratet	13 - 14
Var 8	Netto-Monats-einkommen des Befragten	DM-Beträge 99999 - keine Angabe	15 - 19
Var 9	Netto-Haushalts-einkommen	wie bei Var 8	20 - 24

Die Struktur der Datenmatrix ist identisch mit der bei EDV-Auswertungen üblichen Datenorganisation, wenn Lochkarten als Datenträger verwendet werden: Jeder Untersuchungseinheit entspricht eine Datenkarte (eine Lochkarte bzw. mehrere fortlaufende Lochkarten bei entsprechend großer Variablenzahl), und jeder Variablen entspricht ein fester Platz auf der Lochkarte (z. B. Identifikations-Nr. = Spalten 1-4; Geschlecht = Spalte 5; Alter = Spalten 6-7; Einkommen = Spalten 8-12 usw.).

Aus einer anderen Perspektive stellt sich die Datenmatrix dar als die Menge möglicher Kombinationen UE_i x X_j (kartesisches Produkt) mit der zusätzlichen Bedingung, daß für die Variable X_j aus der Anzahl ihrer möglichen Ausprägungen jeweils nur der für die Untersuchungseinheit UE_i zutreffende Wert eingesetzt wird. Mit anderen Worten: Die einfache Idee ist, daß für jede Kombination (UE_i, X_j) *genau ein* Wert gefunden werden soll. Aus dieser Definition und aus der Struktur der Datenmatrix lassen sich drei wichtige Prinzipien der Datensammlung herauslesen (*Galtung* 1967, 11ff.): 1. das Prinzip der Vergleichbarkeit (principle of comparability), 2. das Prinzip der Klassifizierbarkeit (principle of classification), 3. das Prinzip der Vollständigkeit (principle of completeness).

Das Prinzip der Vergleichbarkeit besagt 1., daß die Untersuchungsbedingungen für alle UE_i gleich sein müssen (z. B. sind allen Befragten die gleichen Fragen in der gleichen Reihenfolge zu stellen; oder beim Experiment: alle Untersuchungsobjekte sind den gleichen experimentellen Stimuli auszusetzen; oder bei der Inhaltsanalyse von Texten: für die Vercodung der Inhalte ist bei allen Texteinheiten das gleiche Kategorienschema mit den gleichen Regeln anzuwenden). Es besagt 2., daß alle Kombinationen (UE_i, X_j) empirisch sinnvoll sein müssen, d. h. daß die Eigenschaftsdimensionen X_j in der Datenmatrix auch tatsächlich Eigenschaftsdimensionen der Untersuchungseinheiten sind (wenn Untersuchungseinheiten etwa Wahlbezirke sind, dann ist „Beruf" keine Eigenschaftsdimension der Untersuchungseinheiten, wohl aber z. B. Arbeiteranteil oder Anteil der Freiberufler). Es besagt schließlich 3., daß die UE_i immer nur sinnvoll hinsichtlich einer einzigen Merkmalsdimension miteinander verglichen werden können (sinnlos wäre etwa eine vergleichende Aussage: UE_1 hat ein Monatseinkommen von 2000 DM, wogegen UE_2 als höchsten Schulabschluß Abitur aufweist). Will man Untersuchungseinheiten hinsichtlich mehrerer Merkmale gleichzeitig in Beziehung setzen, dann ist zuvor aus diesen Merkmalsdimensionen eine neue eindimensionale Variable (ein Index) zu bilden (etwa aus den Variablen Beruf, Einkommen und Bildung der Index „sozialer Status").

Das Prinzip der Klassifizierbarkeit bedeutet, daß für jedes Paar (UE_i, X_j) genau ein Wert existieren muß. Präziser: Jeder Untersuchungseinheit muß 1. mindestens eine Variablenausprägung zugewiesen werden können (es darf also nicht der Fall auftreten, daß von den vorgesehenen möglichen Werten überhaupt keiner für die Untersuchungseinheit zutrifft); *und* zugleich darf 2. keiner UE_i mehr als eine Ausprägung auf jeder Variablen zugewiesen werden können (d. h. es muß für alle Fälle eindeutig entscheidbar sein, welcher Wert zutrifft; diese Forderung ist etwa bei den Verfahren Textanalyse und Beobachtung nicht leicht zu erfüllen). *Formal* ist das Prinzip der Klassifizierbarkeit immer erfüllbar durch Aufnahme der Kategorien „Sonstiges" und „nicht entscheidbar" in die Liste der möglichen Variablenausprägungen.

Das Prinzip der Vollständigkeit heißt zunächst einmal ganz einfach: Es dürfen in der Datenmatrix keine Zellen x_{ij} leer bleiben. Da aber die Daten das Resultat empirischer Erhebung sein sollen, ist die Forderung zu erweitern: Keine Zellen der Matrix dürfen leer bleiben, *und*: alle Werte müssen empirisch bestimmt werden. In dieser Formulierung ist allerdings die Forderung in der Praxis fast nie erfüllbar. In der Feldarbeit (bei der Datenerhebung) werden fast immer Fälle auftreten, in denen Angaben fehlen, weil etwa der Befragte auf eine Frage die Antwort verweigert oder der Interviewer es im Eifer des Gefechts versäumt, die Antwort zu protokollieren. Solche *fehlenden Werte* (engl.: missing values, missing data) beeinträchtigen – insofern sie häufig vorkommen – die Gültigkeit der Auswertung der erhobenen Daten.[71] Weitere Formen fehlender Angaben sind, daß der Befragte die Antwort nicht weiß oder daß eine Frage für seine Person nicht zutrifft. Das Prinzip der Vollständigkeit muß deshalb für die Forschungspraxis weniger eng gefaßt werden: Keine Zelle der Matrix darf leer bleiben, und: in den Fällen, in denen auf einer Merkmalsdimension ein Wert nicht empirisch ermittelt werden konnte, ist der Grund kenntlich zu machen. Das aber bedeutet wiederum nichts anderes, als daß dieses Prinzip lediglich formal erfüllt wird: durch Formulierung zusätzlicher Variablenausprägungen wie „weiß nicht", „keine Antwort", „trifft nicht zu", „nicht entscheidbar". Dabei muß man sich klar darüber sein (und muß dies bei der Datenauswertung berücksichtigen), daß solche Variablenwerte nicht Aussagen über die Untersuchungseinheiten auf den interessierenden Eigenschaftsdimensionen sind, sondern daß es sich um Aussagen über das Datenerhebungsinstrument handelt (nämlich: „Die Frage konnte nicht beantwortet werden" oder: „Ein beobachtetes Ereignis war nicht eindeutig einer Beobachtungskategorie zuzuordnen").

5.3 Grundlagen der axiomatischen Meßtheorie (Messen als strukturtreue Abbildung)

5.3.1 Grundbegriffe

Unter Messen – im bisher benutzten Sinn – ist zu verstehen: die systematische (d. h. nach bestimmten Regeln, Vorschriften, Verfahren erfolgende) Zuordnung einer Menge von Zahlen oder Symbolen zu den Ausprägungen einer Variablen (mithin auch zu den Objekten), und zwar so, daß die Relationen unter den Zahlenwerten den Relationen unter den Objekten entsprechen. Aus diesem Verständnis heraus

---

71 Bei bivariater oder multivariater Auswertung (vgl. Kap. 8.3) sind Fälle mit fehlenden Angaben entweder aus der Analyse auszuschließen, oder die fehlenden Werte sind unter Einführung zusätzlicher Annahmen und auf der Basis anderer, vorliegender Angaben zu schätzen. Für Hinweise auf diesbezügliche statistische Techniken s. *Schnell*, Rainer, 1985: Zur Effizienz einiger Missing-Data-Techniken – Ergebnisse einer Computer-Simulation; in: ZUMA-Nachrichten, Nr. 17, S. 50-74.

spricht man von Messen als strukturtreuer Abbildung eines empirischen relationalen Systems in ein numerisches relationales System [72]

Als Relation bezeichnet man generell die Beziehung zwischen Elementen von Mengen: im speziellen Zusammenhang soll „Relation" eine Vorschrift sein, durch die ein Element x einem Element y zugeordnet wird (abgekürzte Schreibweise: xRy = Relation R zwischen den Elementen x und y).

Beispiele:
x hat den gleichen Beruf wie y (zweistellige Relation); Ort x ist vom Ort y genauso weit entfernt wie Ort w vom Ort z (vierstellige Relation); Beruf a hat ein höheres Prestige als Beruf b (zweistellige Relation).

Relationen kann man hinsichtlich ihrer Eigenschaften genauer kennzeichnen. Eine Relation heißt symmetrisch, wenn sie mit ihrer Umkehrrelation übereinstimmt, d. h. die Elemente können vertauscht werden, ohne daß die Aussage falsch wird: $xRy \longleftrightarrow yRx$.

Beispiele:
x ist verwandt mit y; a hat den gleichen Beruf wie b; Peter ist genauso alt wie Karin.

Zwei Elemente, die durch eine asymmetrische Relation miteinander verknüpft sind, kann man dagegen nicht umkehren, ohne daß die Aussage falsch würde: $xRy \longleftrightarrow\!\!\!/ \; yRx$.

Beispiele:
x ist stärker als y; der Montblanc ist höher als der Kahle Asten; Maria ist die Ehefrau von Otto.

Eine Relation heißt reflexiv, wenn sie aus zwei gleichen Komponenten bestehen kann, ohne falsch zu sein: xRx.

Beispiele:
Identität — x ist identisch mit x (trivial; jedes Ding ist identisch mit sich selbst);
„mögen" — x mag x (nicht trivial, kann empirisch falsch sein: „ich mag mich selbst" gilt nur bei positiver Selbsteinschätzung).

Die Relation heißt irreflexiv, wenn xRx nicht gilt.

Beispiele:
... ist verheiratet mit ...; ... ist größer als ...; ... hat Schulden bei ...; ... ist Kind von ...

---

72 Ein numerisches relationales System (auch kürzer „numerisches Relativ" genannt), also ein Zahlensystem, ist „eine abstrakte Theorie, ein uninterpretiertes axiomatisches System ohne empirischen Bezug" (Hülst 1975, 33). Diese „abstrakte Theorie" erhält erst dadurch empirische Bedeutung, daß sie durch explizite Abbildungsvorschriften mit einem empirischen relationalen System (auch kürzer: „empirisches Relativ" genannt) in Beziehung gesetzt wird. Man sagt, die abstrakte Theorie wird „empirisch interpretiert". Beispiele dafür folgen auf den nächsten Seiten. — Die Darstellung in Abschn. 5.3 orientiert sich teilweise an: Klenovits, Klaus, 1974/75: Skriptum zur Methodik der empirischen Sozialforschung II, Köln (nicht veröffentlicht).

Eine Relation wird transitiv genannt, wenn aus xRy und yRz auch xRz folgt: $xRy \wedge yRz \rightarrow xRz$.

Beispiele:

a ist älter als b, und b ist älter als c; dann ist a auch älter als c. Dagegen kann die folgende Aussage empirisch falsch sein: Peter ist befreundet mit Paul, Paul ist befreundet mit Karl; dann ist Peter auch befreundet mit Karl. Die Freundschafts-Relation ist nur dann transitiv, wenn die Norm gilt: Deine Freunde sind auch meine Freunde.

Dementsprechend ist eine Relation intransitiv, wenn aus xRy und yRz nicht folgt: xRz.

Beispiel:

Aus 'a ist Vater von b' und 'b ist Vater von c' folgt nicht 'a ist Vater von c', sondern 'a ist Großvater von c'.

Eine zugleich symmetrische, reflexive und transitive Relation heißt Äquivalenzrelation.

Beispiele:

x hat das gleiche Elternpaar wie y; a hat den gleichen sozialen Status wie b; der Beruf w wird genauso gut bezahlt wie der Beruf z.

Als Zeichen für die empirische Äquivalenzrelation wird $\approx$ benutzt; das Zeichen für die mathematische Äquivalenzrelation ist =.

Ist eine Relation zugleich irreflexiv, asymmetrisch und transitiv, dann handelt es sich um eine Ordnungsrelation.

Beispiele:

x ist kleiner (größer) als y; Beruf w hat ein höheres (niedrigeres) Prestige als Beruf z.

Als Zeichen für die empirische Ordnungsrelation werden $\prec$ und $\succ$ benutzt; die entsprechenden Zeichen für die mathematische Ordnungsrelation sind $<$ und $>$.

Ist über einer Menge von Objekten eine Relation definiert, dann sagt man, ihr sei eine Struktur aufgeprägt.

Beispiele:

Personen in einem Betrieb mit der Relation „ . . . ist Untergebener von . . .“ (die Struktur heißt „Betriebshierarchie“); Berufe mit der Relation „ . . . hat das gleiche Prestige wie . . .“ (wir erhalten eine Berufsklassifikation nach dem Merkmal Prestige). „Objekte“ können auch Symbole sein, etwa die natürlichen Zahlen mit der Relation „ . . . ist größer als . . .“ ($x > y$); die Zahlen weisen eine Ordnungsstruktur auf.

Strukturierte Mengen können aufeinander (ineinander) abgebildet werden. Die Abbildung muß mit der Struktur *beider* Mengen verträglich sein. Solche strukturverträglichen Abbildungen (f) nennt man Morphismen.

Beispiel:

w, x, y, z seien Berufe, für deren Prestige gelte: $w \succ x \succ y \succ z$; die Menge der Berufe und die zwischen ihnen definierten Relationen stellen unser empirisches relationales System dar; allgemein $A = (A, R)$. Diese strukturierte Menge empirischer Elemente kann strukturtreu abgebildet werden in z. B. die Teilmenge der natürlichen Zahlen 1, 2, 3, 4 mit den Relationen $4 > 3 > 2 > 1$. Wir sprechen in diesem Zusammenhang vom numerischen relationalen System; allgemein: $N = (N, S)$. Zur Abbildung des empirischen Relativs auf das numerische Relativ benötigen wir eine Vorschrift. Diese kann etwa lauten: Dem Beruf mit dem niedrigsten Prestige ist die niedrigste Zahl aus der Teilmenge der natürlichen Zahlen zuzuordnen, dem Beruf mit dem zweitniedrigsten Prestige die zweitniedrigste Zahl usw., also: $f(w) = 4$, $f(x) = 3$, $f(y) = 2$, $f(z) = 1$. Die Vorschrift könnte aber auch lauten: Die Berufe sind entsprechend ihrem Prestige in eine Rangordnung zu bringen; einem hohen Rang entspricht eine niedrige Zahl, einem niedrigen Rang eine hohe Zahl, also: $f(w) = 1$, $f(x) = 2$, $f(y) = 3$, $f(z) = 4$. Kurzschreibweise für strukturverträgliche Abbildungen $f = A \rightarrow N$.

Eine umkehrbar eindeutige Abbildung	$w \rightarrow 4$	bzw. $f(w)$	$= 4$
heißt Isomorphismus:	$x \rightarrow 3$	bzw. $f(x)$	$= 3$
	$y \rightarrow 2$	bzw. $f(y)$	$= 2$
	$z \rightarrow 1$	bzw. $f(z)$	$= 1$
Eine nur in einer Richtung eindeutige	$w \rightarrow 4$	bzw. $f(w)$	$= 4$
(also nicht umkehrbar eindeutige)	$x \rightarrow 3$	bzw. $f(x)$	$= 3$
Abbildung heißt Homomorphismus	$y \rightarrow 2$	bzw. $f(y)$	$= 2$
(so gelte also zusätzlich im empirischen	$z_1 \rightarrow 1$	bzw. $f(z_1)$	$= 1$
Relativ: zwei Berufe z_1 und z_2 seien	$z_2 \nearrow$	bzw. $f(z_2)$	$= 1$
im Hinblick auf ihr Prestige äquivalent:			
$z_1 \approx z_2$):			

5.3.2 Die Meß-Skala

Eine Skala ist definiert als das geordnete Tripel aus einem empirischen relationalen System **A**, dem numerischen relationalen System **N** und dem Morphismus $f: A \rightarrow N$, also durch (A, N, f).

Ausführlicher geschrieben:

Skala $= [(A, R_1, \ldots, R_n), (N; S_1, \ldots, S_n), f]$

Hierbei sind A eine Menge empirischer Objekte, für die die Relationen R_i gelten, N eine Teilmenge der reellen Zahlen mit den Relationen S_i und f die Abbildungsvorschrift (der Morphismus).

Inwieweit die Relationen R_i im empirischen Relativ gelten, ist vor allem eine empirische Frage (es sei erinnert an die Relation „. . . ist befreundet mit . . .", die nur dann eine Zerlegung in Äquivalenzklassen erlaubt, also eine Äquivalenzrelation darstellt, wenn empirisch für alle Untersuchungseinheiten gilt: „Deine Freunde sind auch meine Freunde"). Bei den S_i im numerischen Relativ handelt es sich um mathematische Relationen, von denen insbesondere = und $>$ bzw. $<$ von Bedeutung sind. Strukturtreu ist die Abbildung eines empirischen relationalen System in ein numerisches relationales System dann, wenn die empirischen Relationen R_i zwischen der Objektmenge A durch mathematische Relationen S_i zwischen der Teilmenge N der Zahlen korrekt wiedergegeben werden können.

Aus der Definition von „Skala" folgt, daß *vor* dem Meßvorgang drei Probleme zu lösen sind (*Kreppner* 1975, 107ff.; *Orth* 1974, 21ff.): 1) Klärung, ob die Relationsaxiome einer Skala im empirischen Relativ erfüllt sind; 2) Rechtfertigung für die Zuweisung von Zahlen zu Objekten (Repräsentationsproblem); 3) Bestimmung des Grades, bis zu dem diese Zuweisung eindeutig ist (Eindeutigkeitsproblem).

zu 1):

Die Relationsaxiome der Skala müssen im empirischen relationalen System $(A; R_1, \ldots, R_n)$ erfüllt sein. Ob dies der Fall ist, ist abhängig von der Art und Weise, wie die zu messende Eigenschaft operationalisiert worden ist. ,Temperatur' etwa kann so operationalisiert werden, daß das Meßergebnis Ratioskalenniveau erreicht: Kelvin-Skala; oder daß es Intervallskalenniveau erreicht: Celsius-Skala; oder daß es Ordinalskalenniveau nicht übersteigt: etwa wenn durch die − nicht zu empfehlende − Operation „Hand ins Wasser halten" die Wassertemperatur daraufhin überprüft wird, ob sie den Eigenschaftsausprägungen „kalt" oder „lauwarm" oder „warm" oder „heiß" entspricht.[73] Erst unter Berücksichtigung der Operationalisierung kann entschieden werden, welche der für ein bestimmtes Meßniveau nötigen Relationen unter den empirischen Objekten bestehen sowie, welche davon aus empirischen Gründen gelten oder schon aufgrund der Operationalisierung erfüllt sind. Werden etwa bei einem klassifikatorischen Begriff alle Merkmalsausprägungen unabhängig voneinander definiert, dann muß es sich erst empirisch erweisen, ob z. B. die definierten Merkmalsausprägungen sich gegenseitig ausschließen (etwa: ,Geschlecht' mit den Ausprägungen ,männlich" sowie Angabe einer Reihe sekundärer Geschlechtsmerkmale und ,weiblich' sowie Angaben einer weiteren Reihe sekundärer Geschlechtsmerkmale; empirisch könnten nun Fälle auftreten, die Geschlechtsmerkmale beider Ausprägungen aufweisen („Zwitter"); die Axiome der Skala wären bei gegebener Operationalisierung empirisch nicht erfüllt). Werden dagegen nur n-1 der möglichen Ausprägungen unabhängig definiert und die Ausprägung n ist dadurch gekennzeichnet, daß die übrigen Ausprägungen nicht vorliegen, dann ergibt sich die Erfülltheit der Relationsaxiome schon aus der Operationalisierung (etwa: ,Geschlecht' mit den Ausprägungen ,männlich' − wenn sekundäre Merkmale m und nicht w −, ,weiblich' − wenn sekundäre Merkmale w und nicht m −, ,sonstige').

zu 2):

Das Repräsentationsproblem bezieht sich auf die Frage, ob zu einem gegebenen empirischen relationalen System (A, R_i) ein numerisches relationales System (N, S_i) *und* ein Morphismus $f: A \rightarrow N$ existiert.

---

73 Zum Skalen- oder Meßniveau vgl. Abschn. 5.3.3.

Hier bestehen in den Sozialwissenschaften *im allgemeinen* keine Schwierigkeiten. Probleme können allerdings bei mehrdimensionalen Ordnungsstrukturen entstehen. So sei z. B. eine Präferenzstruktur von Personen im Hinblick auf bestimmte Filmtypen gegeben. Person P ziehe etwa amerikanische Filme italienischen Filmen vor: $F_a \succ F_i$, diese wiederum französischen Filmen: $F_i \succ F_f$. Andererseits ziehe die Person P in jedem Fall einen Krimi einem Musical vor: $F_k \succ F_m$. Gegeben seien jetzt als Film 1 ein amerikanisches Musical (F_{am}), als Film 2 ein italienisches Melodrama (F_{id}) und als Film 3 ein französischer Krimi (F_{fk}). Hinsichtlich der Herkunft der Filme gilt nun: aus $F_a \succ F_i$ und $F_i \succ F_f$ folgt auch $F_a \succ F_f$. Aus $F_{am} \succ F_{id}$ und $F_{id} \succ F_{fk}$ jedoch folgt *nicht* $F_{am} \succ F_{fk}$, da *in jedem Fall* ein Krimi einem Musical vorgezogen wird. Ein numerisches Relativ und eine Abbildungsvorschrift, die diese mehrdimensionale Ordnungsstruktur wiedergeben können, existieren offensichtlich nicht (ein Problem, mit dem man es bei der Indexbildung fast immer zu tun hat). Der Morphismus muß in solchen Fällen also dergestalt sein, daß bestimmte empirische Relationen unberücksichtigt bleiben.

zu 3):

Je nach Art der Relationen im empirischen relationalen System können bestimmte mathematische Transformationen an dem numerischen relationalen System vorgenommen werden, ohne daß die Strukturtreue der Abbildung darunter leidet. Beim Eindeutigkeitsproblem geht es also um die Frage, wie viele verschiedene Morphismen f: $\mathbf{A} \rightarrow \mathbf{N}$ existieren, so daß $(\mathbf{A}, \mathbf{N}, f)$ eine Skala (im oben definierten Sinn) ist.

Beispiel:
Das numerische relationale System als Abbildung der Berufsprestigeordnung (4, 3, 2, 1) kann überführt werden:
durch Addition einer Konstanten +2 in (6, 5, 4, 3),
durch Multiplikation mit einer Konstanten +3 in (12, 9, 6, 3),
durch Quadrieren der Skalenwerte in (16, 9, 4, 1),
ohne daß die Rangordnung geändert würde. Die Abbildung ist weiterhin strukturtreu; die neue Teilmenge von Zahlen ist wiederum ein Morphismus.

Transformationen, die einen Morphismus in einen anderen Morphismus überführen, nennt man zulässige Transformationen. Gegenüber zulässigen Transformationen ist die jeweilige Skala invariant. Die Entscheidung, welche Transformationen zulässig sind und welche nicht, hängt von den Eigenschaften des empirischen relationalen Systems ab. Dementsprechend wird das Meßniveau einer Skala definiert durch die Relationen, die zwischen den empirischen Objekten bestehen. Man kann aber auch umgekehrt das Meßniveau einer Skala mit Hilfe der Angabe der zulässigen Transformationen definieren und daraus ableiten, welche Relationen auf der Menge empirischer Objekte gelten müssen, damit diese Skala angewandt werden kann.

5.3.3 Skalentypen (Meßniveaus)

Nominalskala:

Die einfachste Skala ist die Nominalskala; sie ist definiert durch das geordnete Tripel (A, $\approx$; N, =; f). (A, $\approx$) ist ein empirisches relationales System, dessen Objektmenge eine Äquivalenzstruktur „aufgeprägt" ist; d. h. die Äquivalenzrelation zerlegt die Objektmenge vollständig in sich ausschließende (sich nicht überschneidende) Klassen.

Stehen zwei Objekte zueinander in einer Äquivalenzrelation (x $\approx$ y), dann gehören sie der gleichen Klasse an und erhalten den gleichen Skalenwert im numerischen Relativ (N, =), wobei die Skalenwerte sozusagen nur Namen für die Eigenschaftsausprägungen sind (daher: Nominalskala; vgl. die Beispiele in Abschn. 5 2.1).

Die Relationsaxiome der Nominalskala besagen, daß für alle empirischen Objekte a, b, c gelten muß:

1) $a \approx a$ (Reflexivität)
2) aus $a \approx b$ folgt $b \approx a$ (Symmetrie)
3) aus $a \approx b$ und $b \approx c$ folgt $a \approx c$ (Transitivität)

Die Abbildungsvorschrift ist: f(a) = f(b) $\longleftrightarrow$ a $\approx$ b bzw. f(a) $\neq$ f(b) $\longleftrightarrow$ a $\not\approx$ b. Die Nominalskala ist invariant gegenüber allen eineindeutigen (umkehrbar eindeutigen) Transformationen.

Ordinalskala:

War bei nominalem Meßniveau eine Abbildung der Objektmenge in eine Menge von Zahlen an und für sich nicht erforderlich — die Eigenschaftsausprägungen können auch durch Zeichen der natürlichen Sprache repräsentiert werden (etwa ‚Deutscher', ‚Jugoslawe', ‚Italiener' usw. bei der Eigenschaftsdimension ‚Nationalität') —, so erweist sich diese Form der Abbildung als notwendig, sobald *alle* empirischen Objekte hinsichtlich der Stärke, der Intensität der Ausprägung auf einer Merkmalsdimension verglichen werden sollen.

Eine Skala, die Informationen über die Rangordnung von Objekten im Hinblick auf das gemessene Merkmal gibt, nennt man Ordinalskala. Sie ist definiert durch das Tripel (A, $\approx$, $\succ$; N, =, $>$; f). Über der empirischen Objektmenge A ist neben der Äquivalenzrelation $\approx$ noch eine Ordnungsrelation $\succ$ definiert. Die Relationsaxiome der Ordinalskala fordern also für die Menge empirischer Objekte A:

1) Auf A muß eine Äquivalenzrelation $\approx$ gegeben sein.
2) Weiter muß für die Relation $\succ$ gelten:

   (a) entweder $a \approx b$ oder $a \succ b$ oder $b \succ a$ für alle
        a, b aus A (Gesetz der Trichotomie),
   (b) aus $a \succ b$ und $b \succ c$ folgt $a \succ c$ für alle
        a, b, c aus A (Transitivität).

Die Abbildungsvorschrift (Morphismus) lautet jetzt:

118

1) $f(a) = f(b) \longleftrightarrow a \approx b$

2) $f(a) > f(b) \longleftrightarrow a \succ b$

Die gegenüber der Nominalskala neu hinzugekommenen Axiome 2(a) und 2(b) erlauben eine informationsreichere Realitätsbeschreibung; sie setzen aber auch eine feinere Strukturierung der Wirklichkeit voraus. Welche der fünf Relationshypothesen als empirische Hypothesen aufzufassen sind und welche „definitionsgemäß" erfüllt sind, läßt sich erst aufgrund der Operationalisierung des zu messenden Merkmals entscheiden (s. o.). Was kann geschehen, wenn nun bei einer bestimmten Operationalisierung und einer bestimmten empirischen Interpretation der Relationen (etwa: $\approx$ „... ist befreundet mit ..."; $\succ$ „... hat ein höheres Prestige als ...") sich eines der fünf Axiome als empirisch nicht erfüllt erweist?

„Man kann 1. die Interpretation von $\approx$ und $\succ$ abändern (im Filmbeispiel etwa könnte die Präferenzrelation ohne Berücksichtigung der Art des Films — Musical, Krimi — definiert werden, H.K.) oder eine neue Operationalisierung suchen,

2. auf die Verwendung dieses Begriffs (jedenfalls auf diesem Meßniveau) verzichten oder

3. das fragliche Axiom als Idealisierung der Wirklichkeit ansehen und kleinere Abweichungen auf Meßfehler oder den Einfluß von Störfaktoren zurückführen. Wenn die Verletzungen der Axiome schwer sind und die Störfaktoren unbekannt, begibt man sich mit dieser Reaktion auf Abweichungen in die Gefahr, eine konventionalistische Immunisierungsstrategie zu praktizieren." [74]

Die Ordinalskala ist invariant gegenüber allen sogenannten streng monotonen Transformationen (neben der Addition, Multiplikation und dem Quadrieren auch Logarithmieren und Wurzelziehen). Anders ausgedrückt: die Ordinalskala ist bis auf streng monotone Transformationen eindeutig bestimmt.

Intervallskala:

Noch erheblich genauere Informationen über die Ausprägungen einer Eigenschaft bei den Untersuchungseinheiten (im Vergleich zur Ordinalskala) ermöglicht die Messung mit Hilfe einer Intervallskala. Sie bringt nicht nur zum Ausdruck, *daß* etwa bei einem Objekt b ein Merkmal x in stärkerem Maße vorhanden ist als beim Objekt a, sondern zusätzlich, um *wieviel* stärker das Merkmal x ausgeprägt ist (ausgedrückt in Einheiten einer Vergleichsgröße). Das bedeutet, daß zur Konstruktion von Intervallskalen zusätzlich zu den Relationen $\approx$ und $\succ$ zwischen den Objekten im empirischen Relativ noch Aussagen über Differenzen der Merkmalsausprägungen zwischen Objektpaaren empirisch sinnvoll sind. Es muß also angebbar sein, ob Differenzen zwischen den geordneten Objekten gleich groß oder größer/kleiner sind.

74 Klenovits, a.a.O. (vgl. Fußnote 72), 11 f.

Auf die formale Definition der Intervallskala (etwa durch Angabe aller Relationsaxiome) wird hier verzichtet. Die Abbildungsvorschriften lauten jetzt:

1) $f(a) = f(b)$ $\longleftrightarrow$ $a \approx b$
2) $f(a) > f(b)$ $\longleftrightarrow$ $a \succ b$
3) $[f(a) - f(b)] = [f(c) - f(d)]$ $\longleftrightarrow$ $ab \approx cd$
4) $[f(a) - f(b)] > [f(c) - f(d)]$ $\longleftrightarrow$ $ab \succ cd$

Dadurch, daß Differenzen zwischen den Meßwerten empirisch sinnvoll als Differenzen zwischen Merkmalsausprägungen bei den Objekten interpretiert werden können, sind jetzt elementare Rechenoperationen mit den Meßwerten zulässig: bei den Meßwerten Addition und Subtraktion, bei Meßwert-Differenzen auch Multiplikation, Division etc. Intervallskalen sind jedoch dadurch gekennzeichnet, daß sie keinen empirisch eindeutig festgelegten (keinen empirisch sinnvollen) Nullpunkt haben. Somit sind Intervallskalen eindeutig bestimmt bis auf die Maßeinheit und die Wahl des Skalenursprungs (Nullpunkts). Anders ausgedrückt: Intervallskalen sind invariant gegenüber sog. affinen Transformationen der Form: $x' = \alpha X + ß$ (für alle $\alpha > 0$), bzw. auf die Meßwerte bezogen: $f'(x) = a \cdot f(x) + b$.

Ratioskala (Verhältnisskala)

Dieser Skalentyp hat zusätzlich zu den Merkmalen der Intervallskala noch einen „absoluten Nullpunkt", d. h. einen empirisch sinnvollen oder empirisch eindeutig festgelegten Nullpunkt. Dadurch wird auch für die einzelnen Meßwerte (und nicht erst für die Meßwert-Differenzen) die Anwendung sämtlicher mathematischer Rechenoperationen empirisch sinnvoll und somit zulässig.

Beispiele:
Längenmessung in m, cm, Zoll, Meilen etc.;
Altersangaben in Jahren, Monaten, Jahrzehnten usw.;
Einkommensangaben in DM, Dollar, Franken usw.;
Temperaturmessung in Grad Kelvin (vgl. Abschn. 5.2.1).

Die Ratioskala ist also (wie die Beispiele zeigen) bis auf die Wahl der Maßeinheit eindeutig bestimmt; sie ist somit invariant nur noch gegenüber sogenannten Ähnlichkeitstransformationen (= linearen Transformationen) der Form: $x' = \alpha \cdot x$ (für $\alpha > 0$), bzw. auf die Meßwerte bezogen: $f'(x) = a \cdot f(x)$. Im Gegensatz zu den anderen Skalen (niedrigerer Ordnung) sind *keine* Nullpunkttransformationen zulässig (nimmt man an einer Ratioskala eine Nullpunkttransformation vor, erhält man eine Intervallskala). Zusätzlich zu den Aussagen über die Äquivalenz von Objekten (Nominalskala), über die Rangordnung der Objekte (Ordinalskala) und über Differenzen zwischen Objektpaaren (Intervallskala) sind hier auch Aussagen über die Verhältnisse (Quotienten) bzw. über das Vielfache von Meßwerten empirisch sinnvoll.

Der Vergleich der für die einzelnen Skalentypen zulässigen Transformationen zeigt im übrigen, daß mit zunehmendem Skalenniveau (Meßniveau) die Zahl der zulässigen Transformationen abnimmt. Das liegt daran, daß mit zunehmendem Skalenniveau immer mehr im numerischen Relativ geltende Relationen auch einen empirischen Sinn haben. In dem Grenzfall, daß *überhaupt keine Transformationen* der Skalenwerte mehr *zulässig* sind, haben wir es mit einer **absoluten Skala** zu tun. Hier sind nicht nur sämtliche Relationen sowie der Nullpunkt empirisch sinnvoll, sondern auch die Maßeinheit ist empirisch vorgegeben. Alle Skalen, die auf Abzählen basieren, sind absolute Skalen (Anzahl, Anteile; z. B. Geburts- oder Todesraten).

5.3.4 Skalentypen und zulässige Aussagen; empirisch sinnvolle/sinnlose Statistik

Folgende Arten numerischer Aussagen wurden bisher unterschieden:

1) Äquivalenzaussage   (Ä) $f(x) = f(y)$
2) Ordnungsaussage   (O) $f(x) > f(y)$
3) Distanzaussage   (D) $f(x) - f(y) \geqslant f(w) - f(z)$
4) Verhältnisaussage   (V) $f(x) = a \cdot f(y)$

Danach, ob solche Aussagen über Relationen zwischen Skalenwerten zulässig (empirisch sinnvoll) sind oder nicht, lassen sich die Skalentypen folgendermaßen darstellen: ('+' bedeutet ,empirisch sinnvoll', '-' bedeutet ,empirisch sinnlos'):

Skalentyp / Typ der Aussage	Ä	O	D	V
Nominalskala	+	–	–	–
Ordinalskala	+	+	–	–
Intervallskala	+	+	+	–
Ratio- u. abs. Skala	+	+	+	+

Was bedeutet nun im einzelnen „empirisch sinnlose" und damit „nicht zulässige" Aussage aufgrund der Skalen-Meßwerte? Allgemein gilt: Nur diejenigen Aussagen über Relationen zwischen Skalenwerten sind zulässig (d. h. sind auch empirisch sinnvoll), deren Wahrheitswert sich nicht gegenüber legitimen Skalentransformationen verändert. Überführt also eine zulässige Transformation einer *Skala* eine wahre Aussage in eine falsche Aussage und umgekehrt, dann ist diese Art von Aussage empirisch sinnlos.

Beispiele: Werden Personen nach ihrem Geschlecht auf einer Nominalskala mit den Werten 1 = weiblich und 2 = männlich abgebildet, dann wäre eine empirisch sinnlose Interpretation der Skalenwerte etwa die: „Person a hat die Eigenschaft ‚Geschlecht' in einem höheren Ausmaß als (in einem doppelt so hohen Ausmaß wie) Person b, *denn* ihr Skalenwert $f(a) = 2$ ist höher als (ist doppelt so hoch wie) der Skalenwert von b: $f(b) = 1$". Eine für Nominalskalen zulässige Transformation ist die eineindeutige Zuordnung beliebiger anderer Werte, etwa; weiblich = 10, männlich = 0. Vergleichen Sie nun die obige – nicht zulässige – Interpretation.

Werden Berufe nach ihrem Prestige in eine Rangordnung gebracht (s. o.) und auf einer Ordinalskala abgebildet mit $f(w) = 4$, $f(x) = 3$, $f(y) = 2$, $f(z) = 1$, dann wäre die folgende Aussage empirisch nicht sinnvoll: „Der Prestigeunterschied zwischen w und y ist größer als der zwischen y und z, *denn* die Differenz zwischen den Skalenwerten für w und y ist größer als die zwischen y und z: $f(w) - f(y) > f(y) - f(z)$ bzw. $(4-2) > (2-1)$. Eine Transformation, der gegenüber Ordinalskalen invariant sind, ist zum Beispiel die eineindeutige Zuordnung anderer Skalenwerte, *solange* die bisherige Rangordnung erhalten bleibt: etwa $f(w) = 10$, $f(x) = 8$, $f(y) = 6$, $f(z) = 2$. Dies könnte z. B. sinnvoll sein, weil noch weitere Berufe existieren, die zwischen den genannten in ihrem Prestige liegen. Vergleichen Sie nun die obige Interpretation.

In beiden Fällen wurde aus einer logisch wahren Aussage über Relationen zwischen den Skalenwerten durch eine für die gewählte Skala zulässige (legitime) Transformation eine logisch falsche Aussage über Relationen zwischen den (transformierten) Skalenwerten.

Was hier für die Zulässigkeit der Interpretation von *Einzelmeßwerten* in Abhängigkeit vom Meßniveau der Skala gesagt wurde, gilt analog für *statistische Aussagen* (also für Aussagen, die durch Anwendung statistischer Modelle auf die Meßwerte gewonnen werden). Auch hier ist zu prüfen, ob Aussagen über Aggregate von Meßwerten (z. B. arithmetisches Mittel, Varianz) durch zulässige Transformationen der Einzelmeßwerte verändert werden oder nicht. Nur solche Aussagen über Beziehungen zwischen statistischen Maßzahlen sind zulässig und empirisch sinnvoll, deren Wahrheitswert nicht durch legitime Transformationen der Skalenwerte verändert wird.

Beispiel: Die Ordnungsaussage $\bar{x}_1 > \bar{x}_2$ (das arithmetische Mittel der Stichprobe 1 ist größer als das arithmetische Mittel der Stichprobe 2) ist nur dann zulässig, wenn die Einzelmeßwerte x_i mindestens intervallskaliert sind (das gleiche gilt für eine Äquivalenzaussage $\bar{x}_1 = \bar{x}_2$. $\bar{x}_1$ sei der Durchschnitt der Abiturnoten von Person 1: $(2+2+2+3+3)/5 = 2{,}4$; x_2 sei der Durchschnitt der Abiturnoten von Person 2: $(1+1+1+4+4)/5 = 2{,}2$. Danach würde gelten: Das arithmetische Mittel der Noten von Person 1 ist höher („schlechter") als das von Person 2.

Da Schulnoten nach übereinstimmender Auffassung – allenfalls – ordinalskalierte Werte sind, ist die Transformation des Quadrierens der Skalenwerte zulässig (die Rangordnung wird dadurch nicht verändert), also: $\bar{x}'_1 = (4+4+4+9+9)/5 = 6{,}0$ und $\bar{x}'_2 = (1+1+1+16+16)/5 = 7{,}0$.

Jetzt ist das arithmetische Mittel von Person 1 (berechnet aufgrund der legitim transformierten Skalenwerte) niedriger („besser") als das von Person 2. Durch eine legitime Transformation der Meßwerte ist der Wahrheitswert der Ordnungsaussage über die Mittelwerte verändert worden: Der Vergleich von Abiturnoten durch Berechnung eines arithmetischen Mittels ist eine empirisch sinnlose statistische Aussage.

5.4 Indexmessung (Messen als Indexbildung)

Beim Messen als strukturtreuer Abbildung können aus den Relationen zwischen den zugeordneten Skalenwerten testbare Hypothesen über die Relationen zwischen den Objekten abgeleitet werden und umgekehrt (vgl. vorn: die Relationsaxiome der Skala müssen im empirischen relationalen System gelten). Die Zuordnung von Meßwerten zu Eigenschaftsausprägungen geschieht also nicht willkürlich, sondern nach Regeln, die ihre Begründung in der Struktur des empirischen Gegenstandsbereichs finden. In den Sozialwissenschaften gibt es nun eine Reihe von ‚Meßverfahren', deren einzige Begründung in der Meßvorschrift selbst besteht, d. h. der Art und Weise, wie den einzelnen Objekten Zahlen zugeordnet werden.

Beispiele hierfür sind sog. Rangordnungsverfahren, die Likert-Skala, Thurstones Verfahren der gleich erscheinenden Intervalle [75] und die meisten Indexkonstruktionen. [76] Bei solchen Verfahren ist nicht empirisch prüfbar, ob zwischen zwei Untersuchungseinheiten mit demselben Skalenwert für eine Eigenschaftsausprägung auch hinsichtlich der „gemessenen" Eigenschaftsdimension eine Äquivalenz besteht, oder ob die Gleichheit sich auf die Identität der Skalenwerte beschränkt. Das gleiche gilt für eine Rangordnung, die sich aus den Skalenwerten herauslesen läßt. Eine Unterscheidung verschiedener Meßniveaus ist damit im bisherigen Sinne nicht möglich, da sich das Meßniveau aus den *im empirischen Relativ* geltenden Relationen herleitet. Es existiert somit auch kein Kriterium für eine Trennung von legitimen (zulässigen, da strukturerhaltenden) und nicht-legitimen (nicht zulässigen, da strukturzerstörenden) Transformationen der Skalenwerte, da die zu der Skala gehörende empirische Struktur unbekannt ist. [77]

Das bedeutet jedoch nicht, daß aus meßtheoretischen Gründen auf die beispielhaft genannten Verfahren der Skalierung und Indexbildung insgesamt verzichtet werden müßte (oder könnte). Während aber beim Messen als strukturtreuer Abbildung gewisse Regelmäßigkeiten im empirischen relationalen System unterstellt werden und dementsprechend die Gültigkeit des Vorgehens im Prinzip empirisch überprüft werden kann, ist dies bei der Indexbildung nicht der Fall. Ihre Rechtfertigung

---

75 Vgl. Scheuch/Zehnpfennig 1974.
76 Vgl. die Beispiele vorn, Kap. 4.2.
77 Auf Einzelheiten kann in diesem Text nicht eingegangen werden. Vgl. dazu Besozzi/Zehnpfennig 1976 sowie Scheuch/Zehnpfennig 1974, 160ff.

muß aus der Theorie hergeleitet werden; die durch den Index „gemessene" Variable muß sich in einer Vielzahl von Hypothesen, in denen Zusammenhänge mit *anderen* Merkmalen von Untersuchungsobjekten behauptet werden, konsistent verwenden lassen.

Sieht man von den Besonderheiten der für jeweils spezielle sozialwissenschaftliche Fragestellungen entwickelten Skalierungsverfahren ab, so bedeutet Indexmessung generell: die „Zuordnung von Zahlen zu Ausprägungen einer Eigenschaft von Objekten derart, daß der Skalenwert sich als Funktionswert von k Indikatorvariablen errechnet", [78] also

$I(a) = i(f_1(a), \ldots, f_k(a))$. Hierbei bezeichnet a ein Objekt, $I(a)$ seinen Index-Skalenwert, $f_j(a)$ seinen Meßwert auf dem Indikator j (der gemessenen Variable j); mit ‚i‘ sei die Funktionsvorschrift bezeichnet, anhand derer aus den Indikatorwerten der Indexwert bestimmt wird.

In den meisten Fällen von Indexmessung haben wir es mit additiven Indices zu tun, so daß ‚i‘ eine additive gewichtete Kombination der Indikatoren bezeichnet. Es gibt aber auch multiplikative Modelle der Indexkonstruktion.

Das Modell der additiven Indexkonstruktion unterstellt, daß sich die Werte auf den als Indikatoren herangezogenen Variablen gegenseitig kompensieren (daß also ein niedriger Wert auf Indikator1 durch einen hohen Wert auf Indikator2 ausgeglichen werden kann). Diese Annahme kann aber nur dann richtig sein, wenn die k Indikatoren sämtlich unabhängig voneinander auf die durch den Index zu messende Eigenschaft einwirken. Die arithmetische Operation „Addition" stellt weiter an das Meßniveau der Indikatorvariablen die Anforderung, daß sämtliche Indikatoren mindestens auf Intervallskalen-Niveau gemessen worden sind.

Die Gewichtung der Indikatoren kann willkürlich oder unter Rückgriff auf Theorien/Hypothesen geschehen. Im Zuge der Gewichtung muß in jedem Fall eine Vereinheitlichung der Maßeinheit erfolgen; man kann nicht z. B. für einen Index ‚soziale Schicht‘ Monatseinkommen in DM mit Bildung in Schuljahren und Berufsprestige in Punkten einer Prestigeskala addieren.

Man kann die Gewichtung aber auch unter Benutzung komplexer statistischer Modelle wie der multiplen linearen Regressionsrechnung vornehmen (Vereinheitlichung der Maßeinheit über die Merkmalsvariation). Allerdings benötigt man dann zur Berechnung der Gewichte im Regressionsmodell zusätzlich zu den k Indikatorvariablen noch eine „Kriteriumsvariable", auf die die Indikatorvariablen zurückgeführt werden können, d. h. eine Variable, die stellvertretend für die durch den Index zu messende Eigenschaft stehen soll. Dies wirft die Frage auf, warum dann die Indikatoren überhaupt gemessen werden und

---

78 Klenovits, a.a.O. (vgl. Fußn. 72), 19.

ein Index konstruiert wird, wenn das fragliche Merkmal (die durch den Index zu messende Eigenschaft) schon über die Kriteriumsvariable erfaßbar ist. [79]

Dieses Problem taucht bei einem anderen statistischen Modell, das ebenfalls zur Indexgewichtung und zur Berechnung von Indexwerten benutzt werden kann, nicht auf: der Faktorenanalyse. Hierbei werden die Indikatoren auf die „hinter den gemessenen Variablen" stehenden „latenten Dimensionen" zurückgeführt (Kriterium der Variablenbündelung zu Dimensionen ist die Korrelation zwischen den Indikatorvariablen). Die für die ermittelten „Dimensionen" (Faktoren) auf der Basis eines additiven Modells berechenbaren Ausprägungen je Untersuchungseinheit gelten dann als Indexwert der Untersuchungseinheiten: I(a).

5.5 Zuverlässigkeit (Reliabilität) der Messung

Als ein Gütekriterium empirischer Sozialforschung wurde bereits die Gültigkeit (Validität) genannt. An dieser Stelle ist nun die Zuverlässigkeit (Reliabilität) der Messung als ein weiteres Gütekriterium einzuführen.

Faßt man als „Meßinstrument" der empirischen Forschung die gesamte empirische Untersuchung auf, dann sind deren Ergebnisse in dem Maße gültig, wie im Zuge der Meßoperationen (im weitesten Sinne) genau das erfaßt wird, worauf die verwendeten und definierten Begriffe in ihrem Bedeutungsgehalt verweisen. Beziehen sich die Begriffe auf nicht direkt erfaßbare Sachverhalte, dann ist das Problem der Gültigkeit zweistufig: Zunächst ist zu fragen, ob die für die empirische Erfassung des gemeinten Phänomens benutzten Indikatoren (die direkt beobachtbaren Sachverhalte) das Vorliegen des interessierenden Merkmals auch tatsächlich eindeutig anzeigen (d. h. ob sie als Indikatoren gültig sind; vgl. Kap. 4.1). Zweitens ist die Gültigkeit der Operationalisierung der gewählten Indikatoren zu klären (vgl. Kap. 4.3)

Unter Zuverlässigkeit soll nun „die intertemporale, intersubjektive und interinstrumentelle Stabilität erhaltener Meßwerte" verstanden werden (*Esser/Klenovits/Zehnpfennig* 1977, Bd. 1, 93).

„Intertemporale Stabilität der Meßwerte" heißt: Bei wiederholter Messung desselben Phänomens bringt das Meßinstrument die gleichen Ergebnisse hervor. Die Überprüfung der intertemporalen

---

79 Beispiel für eine sinnvolle Anwendung dieses Verfahrens: Die „eigentlich" zu messende Eigenschaft ist nur mit sehr großem Erhebungsaufwand erfaßbar, es existieren jedoch leicht erhebbare Indikatoren für Teildimensionen der interessierenden Eigenschaft; ausgehend von den bei einer kleinen Stichprobe gewonnenen Daten (Indikatoren und Kriteriumsvariable) wird deshalb die Konstruktionsvorschrift für einen Index gewonnen, der in umfangreicheren Untersuchungen die Kriteriumsvariable ersetzt.

Stabilität ist allerdings problematisch. Es müßte nämlich eine Möglichkeit gegeben sein, unabhängig vom verwendeten Meßinstrument zu kontrollieren, ob das zu messende Phänomen sich zwischen dem Zeitpunkt der ersten Messung und dem Zeitpunkt der zweiten Messung nicht verändert hat (ob also die Situation in t_2 hinsichtlich der interessierenden Eigenschaft identisch ist mit der Situation in t_1). Auch große Differenzen zwischen den Meßergebnissen zu zwei verschiedenen Zeitpunkten müssen noch kein Beweis für mangelnde intertemporale Stabilität des Meßinstruments sein. Beispielsweise könnten geäußerte Meinungen von Befragten in einer zweiten Befragung sich von den in der ersten Befragung geäußerten Meinungen aufgrund tatsächlich vollzogener Meinungsänderungen unterscheiden. Diese Meinungsänderung kann sogar dadurch eingetreten sein, daß die erste Befragung Anlaß war, „sich die Sache nochmals durch den Kopf gehen zu lassen"; damit hätte das Meßinstrument selbst die Veränderung der Situation provoziert.

Die Identität der Situation zu verschiedenen Meßzeitpunkten unterstellt, hängt die intertemporale Stabilität eines Meßinstruments von seiner Genauigkeit, von seiner Präzision ab: Auf vage formulierte Fragen kann einmal so, ein anderes Mal ganz anders geantwortet werden; eine ungenau gearbeitete mechanische Zeigerwaage wird bei gleicher Masse eines Gegenstandes bei verschiedenen Messungen unterschiedliche Gewichte anzeigen.

„Intersubjektive Stabilität der Meßwerte" heißt: Wenn verschiedene Personen dasselbe Phänomen mit Hilfe desselben Instruments messen, dann erzielen sie die gleichen Ergebnisse. Auch die Überprüfung dieser Zuverlässigkeitsdimension ist bei sozialwissenschaftlichen Meßinstrumenten (etwa Befragung) problematisch, weil in den wenigsten Fällen verschiedene Personen denselben Sachverhalt messen können, ohne daß die im vorigen Abschnitt (intertemporale Stabilität) genannten Schwierigkeiten auftauchen. Wo allerdings parallele Anwendungen desselben Instruments auf dieselben Sachverhalte durch verschiedene Personen möglich sind (bei bestimmten Formen der Beobachtung, bei der Inhaltsanalyse), kann die Zuverlässigkeit des Instruments getestet und verbessert werden.

Die intersubjektive Stabilität wird manchmal auch als „Objektivität des Meßinstruments" bezeichnet. Damit wird betont, daß die erzielten Ergebnisse von dem das Instrument benutzenden Forscher (von der Person des Messenden) unabhängig sein sollen.

Der dritte Aspekt, die „interinstrumentelle Stabilität der Meßwerte", verweist darauf, daß die gleiche Merkmalsdimension durchaus mit Hilfe unterschiedlicher Instrumente gemessen werden kann.

Beispiele: Das Alter von Personen kann durch Befragung oder durch Auswertung geeigneter Akten ermittelt werden; eine bestimmte Ereignisfolge in der Öffentlichkeit kann mit Hilfe eines standardisierten Beobachtungsbogens an

Ort und Stelle erfaßt oder auf Videorecorder aufgezeichnet und später ausgewertet werden.

Diese Dimension von Zuverlässigkeit ist allerdings kaum zu trennen von der Frage der Gültigkeit der Meßverfahren. In den Sozialwissenschaften verwendete unterschiedliche Meßinstrumente bilden im allgemeinen nicht genau den gleichen Ausschnitt der Realität ab, sondern erfassen mehr oder weniger unterschiedliche Aspekte desselben Sachverhalts: Die Beobachtung von Verhalten bringt *andere* Informationen, Informationen über andere Ausschnitte aus dem Komplex „Verhalten" als die Frage nach demselben Verhalten. Schon aus diesem Grunde können und werden ihre Ergebnisse differieren und im Hinblick auf den gemeinten Sachverhalt mehr oder weniger „gültig" sein. Was den Vergleich der Zuverlässigkeit mehrerer Meßverfahren angeht, so besteht das Problem u. a. darin, einwandfreie „Vergleichsgrößen" zu finden. Es werden sich kaum Testsituationen konstruieren lassen, in denen man entscheiden könnte, welches Instrument „zuverlässiger" ist — wie etwa bei dem Vergleich der Meßergebnisse zweier Waagen anhand von Eich-Gewichten.

Wie steht es nun mit den Beziehungen zwischen den beiden Gütekriterien Gültigkeit und Zuverlässigkeit? Wenn man sagt, daß durch „gültige" Operationen genau das in der Realität erfaßt wird, was mit den in der Forschung verwendeten Begriffen gemeint ist, dann kann die Gültigkeit niemals höher sein als die Zuverlässigkeit des verwendeten Meßinstruments. Denn in dem Maße, wie unterschiedliche Meßwerte *nicht* Unterschiede des gemessenen Merkmals zum Ausdruck bringen, sondern Resultat mangelnder Stabilität der Meßergebnisse sind, sind auch die Forschungsergebnisse insgesamt nicht „gültig". Zuverlässigkeit ist somit eine notwendige Bedingung für Gültigkeit; sie ist aber keine hinreichende Bedingung. Meßwerte können in noch so hohem Maße intertemporale, intersubjektive und interinstrumentelle Stabilität aufweisen, also „zuverlässig" sein: sobald unangemessene („falsche") Indikatoren ausgewählt und gemessen werden, sind die Resultate nicht gültig in Bezug auf das, was mit den theoretischen Begriffen gemeint war. Das Meßinstrument mißt dann zwar zuverlässig, aber es mißt etwas anderes, als es messen soll.

5.6 Literatur zu Kap. 5

Besozzi, Claudio; *Zehnpfennig,* H., 1976: Methodologische Probleme der Indexbildung, in: *Koolwijk,* J. van; *Wieken-Mayser,* M. (Hg.), Techniken der empirischen Sozialforschung, Bd. 5, München, 9-55
Cicourel, Aaron V., 1974: Methode und Messung in der Soziologie, Frankfurt/M.
Clauss, Günter; *Ebner,* H., 1975: Grundlagen der Statistik für Psychologen, Pädagogen und Soziologen, Frankfurt/M.

Esser, Hartmut; *Klenovits,* K.; *Zehnpfennig,* H., 1977: Wissenschaftstheorie, Bd. 1, Stuttgart

Falter, Jürgen W., 1977: Zur Validierung theoretischer Konstrukte – Wissenschaftstheoretische Aspekte des Validierungskonzepts; in: Zeitschrift für Soziologie, 6. Jg., Heft 4. 349-369

Friedrich, Walter; *Hennig,* W., 1975: Der sozialwissenschaftliche Forschungsprozeß, Berlin-DDR, Kap. 1.4

Friedrichs, Jürgen, 1977: Methoden empirischer Sozialforschung, Reinbek, Kap. 2, 4

Galtung, Johan, 1967: Theory and Methods of Social Research, London

Harder, Theodor, 1975: Daten und Theorie, München

Holm, Kurt, 1976: Die Zuverlässigkeit sozialwissenschaftlichen Messens, und: Die Gültigkeit sozialwissenschaftlichen Messens. in: *Holm,* K. (Hg.): Die Befragung 4, München (UTB 434)

Huber, H.; *Schmerkotte,* H., 1976: Meßtheoretische Probleme der Sozialforschung; in: *Koolwijk,* J. van; *Wieken-Mayser,* M. (Hg.): Techniken der empirischen Sozialforschung, Bd. 5, München, 56-76

Hülst, Dirk, 1975: Erfahrung – Gültigkeit – Erkenntnis, Frankfurt/M.

Kreppner, K., 1975: Zur Problematik des Messens in den Sozialwissenschaften, Stuttgart

Kriz, Jürgen, 1973: Statistik in den Sozialwissenschaften, Reinbek; Kap. 1

–, 1981: Methodenkritik empirischer Sozialforschung. Eine Problemanalyse sozialwissenschaftlicher Forschungspraxis, Stuttgart

Nippert, Reinhardt, 1972: Quantifizierung der sozialen Realität, Düsseldorf

Mayntz, Renate; *Holm,* K.; *Hübner,* P., 1971: Einführung in die Methoden der empirischen Soziologie, Opladen; Kap. 2

Orth, Bernhard, 1974: Einführung in die Theorie des Messens, Stuttgart

Roth, Erwin (Hg.), 1984: Sozialwissenschaftliche Methoden. Lehr- und Handbuch für Forschung und Praxis, München, Wien; Kap. 4: Testen und Messen.

Scheuch, Erwin K.; *Zehnpfennig,* H., 1974: Skalierungsverfahren in der Sozialforschung, in: *König,* R. (Hg.): Handbuch der empirischen Sozialforschung. Band 3a, Stuttgart, 97-203

6. Auswahlverfahren

Nachdem für eine empirische Untersuchung die Fragestellung präzisiert sowie die zentralen Begriffe definiert und operationalisiert worden sind, stellt sich nicht nur die Frage, für welche Art von Objekten Daten erhoben, wie also die „Untersuchungseinheiten" definiert werden sollen; es muß auch festgelegt werden, über welche „Grundgesamtheit" von Objekten die Untersuchung Aussagen liefern soll und ob man zweckmäßigerweise die Datenerhebung für die Gesamtheit aller Fälle vornimmt oder sich auf eine Teilmenge der Grundgesamtheit (eine „Auswahl") beschränken kann.

Erstreckt sich die Datenerhebung auf sämtliche Elemente der Grundgesamtheit, führt man eine Vollerhebung oder Totalerhebung durch; werden nur für eine Teilmenge der möglichen Fälle Daten gesammelt, dann ist dies eine Teilerhebung. Der Grenzfall, in dem nur ein einziges Objekt Untersuchungsgegenstand ist, heißt Einzelfallstudie (vgl. Kap. 9.1). Werden für die Teilerhebung die Untersuchungsobjekte nach vorher festgelegten Regeln aus der Gesamtheit der Fälle, auf die sich die Fragestellung richtet, ausgewählt, dann spricht man von einer Auswahl oder – häufig synonym – von einer Stichprobe. Manche Autoren verstehen unter „Stichproben" allerdings speziell diejenigen Auswahlen, die nach dem Zufallsprinzip konstruiert werden.

Ziel der Durchführung einer systematischen Teilerhebung ist es, über die aktuellen Untersuchungsfälle hinaus zu Aussagen über die Gesamtheit der möglichen Fälle zu kommen. „Auswahlverfahren ermöglichen ... die Lösung eines alten Problems: bei der Beschränkung der Untersuchung auf das intensive Studium einer relativ kleinen Zahl von Fällen dennoch zu gesicherten Verallgemeinerungen zu kommen" (*Scheuch* 1973, 1f.). Die Verknüpfung von Stichprobendaten mit

Aussagen über die Grundgesamtheit kann in unterschiedlicher Absicht und in zweierlei Richtung erfolgen:

1) Man kann anhand der Ergebnisse der Teilerhebung Verallgemeinerungen von der Stichprobe auf die Grundgesamtheit vornehmen, also beispielsweise von den empirischen Stichprobendaten ausgehend generelle Hypothesen entwickeln oder deskriptive Aussagen für die Grundgesamtheit formulieren (man nennt dies den Repräsentationsschluß).

2) Der Ausgangspunkt kann aber auch – umgekehrt – eine vorhandene generelle Theorie oder Hypothese sein, die getestet werden soll, und zwar anhand der Resultate einer Stichprobe (diese Argumentationsrichtung nennt man den Inklusionsschluß).

Vollerhebungen sind eigentlich nur dann sinnvoll, wenn die Zahl der Einheiten der Gesamtheit relativ klein ist. Die *Vorteile von Stichproben* gegenüber Vollerhebungen sind:

— Kosten (Zeit, Geld, Arbeitsaufwand) werden gesenkt; die Wirtschaftlichkeit steigt überproportional mit der Größe der Grundgesamtheit.

— Ergebnisse liegen wesentlich schneller vor; beispielsweise kann es bei Großerhebungen wie den alle zehn Jahre stattfindenden Volkszählungen bis zu drei Jahren dauern, bis die Ergebnisse vorliegen – die dann nicht mehr besonders aktuell sind. Der sog. Mikrozensus des Statistischen Bundesamtes (3 x jährlich 0,1%-Stichprobe der Bevölkerung, 1 x jährlich 1%-Stichprobe) liefert demgegenüber wesentlich aktuellere und damit für viele Zwecke nützlichere Informationen.

— Im allgemeinen ist auch die Genauigkeit der Stichprobenergebnisse im Vergleich zur Vollerhebung bei großer Grundgesamtheit höher (wegen besserer Möglichkeiten der Kontrolle, präziserer Datenerhebung, intensiverer Auswertung). So ergab eine einfache Konsistenzprüfung der Angaben der Volkszählung 1960 (Widerspruchslosigkeit bei sich gegenseitig ausschließenden Merkmalsausprägungen), daß die Ergebnisse der Vollerhebung teilweise erheblich fehlerhafter waren als die Resultate des Mikrozensus.

— In manchen Fällen ist eine Vollerhebung grundsätzlich nicht möglich, weil sie den Untersuchungsgegenstand entscheidend verändern oder sogar zerstören würde (z. B. Qualitätskontrolle in der Industrieproduktion) (vgl. *Scheuch* 1974, 11).

6.1 Grundgesamtheit; Auswahl-, Erhebungs- und Untersuchungseinheiten

Wie die anderen Entscheidungen im Forschungsprozeß, so können auch die für die Stichprobenkonstruktion erforderlichen Festlegungen nicht isoliert vorgenommen werden, sondern müssen im Zusammenhang mit der zu untersuchenden Fragestellung, den verwendeten Datenerhebungs- und den beabsichtigten Auswertungsverfahren gesehen werden. Die Klärung der im folgenden einzuführenden Begriffe soll deshalb anhand eines – hypothetischen – Untersuchungsproblems geschehen.

Nehmen wir an, wir wollten die „Effektivität der politischen Bildung" in einem Land der Bundesrepublik untersuchen. Bei der Präzisierung der Problemstellung habe man sich entschieden, daß mit „Effektivität der politischen Bildung" in irgendeiner Weise die Ergebnisse des politischen Bildungsprozesses gemeint sein sollen, wie sie sich bei den „Bildungs-Objekten" – den „politisch gebildeten" (oder auch nicht gebildeten) Personen – zeigen. Damit scheiden solche Gesichtspunkte wie Effizienz der Bildungsorganisation oder „Nützlichkeit" von Bildungsinhalten im Hinblick auf bestimmte politische Werte (etwa Werte der „freiheitlich-demokratischen Grundordnung") aus.

Mit dieser Festlegung ist aber bisher nur gesagt, daß die Untersuchungsobjekte „Personen" sein sollen, mehr nicht. *Welcher* Personenkreis aber soll als „Grundgesamtheit" in Frage kommen, d. h. auf welche Gesamtheit von Personen sollen sich die zu formulierenden Untersuchungsergebnisse („Repräsentationsschlüsse") beziehen? – auf alle Einwohner des Bundeslandes? – nur auf diejenigen Einwohner, die mindestens schulpflichtig sind? – nur auf diejenigen Einwohner, die mindestens am Abschluß der Schulbildung stehen?[80] – nur auf diejenigen Einwohner, die genau am Abschluß der Schulbildung stehen?[81] – oder nur auf die Schüler der letzten Klasse einer ganz bestimmten Schulart?[82] – Eine Antwort läßt sich in jedem Fall nur aufgrund des explizit gemachten Erkenntnisinteresses finden.

Vor einer Entscheidung ist aber noch weiter zu klären, wie denn (d. h. mit welchen Mitteln) die „Effektivität der politischen Bildung" erfaßt werden soll. Etwa durch Beobachtung der Schüler der letzten Schulklassen hinsichtlich ihres politischen Verhaltens (Mitgliedschaft in Organisationen, Mitarbeit bei der Schülerselbstverwaltung usw.)? Oder durch Befragung der Schüler oder der Lehrer oder der Eltern? Je nach der getroffenen Entscheidung wird die Grundgesamtheit, über die wir mit den zu erhebenden Daten Aussagen machen können, eine andere sein: alle Einwohner des Bundeslandes ... bis hin zu: alle Lehrer der Schüler in Abschlußklassen oder: alle Eltern von Schülern in Abschlußklassen.

Dies führt uns zur ersten Begriffsdefinition:

Unter G r u n d g e s a m t h e i t ist diejenige Menge von Individuen, Fällen, Ereignissen zu verstehen, auf die sich die Aussagen der Unter-

---

80 Begründung: Andere Personen haben keine nennenswerte politische Bildung genossen.

81 Begründung: Bei noch mitten in der Schulbildung stehenden Personen ist die „politische Bildung" noch nicht beendet. Bei bereits von der Schule abgegangenen Personen andererseits sind neben der formalen politischen Bildung auch andere Einflüsse wirksam geworden; außerdem sind ältere Einwohner evtl. „in den Genuß" einer ganz anderen politischen Bildung gekommen, so daß eine Vermengung das Ergebnis verfälschen könnte.

82 Begründung: In den einzelnen Schularten wird politische Bildung in unterschiedlicher Intensität betrieben.

suchung beziehen sollen und die im Hinblick auf die Fragestellung und die Operationalisierung vorher eindeutig abgegrenzt werden muß. Genau genommen handelt es sich hierbei um die angestrebte Grundgesamtheit.

Um diese Differenzierung klarer zu machen, sei das *Beispiel* fortgeführt. Nehmen wir an, die Effektivität der politischen Bildung solle durch die Untersuchung politischer Einstellungen, Aktivitäten und Kenntnisse sowie von Beurteilungen des politischen Unterrichts durch die Schüler selbst ermittelt werden. Und zwar habe man sich dafür entschieden, die aufgeführten Merkmale mit Hilfe einer standardisierten mündlichen Befragung zu erheben. Nehmen wir weiter an, man habe sich entschlossen, die Schüler der letzten Schulklassen zu befragen; und zwar sei der Kreis der insgesamt in Frage kommenden Personen weiter auf die Schüler der letzten Klassen von Gymnasien (Oberprima) eingegrenzt worden. Begründung: Die zu behandelnde Problemstellung sei sehr komplex, es seien u. a. sehr schwierige Fragen zu stellen, so daß bei einer anderen Personengruppe das Instrument der standardisierten Befragung vermutlich nicht hinreichend gültige Resultate liefere.

Damit ist nun der Kreis der „Objekte", für die die Aussagen der Untersuchung gelten sollen, aufgrund theoretischer und pragmatischer Überlegungen abgegrenzt worden. Was die Datenerhebung angeht, scheint der Fall unproblematisch zu sein: Die Grundgesamtheit ist die Menge aller Oberprimaner in dem betreffenden Bundesland im Jahr der Untersuchung; bei einer Vollerhebung wären also alle so gekennzeichneten „Elemente" dieser Menge zu befragen, bei einer Teilerhebung dementsprechend eine Stichprobe von ihnen. Auf den zweiten Blick jedoch stößt man bereits auf ein schwerwiegendes Problem: Um bei einer Totalerhebung kontrollieren zu können, ob alle Elemente erfaßt worden sind, oder um bei einer Stichprobe die Auswahl systematisch vornehmen zu können, müßte im Idealfall die Grundgesamtheit vollzählig physisch anwesend sein. Bei kleinen Grundgesamtheiten mag das eventuell noch gehen (etwa bei Belegschaften von Betrieben oder Schülern einer Schule; aber auch hier werden zu jedem Zeitpunkt zumindest einige Belegschaftsmitglieder oder Schüler fehlen: etwa wegen Krankheit oder Urlaub); bei großen Grundgesamtheiten jedoch ist dies schwer, häufig überhaupt nicht realisierbar.

Statt vollzähliger physischer Anwesenheit fordert man also sinnvollerweise, daß die *Grundgesamtheit* zumindest *symbolisch repräsentiert* sein muß: z. B. durch eine Kartei oder durch eine Liste, auf der die Adressen der in Frage kommenden Personen verzeichnet sind.

Aber auch solche Karteien oder Listen haben — sofern sie überhaupt existieren — Nachteile: sie sind nicht immer vollständig und/oder nicht mehr aktuell und/oder fehlerhaft. So können einige Elemente der Grundgesamtheit (noch) fehlen, andere können noch in der Kartei enthalten sein, obwohl sie nicht mehr zur Grundgesamtheit gehören; auch können Fälle doppelt oder mit fehlerhaften Angaben in der Kartei oder Liste enthalten sein.

Beispiel Einwohnermeldekartei: Zwischen dem Zuzug einer Person oder eines Haushalts in einem Ort und dessen Anmeldung vergeht im allgemeinen einige Zeit; zwischen Anmeldung im Amt und Aufnahme in die Kartei liegt wiederum einige Zeit. Konsequenz: Nicht alle Einwohner des Ortes zum Zeitpunkt t_1 sind zu diesem Zeitpunkt in der Kartei erfaßt. Gleiches gilt für den Fall des Wegzugs einer Person oder eines Haushaltes: Nicht alle Personen, die zum Zeitpunkt t_1 in der Meldekartei als Einwohner geführt werden, sind tatsächlich (noch) „Einwohner".

Zusammengefaßt: Die angestrebte Grundgesamtheit (engl.: target population) – d. h. die Menge der Fälle, für die die Aussagen der Untersuchung gelten sollen – ist für die Erhebung kaum vollständig und korrekt erfaßbar. Dies gilt sowohl für den Fall, daß Auswahl und Erhebung der Daten *unmittelbar* auf die Untersuchungseinheiten gerichtet sind (z. B. bei „Einwohnern einer Stadt"; prinzipiell erreichbar sind die tatsächlichen „Einwohner" abzüglich der im Erhebungszeitraum verreisten oder aus sonstigen Gründen nicht anwesenden Personen zuzüglich der in der Gemeinde anwesenden Personen, die nicht „Einwohner" sind). Dies gilt aber auch für den Fall einer symbolischen Repräsentation der angestrebten Grundgesamtheit, wie das Beispiel „Einwohnermeldekartei" zeigt.

Wir können damit einen weiteren Begriff definieren.

Von der eigentlichen (der angestrebten) Grundgesamtheit zu unterscheiden ist die Erhebungs-Grundgesamtheit. Darunter wird diejenige Gesamtheit von Fällen verstanden, aus der *faktisch* die Stichprobe gezogen wird.

Erhebungs-Grundgesamtheit ist entweder

a) die im Zeitraum des Auswahlverfahrens prinzipiell erreichbare Gesamtheit der Untersuchungs- bzw. Erhebungseinheiten, falls das Auswahlverfahren direkt auf die Untersuchungseinheiten gerichtet ist, oder

b) die tatsächlich repräsentierte Grundgesamtheit, falls das Auswahlverfahren sich auf eine symbolische Repräsentation der angestrebten Grundgesamtheit stützt.

Zur Veranschaulichung weiterer begrifflicher Differenzierungen soll zunächst das oben eingeführte *Beispiel* weitergeführt werden: In dem betreffenden Bundesland möge es zum Zeitpunkt der Untersuchung 11 000 Oberprimaner geben; an Zeit, Geld und Personal jedoch stehe lediglich eine Kapazität zur Verfügung, um 1 000 Schüler zu befragen. Konsequenz: Es sind 1 000 Oberprimaner so auszuwählen, daß die gewonnenen Ergebnisse nicht nur für diese 1000, sondern auch für die 10000 nicht Befragten gelten, also auf alle 11 000 Fälle verallgemeinerbar sind. Mit anderen Worten: Die Ergebnisse der Stichprobe (n = 1000) sollen repräsentativ sein für die Grundgesamtheit (= 11 000). In diesem Zusammenhang nun ist die eingeführte Unterscheidung zwischen angestrebter Grundgesamtheit und Erhebungs-Grundgesamtheit bedeutsam: Beide können unter Umständen erheblich voneinander abweichen; und je größer diese Abweichungen sind, um so schwerer wiegen die Konsequenzen für die „Repräsentativität" der Untersuchungsergebnisse. Auch ein noch so korrektes Auswahlverfahren kann schließlich zu einer repräsentativen Stichprobe lediglich im Hinblick auf die Erhebungsgesamtheit führen, nicht jedoch im Hinblick auf die theoretische, auf die angestrebte Grundgesamtheit.[83]

Zu unterscheiden ist aber nicht nur zwischen angestrebter Grundgesamtheit und tatsächlicher Erhebungs-Grundgesamtheit sowie deren Elementen (z. B. Oberprimaner), sondern auch zwischen Erhebungseinheiten und Auswahleinheiten. Auswahleinheiten sind diejenigen Einheiten, auf die der Auswahlplan angewendet wird. Erhebungseinheiten sind diejenigen Einheiten, die repräsentativ in der Stichprobe vertreten sein sollen.

Zurück zu unserem *Beispiel:* Es ist nicht möglich, die 11 000 Oberprimaner des betreffenden Bundeslandes zu einem Zeitpunkt an einem Ort zu versammeln (physische Anwesenheit der Grundgesamtheit), wie dies bei „Einwohnern einer Stadt" oder „Belegschaft eines Betriebes" immerhin denkbar wäre. Also ist eine symbolische Repräsentation in Form einer Schüler-Kartei oder Schüler-Liste erforderlich. Eine solche existiert jedoch nicht zentral an einem Ort, sondern es gibt lediglich je Schule und Klasse solche Listen. Also wird man sich die Adressen der Gymnasien heraussuchen müssen und festzustellen haben, wie viele Klassen mit dem Merkmal „Oberprima" dort aufgeführt sind (die Angaben findet man beispielsweise im Jahrbuch des Philologen-Verbandes); dann schreibt man die Schulen an und bittet um Zusendung der Schülerlisten der in Frage kommenden Klassen. Anhand der so erhaltenen Angaben erstellt man eine Kartei der Oberprimaner als symbolische Repräsentation der Grundgesamtheit. Wird nun die Auswahl der zu befragenden Schüler aufgrund dieser Kartei vorgenommen, dann sind Auswahleinheiten und Erhebungseinheiten identisch: der Auswahlplan wird auf die Oberprimaner (repräsentiert durch je eine Karteikarte) angewendet, und die Oberprimaner der Stichprobe sollen auch eine repräsentative Teilmenge für alle Oberprimaner der Grundgesamtheit sein.

Aus verschiedenen Gründen wäre jedoch ein solches Vorgehen (vollständige Kartei der Grundgesamtheit erstellen) nicht sehr zweckmäßig: 1. ist es ein sehr aufwendiges Verfahren, 2. sind erhebliche

---

83 „Repräsentativität" ist neben Gültigkeit und Zuverlässigkeit ein weiteres Gütekriterium empirischer Forschung; es wird im folgenden Abschnitt 6.2 abgehandelt.

Abweichungen zwischen Erhebungs-Grundgesamtheit (Schülerkartei) und angestrebter Grundgesamtheit zu befürchten. So werden z. B. mit Sicherheit nicht alle Schulen bereit sein, ihre Schülerlisten herauszugeben.

Man wird sich deshalb vermutlich dafür entscheiden, *mehrstufig* vorzugehen. Aufgrund der Jahrbuch-Angaben könnte man zunächst eine Liste aller Oberprimen erstellen und nach einem Auswahlplan eine Teilmenge dieser Klassen auswählen (erste Stufe). Dann könnten Interviewer die Schulen aufsuchen, von denen Klassen in der Stichprobe enthalten sind, und dort an Ort und Stelle die Schülerlisten dieser Klassen erbitten (durch den persönlichen Kontakt werden wahrscheinlich die „Ausfälle" vermindert). Aufgrund dieser Listen erstellt man eine Kartei der so „in die engere Wahl" gekommenen Schüler und zieht aus dieser Kartei eine Stichprobe der zu befragenden Oberprimaner (zweite Stufe).

Auf der ersten Stufe sind nun Auswahleinheiten und Erhebungseinheiten nicht mehr identisch: Der Auswahlplan wird auf Schulklassen angewendet (Auswahleinheiten), repräsentativ in der endgültigen Stichprobe sollen aber Oberprimaner vertreten sein (Erhebungseinheiten). Um diese Repräsentativität nicht zu gefährden, wird man in den Auswahlplan evtl. Gewichtungsfaktoren (Klassengrößen) einführen müssen. Auf der zweiten Stufe sind dann wieder Auswahl- und Erhebungseinheiten identisch.

Daß Auswahl- und Erhebungseinheiten nicht identisch sind, kommt jedoch nicht nur bei mehrstufigen Auswahlen vor. Häufig tritt etwa der Fall auf, daß Einzelpersonen befragt werden und auch repräsentativ in der Stichprobe vertreten sein sollen, als symbolische Repräsentation der Grundgesamtheit „Bevölkerung" aber lediglich eine Haushaltskartei zur Verfügung steht. Der Auswahlplan kann dann nur auf die Haushalte (Auswahleinheiten) angewendet werden (d. h. auf eine je unterschiedliche Zahl von Einzelpersonen); Repräsentativität dagegen wünschen wir für die Einzelpersonen (man wird wieder mit Gewichtungsfaktoren im Auswahlplan arbeiten müssen).

Oder nehmen wir unseren Fall einer Schülerkartei. Angenommen, es besteht die Absicht, zusätzlich zu den Schülern auch deren Eltern zu befragen: Auswahleinheiten sind dann auf der letzten Auswahlstufe weiterhin die Schüler, Erhebungseinheiten aber sind jetzt auch die Eltern. Um die Repräsentativität der Stichprobe im Hinblick auf die Grundgesamtheit „Eltern von Schülern in der Oberprima" zu gewährleisten, müssen wir vor der Auswahl sicherstellen, daß Eltern nicht mehrfach in der Schülerkartei repräsentiert sind (falls nämlich zum Zeitpunkt der Untersuchung mehrere ihrer Kinder Oberprimaner sind), d. h. wir müssen die Kartei „bereinigen".

Beispiele für Nichtidentität von Auswahl- und Erhebungseinheiten:

Auswahleinheit:	*Erhebungseinheit:*
Personen	Haushalte, Familien, Freundschaftsnetze
Haushalte	Einzelpersonen, Wahlberechtigte, Hausfrauen, Familienfeste
Betriebe	Mitarbeiter, Produktionsprozesse, Betriebshierarchie
Gemeinden	Einwohner, Wohnblocks, homogene Wohngebiete
Stadtteile	Kaufhäuser, Verkehrsströme, Kulturdenkmäler
Straßenkreuzungen	Verkehrsunfälle, Verstöße gegen die Straßenverkehrsordnung

Friedrichs (1977, 126ff.) führt noch eine weitere Unterscheidung ein, die für das Verständnis der Anwendung von Datenerhebungsinstrumenten bedeutsam ist (also Inhaltsanalyse, Befragung, Beobachtung etc.). Wenn als Erhebungseinheiten diejenigen Einheiten verstanden werden, die einer Stichprobe zugrunde gelegt werden, die also repräsentativ in der Stichprobe vertreten sein sollen, so können in manchen Fällen davon die Untersuchungseinheiten unterschieden werden, an denen Merkmale gemessen werden sollen.

Stellen wir uns vor, wir wollten eine Hypothese testen: „Frauen in Haushalten mit Kleinkindern sind stärker in ihrem Verhalten und ihren Bedürfnissen auf die Wohnung bezogen als Frauen in Haushalten mit größeren Kindern; letztere wiederum sind stärker auf die Wohnung bezogen als Frauen in kinderlosen Haushalten." – Für die Konstruktion der Stichprobe würde sich daraus die Konsequenz ergeben, daß Erhebungseinheiten die Haushalte sein müßten: Haushalte mit ihren unterschiedlichen Bedingungskonstellationen für die „Hausfrauen" sollen in der Stichprobe repräsentativ vertreten sein. Untersuchungseinheiten – also die Einheiten, für die Daten erhoben werden sollen – wären dagegen „Hausfrauen"; die jeweiligen Haushaltssituationen würden in diesem Fall als „Kontextmerkmale" für die dort lebenden Hausfrauen aufgefaßt.

Man kann diese Überlegungen – mit den Worten von *Friedrichs* – auch so formulieren: Die *Erhebungseinheit* ist das *Stichprobenkriterium,* die *Untersuchungseinheit* ist das *Kriterium der Hypothesenprüfung.* In vielen Fällen werden Erhebungseinheit und Untersuchungseinheit identisch sein; gerade bei komplexeren Fragestellungen jedoch ist dies oft nicht der Fall.

6.2 Anforderungen an die Stichprobenkonstruktion

Friedrichs (1977, 125) formuliert vier Voraussetzungen, die erfüllt sein müssen, damit Teilerhebungen auf die Grundgesamtheit verallgemeinert werden dürfen:

„1. Die Stichprobe muß ein verkleinertes Abbild der Grundgesamtheit hinsichtlich der Heterogenität der Elemente und hinsichtlich der

Repräsentativität der für die Hypothesenprüfung relevanten Variablen sein.

2. Die Einheiten oder Elemente der Stichprobe müssen definiert sein.
3. Die Grundgesamtheit sollte angebbar und empirisch definierbar sein.
4. Das Auswahlverfahren muß angebbar sein und Forderung (1) erfüllen."

Mit anderen Worten: Die Grundgesamtheit muß eindeutig abgegrenzt sein (= 3.). Probleme ergeben sich bei „unendlichen Grundgesamtheiten", z. B. der zu einer nomologischen Hypothese gehörigen Grundgesamtheit von Fällen. Für den Test einer solchen Hypothese müssen wir die „hypothetische" Grundgesamtheit auf eine empirisch angebbare, d h. räumlich und zeitlich abgegrenzte Zahl von Fällen reduzieren (für das Falsifizierbarkeits-Postulat treten dadurch keine Probleme auf). Die Grundgesamtheit sollte aber nicht nur empirisch definiert sein, sondern auch mit der Erhebungs-Grundgesamtheit übereinstimmen, da nur so ein Auswahlplan zu einer repräsentativen Stichprobe führen kann. Weiter müssen die Stichproben-Elemente definiert sein (= 2.), d. h. es muß eindeutig festgelegt sein, ob ein Element der Grundgesamtheit zur Stichprobe gehört oder nicht.[84] Schließlich muß intersubjektiv nachvollziehbar sein, auf welche Weise (nach welchem Verfahren) eine Stichprobe zustande gekommen ist (= 4.), und die Stichprobe muß repräsentativ sein (= 1.).

Bei den in den folgenden Abschnitten darzustellenden Auswahlverfahren wird zu prüfen sein, ob und in welchem Ausmaß die verschiedenen Verfahren den genannten Anforderungen gerecht werden. Zunächst aber bleibt zu klären, was das mehrfach genannte Gütekriterium „Repräsentativität" im einzelnen bedeutet.

Auf die Notwendigkeit der präzisen definitorischen Abgrenzung der Grundgesamtheit wurde bereits hingewiesen, und zwar zusammen mit der (impliziten) These: Nur wenn genau angebbar ist, durch welche Merkmale die Elemente der Grundgesamtheit gekennzeichnet sind (intensionale Definition) und wer alles zur Grundgesamtheit gehört (extensionale Definition), kann ein Auswahlplan entworfen werden, der eine repräsentative Stichprobe gewährleistet. Repräsentativität heißt in diesem Zusammenhang: Es besteht Kongruenz zwischen theoretisch definierter Gesamtheit und tatsächlich durch die Stichprobe repräsentierter Gesamtheit; oder: Die Stichprobe ist ein „verkleinertes Abbild" einer angebbaren Grundgesamtheit.

Aus dieser Definition folgt, daß es kein Sample (keine Stichprobe) geben kann, das „überhaupt nichts abbildet", das also für überhaupt

---

84 etwa durch eindeutige Kennzeichnung einer Person durch Name und Adresse. Es darf nicht vorkommen, daß in der Grundgesamtheit mehrere Fälle mit gleicher Kennzeichnung existieren, so daß nicht einwandfrei entscheidbar ist, welche Person zur Stichprobe gehört und welche nicht.

keine Gesamtheit repräsentativ wäre. Jede beliebige Teilmenge von Fällen ist ein repräsentatives Abbild für *irgend eine* Gesamtheit von Fällen; die Frage ist: für *welche* Gesamtheit? Die Fragestellung im Zusammenhang mit dem „Gütekriterium Repräsentativität" darf daher nicht lauten, *ob* ein Sample eine Grundgesamtheit abbildet, sondern *welche* Grundgesamtheit es abbildet. Ohne präzise Angabe der angestrebten Grundgesamtheit kann also über die Repräsentativität einer Stichprobe nicht entschieden werden. Erst durch die Orientierung an einer definierten angestrebten Grundgesamtheit (target population) läßt sich die Frage nach der Repräsentativität einer Stichprobe (eines Samples) bejahen oder verneinen.

Bei empirischen Untersuchungen, in denen nicht sichtbar wird, für welche Grundgesamtheit ihre Aussagen gelten sollen, kann somit überhaupt nicht entschieden werden, ob die Ergebnisse als repräsentativ gelten können oder nicht. Will man trotzdem die Repräsentativität abschätzen, wird man versuchen, die Zielgesamtheit zu rekonstruieren: vom Erkenntnisinteresse der Untersuchung (Problemformulierung), von der Operationalisierung, von den verwendeten Datenerhebungsinstrumenten und den Ergebnis-Interpretationen ausgehend, läßt sich oft erschließen, welches die Untersuchungs-, die Erhebungs- und die Stichproben-Einheiten sind und welches die angestrebte Grundgesamtheit sein soll.

6.3 Typen von Auswahlverfahren (Überblick)

Ganz grob ist zunächst zu unterscheiden zwischen a) nicht zufallsgesteuerten Auswahlen und b) zufallsgesteuerten Auswahlverfahren. Bei nicht zufallsgesteuerten Auswahlen wird — sofern überhaupt ein Auswahlplan existiert — Repräsentativität (im Sinne von: Stichprobe = verkleinertes Abbild der Grundgesamtheit) dadurch angestrebt, daß bestimmte Merkmale der Erhebungseinheiten und evtl. ihre Verteilung in der Grundgesamtheit als Auswahlkriterien benutzt werden (Auswahl „typischer Fälle", Quotierung). Bei zufallsgesteuerten Auswahlen wird die Entscheidung darüber, ob ein Element der Grundgesamtheit auch Element der Stichprobe wird, der Entscheidung des Forschers entzogen und durch einen kontrollierten „Zufallsprozeß" ersetzt. Während die Stichprobe aufgrund eines nicht zufallsgesteuerten Auswahlverfahrens Repräsentativität lediglich hinsichtlich der Merkmale (bzw. der Merkmalskombinationen) beanspruchen kann, die als Auswahlkriterien benutzt wurden, sind zufallsgesteuerte Auswahlen (kontrollierte Zufallsauswahlen) repräsentativ im Hinblick auf sämtliche Merkmale (und sämtliche Merkmalskombinationen) der Erhebungseinheiten, und zwar im Rahmen angebbarer Fehlergrenzen und Fehlerwahrscheinlichkeiten.

Von den existierenden Verfahren der Stichprobenkonstruktion werden die in den beiden Übersichten aufgeführten Typen im folgenden erläutert.

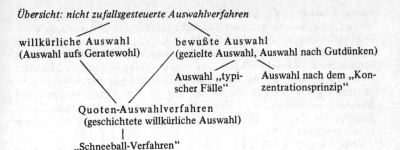

Übersicht: nicht zufallsgesteuerte Auswahlverfahren

willkürliche Auswahl
(Auswahl aufs Geratewohl)

bewußte Auswahl
(gezielte Auswahl, Auswahl nach Gutdünken)

Auswahl „typischer Fälle"

Auswahl nach dem „Konzentrationsprinzip"

Quoten-Auswahlverfahren
(geschichtete willkürliche Auswahl)

„Schneeball-Verfahren"

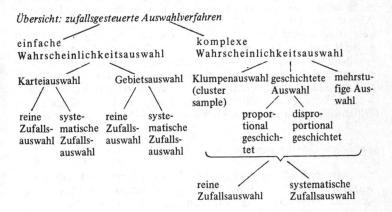

Übersicht: zufallsgesteuerte Auswahlverfahren

einfache
Wahrscheinlichkeitsauswahl

komplexe
Wahrscheinlichkeitsauswahl

Karteiauswahl

Gebietsauswahl

Klumpenauswahl
(cluster
sample)

geschichtete
Auswahl

mehrstufige Auswahl

reine
Zufallsauswahl

systematische
Zufallsauswahl

reine
Zufallsauswahl

systematische
Zufallsauswahl

proportional
geschichtet

disproportional
geschichtet

reine
Zufallsauswahl

systematische
Zufallsauswahl

6.4 Nicht zufallsgesteuerte Auswahlverfahren

6.4.1 Willkürliche Auswahl

Im Alltagsverständnis wird häufig „Zufallsauswahl" gleichgesetzt mit dem Auswahl-„Verfahren", das hier mit willkürlicher Auswahl oder Auswahl aufs Geratewohl bezeichnet wird. Hier entscheidet gerade *nicht* ein „kontrollierter Zufallsprozeß" darüber, ob ein Element der Grundgesamtheit in die Stichprobe kommt oder nicht, sondern dafür ist ausschließlich die „willkürliche" (d. h. durch *keinen* Auswahlplan kontrollierte) Entscheidung der Person maßgebend, die die Auswahl vornimmt. Der Interviewer oder Beobachter greift sich nach Belieben (aufs Geratewohl) an einem beliebigen Ort und zu einem beliebigen Zeitpunkt Personen oder Ereignisse heraus, die er befragt bzw. beobachtet. So kann ein Interviewer sich etwa an einer belebten Straßenkreuzung aufstellen und die bei roter Ampel wartenden Passanten ansprechen, oder er kann an einer Haltestelle eines öffentlichen Verkehrsmittels wartende Fahrgäste befragen. Der Interviewer kann sich auch zum Hauptbahnhof begeben, oder er geht in eine Kneipe oder in ein Warenhaus ... Um solche willkürlichen Aussagen handelt es sich in der Regel, wenn im Fernsehen kurze Statements „des Mannes auf der Straße" zu aktuellen Ereignissen eingeblendet werden.

Wenn wir prüfen, ob die in Kap. 6.2 geforderten vier Voraussetzungen einer Stichprobe erfüllt sind, dann stellen wir fest, daß die willkürliche Auswahl keiner einzigen der genannten Anforderungen gerecht wird. Die Stichprobe kann schon deshalb kein verkleinertes Abbild einer definierten Grundgesamtheit sein, weil weder die Grundgesamtheit angebbar ist noch die Stichprobenelemente genau definiert sind: Handelt es sich um die Grundgesamtheit aller Fußgänger, aller Straßenbahnfahrer, aller Eisenbahnfahrer, aller Kaufhausbesucher, aller Kneipengäste? Da die Stichprobenelemente vom Interviewer (Beobachter) willkürlich, also ohne einen vorher festgelegten Plan bestimmt werden, ist auch das Auswahlverfahren nicht angebbar. Konsequenz: Willkürliche Auswahlen sind für wissenschaftliche Zwecke wertlos.

6.4.2 Bewußte Auswahlen

Im Unterschied zur willkürlichen Auswahl werden bewußte Auswahlen planvoll, aufgrund vorheriger Überlegungen gezielt vorgenommen; man spricht deshalb auch von gezielter Auswahl oder Auswahl nach Gutdünken, d. h. nach Kriterien, die dem Forscher für bestimmte Zwecke sinnvoll erscheinen.

Ob ein Element der Grundgesamtheit ausgewählt wird, hängt nicht mehr von der willkürlichen Entscheidung des Interviewers oder Beobachters ab, sondern vom Zutreffen vorher festgelegter – also angebbarer und intersubjektiv nachvollziehbarer – Kriterien.

Solche Kriterien können sein: Es werden nur „Experten" zu einem bestimmten Thema befragt (Expertengespräche); es kommen nur „durchschnittliche Fälle" in die Auswahl (z. B. 4-Personen-Haushalte mittleren Einkommens); es werden nur Extremgruppen (Extremfälle) untersucht, etwa Personen mit besonders niedrigem und solche mit besonders hohem Einkommen oder Quartiersbewohner mit besonders langer und solche mit besonders kurzer Wohndauer oder Familien mit besonders autoritärem oder besonders liberalem Erziehungsstil etc. Das Merkmal zur Bestimmung der „Extrem"-Fälle kann nicht ohne Rückgriff auf bestimmte Hypothesen festgelegt werden. Der Grad der Differenziertheit der Kriterien für die gezielte Auswahl kann sich bis zur Entwicklung eines theoretisch begründeten repräsentativen Modells der Gesamtheit erstrecken

(z. B. Modell typischer Stimmbezirke für die Hochrechnung von Wahlergebnissen).

Je nach der spezifischen Ausgestaltung bewußter Auswahlen sind die in 6.2 formulierten Anforderungen mehr oder weniger vollständig erfüllt. So muß z. B. die Grundgesamtheit angebbar sein, um überhaupt die Kriterien für eine gezielte Auswahl entwickeln zu können; die Erhebungs-Gesamtheit dagegen bleibt weitgehend unbestimmt. Damit ein Element der Grundgesamtheit in die Stichprobe aufgenommen werden kann, muß es bestimmte Merkmale oder Merkmalskombinationen aufweisen; damit scheidet die vollständige Willkür des Interviewers oder Beobachters aus. Das Auswahlverfahren selbst ist angebbar; es erfüllt allerdings die Forderung, ein verkleinertes Abbild der Grundgesamtheit zu konstruieren, nur insofern, als lediglich einige wenige vorher festgelegte Merkmale oder Merkmalskombinationen in der Stichprobe repräsentiert werden. Die Festlegung dieser Merkmale richtet sich nach den beabsichtigten Aussagen der Untersuchung; bewußte Auswahlen eignen sich demnach vor allem für Analysen mit eng eingegrenzten Fragestellungen und für Vorklärungen in Problembereichen, in denen noch relativ wenig Basiskenntnisse vorhanden sind: durch die Analyse „typischer Fälle" wird die Entwicklung eines endgültigen Forschungsdesigns erleichtert.

Von den bewußten Auswahlen stellt die typische Auswahl (bzw. die Auswahl typischer Fälle) vom Prinzip her die einfachste Auswahlform dar; zugleich ist sie aber auch die problematischste aller Formen von bewußten Auswahlen. Die Grundüberlegung besteht darin, daß die Analyse auf relativ wenige Elemente der Grundgesamtheit beschränkt werden soll, die als besonders charakteristisch, als besonders „typisch" für die Grundgesamtheit angesehen werden. Die Hypothese lautet also: Wenn Untersuchungseinheiten hinsichtlich bestimmter zentraler Merkmale „typisch" sind für eine größere Gesamtheit von Fällen, dann sind auch ihre Reaktionen (z. B. Antworten in einem Interview) typisch für die größere Gesamtheit von Fällen.

Das *erste Problem* bei diesem Vorgehen wurde oben bereits genannt: Es ist zunächst anzugeben, hinsichtlich welcher Kriterien die Elemente „typisch" sein sollen; denn „typische Elemente an sich" gibt es ja nicht. Diese Kriterien können nur vom Untersuchungsziel — von den angestrebten Erkenntnissen — her definiert werden; damit definiert aber das Untersuchungsziel bereits in einem nicht abzuschätzenden Ausmaß die Untersuchungsergebnisse.

Das *zweite Problem* besteht darin, daß eine typische Auswahl immer schon entsprechende Vorkenntnisse über die Grundgesamtheit voraussetzt. Man muß vorher wissen, wie die relevanten Merkmale, nach denen die typischen Fälle definiert werden, in der Grundgesamtheit verteilt sind. Das schränkt die Anwendbarkeit dieses Verfahrens für explorative Studien, also Voruntersuchungen zur Konzipierung eines endgültigen Forschungsdesigns, ein. Meist werden die erforderlichen Vorkenntnisse über die Verteilung der (theoretisch) eigentlich angemessenen Merkmale in der Grundgesamtheit[85] entweder nicht vorhanden sein, oder die relevanten Merkmale sind − selbst bei Kenntnis ihrer Verteilungen − nicht ohne weiteres feststellbar und können deshalb nicht als Bestimmungsgrößen für eine gezielte Auswahl herangezogen werden.[86]

Daraus entsteht als *drittes Problem*, daß sich die Auswahl nicht an den eigentlich interessierenden Merkmalen ausrichten kann, sondern zur Bestimmung „typischer" Fälle *Ersatzmerkmale* herangezogen werden müssen. Über solche Ersatzmerkmale müssen a) ausreichende Kenntnisse vorhanden sein, sie müssen b) zugleich leicht für den Auswählenden erkennbar sein und man muß c) wissen, daß sie mit den eigentlich interessierenden Merkmalen so hoch korrelieren, daß die Annahme gerechtfertigt ist: die anhand der Ersatzmerkmale ausgewählten typischen Fälle sind auch hinsichtlich der eigentlich interessierenden Merkmale typisch für die Grundgesamtheit (vgl. *Kops* 1977, 179f.).

Eine andere Form der bewußten Auswahl, die mit der Auswahl typischer Fälle gewisse Ähnlichkeiten aufweist, ist die Auswahl nach dem Konzentrationsprinzip. Hierbei beschränkt man die Erhebung auf die für den Untersuchungsgegenstand besonders „ins Gewicht fallenden" Fälle. Auch hier sind vorab Informationen über die Auswahleinheiten notwendig, insbesondere über deren Bedeutung für die Untersuchungsmerkmale. Hohen Stellenwert gewinnt die Auswahl nach dem Konzentrationsprinzip dann, wenn ein relativ kleiner Teil der Grundgesamtheit einen großen Einfluß auf die Ausprägung der untersuchten Merkmale ausübt. „Großer Einfluß" oder „Bedeutsamkeit" ist also das Kriterium, nach dem für diese Fälle zu bestimmen ist, ob sie in die Auswahl kommen.

„Bedeutsamkeit" kann nun heißen: bedeutsam im Hinblick auf zu untersuchende Wirkungen bestimmter Einheiten auf andere Einheiten (etwa: „die Machtelite" übt großen politischen Einfluß aus, oder: bestimmte Publikationen spielen eine führende Rolle, sind z. B. Meinungsführer). „Bedeutsamkeit" kann aber auch heißen: weite Verbreitung (z. B. Auflagenstärke bei Zeitungen) oder großer Anteil an der Gesamtausprägung des Merkmals (z. B. Beschäftigtenzahl eines Unternehmens).

---

85 Man wolle beispielsweise die Anpassungsbereitschaft von Jugendlichen an gesellschaftliche Normen und deren politische Partizipation in Abhängigkeit von den Erziehungsstilen im Elternhaus untersuchen: Die inhaltlich (theoretisch) angemessenen Merkmale für eine typische Auswahl wären Haushalte mit je spezifischen, klar abgrenzbaren Erziehungsstilen.
86 Man müßte praktisch zuerst die Grundgesamtheit auf ihre Erziehungsstile untersuchen und könnte erst dann eine typische Auswahl vornehmen.

Beispiel: Will man die Umsätze in der Bauwirtschaft sowie die Entwicklung der Auftragseingänge in dieser Branche untersuchen, kann man sich getrost auf die Erhebung von Daten bei Betrieben mit mehr als 20 Beschäftigten beschränken. Diese machen nur etwa 25% aller Betriebe in der Bauwirtschaft aus, sie vereinigen jedoch rund 80% aller Umsätze der Branche auf sich. Indem man die Untersuchung auf nur ein Viertel aller Elemente der Grundgesamtheit konzentriert, erfaßt man dennoch 80% des gesamten Auftragsvolumens und kann z. B. zuverlässige Prognosen über den Konjunkturverlauf in der Bauwirtschaft abgeben.

Das „Konzentrationsprinzip" wird in der amtlichen Statistik häufig angewendet.

6.4.3 Quoten-Auswahl (quota-sample)

Häufigstes Auswahlverfahren in der kommerziellen Forschung ist das Quoten-Sample. Es handelt sich hierbei um eine Zwischenform von bewußter und willkürlicher Auswahl. „Bewußt" bzw. gezielt werden den Interviewern Quoten von Merkmalen vorgegeben, die die befragten Personen aufweisen müssen; etwa Merkmale wie Alter, Geschlecht, Wohnlage. Im Rahmen dieser Quoten allerdings hat der Interviewer freie Hand, wen er befragt. Die Auswahl ist also insofern „willkürlich", d. h. beim Quotenverfahren beruht „die Bestimmung der in eine Erhebung einzubeziehenden Einheiten letztlich auf Ermessen. Kennzeichnend ist, daß hierbei diese Ermessensentscheidungen im Stadium der Feldarbeit von den Erhebungssubjekten (meist Interviewern) selbst getroffen werden" (*Scheuch* 1974, 15). Da die Quotierung dem Verfahren der Schichtung bei der geschichteten Zufallsauswahl (vgl. Kap. 6.5) entspricht, kann man die Quoten-Stichprobe auch als eine „geschichtete willkürliche Auswahl" bezeichnen. Die Festlegung der Quoten geschieht anhand der bekannten Verteilung der relevanten Merkmale (Quotierungsmerkmale) in der Grundgesamtheit; es werden also wiederum Kenntnisse über die Grundgesamtheit vorausgesetzt.

Am *Beispiel* der aus der Grundgesamtheit von 11 000 Oberprimanern zu ziehenden Stichprobe vom Umfang n = 1 000 sei das Vorgehen erläutert. Nehmen wir an, der Forscher sieht sich aufgrund vorliegender Kenntnisse zu der Annahme berechtigt, daß für die Problemstellung „politische Bildung" die Merkmale Schichtzugehörigkeit und Geschlecht der Schüler besonders relevant sind. Aus einer Statistik des Kultusministeriums möge außerdem hervorgehen, daß an den Oberprimen des Landes die Arbeiterkinder mit 20%, Mittelschichtkinder mit 50% und Oberschichtkinder mit 30% vertreten sind und daß 35% der Oberprimaner weiblichen, 65% männlichen Geschlechts sind. Auf die Stichprobe übertragen bedeutet dies: es sind 200 Arbeiterkinder, 500 Mittelschichtkinder und 300 Oberschichtkinder zu befragen, und: unter den 1 000 Befragten müssen 350 Mädchen und 650 Jungen sein. Hätten die Interviewer jeweils 10 Befragungen durchzuführen, dann könnte ein Quotenplan so aussehen:

Interviewer	Interviews gesamt	Schichtzugehörigkeit Arbeiter Mittel- Ober-Sch.			Geschlecht weibl. männl.	
01	10	2	5	3	4	6
02	10	1	6	3	3	7
03	10	3	5	2	2	8
04	10	3	4	3	5	5
.	.	.	.	.	.	.
.	.	.	.	.	.	.
.	.	.	.	.	.	.
100	10	2	5	3	3	7
	1000	200	500	300	350	650

In diesem Beispiel hat nicht jeder Interviewer die gleichen Quoten, etwa Schichten-Schlüssel je Interviewer 2 : 5 : 3. Dies entspricht der häufig formulierten Empfehlung, daß im Rahmen der für die gesamte Stichprobe zu realisierenden Anteile die Vergabe der Quotenanweisungen an die einzelnen Interviewer nach einem Zufallsschlüssel vorzunehmen sei (vgl. *Kaplitza* 1975, 161). D. h. die 200 zu befragenden Arbeiterkinder, die 500 Mittelschicht-Kinder usw. sind „zufällig" auf die 100 Interviewer zu verteilen. Im Rahmen der vorgegebenen Quoten können sich nun die Interviewer beliebig ihre Interviewpartner aussuchen. Um Doppelbefragungen derselben Schüler zu vermeiden, wird man allenfalls das „Revier" der verschiedenen Interviewer räumlich gegeneinander abgrenzen.

An dem Beispiel lassen sich einige Probleme der Quotenauswahl ablesen. Zum einen werden die Quoten für die Quotierungsmerkmale meist unabhängig voneinander vorgegeben. In der Grundgesamtheit kommen jedoch diese Merkmale kombiniert vor; z. B. könnte unter den Arbeiterkindern in der Oberprima der Anteil der Mädchen drastisch geringer als 35% sein, während er in der Oberschicht höher liegt. Über solche Merkmalskombinationen sind jedoch selten Kenntnisse vorhanden; außerdem — selbst wenn entsprechende Kenntnisse über die Grundgesamtheit existierten — würde eine Berücksichtigung von Merkmalskombinationen für die Quotierung den Auswahlplan komplizieren und es den Interviewern erheblich erschweren, die Quotenvorgaben zu erfüllen. Bei unserem Quotenplan könnte z. B. Interviewer 02 sämtliche drei weiblichen Befragten aus der Oberschicht wählen und müßte nicht etwa je eine Oberprimanerin aus einem Arbeiterhaushalt, einem Mittelschicht- sowie einem Oberschichthaushalt suchen.

Die in das Verfahren gesetzte Hoffnung ist, daß sich trotz getrennter Vorgabe von Quoten für einzelne Merkmale bei einer Vielzahl von Interviewern auch die *Merkmalskombinationen* auf die Werte in der Grundgesamtheit einpendeln. Die gleiche Hoffnung gilt im Hinblick auf den Ausgleich des Aspekts der willkürlichen Auswahl von *Zielpersonen:* Wenn die Zahl der Interviewer relativ groß und die Zahl der Interviews je Interviewer relativ klein ist, dann hat der einzelne Interviewer nur sehr geringen Einfluß auf die Zusammensetzung der Gesamtstichprobe; Vorlieben und Abneigungen der Interviewer, die sich auf die Wahl der Zielpersonen auswirken können, werden sich dann — so die Annahme — insgesamt ausgleichen.

Für die Festlegung der Quotierungsmerkmale durch den Forscher gelten im übrigen die gleichen Überlegungen wie für die Bestimmung von „Ersatzmerkmalen" bei der Auswahl typischer Fälle: a) die Verteilung der Quotierungsmerkmale in der Grundgesamtheit muß bekannt sein; b) die Merkmale müssen mit den Untersuchungsmerkmalen ausreichend hoch korrelieren, damit aus der Repräsentativität im Hinblick auf die Quotierungsmerkmale auch auf Repräsentativität hinsichtlich der eigentlich interessierenden Variablen geschlossen werden kann; c) die Quotierungsmerkmale müssen relativ leicht erfaßbar sein.

Daraus resultieren als Nachteile für das Verfahren: Um bei großen Sample-Umfängen den Auswahlplan nicht unrealistisch kompliziert werden zu lassen und um das Zustandekommen der Auswahl nicht zu sehr zu verteuern, muß man sich auf eine begrenzte Zahl von zudem leicht für den Interviewer erkennbaren oder erfragbaren Merkmalen für die Quotierungsvorgaben beschränken. Leicht erkennbar oder erfragbar sind bei Personen z. B. demographische Merkmale wie Alter und Geschlecht sowie Familienstand und vielleicht noch Beruf. Bei kommerziellen Umfragen werden zudem in einem Interview-Bogen gleichzeitig mehrere Themen behandelt (sog. „Omnibus"-Befragungen), so daß die Quotierungsmerkmale *gleichzeitig* mit einer Vielzahl „eigentlich interessierender" Untersuchungsvariablen hoch korrelieren müssen. Und schließlich sind aus der amtlichen Statistik nur für relativ wenige Personenmerkmale Informationen über die Verteilung in der Grundgesamtheit verfügbar, und diese sind meist schon ziemlich alt (etwa wenn als Informationsquelle nur die letzte Volkszählung zur Verfügung steht) oder nicht mehr zuverlässig (wenn sich die Daten aus Fortschreibungen ergeben). Dennoch haben die Institute, die Umfrageforschung betreiben, aufgrund langjähriger Erfahrungen offenbar Quotenpläne erstellt, die zumindest für Routinebefragungen hinreichend repräsentative Ergebnisse gewährleisten.

Was die Anforderungen an die Stichprobenkonstruktion betrifft (Kap. 6.2), so ist für die Quotenauswahl festzuhalten: Die Grundgesamtheit ist bei diesem Verfahren zwar abgegrenzt, die Erhebungsgesamtheit jedoch wird weder auf irgendeine Weise physisch fixiert noch (etwa durch Kartei oder Liste) symbolisch repräsentiert. Die Erhebungs-Grundgesamtheit kann erheblich kleiner sein als die angestrebte Grundgesamtheit (in unserem Beispiel hätten alle abwesenden Schüler keine Chance, befragt zu werden; außerdem könnten durch Verkehrsmittel schlecht erreichbare Schulen systematisch von den Interviewern ausgeklammert, Schulen in der Nähe ihres eigenen Wohnsitzes systematisch bevorzugt werden). Das Auswahlverfahren ist nur zum Teil angebbar (Quotierung), zu einem anderen Teil überhaupt nicht (nach welchen Gesichtspunkten wählt der Interviewer die Zielpersonen aus?). Die Stichprobe ist schließlich nur hinsichtlich der Quotierungsmerkmale ein verkleinertes Abbild der Grundgesamtheit; hinsichtlich aller anderen Merkmale und auch der Kombinationen der Quotierungsmerkmale ist die Erfüllung dieser Forderung nicht mehr gesichert.

Bestandteil des Auswahlverfahrens beim Quoten-Sample dürfte häufig das sog. Schneeball-Verfahren sein. Hierbei wählt der Interviewer die erste Zielperson im Rahmen seines Quotenplans willkürlich aus. Am Schluß des Interviews fragt er dann nach „geeigneten" weiteren Zielpersonen aus dem Bekanntenkreis des Befragten, die erstens vermutlich auskunftsbereit und zweitens leicht erreichbar sind. Bei der zweiten Zielperson fragt er nach weiteren usw. Diese Strategie wird sich für den Interviewer insbesondere dann anbieten, wenn er sich der Gesamtzahl der zu erbringenden Interviews nähert; auch ohne Vorgabe von Merkmalskombinationen verbleiben nämlich am Schluß Restfälle mit eindeutigen *Kombinationen* der Quotierungsmerkmale. So könnte nach neun von zehn Interviews noch eine Befragung ausstehen mit einer Person im Alter zwischen 30 und 40 Jahren, einer Person in leitender beruflicher Position, einer Person weiblichen Geschlechts. Diese Merkmale müssen sich jedoch jetzt in einer einzigen Person vereinigen; und ohne Auskünfte bisheriger Zielpersonen wird der Interviewer in einer ihm fremden Umgebung kaum die gewünschte, noch fehlende Zielperson finden.

6.5 Zufallsgesteuerte Auswahlverfahren

Bewußte (gezielte) Auswahlen sind immer dann vom Prinzip her nicht möglich, wenn keine oder nur sehr wenig gesicherte Kenntnisse über die Struktur der Grundgesamtheit vorliegen. Für Wahrscheinlichkeitsauswahlen (im einfachsten Fall: für die sog. einfache Zufallsstichprobe) gilt dagegen, daß – innerhalb berechenbarer Fehlergrenzen – Repräsentativität für alle Elemente, für alle Merkmale und Merkmalskombinationen sichergestellt werden kann, ohne daß Kenntnisse über die Struktur der Grundgesamtheit, über die Verteilung von Merkmalen vorhanden sein müssen. Dies wird dadurch gewährleistet, daß die Auswahleinheiten „zufällig" aus der Grundgesamtheit (genauer: aus der Erhebungsgesamtheit) entnommen werden,[87] so daß für alle

87 Unter „Zufall" wird in diesem Zusammenhang das Ergebnis einer Vielzahl gleichzeitig wirkender und voneinander unabhängiger Faktoren verstanden, die in einer nicht vorhersehbaren und nicht berechenbaren Weise – teils gegenläufig, teils gleichläufig – auf ein Ereignis einwirken. „Nicht zufällig" wären dagegen solche Faktoren, die eine systematische Beeinflussung des Ergebnisses bewirken (Beispiel: gezielte Auswahlen).

Einheiten die gleiche Chance (bei komplexen Auswahlverfahren: eine bekannte Chance) besteht, in die Auswahl aufgenommen zu werden. Diese gleiche Chance wird durch Kontrollen im Auswahlverfahren sichergestellt; jede Willkür bei der Auswahl, jede vom Forscher vorgenommene bewußte Auswahl der einzelnen Untersuchungsobjekte wird ausgeschaltet.

Wenn nun (durch Kontrollen) gesichert ist, daß jede Einheit der Grundgesamtheit die *gleiche* Chance hat, in die Auswahl zu gelangen (einfache Zufallsstichprobe), dann werden Einheiten mit Merkmalen, die häufig in der Grundgesamtheit vorkommen, auch in der Stichprobe öfter erfaßt als Einheiten mit Merkmalen, die in der Grundgesamtheit nur selten vertreten sind. Entsprechendes gilt für Merkmalskombinationen. Die Häufigkeit des Auftretens von Einheiten mit bestimmter Merkmalsausprägung und mit bestimmter Kombination von Merkmalsausprägungen in der Stichprobe ist also allein davon abhängig, wie stark diese Merkmalsausprägungen (Merkmalskombinationen) in der Grundgesamtheit vertreten sind. Solange die Auswahl nicht in einer bestimmten Weise verzerrt ist (deshalb die Formulierung: durch Kontrolle gesicherte gleiche Chance), kann bei hinreichend großem Stichprobenumfang (n) angenommen werden, daß alle möglichen Merkmale mehr oder weniger entsprechend ihrer Häufigkeit in der Grundgesamtheit auch in der Auswahl vertreten sind. Dies gilt auch für die Häufigkeitsverteilung solcher Merkmale, an deren Auftreten zunächst gar nicht gedacht worden war, und die deshalb bei gezielter Auswahl überhaupt nicht bei der Stichprobenkonstruktion berücksichtigt worden wären.

Zusammengefaßt: Je größer die Stichprobe (und — dies sei vorweggenommen — je geringer die Streuung der Merkmalsausprägungen in der Grundgesamtheit), um so eher kann man eine ziemlich genaue Übereinstimmung zwischen Stichprobenwerten und Parametern der Grundgesamtheit erwarten.

Für Wahrscheinlichkeitsauswahlen gilt das sog. G e s e t z d e r g r o ß e n Z a h l (*Cournot*, 1843), dessen Formulierung auf Wahrscheinlichkeitsüberlegungen über das Auftreten einzelner Ereignisse sowie auf Überlegungen über Eigenschaften einer Serie unabhängiger Ereignisse beruht. Vereinfacht formuliert:

1. Ereignisse, deren Wahrscheinlichkeiten sehr klein sind, treten sehr selten auf.[88] Mit anderen Worten: Beim Ziehen einer Zufallsstichprobe wird es sehr selten vorkommen, daß eine Einheit mit einer Merkmalsausprägung gezogen wird, die in der Grundgesamtheit nur sehr selten vorkommt (= Aussage über die Wahrscheinlichkeit des Auftretens einzelner Ereignisse; Ereignis = Ziehung einer Stichprobeneinheit mit einer bestimmten Merkmalsausprägung oder -kombination).

---

88 Statistische Wahrscheinlichkeit $\doteq$ df. relative Häufigkeit in der Grundgesamtheit.

2. Die Wahrscheinlichkeit dafür, daß die relative Häufigkeit – oder eine andere statistische Maßzahl (Parameter) wie das arithmetische Mittel – eines Merkmals in der Stichprobe beträchtlich, d. h. um mehr als einen vorgegebenen Betrag von dem entsprechenden Wert in der Grundgesamtheit abweicht, wird um so geringer, je größer der Umfang der Beobachtungsserie ist, bei der diese relative Häufigkeit ermittelt wurde, d. h. je größer die Stichprobe ist (= Wahrscheinlichkeitsaussage über Eigenschaften der Stichprobe).

Die zweite Formulierung muß *in der wörtlichen Bedeutung* verstanden werden: Wenn ein Anteilswert für eine Merkmalsausprägung in der Stichprobe berechnet wird, dann ist es *nicht ausgeschlossen,* daß dieser Anteilswert von dem „wahren" Wert der Grundgesamtheit erheblich abweicht. Aber dieser Fall ist sehr unwahrscheinlich; die meisten Stichproben werden Anteilswerte bringen, die in der Nähe der wahren Anteilswerte liegen. Und je größer der Stichprobenumfang (n), desto unwahrscheinlicher wird es, daß überhaupt beträchtliche Abweichungen von den Anteilswerten der Grundgesamtheit auftreten.[89]

Würde eine sehr große Zahl von Zufallsstichproben unabhängig voneinander aus der gleichen Grundgesamtheit gezogen und würde für jede gezogene Zufallsstichprobe der Anteil eines Merkmals bestimmt (im beliebten Urnenbeispiel, das noch auftauchen wird, z. B. der Anteil gezogener Kugeln mit einer bestimmten Farbe), könnte in einem Koordinatensystem graphisch die Häufigkeit des Auftretens der berechneten Anteilswerte dargestellt werden. Im Falle unabhängiger Zufallsstichproben würde sich dabei das folgende Bild ergeben: Sehr häufig erhielte man Anteilswerte, die nur wenig oder gar nicht vom „wahren" Anteilswert (dem Anteilswert des Merkmals in der Grundgesamtheit) abweichen; relativ oft würden die Stichproben auch noch Anteilswerte aufweisen, die nicht allzu sehr vom „wahren" Wert nach oben oder unten abweichen; relativ selten dagegen würden Anteilswerte auftreten, die stark vom Wert der Grundgesamtheit abweichen, und sehr selten kämen Stichproben vor, für die der Anteilswert des interessierenden Merkmals sehr stark vom Parameter der Grundgesamtheit abweicht. Graphisch dargestellt, ergibt sich folgendes Bild:

---

89 Die Formulierung bedeutet dagegen nicht: Je größer die Stichprobe, desto geringer die Abweichungen der Stichprobenwerte von den Parametern der Grundgesamtheit.

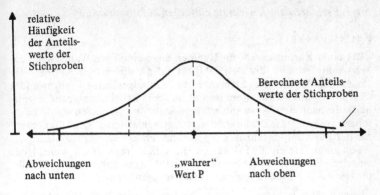

relative
Häufigkeit
der Anteils-
werte der
Stichproben

Berechnete Anteils-
werte der Stichproben

Abweichungen
nach unten

„wahrer"
Wert P

Abweichungen
nach oben

In statistischen Größen ausgedrückt: Rund 2/3 aller denkbaren Stichproben würden Anteilswerte aufweisen, die vom wahren Anteilswert P höchstens um den Betrag eines Standardfehlers[90] nach oben oder unten abweichen ($P \pm 1s_p$), rund 95 Prozent aller Stichproben-Anteilswerte würden höchstens um den Betrag von zwei Standardfehlern nach oben oder unten differieren ($P \pm 2 s_p$). Wegen dieser Eigenschaft von Zufallsstichproben ist es möglich, mit angebbarer Sicherheit ein Intervall zu nennen, in dem sich aufgrund der Stichproben-Ergebnisse der Anteilswert (oder Mittelwert) für eine Merkmalsausprägung in der Grundgesamtheit befindet. So wäre etwa aufgrund einer Befragung einer Zufallsstichprobe von Wahlberechtigten die Aussage möglich: Wenn am nächsten Sonntag Bundestagswahl wäre, dann würde mit 95prozentiger Sicherheit (d. h. die Irrtumswahrscheinlichkeit für diese Aussage beträgt 5%) eine bundesweit kandidierende Partei der „Grünen" einen Stimmenanteil von 6% $\pm$ 0,5%, (d. h. zwischen 5,5 und 6,5%) erhalten. V o r s i c h t : Dieser Wert ist frei erfunden!

Auf die Verfahren des Erschließens von Grundgesamtheits-Parametern auf der Basis von Zufallsstichproben-Ergebnissen wird im vorliegenden Text nicht weiter eingegangen. Eine gut nachvollziehbare Darstellung findet man etwa bei *Sahner* (1971); umfassender wird das Vorgehen bei *Tiede/Voss* (1982) abgehandelt.

---

90 „s" (Standardabweichung) ist ein statistisches Maß für die Variation der einzelnen Beobachtungswerte um den Stichprobenmittelwert.
„s_p" (Standardfehler) ist ein Maß für die Variation von Stichprobenmaßzahlen um den „wahren" Parameter in der Grundgesamtheit unter der Annahme, daß aus der gleichen Grundgesamtheit unabhängig eine große Zahl von Zufallsstichproben gezogen worden wäre.

s und s_p hängen wie folgt zusammen: $s = s_p \sqrt{n}$ (n = Stichprobenumfang).
Bei der dargestellten Häufigkeitsverteilung handelt es sich um eine sog. „Normalverteilung" (Modell einer „reinen Zufallsverteilung", entwickelt von C. F. Gauß).

Karteiauswahl

Bei einer Karteiauswahl im Rahmen eines einfachen Wahrscheinlichkeits-Samples wird der Auswahlplan auf die durch eine Kartei (oder Liste) repräsentierten Elemente der Grundgesamtheit angewendet (Kartei = symbolische Repräsentation der Erhebungs-Grundgesamtheit). Je nach dem Auswahlverfahren kann unterschieden werden zwischen „reiner" Zufallsauswahl und „systematischer" Zufallsauswahl auf der Basis der karteimäßig repräsentierten Erhebungsgesamtheit.

Von einer reinen Zufallsauswahl spricht man dann, wenn jedes einzelne Element der Stichprobe unabhängig durch einen Zufallsprozeß aus der Erhebungsgesamtheit „gezogen" wird.

Beispiel: Man stelle sich etwa als Erhebungsgesamtheit die Gesamtzahl der richtigen Einsendungen bei einem Preisausschreiben vor (repräsentiert durch die eingesandten Postkarten). Diese seien in eine hinreichend große Lostrommel gelegt worden und würden durch Drehen der Trommel gemischt. Dann möge eine „Glücksfee" mit verbundenen Augen in die Trommel greifen und eine Karte „zufällig" herausholen, d. h. ohne Möglichkeit einer systematischen Auswahl nach irgendwelchen Auswahlkriterien. Danach werde die Trommel wieder gedreht, so daß die Karten erneut durchmischt werden, und wieder werde eine Karte gezogen. Dieser Vorgang werde so oft wiederholt, bis die vorgesehene Zahl der Preisträger (= Stichprobe aus der Gesamtheit richtiger Einsendungen) erreicht ist. Ein Notar möge das ganze Verfahren überwachen, damit die Preisträger auch wirklich nach dem vorgesehenen Auswahlsystem zufällig bestimmt werden.

Im geschilderten Beispiel sind sämtliche vorher genannten Bedingungen einer Zufalls-Stichprobe erfüllt: Jede „richtige Lösung" hat eine bekannte (hier: die gleiche) Chance, als Preisträger (Element der Stichprobe) gezogen zu werden, da jede richtige Lösung durch genau eine Karte in der Erhebungsgesamtheit repräsentiert ist. Diese „gleiche Chance" wird dadurch gewährleistet, daß die Bestimmung der Gewinner „durch Zufall" geschieht und daß dieser „Zufall" durch Kontrollen gesichert wird: der „Glücksfee" werden die Augen verbunden, vor jeder Ziehung werden die Karten erneut gemischt, ein Notar überwacht den ganzen Prozeß. Es wird also keine eingesandte Lösung systematisch bevorzugt oder benachteiligt.

Dieser Typ einer reinen Zufallsauswahl wird auch als Lotterieprinzip oder „Monte-Carlo-Verfahren" bezeichnet. Ein weiteres, jedem bekanntes Beispiel dieser Art von Zufallsziehung ist die wöchentliche Ziehung der Lottozahlen.

Das Prinzip „reine Zufallsauswahl" liegt auch den Überlegungen zugrunde, die im Rahmen wahrscheinlichkeitstheoretischer Argumentationen am Beispiel eines Urnenmodells angestellt werden, im allgemeinen zur Veranschaulichung statistisch-theoretischer Verteilungen (etwa Binomialverteilung). Man stelle sich einen Behälter (Urne) vor, in dem — je nach Vorliebe — etwa schwarze und weiße oder rote und schwarze oder rote und weiße Kugeln sind, so daß der Anteilswert der Kugeln mit einer bestimmten Ausprägung des Merkmals Farbe (z.B. Anteil schwarzer und Anteil roter Kugeln) durch Auszählen leicht bestimmbar ist. Nun werden die Kugeln in der Urne gründlich durchmischt; dann wird „zufällig" (also ohne Hineinsehen) eine herausgenommen, die Farbe notiert, die Kugel wieder zurückgelegt, wieder durchmischt, wieder eine herausgenommen, die Farbe notiert usw. Durch Zurücklegen der gezogenen Kugeln und jeweils neues Durchmischen sind prinzipiell unendlich viele unabhängige Zufallsziehungen möglich, so daß durch diese Konstruktion eine unendlich große Grundgesamtheit modellhaft abgebildet wird.

Mit Hilfe dieses Modells kann man nun z.B. die Aussage prüfen, daß bei einer genügend großen Zahl von Zufallsziehungen die Anteilswerte der Merkmalsausprägungen für die gezogenen Kugeln ziemlich genau den „wahren" Anteilswerten entsprechen (der Grenzwert des Stichprobenwertes entspricht dem Wert in der Grundgesamtheit). Oder man kann die Behauptung prüfen, daß bei einer großen Zahl unabhängiger Stichproben die Abweichungen der Stichprobenanteilswerte vom Anteilswert der Grundgesamtheit normalverteilt sind: So könnten etwa jeweils zehn Urnenziehungen als eine Stichprobe ($n = 10$) betrachtet und der Anteil z.B. der schwarzen Kugeln als Anteilswert p der jeweiligen Stichprobe notiert werden.

Nun wird jedoch die Forderung des „gründlichen Durchmischens" der symbolischen Elemente der Erhebungsgesamtheit zur Sicherung des „Zufalls" nicht immer erfüllbar sein; bei Ziehung einer Stichprobe etwa aus der Einwohnermeldekartei einer Gemeinde wäre ein „gründliches Durchmischen" dieser Kartei sicher nicht empfehlenswert. In solchen Fällen wird man den Prozeß der Zufallsauswahl stellvertretend an einem anderen Medium durchführen.

Falls die Einwohnerkartei z. B. 100000 Karteikarten umfaßt (je Person eine Karte), könnte man die Kartei fortlaufend durchnumerieren (im allgemeinen wird eine Kennzeichnung durch Identifikationsziffern bereits vorhanden sein) und zugleich Lose mit den Zahlen 1 bis 100000 erstellen, die in eine Lostrommel gefüllt werden. Die Auswahl wäre dann wie oben geschildert durchzuführen. Anhand der gezogenen Los-Nummern wären die ausgewählten Personen zu identifizieren. Diese Überlegung ist die Basis für die Verwendung von Zufallszahlen zur Realisierung einer reinen Zufallsauswahl. Statt selbst Lose mit den Zahlen 1 bis 100000 herzustellen und daraus die gewünschte Zahl von Losen (z. B. 1000) zufällig zu ziehen, läßt man mit Hilfe eines geeigneten Computer-Programms die benötigte Menge von „Zufallszahlen" bestimmen oder entnimmt sie einer der existierenden (für solche Zwecke erstellten) statistischen Zufallszahlen-Tabellen. Anschließend werden die zu den gezogenen Zufalls-zahlen gehörenden Karten aus der Kartei herausgesucht und dadurch die Personen bestimmt, die in die Auswahl kommen.

Auch dieses Verfahren der Konstruktion einer reinen Zufallsauswahl (mit Hilfe von Zufallszahlen) ist immer dann noch relativ umständlich, wenn nicht schon die Kartei selbst in einer EDV-Anlage gespeichert ist und man die zufällig ausgewählten Personen und Anschriften direkt ausdrucken lassen kann. Im Falle großer Erhebungsgesamt-heiten empfiehlt es sich daher, statt einer „reinen Zufallsauswahl" eine systematische Zufallsauswahl zu konstruieren.

Bei einer systematischen Zufallsauswahl wird nur der erste zu zie-hende Fall (die erste zu ziehende Karte einer Kartei oder der erste zu berücksichtigende Fall in einer Liste) „zufällig" bestimmt, etwa durch Würfeln oder durch Herausgreifen einer Zufallszahl aus einer ent-sprechenden Tabelle. Alle weiteren in die Stichprobe kommenden Einheiten werden systematisch bestimmt. Bei einem Auswahlsatz von 1% (Stichprobe: $n = 1000$ bei einer Erhebungsgesamtheit: $N = 100000$) etwa würde zufällig eine Zahl zwischen 1 und 100 bestimmt (vielleicht 57); danach würde systematisch jeder weitere 100. Fall in die Stichprobe aufgenommen (also die Karteikarten 57, 157, 257, 357, . . ., bis 99957). Bei langen Karteikästen könnte man sich sogar das Durchzählen ersparen, wenn man etwa bei einer 10 m (= 10000 mm) langen Kartei mit Hilfe eines Millimeter-Stabes jeweils im Ab-stand von 10 mm eine Karte herauszuzieht.

Es sind selbstverständlich noch eine Reihe anderer Auswahlsysteme denkbar und entwickelt worden. Allen ist gemeinsam, daß der An-fangspunkt der systematischen Auswahlprozedur „durch Zufall" bestimmt wird und dann systematisch nach vorher festgelegten Regeln weiter ausgewählt wird. Auch bei diesem Verfahren ist sichergestellt, daß für jedes Element der Erhebungsgesamtheit vor Beginn des Aus-wahlprozesses die gleiche Wahrscheinlichkeit besteht, in die Stich-probe zu kommen. Ebenfalls wird durch ein kontrolliertes Verfahren ausgeschlossen, daß der Forscher (oder Interviewer) gezielt nach be-stimmten Auswahlkriterien die Stichprobeneinheiten festlegt.

Allerdings existiert die Gefahr einer systematischen Verzerrung (Verstoß gegen das Zufallsprinzip) immer dann, wenn die Kartei systematisch organisiert ist und das Auswahlsystem Elemente des Karteiordnungssystems enthält: etwa bei einer Kartei-Ordnung nach Anfangsbuchstaben von Familiennamen und einem sich ebenfalls darauf stützenden Auswahlsystem. Um solche Verzerrungen nach Möglichkeit auszuschalten, benötigt man bei der Konstruktion eines Auswahlplans mit systematischer Zufallsauswahl Kenntnisse über das Organisationsprinzip der Kartei (oder Datei), aus der ausgewählt werden soll.

Gebietsauswahl (Flächenstichprobe)

Erhebungseinheiten müssen nicht unbedingt durch eine Kartei (oder Liste oder EDV-Datei) symbolisch repräsentiert werden. Dementsprechend braucht auf eine Zufallsauswahl nicht verzichtet zu werden, falls eine Kartei etc. nicht zur Verfügung steht. Personen z. B. lassen sich auch durch den Ort, an dem sie wohnen (Arbeitnehmer durch den Ort, an dem sie arbeiten) symbolisch repräsentieren.[91] Ereignisse, die beobachtet werden sollen (z. B. „Verstöße gegen die Straßenverkehrsordnung"), lassen sich durch die Orte, an denen sie passieren, symbolisch repräsentieren; etwa Straßen oder Kreuzungen.

Beispiel: In einem Sanierungsgebiet soll eine Zufallsauswahl von Bewohnern über ihre Lebenssituation, ihre Wohnwünsche, ihre Beurteilung der Wohnsituation und ähnliches befragt werden, um Kriterien für eine beabsichtigte vollständige Erhebung in diesem Gebiet zu gewinnen („Vorbereitende Untersuchung" nach dem Städtebauförderungsgesetz). Im Prinzip wäre natürlich eine Karteiauswahl — anhand der Meldekartei für dieses Gebiet — möglich. Doch ist bekannt, daß für Sanierungsgebiete die Adressenkartei der Stadtverwaltung nicht sehr zuverlässig ist: die räumliche Mobilität der Bewohner ist besonders groß, die Kartei also niemals auf dem neuesten Stand; es wohnen dort viele Ausländer, die sich nicht vollzählig anmelden (immer dann, wenn keine Aufenthaltsgenehmigung vorliegt); in der Kartei sind noch viele Ausländer erfaßt, die dort nicht mehr wohnen (keine Abmeldung bei Rückkehr ins Heimatland). Die Adressenkartei scheidet also aus.

Es gibt aber noch eine andere Kartei: die Kartei der Baubehörde über Wohnungen in diesem Gebiet. Diese ist ziemlich zuverlässig und könnte als symbolische Repräsentation für Haushalte herangezogen werden. Die interessierende Grundgesamtheit wären dann die im Sanierungsgebiet wohnenden Haushalte; die Erhebungs-Gesamtheit wären Gruppen von Personen, die in je einer Wohnung leben (das können mehrere Haushalte je Wohnung sein); Auswahleinheiten wären die Wohnungen, die in der Kartei erfaßt sind; Erhebungs-Einheiten schließlich wären wieder einzelne Haushalte (vgl. Kap. 6.1).

Der Rückgriff auf eine solche Wohnungskartei ist jedoch auch nicht immer möglich (insbesondere bei großräumigen Gebieten). In diesem Fall kann statt einer Karteiauswahl eine Gebietsauswahl gezogen werden.

Bei einer Gebietsauswahl wird der Auswahlplan nicht auf eine Kartei als symbolische Repräsentation der Grundgesamtheit angewandt, sondern stattdessen auf solche räumlichen Einheiten, die geeignet sind, die interessierenden Erhebungseinheiten zu bestimmen. Auswahleinheiten sind dann definierte und abgegrenzte Gebiete (Flächen), auf denen Personen oder Haushalte wohnen (oder Ereignisse stattfinden).

---

91 Problem: Wählt man „Bevölkerung" als Grundgesamtheit, so umfaßt die Erhebungsgesamtheit, repräsentiert durch „Wohnsitz", nicht die Personen ohne festen Wohnsitz und enthält solche Personen mehrfach, die mehrere Wohnsitze haben.

Im obigen *Beispiel* könnte man ein Rasternetz über den Straßenplan für das Sanierungsgebiet legen und Planquadrate einer bestimmten Größe (vielleicht 50 x 50 Meter) festlegen, durchnumerieren und aus diesen Planquadraten eine Zufallsstichprobe ziehen; entweder eine „reine" oder eine „systematische" Stichprobe. Zu den ausgewählten Planquadraten können eindeutig die Adressen von Wohnungen zugeordnet werden. Man hat jetzt die Möglichkeit, alle in den gezogenen Planquadraten wohnenden Haushalte zu befragen (vgl. „Klumpenauswahl") oder nach einem Zufallsverfahren eine Teilmenge der dort wohnenden Haushalte zu bestimmen (vgl. „mehrstufige Auswahl").

Eine mögliche Strategie wäre die des sog. Zufallswegs, um aus der Menge der in einer räumlichen Einheit lebenden Haushalte die zu befragenden auszuwählen, ohne daß die Entscheidung dem Belieben des Interviewers überlassen wird (vgl. Abschn. 6.5.3, S. 159ff.).

In den bisherigen Beispielen waren die räumlichen Auswahleinheiten (z. B. Planquadrate) nicht identisch mit den Erhebungseinheiten (z. B. Haushalte, die dort wohnen). Selbstverständlich können aber auch die räumlichen Auswahleinheiten (die Flächen, Gebiete) zugleich Erhebungseinheiten sein. Für städtebauliche Entscheidungen oder für stadtsoziologische Untersuchungen können durchaus die Merkmale der Flächen (etwa der Planquadrate) von Interesse sein, um z. B. Aussagen über die Bausubstanz und die Infrastruktur in der Stadt oder über städtische Entwicklungsprozesse zu machen. Räumliche Einheiten, die zugleich als Auswahl- und Erhebungseinheiten von Interesse sein können, wären etwa Straßen, Kreuzungen, Plätze bei verkehrspolitischen Fragestellungen; landwirtschaftliche Flurstücke, landwirtschaftliche Flächen, Flußabschnitte, Waldstücke etc. bei landschaftsplanerischen Fragestellungen; Stadtteile, Stadtbezirke, Wohnquartiere, Wohn- bzw. Baublöcke bei stadtplanerischen Fragestellungen.

6.5.2 *Verfahren zur Erstellung komplexer Zufallsauswahlen*

Einfache Wahrscheinlichkeitsauswahlen weisen einige *Nachteile* auf:

1) Bei regional sehr weit gestreuten Grundgesamtheiten ist das Verfahren mühsam und aufwendig; die zufällig ausgewählten Erhebungseinheiten sind weit über das gesamte Gebiet verteilt, die Erhebung erfordert dementsprechend viel Zeit und Geld.

2) Interessante Untergruppen der Grundgesamtheit, die jedoch nur geringe Anteile an der Gesamtheit aufweisen (etwa Randgruppen wie Obdachlose), werden im allgemeinen in der Stichprobe mit zu geringen Fallzahlen vertreten sein, um gesondert ausgewertet werden zu können. Allgemein gilt: Falls bestimmte Teilgruppen der Gesamtheit in der Analyse gegenübergestellt werden sollen, ist es nachteilig, wenn deren Anteile im Rahmen von Zufallsschwankungen in der Stichprobe zu hoch oder zu niedrig ausfallen.

3) Manchmal ist es von Interesse, auch den Kontext eines Befragten

in die Untersuchung einzubeziehen (Mehrebenen-Analyse; vgl. Kap. 9.1). Die Aussagen sollen sich nicht auf die eigentlichen Merkmale z. B. der befragten Personen oder Haushalte beschränken, sondern auch die Gegebenheiten der sozialen und/oder materiellen Umwelt berücksichtigen. Bei einfachen Wahrscheinlichkeitsauswahlen bleibt der Kontext üblicherweise außer Betracht, da es zu aufwendig wäre, zu jedem der räumlich weit verstreuten Erhebungseinheiten auch noch den jeweiligen sozialen und/oder materiellen Kontext mit zu erheben.

Um diese genannten Nachteile auszuräumen, wurden die Verfahren der mehrstufigen, der geschichteten sowie der Klumpen-Auswahlen entwickelt. Für solche komplexen Wahrscheinlichkeitssamples wird *nicht* mehr die Forderung aufrecht erhalten, jede Einheit der Grundgesamtheit müsse die *gleiche* Chance haben, in die Auswahl aufgenommen zu werden. Die abgewandelte Forderung lautet: Jede Einheit muß eine *bekannte* Chance haben, gezogen zu werden.

Geschichtete Auswahlen

Ausgangspunkt für die Konstruktion einer geschichteten Auswahl ist die im Hinblick auf die angestrebte Aussage der Untersuchung bestehende Absicht, die Stichprobendaten auch getrennt für bestimmte Gruppen von Fällen auszuwerten.

Beispiele: Gruppen von Befragten sollen nach ihrem Lebens- bzw. Familienzyklus gegenübergestellt werden: alleinstehende junge Leute, Jungverheiratete ohne Kinder, junge verheiratete Personen mit Kleinkindern, Haushalte mit älteren Kindern usw. bis hin zur Gruppe der alleinstehenden alten Menschen; oder es sollen unter Kombination der Merkmale Alter und Geschlecht Kontrollgruppen gebildet werden.

In solchen Fällen ist es sinnvoll, schon bei der Auswahl sicherzustellen, daß diese Gruppen in der Stichprobe zuverlässig repräsentiert sind. Zu diesem Zweck definiert man sozusagen die Grundgesamtheit um und teilt sie in mehrere Teil-Grundgesamtheiten auf: in die Teilsamtheit der alleinstehenden jungen Leute, die Teilgesamtheit der jungen verheirateten Personen ohne Kinder usw. bis hin zur Teilsamtheit der alleinstehenden alten Menschen. Und aus jeder dieser Teilgesamtheiten wird dann jeweils eine einfache Zufallsstichprobe gezogen (entweder eine reine oder eine systematische Zufallsauswahl).

Gilt für jede der definierten Teilgesamtheiten der gleiche Auswahlsatz, dann spricht man von einer proportional geschichteten Stichprobe: Die Anteile der Gruppen in der Stichprobe sind exakt so groß wie die Anteile in der Grundgesamtheit. Der Vorteil gegenüber der einfachen Wahrscheinlichkeitsauswahl besteht darin, daß die Anteilswerte der für die Auswertung bedeutsamen Gruppen nicht im Rahmen von Zufallsschwankungen von den Werten der Grundgesamtheit abweichen.

Häufig ist es jedoch sinnvoll, Personengruppen mit nur geringem Anteil in der Grundgesamtheit stärker in der Stichprobe zu repräsentieren als Personengruppen mit hohem Anteil in der Stichprobe. Für eine gruppenweise getrennte Auswertung der Daten ist nämlich eine bestimmte Mindestzahl von Fällen erforderlich, um sinnvoll statistische Kennwerte und Beziehungsmaße berechnen zu können. Bei genau proportionaler Schichtung könnte die Sicherung einer Mindestzahl von Fällen für alle interessierenden Gruppen die Konsequenz haben, daß der notwendige Stichprobenumfang so anwächst, daß die Untersuchung zu kostspielig wird. Deshalb ist in solchen Fällen eine disproportional geschichtete Auswahl das geeignetere Verfahren. Disproportionale Schichtung ist auch immer dann notwendig, wenn aus irgendwelchen Gründen (etwa tabellenmäßige Auswertung) eine genau gleiche Zahl von Personen je Gruppe erwünscht wird.

Beispiel: Man beabsichtige eine Stichprobe mit n = 1 000 aus einer Gesamtheit von N = 100 000 zu ziehen. Dabei seien fünf Gruppen (A, B, C, D, E) definiert, die gleichgewichtig mit je 200 Personen in der Stichprobe vertreten sein sollen. Falls nun Gruppe A in der Grundgesamtheit 5% aller Fälle ausmacht, Gruppe B 40%, Gruppe C 20,%, Gruppe D 10% und Gruppe E 25%, muß zum Erreichen gleicher Fallzahlen pro Gruppe der Auswahlsatz etwa der Gruppe A achtmal so hoch sein wie der Auswahlsatz für Gruppe B. Die Anteile der Gruppen in der Grundgesamtheit und die entsprechenden Auswahlsätze zur Erzielung der gewünschten disproportionalen Schichtung sind im folgenden gegenübergestellt:

	Grundgesamtheit		Stichprobe	
	N	Anteil	n	Auswahlsatz
Gruppe A:	5000	5%	200	4,0%
Gruppe B:	40000	40%	200	0,5%
Gruppe C:	20000	20%	200	1,0%
Gruppe D:	10000	10%	200	2,0%
Gruppe E:	25000	25%	200	0,8%

Die Auswahlsätze stellen die bekannte, jedoch nicht für jede Gruppe gleiche Chance dar, in die Stichprobe aufgenommen zu werden.

Für (proportional oder disproportional) geschichtete Auswahlen gilt die Aussage nicht mehr, die für einfache Wahrscheinlichkeits-Samples gemacht wurde: daß nämlich Kenntnisse über die Grundgesamtheit nicht erforderlich seien. Was die Probleme bei der Festlegung von Schichtungsmerkmalen angeht, so gelten die Überlegungen, die im Zusammenhang mit den Verfahren der gezielten Auswahl sowie des Quota-Verfahrens angestellt wurden (vgl. Abschn. 6.4.2 und 6.4.3).

Ein Effekt der Schichtung ist im übrigen, daß innerhalb der „Schichten" (der Gruppen) die Variation des Schichtungsmerkmals (und der damit korrelierten Variablen) verringert wird und daß sich die Variation des Schichtungsmerkmals (und der damit korrelierten Variablen) zwischen den „Schichten" vergrößert. Da — wie schon erwähnt — die Fehlerwahrscheinlichkeit eines Schlusses von Stichprobenwerten auf Werte der Grundgesamtheit nicht nur mit zunehmendem Stichprobenumfang, sondern auch mit abnehmender Variation der interessierenden Merkmalsausprägungen geringer wird, ist die Schichtung eine Möglichkeit, die Zuverlässigkeit von Verallgemeinerungen zu erhöhen. Daneben bietet die Schichtung auch eine Chance, den notwendigen Stichprobenumfang so klein wie möglich zu halten (Kostenminimierung), wenn man ein vorgegebenes Fehlerrisiko nicht überschreiten will (beispielsweise eine Irrtumswahrscheinlichkeit von 5% oder von 1%; dies sind übliche Risiko-Grenzen, mit denen in der Sozialforschung gearbeitet wird).

Klumpen-Auswahl (cluster sampling)

Häufig ist die Befragung vereinzelter Personen (Haushalte) — oder allgemeiner: die Erhebung von Daten über vereinzelte Untersuchungsobjekte — nicht geeignet, Informationen für ein angemessenes theoretisches Modell der sozialen Wirklichkeit zu liefern. In der Realität lebt jede einzelne Person (existiert jedes einzelne Untersuchungsobjekt) in einem sozialen sowie einem räumlichen Kontext, in dem die Person mannigfache Handlungs- und Interaktionsbezüge unterhält.

Beispiele: Für den Lernerfolg von Schülern ist sicher der Gesamtzusammenhang in der Schulklasse von Interesse; für betriebssoziologische Fragestellungen dürfte der Zusammenhang der Arbeitsgruppe bedeutsam sein; für Nachbarschaftsuntersuchungen ist die gesamte Nachbarschaft und sind die Bedingungen des Wohngebiets wichtig.

In den Beispielsfällen reicht es nicht aus, isolierte Informationen über einzelne Personen zu sammeln. Es müssen zusätzlich die Bedingungen erfaßt werden, die sich für den einzelnen aus seiner Einbindung in das jeweilige Teilkollektiv ergeben, um sinnvolle Aussagen machen zu können.

Bezieht sich nun das Auswahlverfahren auf solche Teilkollektive — Schulklassen, Arbeitsgruppen, Nachbarschaften, Sportgruppen in Vereinen —, dann spricht man von Klumpen-Auswahlen. Dieser etwas eigenartige Ausdruck ist die Folge einer allzu wörtlichen Übersetzung der englischen Bezeichnung „cluster sampling" (cluster = Gruppe, Zusammenhang, Gebilde, aber auch Klumpen). Der Auswahlvorgang bei der Klumpen-Stichprobe bezieht sich nicht auf die Untersuchungseinheiten, sondern auf die cluster, die Aggregate, auf die „Klumpen" von Erhebungseinheiten.

Um den *Beispielsfall* vom Beginn dieses Kapitels wieder aufzugreifen — Untersuchung der Effizienz politischer Bildung —: Eine durchaus sinnvolle Auswahlstrategie wäre es, jeweils Schüler einer ganzen Klasse zu befragen. In diesem Falle wären die Erhebungseinheiten weiterhin die Schüler (jeweils alle Schüler einer Klasse), Auswahleinheiten jedoch wären Aggregate dieser Erhebungseinheiten, nämlich die Oberprimen in dem betreffenden Bundesland.

Grundsätzlich spricht man nur dann von Klumpen-Auswahl, wenn nicht die Klumpen selbst (z. B. Schulklassen) die Erhebungseinheiten sind, sondern die Bestandteile der Klumpen (z. B. die einzelnen Schüler).

Natürlich sind auch Untersuchungen denkbar und sinnvoll, in denen ganze Gruppen die Untersuchungseinheiten sind. So könnte eine Analyse sich etwa mit der Situation in Schulklassen befassen: das soziale Klima, das Lernklima, Schichtenhomogenität oder -heterogenität in den Schulklassen, das Schüler-Lehrer-Verhältnis und ähnliches mehr könnten dann interessierende Merkmale dieser Untersuchungseinheiten „Schulklassen" sein. In diesem Fall hätten wir es aber bei der Stichprobenkonstruktion nicht mit einer Klumpen-Auswahl zu tun, sondern möglicherweise mit einer einfachen Wahrscheinlichkeitsauswahl, falls die zu untersuchenden Schulklassen anhand eines Schulklassenverzeichnisses zufällig bestimmt wurden.

Von einer Klumpen-Auswahl spricht man auch dann nicht, wenn *nicht alle* Einheiten der ausgewählten cluster zugleich Erhebungseinheiten sind (z. B. wenn nicht alle Schüler der Klassen befragt werden), sondern nur eine (zufällig zu bestimmende) Teilmenge davon. In diesem Fall handelt es sich um eine mehrstufige Auswahl (s. u.). Nur wenn das Auswahlverfahren sich auf *Teilkollektive* bezieht, deren Bestandteile als Untersuchungseinheiten gelten, über die schließlich Aussagen formuliert werden, spricht man von Klumpen-Auswahlen.

Klumpen-Auswahlen können sowohl als Kartei- wie auch als Gebiets-Auswahlen konstruiert werden.

Beispiele von cluster samples als Karteiauswahl: Schulklassen (Klassenverzeichnis), Bewohner von Straßenzügen (nach Straßenzügen geordnete Meldekartei), „Zeitklumpen" bei der Textanalyse (jahrgangsweise geordnetes Verzeichnis von Zeitschriften).

Beispiele für cluster samples als Gebietsauswahl: Bewohner von Häusern, Wohnblocks, Stadtteilen (symbolisch repräsentiert durch die auf einem Stadtplan verzeichneten Gebiete).

Das Cluster-Auswahlverfahren ist immer dann vorteilhaft, wenn sich die Grundgesamtheit in einfach zu unterscheidende, sozusagen „natürliche" Klumpen zerlegen läßt. Solche Klumpen werden allerdings häufig sehr groß sein (besonders bei Gebietsauswahlen: Stadtteile, Gemeinden oder Stimmbezirke), so daß nicht alle Einheiten innerhalb des Klumpens zugleich Untersuchungseinheiten sein können, ohne daß der Erhebungsaufwand zu groß würde.

Mehrstufige Auswahl

Von einer mehrstufigen Auswahl spricht man immer dann, wenn der Auswahlplan nicht direkt auf die „letzten" Auswahleinheiten angewendet wird (die letzten oder eigentlichen Auswahleinheiten sind häufig mit den Erhebungseinheiten identisch, müssen dies jedoch nicht sein; vgl. z. B. die Klumpenauswahl).

Mehrstufig ist eine Auswahl also, wenn der Auswahlprozeß mehrere „Stufen", mehrere Auswahlebenen durchläuft.

Beispiel: Es sei eine Fragestellung zu untersuchen, die die gesamte Bevölkerung einer Großstadt betrifft (z. B. „Blitz-Befragung" über die Meinungen zu einer vorgeschlagenen Privatisierung der bisher kommunalen Müllabfuhr). Da die Sache eilt, läßt sich eine einfache Zufallsauswahl aus der Einwohnerkartei nicht organisieren (oder die an der Befragung interessierte Institution hat keinen Zugriff zu der Kartei). Um trotzdem mit relativ wenig Mühe eine Zufallsauswahl zustande zu bringen, könnte man den Auswahlprozeß mehrstufig konzipieren:

1. Stufe: Man grenzt zunächst „Klumpen" ab: auf dem Stadtplan deutlich unterscheidbare Stadtgebiete etwa gleicher Größe (gemessen an der Einwohnerzahl); hieraus trifft man eine einfache Zufallsauswahl. Die ausgewählten Gebiete sind die Basis für die

2. Stufe: Die ausgewählten „Klumpen" werden in Wohnblocks bzw. in Gruppen von Wohnblocks etwa gleicher Größe (gemessen an der Bewohnerzahl) unterteilt; aus dieser gewonnenen Zahl von Wohnblocks wird eine Flächenstichprobe gezogen. Die so ausgewählten Kleingebiete sind die Basis für die

3. Stufe: Man bestimmt die zu den ausgewählten Wohnblocks gehörenden Häuser (Straße und Hausnummer) und faßt diese zu Kleineinheiten mit etwa gleich großer Wohnungszahl zusammen. Aus diesen wählt man zufällig einen bestimmten Anteil aus, der die Basis ist für die

4. Stufe: Es ist nun relativ leicht, zu den ausgewählten Wohnungsgruppen die dort wohnenden Haushalte zu bestimmen (Aufstellen einer Haushaltsliste auf dieser vierten Stufe durch Ablesen der Namen von den Haustürklingeln). Anhand der so erstellten Liste kann dann auf dieser letzten Auswahlstufe eine Zufallsauswahl der zu befragenden Haushalte gezogen werden.

Das Beispiel macht deutlich, daß erst auf der letzten (hier: der vierten) Stufe des Auswahlverfahrens eine Liste der Erhebungseinheiten (hier: Haushalte) erforderlich wird und daß dennoch eine Zufallsauswahl aus der Grundgesamtheit „Bevölkerung einer Großstadt" möglich ist. Die Stufen 1 bis 3 sind ohne großen Aufwand vom Schreibtisch aus durchführbar (sofern mindestens eine Person mit hinreichend guter Ortskenntnis verfügbar ist). Auch die Aufstellung der Haushaltsliste auf der vierten Stufe verursacht keinen sehr großen Aufwand, weil durch die drei ersten Stufen des Auswahlprozesses eine extreme räumliche Streuung der noch in Betracht kommenden Haushalte vermieden wurde. Man kann jedoch auch auf der vierten (der letzten) Auswahlstufe auf das Erstellen einer Haushaltsliste verzichten, wenn stattdessen das „Verfahren des Zufallsweges" eingesetzt wird (s. u.).

6.5.3 Random-Route-Verfahren (Zufallsweg)

Mit zunehmender Schwierigkeit, über aktuelle Angaben zur Zielpopulation „Bevölkerung" verfügen zu können (wiederholte Verschiebung der Volkszählung, geschärftes Datenschutzbewußtsein), hat – insbesondere in der kommerziellen Umfrageforschung – eine Auswahltechnik an Bedeutung gewonnen, die es erlaubt, Zufallsstichproben ohne Rückgriff auf eine Namens- oder Adressendatei zu realisieren: das sogenannte Verfahren des Zufallswegs (random-route- oder random-walk-Verfahren). Die Haushalte als Auswahleinheiten werden hierbei symbolisch repräsentiert durch ihren Wohnstandort. In präzise formulierten Verhaltensanweisungen wird dem Interviewer vorgegeben, wie er − von einem vorbestimmten Punkt ausgehend (s. o.: Gebietsauswahl, S. 153f.) − seine Zielhaushalte und gegebenenfalls die zu befragende Zielperson im Haushalt zu finden hat.

Die Verfahrenslogik hat große Ähnlichkeit mit der systematischen Zufallsauswahl auf der Basis einer Kartei oder Liste (s. o., S. 152): Der Ausgangspunkt (Startpunkt des „Zufallswegs") wird nach dem Zufallsprinzip ermittelt; die „Ziehung" der Zielperson erfolgt nach einer Systematik, die für den Interviewer (anders als beim Quotensample: s. o., S. 143ff.) jeden Ermessensspielraum bei der Bestimmung der zu befragenden Person ausschalten soll.

Das Vorgehen sei an den random-route-Verhaltensanweisungen illustriert, wie sie ein Markt- und Sozialforschungsinstitut für seine Feldarbeit formuliert hat (hier in Auszügen zitiert aus dem „Grundwissen für Interviewer" des Sample Instituts).[91a] Im Institut werden nach einem Zufallsverfahren die Ausgangspunkte bestimmt und den Interviewern zugewiesen; im Umkreis eines jeden Ausgangspunkts soll eine vorgegebene Zahl von Befragungen durchgeführt werden.

Nehmen wir an, ein solcher Ausgangspunkt sei die Bergstraße 27 im Ort X und der Interviewer stehe vor dieser Startadresse. Ab hier wird sein Verhalten durch eine Reihe genauer Vorschriften festgelegt. Diese beziehen sich auf die Identifizierung des Ausgangshaushalts, auf die Laufrichtung des Interviewers, die Identifizierung der in Betracht kommenden Haushalte und die Zufallsauswahl der zu befragenden Personen im Haushalt:

„Der Ausgangshaushalt.
Bei einem Einfamilienhaus ist der darin wohnende Haushalt Ihre Ausgangsadresse, bei einem Mehrfamilienhaus der parterre links wohnende Haushalt. *Hier wird nicht interviewt.*

Die Laufrichtung.
Sie stehen vor dem Haus mit dem Gesicht zum Haus und dem Rücken zur Straße. Nun drehen Sie sich um 90° nach rechts herum, so daß jetzt die Straße rechts und das Haus links von Ihnen liegt. In diese Richtung müssen Sie losgehen. Und zwar so lange weiter, bis Sie die Möglichkeit haben, rechts in eine andere Straße abzubiegen.

Bisher gingen Sie ja auf der linken Seite der Straße; wenn Sie rechts abbiegen, wechseln Sie gleichzeitig auf die rechte Straßenseite. Dort gehen Sie so lange

91a   *Sample Institut,* (Hrsg.), o.J.: Institut, Interview, Interviewer, Grundwissen für Interviewer (bearb. von R. Lembke), Mölln

weiter, bis Sie wieder links abbiegen können. Dort gehen Sie dann auf der linken Straßenseite weiter, bis Sie wieder rechts abbiegen können.

Die *random-route-Regel* lautet also:

Links gehen, rechts abbiegen;
rechts gehen, links abbiegen.

Die Auswahl der Haushalte.
Auf diesem Zufallsweg zählen Sie auf der Straßenseite, auf der Sie gerade zu gehen haben, alle Haushalte und tragen jeden n-ten Haushalt (der Zählschritt wird Ihnen im Auftragsschreiben bekanntgegeben) in die Adressenliste ein, bis alle Felder der Adressenliste gefüllt sind. (. . .)

Die Haushaltsabzählregel.
Von Ihrer Ausgangsadresse an . . . zählen Sie jeweils die erforderliche Anzahl von Haushalten weiter, wobei der Ausgangshaushalt nicht mitzählt, sondern mit „A" bezeichnet wird. Gezählt wird nach folgender Regel:
Innerhalb eines Mehrfamilienhauses von links nach rechts und von unten nach oben.
Von Haus zu Haus nach der vorgegebenen Laufrichtung."[91b]
Sonderregelungen gelten für Sackgassen, für Ortsgrenzen, für nur auf einer Seite bebaute Straßen sowie für Kreisverkehr.

Zufallsauswahl im Haushalt.
Würde im Zielhaushalt immer diejenige Person befragt, die die Tür öffnet, wäre dies in den allermeisten Fällen entweder die Hausfrau oder ein anderes nicht berufstätiges Haushaltsmitglied. Dies hätte einen erheblichen Stichprobenfehler zur Folge. Gleiches gilt, wenn der Interviewer nur aus denjenigen Personen auswählen würde, die bei seinem Besuch gerade zu Hause anwesend sind. Es muß also auch hier nach einer Regel vorgegangen werden, die jedem Haushaltsmitglied die gleiche Chance sichert, als Zielperson der Befragung identifiziert zu werden, die jedem Haushaltsmitglied die gleiche Chance sichert, als Zielperson der Befragung identifiziert zu werden. Dafür gibt es mehrere Möglichkeiten. In dem hier dargestellten Beispiel wird ein „Geburtstagsschlüssel" verwendet: „Wir fragen, wer als nächster im Haushalt Geburtstag hat. Diese Person muß dann befragt werden. Es ist nicht erlaubt, auf eine andere Person des Haushaltes auszuweichen, sondern es muß genau diejenige befragt werden, deren Geburtstag als nächster bevorsteht."[91c]

Das random-route-Verfahren hat neben dem Vorteil, ohne Adressenkarteien auszukommen, noch einen weiteren Vorzug: Informationen zur Lebensumwelt der untersuchten Haushalte oder Personen (Sozial- und Infrastruktur, Umweltqualität etc.) können parallel zur Feldarbeit der Interviewer oder auch schon vorher beschafft und — da der räumliche Startpunkt für jeweils eine Gruppe von Befragten bekannt ist — leicht zugeordnet werden. Ein Nachteil besteht darin, daß Personen ohne festen Wohnsitz durch das Auswahlraster fallen und Haushalte mit mehrfachem Wohnsitz eine höhere Auswahlchance haben (vgl. Fußnote 91, S. 153).

91b *Sample Institut,* a.a.O., S. 29, 35
91c *Sample Institut,* a.a.O., S. 37

6.6 Zusammenfassung: Vor- und Nachteile der verschiedenen Auswählverfahren

Zur Beurteilung der durch die vorgestellten Auswahlverfahren zu erreichenden Repräsentativität der Stichprobe bietet die folgende Gegenüberstellung eine erste Orientierung (nach *Kops* 1977, 101):

Auswahlverfahren	Repräsentativität der Auswahl angestrebt durch:	Repräsentativität der Auswahl gesichert:
willkürliche Auswahl		nein
bewußte Auswahlen	Informationen zu Stichprobenelementen und Grundgesamtheit (Typisierung, Skalierung, Klassifikation)	mit Einschränkungen und nur für die direkt oder indirekt (durch Korrelationen) kontrollierten Merkmale
Zufallsauswahlen	zufällige Entnahme der Stichprobenelemente	ja

Als Bedingungen für die „zufällige Entnahme der Stichprobenelemente" aus der Grundgesamtheit können wir jetzt (u. a. unter Rückgriff auf das hypothetische „Urnenmodell") zusammenfassen (vgl. *Scheuch* 1974, 76f.):

1) Alle Einheiten müssen die gleiche (oder eine vorher angebbare) Chance haben, in die Auswahl zu kommen.
2) Jede Einheit ist im voraus bestimmbar und gehört dem Universum nur einmal an.
3) Die Auswahl einer Einheit verändert die Chancen anderer Einheiten nicht.
4) Alle potentiellen Einheiten müssen im Moment der Auswahl greifbar (anwesend) sein.

zu 1):
Die Sicherung, daß die vorher bestimmbare gleiche (oder angebbare) Chance während des Auswahlprozesses realisiert wird, geschieht im Urnenmodell durch wiederholtes Durchmischen vor jedem weiteren Ziehen einer Einheit. Im realen Auswahlverfahren wird dieses „Durchmischen" durch Verwendung von Zufallszahlen (bei systematischer Auswahl nur zur Festlegung des Startpunktes des Auswahlprozesses) oder durch Einsatz eines Zufallsauswahlprogramms in der EDV simuliert.

zu 2):
Die Grundgesamtheit und die Elemente der Grundgesamtheit müssen – ausgehend von der Problemstellung der Untersuchung – vor Beginn der Auswahl präzise definiert sein.

zu 3):
Daß die Auswahl einer Einheit aus der Grundgesamtheit die Auswahlchancen der weiteren Einheiten nicht verändert, gilt genau genommen nur für unendlich große Grundgesamtheiten (vgl. das Urnenmodell „mit Zurücklegen"). Man stelle sich dagegen eine kleine Grundgesamtheit mit $N = 100$ vor, aus der eine Stichprobe von $n = 10$ gezogen werden soll: Bei der ersten Ziehung ist die Chance jedes Elements der Grundgesamtheit, ausgewählt zu werden $= 1/100$; bei der zweiten Ziehung ist die Chance der verbliebenen 99 Elemente, ausgewählt zu werden $= 1/99$; . . .; bei der zehnten Ziehung ist die Chance der verbliebenen 91 Elemente $= 1/91$. Diese „bedingte Wahrscheinlichkeit" (hier: Auswahlchance unter der Bedingung, daß bereits eine bestimmte Zahl von Elementen ausgewählt wurde) verändert sich von der ersten bis zur letzten Ziehung um so stärker, je höher der Auswahlsatz ist, bzw. bei vorgegebenem Stichprobenumfang (n): je kleiner die Grundgesamtheit ist. Die erste genannte Bedingung – gleiche oder bekannte Chance für alle Einheiten – gilt also bei endlichen Grundgesamtheiten nicht für jede einzelne Ziehung eines Elements; sie gilt vielmehr a) *vor* Beginn des Auswahlprozesses für alle Elemente und b) für die Gesamtzahl der n Ziehungen, also den gesamten Auswahlprozeß (Wahrscheinlichkeit, im 1. *oder* 2. *oder . . . oder* n.ten Zug ausgewählt zu werden).

zu 4):
Hierzu wurde in Kap. 6.1 dargestellt, daß an die Stelle der physischen Greifbarkeit (physische Anwesenheit) aller potentiellen Einheiten im Moment der Auswahl im Normalfall ersatzweise die symbolische Repräsentation aller Einheiten der Grundgesamtheit tritt. Probleme im Hinblick auf die Repräsentativität einer Stichprobe treten dann auf, wenn die symbolisch repräsentierte Grundgesamtheit nicht mit der angestrebten Grundgesamtheit (vollständig) übereinstimmt.

Übersicht:
Vor- und Nachteile der verschiedenen Auswahlverfahren

	Vorteile:	*Nachteile:*
Vollerhebungen	tiefe sachliche und räumliche Gliederung möglich; keine Auswahlfehler	hoher Aufwand, hohe Kosten; lange Zeitspanne zwischen Vorbereitung und Abschluß der Erhebung: geringe Aktualität; Erfassungsfehler durch mangelde Kontrollmöglichkeiten bei großen Erhebungen (z. B. Volkszählung); Beeinflussung der untersuchten Gesamtheit möglich; großer Zeitaufwand für Datenaufbereitung; bei manchen Sachverhalten sind Vollerhebungen überhaupt unmöglich (z. B. Qualitätskontrolle von Produkten)
Auswahlen, Teilerhebungen	geringere Kosten, dadurch größere Breite der Fragestellung möglich; schnelle Durchführung;	geringe sachliche und räumliche Gliederung; Auswahlfehler (bei zufallsgesteuerten Auswahlen kontrollier-

163

	Vorteile:	Nachteile:
	aktuelle Ergebnisse; gründlichere Erhebung und bessere Kontrollen	bar); räumliche und soziale Bezugssysteme können nur schwer erfaßt werden (Ausnahme: Klumpenauswahl)
nicht zufallsgesteuerte Auswahlen	geringer Aufwand, geringe Kosten; umfangreiche Informationssammlung über besonders „interessante" Fälle	keine statistische Kontrolle des Auswahlfehlers; unsichere Generalisierbarkeit der Ergebnisse
Quotenauswahlen	schnelle Durchführung: aktuelle Ergebnisse; bei gut geschultem Interviewerstab relativ „repräsentative" Ergebnisse, sofern Standardprobleme analysiert werden	Verzerrung der Auswahl durch Persönlichkeitsmerkmale der Interviewer möglich; Interviewer nicht kontrollierbar (kaum Kontrollinterviews möglich); zur Vorgabe der Quoten sind Informationen über die Grundgesamtheit erforderlich, die häufig nicht vorliegen oder nicht aktuell sind; Quotierungsmerkmale müßten zur Sicherung generalisierbarer Ergebnisse theoretischen Bezug zum Untersuchungsgegenstand, zur Fragestellung haben; üblicherweise können aber nur leicht erkennbare demographische Merkmale herangezogen werden
zufallsgesteuerte Auswahlen	repräsentative Ergebnisse; Auswahlfehler kann statistisch berechnet und damit kontrolliert werden; Auswahl unabhängig von Ermessensentscheidungen der Interviewer	Zufallsstichproben schwierig durchzuführen; Ersetzen von „Ausfällen" problematisch; längere Vorbereitung und Durchführung, dadurch höhere Kosten, geringere Aktualität
einfache Wahrscheinlichkeitsauswahlen	leichte Berechnung des Auswahlfehlers durch direkte Schätzung der Größen für die Gesamtheit aus den betreffenden Werten der Stichprobe; keine Informationen über Merkmale in der Grundgesamtheit erforderlich	keine Anpassung des Auswahlverfahrens an den Untersuchungsgegenstand, keine Berücksichtigung von „Extremgruppen" möglich (höhere Kosten, geringere Aussagekraft bei gegebener Stichprobengröße)

	Vorteile:	Nachteile:
komplexe Wahschein-lichkeits-auswahlen	Anpassung des Auswahlverfahrens an die Fragestellung der Untersuchung möglich (Verringerung der Kosten, Erhöhung der Aussagekraft)	zum Teil komplizierte Berechnung des Auswahlfehlers, da die Einheiten der Gesamtheit unterschiedliche (aber bekannte) Auswahlchancen haben
geschichtete Wahrscheinlichkeitsaus-wahlen	durch Herstellung homogener Teilgesamtheiten *vor* der Auswahl kann der Auswahlsatz bei gleichbleibender Genauigkeit verringert werden (Zeit-, Kostenersparnis) bzw. bei gleichbleibendem Auswahlsatz wird die Genauigkeit erhöht (Verbesserung der Effektivität)	Schichtungsmerkmale (für die Fragestellung relevante, theoretisch bedeutsame Merkmale) müssen für die Grundgesamtheit vorliegen
mehrstufige Auswahlen (meist Kombination von Flächen-stichproben mit Personen-stichproben)	die Grundgesamtheit muß nicht symbolisch repräsentiert werden (z. B. Karteien oder Dateien); Informationen über Merkmalsverteilungen in der Grundgesamtheit sind nicht erforderlich; Einbeziehung des Raumes als Untersuchungsgegenstand ist möglich; Klumpenbildung (räumliche Ballung der Erhebungseinheiten) möglich: Zeit- und Kostenersparnis, bessere Interviewerkontrolle	keine zusätzlichen spezifischen Nachteile erkennbar

6.7 Literatur zu Kap. 6

ADM, Arbeitskreis Deutscher Marktforschungsinstitute (Hrsg.), 1979: Musterstichprobenpläne (bearb. von F. Schaefer), München

Böltken, Ferdinand, 1976: Auswahlverfahren. Eine Einführung für Sozialwissenschaftler, Stuttgart

Friedrich, Walter; *Hennig,* W., 1975: Der sozialwissenschaftliche Forschungsprozeß, Berlin (DDR); Kap. 1.3

Friedrichs, Jürgen, 1977: Methoden empirischer Sozialforschung, Reinbek, Kap. 3.4

Harder, Theodor, 1974: Werkzeug der Sozialforschung, München (UTB 304); Kap. II

Kaplitza, Gabriele, 1975: Die Stichprobe, in: *Holm,* K. (Hg.): Die Befragung 1, München (UTB 372); 136-186

Karmasin, Fritz und Helene, 1977: Einführung in Methoden und Probleme der Umfrageforschung, Wien, Köln, Graz; 223ff.

Koolwijk, Jürgen van, 1974: Das Quotenverfahren, in *Koolwijk*, J. van; *Wieken-Mayser*, M. (Hg.): Techniken der empirischen Sozialforschung, Bd. 6, München 81-99

Kops, Manfred, 1977: Auswahlverfahren in der Inhaltsanalyse, Meisenheim a. G.

Mayntz, Renate; *Holm*, K., *Hübner*, P., 1971: Einführung in die Methoden der empirischen Soziologie, Opladen; Kap. 3

Noelle-Neumann, Elisabeth, 1963: Umfragen in der Massengesellschaft, Reinbek

Pokropp, Fritz, 1980: Stichproben: Theorie und Verfahren, Königstein/Ts.

Riley, Matilda W., 1963: Sociological Research, Vol. I: A Case Approach, New York, Unit 6: Some Sampling Methods

Sahner, Heinz, 1971: Schließende Statistik, Stuttgart

Scheuch, Erwin K., 1974: Auswahlverfahren in der Sozialforschung, in: *König*, R. (Hg.): Handbuch der empirischen Sozialforschung, Band 3 a, Stuttgart, S. 1-96

Sturm, Manfred; *Vajna*, T., 1974: Planung und Durchführung von Zufallsstichproben, in: *Koolwijk*, J. van; *Wieken-Mayser*, M. (Hg.): Techniken der empirischen Sozialforschung, Bd. 6, München, 40-80.

Tiede, Manfred; *Voss*, W. 1982: Einführung in die induktive Statistik, 2 Bände, Bochum

7. Datenerhebungsinstrumente der empirischen Sozialforschung

Häufig sind, wenn im Zusammenhang mit empirischer Sozialforschung von den „Methoden" gesprochen wird, die systematischen Erhebungsverfahren wie Befragung, Beobachtung, Inhaltsanalyse, Soziometrie gemeint; so etwa bei *Friedrichs* (1977), der diese Instrumente unter der Überschrift „Methoden" zusammenfaßt. Im vorliegenden Text wird der Begriff allerdings nicht in diesem engeren Sinn benutzt; unter „Methoden" werden vielmehr sämtliche *systematischen*, d. h. nach festgelegten Regeln ablaufenden Vorgehensweisen der Sozialforschung von der dimensionalen bzw. semantischen Analyse bis zur Datenauswertung verstanden. Ein Teil dieser Methoden sind die Datenerhebungsinstrumente. Obwohl sie in besonderem Maße im Mittelpunkt stehen, wenn Sozialforschung in die Diskussion gerät, so darf doch ihr Stellenwert für das Gelingen eines Forschungsvorhabens nicht größer — wenn auch nicht geringer — veranschlagt werden als der Stellenwert der übrigen eingesetzten Methoden.

Im modellhaften Phasenschema des Forschungsprozesses (vgl. Kap. 2.1) stellt die Entwicklung (und der Test) der Erhebungsinstrumente den Abschluß der Forschungsvorbereitung — und damit der gedanklich-theoretischen Strukturierung der Untersuchung — dar, bevor die empirische Datensammlung (die „Feldarbeit") beginnt. Diese Zäsur wird besonders deutlich in solchen Forschungsvorhaben, in denen die Vorbereitung (und später die Datenanalyse) bei einem Forscherteam liegt, während die Durchführung der Datenerhebung und -aufbereitung an ein kommerzielles, darauf spezialisiertes Institut vergeben wird.

Aus dem Katalog der existierenden Instrumente empirischer Datenerhebung werden im folgenden exemplarisch Inhaltsanalyse, Beobachtung und Befragung herausgegriffen und jeweils in ihrer standardisierten Version vorgestellt (7.1 bis 7.3). In einem zusammenfassenden Abschnitt (7.4) folgt dann eine Gegenüberstellung von Ähnlichkeiten und Unterschieden; hierbei werden insbesondere Probleme der Entwicklung und der Anwendung dieser Verfahren aufgezeigt.

Die Entscheidung für die Darstellung standardisierter Verfahren sollte nicht als ein Urteil über die Qualität unterschiedlicher Instrumententypen (miß)verstanden werden (etwa: standardisierte Instrumente lieferten „präzisere" und damit „bessere" Resultate). Ausschlaggebend waren vielmehr didaktische Überlegungen: 1. stößt man bei der Lektüre sozialwissenschaftlicher Forschungsberichte besonders häufig auf standardisierte Erhebungsinstrumente; 2. läßt sich an ihnen die zugrunde liegende Vorgehenslogik leichter herausarbeiten.

Dem Leser sollte jedoch immer bewußt bleiben, daß die Wahl einer bestimmten Untersuchungsanordnung (vgl. Kap. 9) und der Einsatz bestimmter Instrumente niemals „automatisch" erfolgen dürfen. Entscheidungen darüber sind in jedem Einzelfall in gründlicher Auseinandersetzung mit dem Untersuchungsgegenstand und der Fragestellung zu treffen *und zu begründen*.

7.1 Empirische Inhaltsanalyse[92]

Inhaltsanalyse knüpft — wie die anderen Instrumente der empirischen Sozialforschung auch — an alltägliche Vorgehensweisen an, ist im Grunde nichts weiter als deren Systematisierung. So „analysiert" jeder Autofahrer den „Inhalt", d. h. die Bedeutung von Symbolen, wenn er sich durch den Schilderwald kämpft; so analysiert der Wohnungssuchende mehr oder weniger systematisch den Inhalt des Anzeigenteils von Tageszeitungen. Allerdings geschieht diese alltägliche „Inhaltsanalyse" eher intuitiv, nicht nach fest vorgegebenen — intersubjektiv nachvollziehbaren — Regeln der Informationsverarbeitung.

Die empirische Inhaltsanalyse — so wie sie hier verstanden werden soll — ist nach einer weit gefaßten, aber durchaus gängigen *Definition* eine Forschungstechnik, mit der man aus jeder Art von Bedeutungsträgern durch systematische und objektive Identifizierung ihrer Elemente Schlüsse ziehen kann, die über das einzelne analysierte Dokument hinaus verallgemeinerbar sein sollen.[93]

Diese weitgefaßte Definition zeigt, daß das Instrument Inhaltsanalyse nicht auf die Verarbeitung sprachlicher Mitteilungen beschränkt ist, sondern z. B. auch Gemälde aus einer zurückliegenden Epoche, Keramik oder kultische Gegenstände aus einer Kultur, von der schriftliche Dokumente nicht überliefert sind, oder einen Stummfilm zum Gegenstand haben kann. Im allgemeinen jedoch — jedenfalls in den Zusammenhängen, in denen Sozialwissenschaftler die empirische Inhaltsana-

---

92 Im folgenden wird die Methode der empirischen Inhaltsanalyse verschiedentlich im Vergleich zum Erhebungsinstrument Befragung dargestellt; dabei wird zunächst lediglich ein Alltagsverständnis von „Befragung" vorausgesetzt.

93 Sinngemäß finden sich solche Definitionen oder wesentliche Elemente davon etwa bei Berelson 1952, Gerbner u. a. 1969, Janis 1949, Holsti 1968, 1969, Stone u. a., 1966, Früh 1981.

lyse einsetzen – wird es sich um die Analyse sprachlicher Mitteilungen handeln, meist schriftliche Texte.

Einige *Beispiele* sollen den sehr weiten Anwendungsbereich der Techniken der Inhaltsanalyse veranschaulichen: Auswertung von Gruppendiskussionen, von Intensivinterviews, von Leitfaden-Gesprächen, in denen der gesamte Gesprächsverlauf auf Tonträger (Tonband, Kassettenrecorder) aufgezeichnet wurde; Auswertung von schriftlichen Gesprächsprotokollen, von Antworten auf offen gestellte Fragen im Interview; Auswertung von Zeitungsartikeln über Energiefragen vor der „Ölkrise" und danach; Flugblätter von Antikernkraft-Bürgerinitiativen; Analyse des Inhalts von Heiratsanzeigen in regionalen und überregionalen Zeitungen; Auswertung von historischen Quellen usw.

Abzugrenzen ist die systematische empirische Inhaltsanalyse von dem im Deutschunterricht der Schule geläufigen Verfahren der Textinterpretation. Für solche Textinterpretationen gelten die Regeln der Hermeneutik. Auch die Hermeneutik hat die Auswertung sinnhaltiger Dokumente – insbesondere Texte – zum Ziel. Allerdings geht es ihr nicht um die systematische Identifizierung von Aussage-Elementen und deren Zuordnung zu vorher festgelegten Kategorien, wie bei der empirischen Inhaltsanalyse.[94] Die Erkenntnisabsicht bei hermeneutischen Verfahren ist vielmehr das „Verstehen des Sinns" von Aussagen, von Dokumenten, historischen Quellen etc. Die Bedeutung einer Botschaft (eines Textes, eines Gedichts, eines Gemäldes) soll erschlossen werden, indem man versucht, sich in denjenigen hineinzuversetzen, der den Text verfaßt (oder das Bild gemalt) hat. Zu diesem Zweck wird man versuchen müssen, Kenntnisse aus der Epoche, aus der die Botschaft stammt, sowie über ihre Entstehungsbedingungen zur Interpretation hinzuzuziehen. So werden beispielsweise in der Regel Informationen über die persönliche Situation des Autors Eingang in die Überlegungen finden. Das Ergebnis solcher hermeneutischen Textinterpretationen – auch wenn noch so viele Informationen berücksichtigt werden – wird jeweils subjektiv in dem Sinne bleiben, daß zwei verschiedene Personen kaum einmal die gleiche Interpretation liefern werden; d. h. das Resultat ist *personenabhängig*.

Wenn demgegenüber im Zusammenhang mit der systematischen Inhaltsanalyse von „objektiv" gesprochen wird („systematische und objektive Identifizierung" von Textelementen), dann ist dies in einem eingeschränkten Sinne, sozusagen als Gegensatz zum hermeneutischen Vorgehen zu verstehen: Inhaltsanalyse soll *objektiv* in der Weise sein, daß die systematische Zuordnung von Aussageinhalten zu vorher festgelegten Kategorien von der Person, die die Textdurchsicht und die Zuordnung vornimmt („Vercoder"), *unabhängig* sein soll; die Resultate der Zuordnung sollen „intersubjektiv" sein. Zu diesem Zweck müssen

---

94 Einen Überblick über hermeneutische Verfahren gibt Klafki (1971) aus erziehungswissenschaftlicher Sicht. – Zum Begriff der inhaltsanalytischen „Kategorie" s. Abschn. 7.1.2.

die Zuordnungsregeln von dem Vercoder (den Vercodern) einheitlich und konsistent angewendet werden.

Ein weiterer Unterschied zum hermeneutischen Vorgehen besteht darin, daß bei der hermeneutischen Interpretation die Absicht vorherrscht, durch Einbeziehen möglichst aller Umstände und Bedingungen, unter denen der Text entstanden ist, ein *ganzheitliches* Verständnis zu entwickeln. Die systematische Inhaltsanalyse geht dagegen den umgekehrten Weg: Die Texte werden zunächst in ihre Einzelbestandteile aufgelöst (in „Zähleinheiten" zerlegt, die bei der weiteren Analyse als „Merkmalsträger" behandelt werden); aus der Beschreibung der Einzelbestandteile sowie der zwischen den Einzelbestandteilen festzustellenden Beziehungen gelangt man dann zu Schlußfolgerungen, die über die eigentlichen Texte hinausgehen (können). Nicht der einzelne Text, sondern erst die Auswertung der Informationen (Daten), die aus der Gesamtheit der analysierten Texte gewonnen werden, liefert also Antworten auf die Untersuchungsfragen.

„Objektiv" heißt also: Das *Verfahren* der Zerlegung eines Textes in seine zu analysierenden Bestandteile sowie der Zuordnung zu analytischen Kategorien ist „objektiviert"; jeder Sachkundige kann die Vorgehensweise exakt nachvollziehen, sie ist intersubjektiv überprüfbar. Das individuelle „Sich-Hineinversetzen" in einen Text beim hermeneutischen Verfahren kann dagegen nicht intersubjektiv nachvollzogen werden, kann nicht im obigen Sinne „objektiviert" werden. — „Systematisch" in der obigen Definition heißt, daß *vor* der Inhaltsanalyse ein Auswertungsschema erarbeitet wird, an das die Vercoder sich zu halten haben:

7.1.1 Das (vereinfachte) Modell sozialer Kommunikation

Die Forderung nach Intersubjektivität ist nun im Zusammenhang mit der Inhaltsanalyse leicht aufgestellt, aber schwer zu verwirklichen. Mit dem Prozeß der Übermittlung und der Deutung von Zeichen, die eine bestimmte Information enthalten (hier speziell: von sprachlichen Zeichen), befaßt sich die Informationswissenschaft (vgl. z. B. *Seifert* 1968). Das hierbei entwickelte Modell sozialer Kommunikation soll im folgenden kurz vorgestellt werden. [95]

Kommunikation wird nach diesem Modell verstanden als Zeichenverkehr zwischen „Sender" und „Empfänger". Hierbei ist der Sender die Quelle einer Botschaft (z. B. eine Person, die einen Satz ausspricht); die „gesendeten Zeichen" stellen die Nachricht dar, die übermittelt werden soll (z. B. die Worte des ausgesprochenen Satzes, die eine bestimmte Bedeutung repräsentieren); Empfänger ist derjenige, der die Nachricht (die Information) aufnimmt (z. B. derjenige, der den gesprochenen Satz hört). Hinzu kommt noch als weitere Notwendigkeit die

95 In etwas erweiterter Form wird darauf bei den Erörterungen über das Erhebungsinstrument Befragung zurückzukommen sein.

Existenz eines Übertragungsmediums (z. B. die Luft, die vom Sprecher produzierte Schwingungen als Schall überträgt, so daß diese vom Ohr des Empfängers aufgefangen werden können). Im Falle schriftlicher Kommunikation tritt an die Stelle des gesprochenen Wortes das geschriebene Wort (die Symbolisierung durch Laute wird durch Symbolisierung in Form von Schriftzeichen ersetzt), das Übertragungsmedium ist dann z. B. das Papier, auf dem die Schriftzeichen erkennbar sind.

Zur Veranschaulichung sei ein kurzer Kommunikationsausschnitt aus einem Interview (z. B. Intensivinterview mit offenen Fragen, d. h. Fragen ohne vorgegebene Auswahlantworten) herausgegriffen:

Der Interviewer (I) hat in seinem Kopf eine bestimmte Fragestellung, ein bestimmtes Problem (angeregt z. B. durch ein Stichwort in seinem „Interviewleitfaden"), und zwar zunächst als seinen subjektiven gedanklichen Vorstellungsinhalt (G):

1) I denkt G1.

Der Interviewer kleidet dieses Gedachte in Worte, d. h. er übersetzt den gedanklichen Frageinhalt in eine Frageformulierung: er verschlüsselt seine Vorstellungen in sprachliche Zeichen, in Worte (W):

2) I verschlüsselt G1 in W1.

Das Ergebnis dieses Übersetzungsvorgangs spricht der Interviewer aus, d. h. er stellt dem Interviewten eine Frage. Die verschlüsselten Informationsinhalte W1 werden über ein Medium zum Empfänger übertragen (hier: Schallwellen). Der Befragte (B) hört die gesprochenen Worte und übersetzt sie entsprechend seinem Verständnis; es entsteht eine gedankliche Vorstellung in seinem Kopf:

3) B entschlüsselt W1 in G2.

Das Ergebnis dieser Entschlüsselung ist das Frageverständnis von B, d. h. das, was B unter der von I gestellten Frage versteht. Im Idealfall − wenn die Verschlüsselungssysteme von I und B exakt übereinstimmen − kann G2 mit G1 identisch sein. Aufgrund seines Frageverständnisses entwickelt der Befragte den gedanklichen Vorstellungsinhalt einer Antwort, die er dann in sprachliche Zeichen übersetzt und dem Interviewer mitteilt:

4) B denkt G3.

5) B verschlüsselt G3 in W2.

Die formulierte Antwort W2 ist also eine Reaktion auf die Frage W1, so wie sie vom Befragten verstanden wurde; kurz ausgedrückt: W2 ist eine Antwort auf G2, nicht auf G1 (denn G1 kennt der Befragte ja gar nicht).

Der Interviewer hört die Antwort und übersetzt sie in sein Antwortverständnis:

6) I entschlüsselt W2 in G4.

Wir haben es also mit zwei in Worte gefaßte Botschaften (W1 und W2), aber mit vier gedanklichen Vorstellungsinhalten zu tun (G1 bis G4). Wenn nun der Interviewer die Antwort auf seine Frage verarbeitet, dann setzt er G1 (sein Frageverständnis) mit G4 (seinem Antwortverständnis) in Beziehung. Der Befragte dagegen hat G2 (sein Frageverständnis) mit G3 (seinem Antwortverständnis) in Beziehung gesetzt.

Um sich verständigen zu können, müssen die Gesprächspartner voraussetzen, daß G1 mit G2 und daß G3 mit G4 annähernd identisch sind, sie müssen von der Fiktion ausgehen, daß beide Gesprächspartner den Worten W1 sowie den Worten W2 weitgehend dieselbe Bedeutung zuschreiben.

Obwohl diese Fiktion wohl kaum realistisch ist, klappt erstaunlicherweise die Kommunikation meist einigermaßen; aber eben nur meist

171

und nur einigermaßen, nämlich dann, wenn beide Gesprächspartner – wie es treffend in der Umgangssprache heißt – „dieselbe Sprache sprechen". Daß Fälle nicht einwandfrei gelingender Kommunikation aber gar nicht so selten eintreten, merkt man an Diskussionen, in denen die Diskutierenden erhebliche Zeit völlig aneinander vorbeireden können, ohne dies zu bemerken. Nach längerer Debatte erweist sich dann möglicherweise die vermeintliche Meinungsverschiedenheit als ein Mißverständnis und löst sich in Wohlgefallen auf. Ein Beispiel aus dem Wissenschaftsbereich ist der Zuverlässigkeitstest beim Vercoden im Zusammenhang mit der empirischen Inhaltsanalyse: Zwei verschiedene Personen (Vercoder) haben die Aufgabe, den gleichen Text nach den gleichen Regeln einem exakt definierten System von Kategorien unabhängig voneinander zuzuordnen. Die Bedingungen dafür, daß die Zuordnung von W 1 (Text) zu W 2 (Kategorien) zum gleichen Ergebnis bei beiden Vercodern führt (d. h. daß die mit W 1 assoziierten gedanklichen Vorstellungsinhalte G bei ihnen identisch sind), sind hier erheblich günstiger als in der alltäglichen Kommunikation oder bei der Befragung: Die verwendeten Begriffe (Kategorien) sind definiert; die Zuordnungsregeln sind eindeutig formuliert; die Vercoder sind für ihre Aufgabe vorbereitet, geschult worden. Dennoch wird es eine ganze Reihe unterschiedlicher Zuordnungen geben; d. h. die gleichen Worte rufen in den Vercodern unterschiedliche gedankliche Inhalte („Vorstellungsbilder") hervor.

Die angedeuteten Schwierigkeiten verstärken sich noch, wenn Texte analysiert werden, die in einem anderen sozialen Kontext entstanden sind als dem der Forscher und/oder Vercoder (z. B. historische Texte, Flugblätter/Tagebücher von Angehörigen sozialer Randgruppen). In solchen Fällen sollte der eigentlichen empirischen Inhaltsanalyse eine semantische Analyse der in den Texten vorkommenden Begriffe vorausgehen, um die tatsächliche Bedeutung der sprachlichen Zeichen festzustellen.

Um es zusammenzufassen: „Objektivität" als Definitionsmerkmal der empirischen Inhaltsanalyse kann sich nur beziehen auf eine „Objektivierung" des Verfahrens der systematischen Datengewinnung durch vorab formulierte explizite Regeln des Vorgehens. Das gilt im übrigen nicht nur für die Inhaltsanalyse, sondern für sämtliche Methoden empirischer Forschung.

7.1.2 Die Entwicklung des inhaltsanalytischen Kategoriensystems

„Die Analyse von Inhalten geschieht durch ein Kategoriensystem, nach dem die Einheiten des Materials in den problemrelevanten Dimensionen codiert werden" (*Friedrichs* 1977, 316). „Da die Kategorien die Substanz der Untersuchung enthalten, kann eine Inhaltsanalyse nicht besser sein als ihre Kategorien" (*Berelson* 1952, 147). — Beide Zitate zeigen die zentrale Bedeutung des inhaltsanalytischen Kategoriensystems auf, das vor Beginn der Textanalyse aus der Fragestellung der Forschung heraus und unter Rückgriff auf empirisch fundiertes Wissen sorgfältig erarbeitet werden muß. Die gründliche theoretische Aufarbeitung des Forschungsproblems ist — wie bei anderen Erhebungsinstrumenten auch — eine notwendige Voraussetzung für die Konstruktion eines brauchbaren Kategorienschemas. Diese theoretische Aufarbeitung ist unbedingt *vor* der Datenerhebung erforderlich; sie kann nicht erst im Laufe der Analyse nachgeholt werden.

Um die „problemrelevanten Dimensionen" der Untersuchung zu ermitteln, wird man — von einer präzisen Formulierung des Forschungsproblems ausgehend — eine dimensionale Analyse durchführen und vorhandenes theoretisches sowie empirisches Wissen zum Gegenstandsbereich auswerten, damit die geeigneten Begriffe (hier begriffliche Kategorien genannt) festgelegt und definiert werden können. Diese sollen dann die gezielte Wahrnehmung der Vercoder bei der systematischen Durchsicht der Texte lenken. [96]

Zur Veranschaulichung kann an das in Kap. 3.2 eingeführte *Beispiel* einer Untersuchung zum Zusammenhang von sozialer Herkunft und späterem Berufserfolg angeknüpft werden: Angenommen, es solle einerseits durch Erhebung von Daten bei einer Gruppe von Personen (Befragung) erforscht werden, wie die empirische Situation aussehe. Andererseits sollen Informationen darüber gewonnen werden, welche Auffassungen gesellschaftliche Gruppen zu dem genannten Problem vertreten (politische Parteien, Gewerkschaften und andere berufsbezogene Organisationen, Interessenverbände; Äußerungen in deren

---

96 Damit der Bezug zu den bisherigen allgemeiner gehaltenen Überlegungen deutlich wird, möge sich der Leser nochmals den Ablauf des Forschungsprozesses vergegenwärtigen (vgl. Kap. 2.1): Nachdem der Forscher aufgrund von Relevanzüberlegungen eine Reihe bedeutsamer Aspekte (Eigenschaften, Merkmale) des Gegenstandsbereichs bestimmt hat (Dimensionen A, B, . . .; vgl. „dimensionale Analyse", Kap. 3.1), werden diese auf der sprachlichen Ebene durch geeignet definierte Begriffe repräsentiert (Begriffe A, B, . . .; vgl. Kap. 3.4). Im Zuge der Operationalisierung sind dann für jede der begrifflich bezeichneten Merkmalsdimensionen Indikatoren auszuwählen (a_1, a_2, . . .; b_1, b_2, . . .; vgl. Kap. 4.3), die zusammen mit den zu unterscheidenden Ausprägungen die Variablen der Untersuchung darstellen (vgl. Abschn. 5.2.2). Den „Merkmalsdimensionen" in der bisherigen Ausdrucksweise entsprechen nun bei der Inhaltsanalyse von Texten die Kategorien, d. h. die Oberbegriffe, denen die in den Texteinheiten zum Ausdruck kommenden Inhalte zugeordnet werden. „Indikatoren" für die mit den Kategorien bezeichneten Sachverhalte (Inhalte) sind die sprachlichen Realisationen (z. B. Worte, Sätze). „Merkmalsausprägungen" (oder Variablenausprägungen) werden in diesem Zusammenhang im allgemeinen Unterkategorien genannt. — Analoges gilt im Falle einer hypothesentestenden Untersuchung mit semantischer Analyse der verwendeten theoretischen Begriffe.

Grundsatz- und evtl. Wahlprogrammen, in deren Veröffentlichungen, Pressediensten usw.). Nach welchen Aussageinhalten müßten wir suchen und welche Daten müßten wir erheben, um Sichtweise und Zielvorstellungen der genannten Organisationen mit den realen Gegebenheiten vergleichen zu können?

Die Fragestellung impliziert zunächst mindestens zwei grobe gedankliche Dimensionen (oder Denkkategorien):

— zum einen die statische Vorstellung von einer sozialen Hierarchie, in der jedes Mitglied der Gesellschaft entsprechend seinem sozialen Status „verortet" werden kann (und die sich durch Begriffe wie „soziale Lage", „soziale Schicht" oder „Klassenstruktur" bezeichnen läßt);

— zum anderen die Vorstellung von einer dynamischen Veränderung dieser Hierarchie, die Idee einer mehr oder weniger starken Durchlässigkeit der Schicht- oder Klassengrenzen (was durch einen Begriff wie „soziale Mobilität" zu erfassen ist).

Damit ein solcher Sachverhalt (Hierarchie, Mobilität) überhaupt als „soziales Problem" angesehen wird, das z. B. in den öffentlichen Meinungsäußerungen gesellschaftlicher Gruppen als Thema auftaucht und das eine nähere Untersuchung erfordert, müssen mindestens zwei Bedingungen erfüllt sein:

(1) Der Zustand, wie er wahrgenommen wird, verstößt gegen normative Vorstellungen (z. B.: Die Mobilität ist zu groß, „alte Traditionen" gehen verloren, es drohen Instabilität und ein „Zerfallen der gesellschaftlichen Ordnung". Oder: Die Mobilitätschancen sind zu gering, die Norm der Chancengleichheit für alle Bürger wird verletzt, die bestehende Hierarchie konserviert überholte Macht- und Herrschaftsverhältnisse).

(2) Die verfügbaren Kenntnisse über die Zusammenhänge im bestehenden System (hier: über die Ursachen und die Wechselwirkungen von individueller Mobilität und gesellschaftlicher Stabilität) werden als nicht ausreichend erachtet.

Zu einer Fragestellung wie der genannten existieren nun vielfältige und widersprüchliche Thesen, Vermutungen und Befürchtungen. Etwa: Die soziale Hierarchie wird dadurch konserviert, daß der Status des Elternhauses auf die Nachfolgegeneration „vererbt" wird. Oder entgegengesetzt: Die gegenwärtige Gesellschaft ist hochmobil, sie ist gekennzeichnet durch „Entschichtungsvorgänge", durch „Deklassierungen und Wiederaufstiege", wobei der Schule (über die Vermittlung aufstiegsbestimmender Berufsqualifikationen) die Funktion eines „bürokratischen Zuteilungsapparates" von Lebenschancen zukommt (*Schelsky* 1962 (vgl. Fußnote 25). Ferner gibt es zum Problem eine Reihe von Theorien (z. B. Sozialisations- und Schichtungstheorien) sowie empirische Einzelbefunde, auf die wir aufbauen und aufgrund derer wir untersuchungsleitende Hypothesen formulieren können. Die Ausformulierung entsprechender Hypothesen führt uns zu problemrelevanten Begriffen wie soziale Stellung des Elternhauses (Berufsprestige, Bildungsstandard, Einkommen usw.), Schulbildung und Berufserfolg der Kinder sowie — bei einem Vergleich des Elternstatus mit dem der

174

erwachsenen Kinder – Mobilität, Mobilitätshemmnisse usw. (vgl. Kap. 3.2). Diese Begriffe sind für das weitere Vorgehen präzise zu definieren.

Bis zu diesem Punkt sind die forschungsvorbereitenden Arbeitsschritte für beide Teiluntersuchungen identisch. Unterschiede ergeben sich erst durch die unterschiedliche Art und Weise der Operationalisierung der Begriffe im Hinblick auf die Instrumente Befragung bzw. empirische Inhaltsanalyse.

Bei der *Befragung* geschieht die *Operationalisierung* dadurch, daß als Indikatoren für das Vorliegen der mit den Begriffen bezeichneten Sachverhalte die Antworten der Befragten herangezogen werden: also ist für jede Teildimension des begrifflich bezeichneten Sachverhalts mindestens eine Frage zu stellen (zur sozialen Herkunft etwa je eine Frage nach der genauen Berufsposition des Vaters, dem ungefähren Haushaltseinkommen, nach dem Bildungsabschluß des Vaters und der Mutter, nach den Leistungsorientierungen im Elternhaus usw.), und es ist zu entscheiden, ob und in welcher Differenzierung das mögliche Antwortspektrum vorstrukturiert werden soll („Variablenkonstruktion"; etwa bei der Berufsposition: genaue Angabe der Berufstätigkeit nach Berufsbezeichnung, Art der Tätigkeit und Branche; oder bei Haushaltseinkommen: unter 500 DM, bis zu 1000 DM, bis zu 1500 DM usw.).

Für die *empirische Inhaltsanalyse* von Texten geschieht die *Operationalisierung* auf eine etwas andere Weise. Nach der Definition der Begriffe für die problemrelevanten Dimensionen sind Indikatoren für die Sachverhalte zu bestimmen, über die Daten erhoben werden sollen. Die interessierenden „Sachverhalte" sind allerdings in diesem Fall nicht empirische Gegebenheiten wie soziale Herkunft, Bildung und Berufserfolg von Personen, sondern *Aussagen über* den Zusammenhang zwischen sozialer Herkunft und Schulerfolg, über Mobilität, über soziale Hierarchien, über Chancengleichheit oder -ungleichheit usw. Die Variablenkonstruktion geschieht jetzt dadurch, daß zunächst Oberbegriffe (Kategorien) formuliert werden, die mit den definierten Begriffen für die problemrelevanten Dimensionen identisch sein oder diese weiter in Teildimensionen untergliedern können. Zusätzlich ist anzugeben, welche Arten von Aussagen je Kategorie unterschieden werden sollen (Unterkategorien).

Beispiel: Der interessierende Begriff sei „Chancengleichheit"; an Kategorien im Text werden unterschieden: 1) normative Aussagen zur Chancengleichheit, 2) deskriptive Aussagen zur Chancengleichheit (= Oberbegriffe, inhaltsanalytische Kategorien). Als weitere Differenzierung (= Unterkategorie, beobachtbare „Ausprägung" der Aussage) sei vorgesehen: zu 1): Chancengleichheit wird als unverzichtbarer gesellschaftlicher Grundwert angesehen – wird als erstrebenswert, aber nicht vollständig erreichbar angesehen – ... bis zu ... wird strikt abgelehnt; zu 2): Chancengleichheit ist bereits voll und ganz verwirklicht ... bis zu ... ist noch überhaupt nicht verwirklicht.

An die Stelle des Fragebogens, der das Verhalten des Interviewers lenkt und der vorschreibt, welche Fragen zu stellen und wie die Antworten zu protokollieren sind, tritt also bei der Inhaltsanalyse ein Beobachtungsschema (Kategorienschema), das die Aufmerksamkeit des Vercoders bei der Textdurchsicht lenkt und das vorschreibt, welche Aussageinhalte in welcher Weise systematisch zu protokollieren sind. Die Ähnlichkeit beider Verfahren läßt sich im Falle eines standardisierten Interviews weiter verdeutlichen: Bei der Befragung liest der Interviewer den Fragewortlaut vor und notiert zu jeder Frage, ob der Befragte (= Erhebungseinheit) geantwortet hat und wenn ja, welche der Antwortvorgaben der Befragte gewählt hat. Das Ergebnis ist für jeden Befragten ein vollständig ausgefüllter Fragebogen als Rohdatenbeleg. Im Falle der systematischen Inhaltsanalyse hat der Vercoder (analog zum Fragebogen) als Abfrageschema an den Text ein begriffliches Kategoriensystem vorliegen. Der Vercoder liest nun einen Textabschnitt (= Erhebungseinheit oder Zähleinheit; zur Abgrenzung der Zähleinheiten vgl. Abschn. 7.1.4) und stellt zu jeder Kategorie des Analyseschemas fest, ob im Textabschnitt hierzu etwas ausgesagt wird und wenn ja, welche der vorgesehenen Unterkategorien zutrifft. Das Ergebnis ist für jeden Textabschnitt ein vollständig ausgefülltes Codierblatt (mit den „Antworten" des Vercoders auf sämtliche inhaltsanalytischen Kategorien) als Rohdatenbeleg.

Inhaltsanalytische Vorgehensweisen sind jedoch nicht nur notwendig bei dem eigentlichen Verfahren der empirischen Inhaltsanalyse als Instrument der Datenerhebung; sie werden vielmehr auch erforderlich bei der Anwendung der Instrumente Beobachtung und Befragung. Z. B. setzt die Entwicklung von Antwortvorgaben zu einer Frage im standardisierten Interview eine vorgezogene — gedankliche — Inhaltsanalyse des potentiellen Antwortspektrums voraus. Das typische Vorgehen kann deshalb am Beispiel einer „Mini-Inhaltsanalyse" von Antworten auf eine offene Frage in einem Interview (d. h. eine Frage ohne Antwortvorgaben) veranschaulicht werden.

In einer 1976 durchgeführten Befragung zur Wohnsituation in Köln und Umgebung [97] wurde folgende sehr allgemein gehaltene und mehrere Dimensionen des Begriffs „Wohnsituation" ansprechende Frage gestellt:
„Bitte sagen Sie mir jetzt noch, was Ihnen an Ihrem Wohngebiet besonders gut gefällt und was Sie für besonders schlecht halten."
Die Frage war bewußt so allgemein gestellt worden, um zu erfahren, welche Wohngebietsmerkmale von den Befragten spontan als besonders gut und welche spontan als besonders schlecht eingestuft werden (Präsenz von Merkmalen der Wohngebietsgüte als Indikator für individuelle Bedeutsamkeit dieser Merkmale).
Das Vorgehen bei der Auswertung solcher Fragen ist relativ einfach, aber auch zeitaufwendig. Um eine Mini-Inhaltsanalyse der Antworten im Hinblick auf die

---

[97] Kromrey, Helmut, 1981: Die gebaute Umwelt. Wohngebietsplanung im Bewohnerurteil, Opladen.

angesprochenen Dimensionen der Bewertung der Wohnsituation durchführen zu können, wird man sich zunächst auf die Hypothesen stützen, die der gesamten Untersuchung zugrunde liegen. Auf diese Weise bestimmt man, welche Bewertungsdimensionen für die Auswertung wichtig sind (etwa Wohnlage, Infrastruktur, soziale Umwelt). Danach kann man bei nicht zu großen Datenmengen zunächst sämtliche Antworten, die einen bestimmten Aspekt ansprechen, in Stichworten (geordnet) auflisten; dabei wird sich herausstellen, ob die theoretisch bestimmten Bewertungsdimensionen a) ausreichen, b) hinreichend oft in den Antworten vorkommen, um beibehalten zu werden. Aufgrund der so gewonnenen ausführlichen Liste der in den Antworten der Befragten vorkommenden Stichworte und der Häufigkeit ihres Vorkommens (Strichliste) besteht die Möglichkeit, geeignete Oberbegriffe (theoretische Dimensionen) sowie die zu unterscheidenden Ausprägungen festzulegen. Danach kann dann die endgültige Verkodung der Antworten stattfinden. Im Falle sehr großer Datenmengen wird man allerdings das Anfertigen einer Stichwort- und Strichliste auf eine Stichprobe aus der Gesamtzahl der Interviews beschränken und auf dieser Basis das Kategoriensystem zur Vercodung der Antworten aufstellen. Dieser letztere Fall entspricht dem Vorgehen bei einer „echten" Inhaltsanalyse: Zunächst wird aufgrund der theoretischen Vorüberlegungen ein Entwurf eines Kategorienschemas erstellt, danach wird das Schema anhand einer kleinen Stichprobe von Texten angewendet (Pretest), aufgrund der gemachten Erfahrungen verbessert und endgültig formuliert.

Der Vercodungsplan für die genannte Frage zur Bewertung der Wohnsituation sah wie folgt aus:

Kategorien:	*Stichworte:*
— Lage	kurze Entfernungen, zentrale Lage, Stadtlage
— Ruhe, Luft	gute Luft, wenig Verkehrslärm
— Verkehrs-situation	gute Verkehrsverbindungen, gute Straßen, Autobahnnähe, Parkmöglichkeiten, Straßenbahn
— Natur	Parks, Gärten, landschaftlich schöne Umgebung, Grün
— Menschen, Leben	Bewohner, Kommunikation, Kontakte, Geselligkeit, soziale Mischung, Nachbarn, Altstadtleben
— Ortsbild, Bebauung	Rheinpromenade, Altstadtbauten, historische Struktur, Gepflegtheit, Bebauungsdichte, Architektur, Aufgelockertheit
— Einkaufs-möglichkeiten	Geschäfte, Warenangebot, Tante-Emma-Läden in der Nähe
— Infrastruktur für Kinder	Schulen, Kindergärten, Spielplätze
— Infrastruktur für Freizeit	kulturelle Veranstaltungen, Gastronomie, Kino, Bowling, Diskothek
— sonstige Infrastruktur	Schwimmbad, Gehwege

Ausprägungen zu jeder Kategorie:
besonders gut — sowohl gute als auch schlechte Aspekte genannt — besonders schlecht — Kategorie kommt in der Antwort nicht vor.

7.1.3 Anforderungen an das Kategoriensystem

Anhand des im vorigen Abschnitt vorgestellten Beispiels lassen sich bereits einige Feststellungen zur Kategorienbildung treffen.[98]

1) Das inhaltsanalytische Kategoriensystem ist immer *selektiv* im Hinblick auf bestimmte Fragestellungen; d. h.

- es werden nicht alle Einzelheiten, die im Text enthalten sind, sich auch in der Differenzierung des Kategorienschemas wiederfinden;[98a]

- das Kategorienschema muß nicht eine vollständige Erfassung hinsichtlich *aller* im Text auftretenden Inhalte erlauben, sondern es muß so differenziert sein, daß es erstens vollständig alle *interessierenden* Bedeutungsdimensionen erfaßt und zweitens Vergleiche zwischen den Texteinheiten des Untersuchungsmaterials erlaubt.[99]

Im Zusammenhang mit dieser prinzipiellen Selektivität stellt sich die Anforderung, daß die relevanten Untersuchungsdimensionen klar bestimmt sein müssen und daß die Kategorien auf sämtliche relevanten Dimensionen bezogen sein müssen. Ferner sind die Kategorien so präzise zu definieren, daß eindeutig feststellbar ist, ob ein Textelement in die betreffende Kategorie fällt.

2) Das Kategorienschema muß bestimmten formalen Anforderungen gerecht werden:

- Jede im Kategorienschema enthaltene Kategorienreihe (d. h. Oberkategorie mit Unterkategorien als Merkmalsausprägungen) muß aus einem einheitlichen Klassifikationsprinzip abgeleitet sein, sie darf sich nur auf *eine* Bedeutungsdimension beziehen (vgl. „Prinzip der Vergleichbarkeit", Abschn. 5.2.3).[100]

---

98 Für ein ausführlich dokumentiertes Forschungsbeispiel vgl. Kromrey, Helmut; Jansen, D. u. a. 1984: Bochumer Untersuchung im Rahmen der wissenschaftlichen Begleitung zum Feldversuch Btx: Systematische Inhaltsanalyse der Gruppendiskussionen, Bochum, Düsseldorf (hrsg. von der Landesregierung NW).

98a Beispiel: „Menschen und Leben" ist eine einzige Kategorie, obwohl in den Antworten eine sehr große Vielfalt anzutreffen ist: die Äußerungen beziehen sich zum Teil auf Interaktionen, auf die Sozialstruktur, auf bestimmte Einzelpersonen, auf den Verhaltensstil von Personengruppen usw.

99 Beispiel: Wenn jemand das Wetter in seiner Wohngegend bemängelt haben sollte, so ist diese Wertung im Hinblick auf die städtebaulich interessierenden Dimensionen irrelevant, da nicht planbar.

100 Beispiel: Die zitierte Frage bezieht sich auf bewertete Eigenschaften von Wohngebieten. Falls in diesem Zusammenhang etwas über Menschen und Leben ausgesagt wird, dann soll dies als Eigenschaft des Wohngebiets gelten; es darf nicht mit der Bewertung einer bestimmten Person vermengt werden. Wäre die Frage von den Befragten so aufgefaßt worden, daß sie sowohl zum Wohngebiet etwas Wertendes aussagen als auch über ihre persönliche Situation, über ihre persönlichen Kontakte mit einzelnen anderen Personen, dann könnten solche Äußerungen entweder außer acht gelassen werden, oder – falls man sie auswerten wollte – es müßte eine weitere Kategorie gebildet werden, die sich auf diese Bewertungsdimension bezieht.

- Die einzelnen Kategorien müssen einander ausschließen. Das gilt sowohl für die eigentlichen Kategorien (Oberbegriffe), da sonst Unklarheiten entstehen könnten, welcher Merkmalsdimension eine Äußerung zuzuordnen ist. Das gilt aber auch für die Unterkategorien (die Ausprägungen). Zusammengefaßt: Jede auf eine interessierende Bedeutungsdimension bezogene sprachliche Einheit muß sich einer und nur einer Kategorie und Unterkategorie zuordnen lassen (vgl. „Prinzip der Klassifizierbarkeit", Abschn. 5.2.3).
- Das Kategorienschema muß erschöpfend sein, d. h. jede für die Untersuchungsfragestellung interessierende sprachliche Einheit (aber nicht: *jede* sprachliche Einheit des Textes) muß sich einer der definierten Kategorien zuordnen lassen. Eine klare Bestimmung der Kategorien und ein durchsichtiger theoretischer Bezug ist eine wesentliche Voraussetzung dafür, daß wirklich alles Material, das an sich in die Kategorie gehört, dieser auch zugeordnet wird (vgl. „Prinzip der Vollständigkeit", Abschn. 5.2.3).
- Die Unabhängigkeit der Kategorien muß gesichert sein; d. h. die Einordnung einer Texteinheit in eine Kategorie darf nicht die Einordnung anderer Daten festlegen. Diese Forderung kann nicht eingehalten werden, falls Texte im Hinblick auf ein bestimmtes Merkmal nach ihrem Rang in eine Skala eingeordnet werden sollen.

Die aufgeführten Regeln gelten im übrigen *nicht nur* für die Inhaltsanalyse, sie gelten allgemein für jede Klassifikation von Beobachtungs- und Befragungsmaterial sowie für das Aufstellen von Codierplänen.

Im fertigen Kategorienschema bezeichnet jede Kategorie eine bestimmte Klasse von Bedeutungen (Inhalten) auf einer bestimmten Bedeutungsdimension. In den Kategorien werden die im Textmaterial auftretenden relevanten sprachlichen Einheiten unter dem Gesichtspunkt ihrer Bedeutungsgleichheit (besser: ihrer semantischen Ähnlichkeit) zusammengefaßt. Die Vielfalt sprachlicher Artikulationsmöglichkeiten eines bestimmten Inhalts wird somit auf Klassen semantischer Ähnlichkeit reduziert.

Um eine zuverlässige Einordnung der sprachlichen Einheiten in diese Klassen semantischer Ähnlichkeiten zu gewährleisten, sind die Kategorien *operational zu definieren;* d. h. es ist für jede Kategorie – etwa anhand typischer Beispiele – genau anzugeben, welche Arten von Aussagen unter die Kategorie zu subsumieren sind. Zu diesem Zweck ist es erforderlich, daß auch die Zähleinheit (= die Untersuchungseinheit oder Kategorisierungseinheit) präzise definiert und somit für den Codierer eindeutig abgrenzbar ist (vgl. dazu Abschn. 7.1.4). Die gebildeten Kategorien müssen sich nämlich auf die kleinsten im Text zu unterscheidenden Einheiten – die Zähleinheiten – beziehen lassen.

Möglichkeiten der *„operationalen Definition"* sind:
- Die Kategorien werden nur mit einem Oberbegriff bezeichnet (Lage; Ruhe und Luft; Infrastruktur für Kinder usw.). Dem Vercoder

bleibt es überlassen, nach seinem Sprachverständnis die Texteinheiten einzuordnen. Dieses Verfahren dürfte eine nur geringe Inter-Coder-Zuverlässigkeit aufweisen.

- Die Kategorien werden mit einem Oberbegriff bezeichnet, zusätzlich werden typische Beispiele aufgeführt, Grenzfälle aufgezeigt.
- Alle zu einer Kategorie gehörigen sprachlichen Elemente werden aufgelistet. Dies kann durch eine Stichwortliste zu jeder Kategorie geschehen, die im Verlaufe der Vercodung fortlaufend ergänzt wird, falls neue Stichworte auftauchen.
- Der Rahmen einer Kategorie wird allgemein beschrieben, auch in Bezug zu anderen Kategorien, ohne daß einzelne Elemente aufgezählt würden.

Beispiel: Kooperation = liegt vor, wenn mindestens zwei Partner aktiv handeln und dabei ein gemeinsames Ziel oder Teilziel verfolgen und dabei weder Konkurrenz noch Dissens über ihre Aktivitäten und Ziele besteht.

7.1.4 *Phasen der Inhaltsanalyse*[101] (Zusammenfassende Darstellung)

a) *Festlegung der Art oder der Klasse von Texten,* die man für eine Fragestellung analysieren will, etwa

- Bundestagsprotokolle 1945-1975;
- Deutschlesebücher für das 5. - 7. Schuljahr in schleswig-holsteinischen und in nordrhein-westfälischen Volksschulen;
- Nachrichten über die „Grünen" in der FAZ, Welt, Süddeutschen Zeitung und in „Bild" vom 1.7.1979 bis 30.6.1980;
- Soldatenlieder des 2. Weltkriegs;
- Politische Kabarett-Texte aus Berlin, Hamburg, Düsseldorf und München 1950-55 und 1970-75.

Wesentlich bei der Entscheidung über die Festlegung ist:
- daß die Texte relevant für den Zweck der Untersuchung sind,
- daß sie existieren und
- daß sie zugänglich sind.

Dies wiederum ist nur zu entscheiden, wenn man
- die Merkmale der Texte eindeutig definiert (z. B. was soll als „Nachricht" gelten, was als „politischer Kabarett-Text"?),
- den Zeitraum ihrer Entstehung oder Verwendung (im 2. Weltkrieg entstandene oder gesungene Soldatenlieder?) oder Publizierung genau festlegt.

b) *Auswahl einer Stichprobe oder Teilgesamtheit* aus der Klasse der festgelegten Texte. Dies entfällt dann, wenn man nur einen Fall hat, der analysiert werden soll (etwa ein Roman) oder wenn die Gesamtheit der Fälle berücksichtigt werden soll (etwa das Gesamtwerk eines Schriftstellers).

Soweit sachlich erforderlich und kostenmäßig vertretbar, sollte eine

---

101 Diese Zusammenfassung lehnt sich an die Darstellung bei Harder 1974, 236ff. an.

Zufallsstichprobe gezogen werden. Dann gelten alle Regeln und Formen der Stichprobentheorie, insbesondere soweit sie die Schichtung und Mehrstufigkeit betreffen.

Beispiel: Soll eine Auswahl aus allen Zeitungen der BRD für den gesamten Zeitraum seit 1945 gezogen werden, ist ein mehrstufiges Vorgehen zweckmäßig, etwa:

1. Stufe: Auswahl aus der Gesamtheit der Gemeinden, in denen Zeitungen erscheinen;
2. Stufe: sofern in bereits ausgewählten Gemeinden mehrere Zeitungen erscheinen – je Gemeinde Auswahl eines Zeitungstitels;
3. Stufe: Auswahl bestimmter Nummern der Zeitungen, die jetzt noch „im Rennen" sind (z. B. jede 20. Ausgabe).

Möglicherweise wäre aber auch eine Kombination von geschichteter und mehrstufiger Auswahl sinnvoll:

1. Stufe: die Gesamtheit aller erscheinenden Zeitungen (Verzeichnis des Verlegerverbandes) wird in drei Gruppen eingeteilt: a) kleine Anzahl von Zeitungstiteln mit sehr hoher Auflage (alle werden berücksichtigt), b) mittelgroße Anzahl von Titeln mit durchschnittlicher Auflage (Auswahlsatz 40%), c) große Zahl von Titeln mit kleiner Auflage (Auswahlsatz 10%);
2. Stufe: Auswahl bestimmter Nummern der Zeitungen, die in Stufe 1 ausgewählt worden sind (z. B. jede 20. Ausgabe).

Allgemein ist die Auswahl nach vier Typen von Gesichtspunkten zu treffen:

- Regionalität: Länder, Städte, Messeplätze usw.;
- Zeit, Periodizität: Kalenderdaten, Erscheinungsfolgen, Jahre, Kriege usw.;
- Quellen: Verfasser, Titel, Publikation, Eigentümer, Empfänger (von z. B. Briefen);
- inhaltliche Gesichtspunkte: etwa Auswahl der Themen von Zeitungsberichten (aber auch formale Gesichtspunkte wie die weitere Unterteilung der Publikation in Seiten, Absätzen usw.).

c) *Definition der Zähleinheit;* außer im Falle einer rein „qualitativen Inhaltsanalyse", wo es nur darum geht, die „interessanten" Textstellen zu finden oder zusammenhängende Argumentationsstränge herauszuarbeiten oder einen ersten Eindruck vom Inhalt zu gewinnen.

Im Falle der hier behandelten systematischen empirischen Inhaltsanalyse geht es um die *Zählung von Texteinheiten,* um quantitative Auswertungen. Texteinheiten können sein:

- Worte, die listenmäßig vorgegeben sind;
- Wortbestandteile (Suffixe, Wurzeln usw.); .
- Fremdworte, Wortarten, Wortgruppen (Idiome, Schlagworte etc.);
- Sätze, Satzteile;
- Textabschnitte, Artikel, Seiten;
- Schlagzeilen, Überschriften;
- Briefe, Reden, Aufsätze;
- Minutenabschnitte von Sendungen (Nachrichten, Tagesschau, Kommentare);
- zusammenhängende Aussagen, Argumente usw.

181

Die Zähleinheit ist der *Merkmalsträger*, für den festzustellen ist, welche *Ausprägungen* (Unterkategorien) der zu erhebenden *Merkmale* (Kategorien) vorliegen. Das Ergebnis ist für jede einzelne Zähleinheit (für jede Texteinheit) festzuhalten, d. h. systematisch zu protokollieren. Im Zuge der Auswertung wird dann festgestellt (,,gezählt"), wieviele Zähleinheiten (Merkmalsträger) in eine Unterkategorie gehören.

Die Zähleinheit ist die letzte Stufe im Stichprobenplan: die ,,letztstufige Stichprobeneinheit" (vgl. oben: Wenn auf der 2. Stufe Zeitungsausgaben in einem zweistufigen geschichteten Verfahren ausgewählt wurden, wird üblicherweise als weitere Stufe noch die Auswahl von Zähleinheiten folgen: Artikel, Spalten oder Absätze; falls nicht die gesamte Zeitungsausgabe als Zähleinheit gelten soll.

d) *Entwicklung eines Kategorienschemas.* Dies ist das Kernproblem der Inhaltsanalyse. Das Kategorienschema wird vor Durchsicht der Texte im Entwurf fertiggestellt und danach im allgemeinen mit Hilfe einer Probeauswertung an einem Teil der Stichprobe noch ausgefeilt. Vor allem sind die Kategorien und Unterkategorien aufgrund der Erfahrungen dieser Probeauswertung präzise zu definieren und mit Beispielen anzureichern.

Ist die Definition der Zähleinheit (im Falle der Inhaltsanalyse) gleichbedeutend mit der Festlegung der Untersuchungseinheit (im allgemeinen Fall empirischer Erhebungen), so handelt es sich bei den inhaltsanalytischen Kategorien (bei der Entwicklung des Kategorien-/Unterkategorienschemas) um die *methodenspezifische Art und Weise der Operationalisierung* der Untersuchungsfragestellung (vgl. oben, Fußn. 96).

Man kann die Kategorientypen danach unterscheiden, ob sie eine elektronische (maschinelle) Zuordnung der Unterkategorien zu den Zähleinheiten zulassen oder nicht. Falls ja, bestehen auch für menschliche Vercoder keine semantischen Probleme. Dies ist der Fall, wenn die Kategorie durch bestimmte Buchstabenkombinationen (Worte, Namen, Bezeichnungen, Abkürzungen, Einzelbuchstaben) oder Zeichen sowie durch Zählungen (Zahl der Worte in einem Satz, Zeilenanzahl, Substantive pro Abschnitt usw.) oder Messungen (Quadratzentimeter) definiert oder identifizierbar ist. Die Inhaltsanalyse arbeitet aber hauptsächlich mit Kategorien, die intensional definiert sind und den manifesten Inhalt von Texten (die ,,wortwörtliche" Bedeutung) semantisch überschreiten.

e) *Verschlüsselung der Zähleinheiten nach dem Kategorienschema* (Vercodung).

Meist werden mehrere Vercoder eingesetzt; um übereinstimmende Vercodungen zu erreichen, sind deshalb präzise Definitionen der inhaltsanalytischen Kategorien sowie eine ausreichende Schulung der Vercoder erforderlich. In einem Codeblatt sind sämtliche Kategorien vorgesehen; jede Unterkategorie erhält eine Code-Nummer. Jede Zähleinheit wird mit einer Zeile im Codeblatt repräsentiert. Der Vercoder trägt je Zähleinheit ein, welche Unterkategorien für die jeweilige inhaltsanalytische Kategorie zutrifft. Die Auszählung kann manuell durch Strichlisten erfolgen oder – bei größeren Datenmengen – unter Zuhilfenahme der EDV.

f) *Datenverarbeitung und -analyse des verschlüsselten Materials.*

Die Kategorisierung oder Verschlüsselung (Vercodung) des Inhalts ist die letzte Phase des Teils der „Inhaltsanalyse" (der im Wortsinne noch gar keine Analyse ist, sondern nur deren Vorbereitung). Die Phasen a bis e bringen die Rohdaten des Textes in eine Form, die die Anwendung mathematisch-statistischer Analysetechniken ermöglicht. Je nach Meßniveau der verwendeten inhaltsanalytischen Kategorien sind neben der Häufigkeitsauszählung Tabellenanalysen, Korrelations-, Regressionsrechnungen oder Verfahren der multivariaten Statistik anwendbar.

g) *Prüfung der Zuverlässigkeit und Gültigkeit;* ist bei allen „Phasen" der Inhaltsanalyse im Auge zu behalten. Bei allen Meßoperationen muß sich der Forscher ein Bild davon machen können, ob seine Meßwerkzeuge zuverlässig messen und ob die Meßergebnisse auch das besagen, was sie besagen sollen (ob sie „gültig" sind).

Die größte Gefahr für die *Zuverlässigkeit* der inhaltsanalytischen Ergebnisse liegt beim Einsatz mehrerer Vercoder, weil die Verschlüsselung als subjektiv-interpretierender Vorgang Unterschiedlichkeiten der Auffassung, des Sprachgefühls und der subjektiven Einstellung zum Inhalt bei den einzelnen Vercodern unterliegt. Die Zuverlässigkeit zwischen Vercodern hängt also vom Inhalt selbst, vom Kategorienschema und von der Eigenart der Texte – z. B. ihrer Homogenität/ Heterogenität, gleiche Autoren/unterschiedliche Autoren – ab. Vieldeutige Kategorien führen zu größeren Abweichungen als eindeutige. Man verringert diese Fehlermöglichkeit, indem man Textbeispiele für die Unterkategorien in die Definition aufnimmt.

Das Zuverlässigkeitsproblem stellt sich natürlich auch, wenn nur ein einziger Vercoder eingesetzt wird. Wie kann man wissen, ob nicht ein anderer aus demselben Material etwas anderes vercoden würde? (Kontrolle: Vercodung desselben Materials durch einen zweiten Vercoder). Außerdem wird nicht das ganze Material zum gleichen Zeitpunkt verschlüsselt; die Vercodungen können aber mit fortschreitender Arbeit teilweise anders ausfallen (Ermüdungs- ebenso wie Lernprozesse). Es ist also zwischen der inter-coder-reliability (mehrere Vercoder) und der intra-coder-reliability (Übereinstimmung der Verschlüsselung beim gleichen Vercoder zu verschiedenen Zeitpunkten) zu unterscheiden.

Das Problem der *Gültigkeit* liegt schwerpunktmäßig in den Kategorien. Werden diese ohne alle Berücksichtigung des Materials gebildet und endgültig so beibehalten, besteht die Gefahr, daß das Material nichts Gültiges über die intendierten Zielvariablen aussagt. Stellt man auf der anderen Seite sehr materialnahe Kategorien auf, so können diese möglicherweise wenig relevant für die Zielvariablen sein.

Das Problem der Gültigkeit der Übersetzung theoretischer Begriffe in Indikatoren (vgl. Kap. 4.1) bleibt davon unberührt.

7.1.5 Verschiedene inhaltsanalytische Ansätze

Bisher wurde „Inhaltsanalyse" relativ vage umschrieben als eine Forschungstechnik, mit der man aus jeder Art von Bedeutungsträgern durch systematische und objektive Identifizierung ihrer Elemente Schlüsse ziehen kann. Unter diesen weiten Begriff von Inhaltsanalyse können dementsprechend sehr unterschiedliche Verfahren, Texte in Einzelteile, in Elemente zu zerlegen und diese Elemente dann bestimmten Kategorien zuzuordnen, subsumiert werden.[102] Gemeinsam ist allen diesen Verfahren, daß sie in irgend einer Weise Inhalte zu quantifizieren versuchen. Je nach Art und Weise, in der Inhalte quantifiziert werden, können unterschiedliche inhaltsanalytische Strategien unterschieden werden.

Im einfachsten Fall haben wir es mit einer einfachen *Klassifikation von Textelementen* zu tun. Es ist ein Kategorienschema vorgegeben; es ist definiert, was die kleinste zu unterscheidende Einheit (das „Element", die Zähleinheit) sein soll; und es werden die jeweiligen Zähleinheiten unter jeweils zutreffende Kategorien subsumiert. Falls sich die anschließende Auswertung dieser Zuordnungen darauf beschränkt, *wie häufig* bestimmte Zeichen oder Zeichengruppen im Rahmen des Kategorienschemas auftauchen, sprechen wir von F r e - q u e n z a n a l y s e n. Es wird also lediglich ausgezählt, wie häufig Textbestandteile den Kategorien und Unterkategorien zugeordnet worden sind. Frequenzanalysen müssen unterstellen, daß die Häufigkeit des Auftretens bestimmter Themen, bestimmter Elemente in einem Text ein entscheidendes Indiz für die Bedeutung dieser Elemente im Hinblick auf das Untersuchungsproblem sei (vgl. *Ritsert* 1972, 17).

Begnügt man sich nicht mit der reinen Häufigkeitsauszählung, sondern berücksichtigt zusätzlich den *Trend von Bewertungen*, der in Aussagen deutlich wird (pro − contra − neutral), dann wird die entsprechende Inhaltsanalyse als V a l e n z a n a l y s e bezeichnet. Beispielsweise wird nicht nur festgestellt, wie häufig die Süddeutsche Zeitung, die FAZ und BILD über das Scheitern der Verhandlungen zu einem neuen NDR-Staatsvertrag in einem bestimmten Zeitraum berichtet haben, sondern auch, ob die Berichterstattung pro NDR-Auflösung oder contra NDR-Auflösung oder in dieser Hinsicht neutral (nur informierend) war. Bei der Frequenzanalyse hätten wir es bei einer Kategorie von z. B. „NDR-Auflösung" oder „privates Fernsehprogramm" als

---

102 Die vorgeschlagene Definition bedeutet auch nicht eine Eingrenzung der Analyse auf den „manifesten Inhalt" von Mitteilungen (auf die reinen Wortbedeutungen); sie bezieht vielmehr auch die Analyse „latenter Inhalte" als Möglichkeit mit ein.

Ausprägungen lediglich mit „genannt" und „nicht genannt" zu tun; bei der Valenzanalyse gibt die Merkmalsausprägung zusätzlich noch Auskunft darüber, ob — wenn die Kategorie im Text vorkommt — die Stellungnahme jeweils positiv, negativ oder neutral war. Solche Valenzanalysen sind natürlich nur in der Lage, sehr grobe Aussagen über die Tendenz von Berichten bestimmter Publikationen zu machen.

Eine Erweiterung dieses Ansatzes zielt darauf ab, auch die *Intensität von Bewertungen* mit zu erfassen, also nicht nur die Richtung positiv bzw. negativ, sondern zusätzlich: wie stark positiv bzw. wie stark negativ? Bei solchen Intensitätsanalysen stellt sich somit die Aufgabe, das kategorisierte Textmaterial von gut geschulten „Beobachtern" (Codern) auf einer Intensitätsskala (Urteilsintensitäten, Einstellungsintensitäten) intersubjektiv verläßlich zu bewerten. Ein bekanntes Verfahren der Intensitätsanalyse ist die von *Ch. Osgood* u. a. (1956) entwickelte „Evaluative Assertion Analysis".

Eine weitere Spezifizierung des Verfahrens der Inhaltsanalyse stellt die sog. Kontingenzanalyse dar. Hier wird nicht allein danach gefragt, wie oft ein sprachliches Element in der Mannigfaltigkeit des Textmaterials auftaucht, sondern es wird gefragt, wie oft es *im Zusammenhang mit anderen* sprachlichen Elementen erscheint. Beispielsweise möge Textmaterial daraufhin untersucht werden, ob Aussagen zur Bildung und/oder Ausbildung gemacht werden, ob hohe oder niedrige Bildung positiv oder negativ bewertet wird, ob berufsbezogene oder allgemeine Bildung bevorzugt wird. Bei der Kontingenzanalyse werden nun solche Aussagen nicht isoliert betrachtet, sondern in einen Zusammenhang zu anderen Aussagen im Text gebracht. Die Aussagen werden also beispielsweise danach differenziert, ob sie mit dem Blick auf männliche oder auf weibliche Jugendliche gemacht werden, ob sie mit Blick auf Unterschicht-, Mittel- oder Oberschichtkinder gemacht werden. Die Kontingenzanalyse erlaubt dann Aussagen darüber, ob für männliche Jugendliche eher eine höher qualifizierende Bildung befürwortet wird als für weibliche Jugendliche, ob hohe Bildung im Mittel- oder Oberschichtkontext einen höheren Stellenwert genießt als im Unterschichtkontext oder ob für Mittel- und Oberschichtkinder eher abstraktere Bildungsinhalte, für Unterschichtkinder eher handwerklich-berufsbezogene Bildungsinhalte befürwortet werden.

Für eine detailliertere Darstellung inhaltsanalytischer Ansätze s. *Lisch/Kriz* 1978 (insbes. Kap. 8 bis 10).

7.2 Beobachtung

Ähnlich wie die Inhaltsanalyse ist auch das Datenerhebungsinstrument systematische Beobachtung im Prinzip nichts anderes als die *Systematisierung eines alltäglichen Vorgehens*. Jedoch richtet sich die Aufmerksamkeit bei der Beobachtung nicht auf das systematische Erfassen der Bedeutung dokumentierter Symbolzusammenhänge (wie bei der empirischen Inhaltsanalyse), sondern auf das Erfassen von Ablauf und Bedeutung einzelner Handlungen und Handlungszusammenhänge. Der wesentliche Unterschied liegt also im Beobachtungsgegenstand.

Bei der Inhaltsanalyse ist der Gegenstand der „Beobachtung" – im weitesten Sinne – das *Produkt* von Handlungen: historische Quellen, Kunstwerke, Briefe, Nachrichten, Romane, auf Tonband aufgezeichnete Diskussionen usw. Der „Beobachtungsgegenstand" steht damit, so wie er produziert worden ist, ein für allemal fest und verändert sich während des Prozesses des Analysierens, des „Identifizierens seiner Elemente", nicht mehr. Datenerhebung und -analyse können beliebig oft am gleichen Material wiederholt werden.

Das Verfahren der empirischen Beobachtung dagegen richtet sich auf soziale Prozesse und Verhaltensabläufe, auf Gegebenheiten also, die sich während des Beobachtens, des „Identifizierens der Elemente der Beobachtungssituation", ständig verändern.

Beispiele: Beobachtungsgegenstände (Situationen) können etwa sein: Der *Verkehrsfluß* in der City zur Zeit der rush hour (mit allen dabei vorkommenden Zwischenfällen als zu identifizierende Beobachtungselemente wie Verkehrsunfälle, Stauungen, Nichtbeachten der Vorfahrt, Überschreiten der zulässigen Höchstgeschwindigkeit, auf die Kreuzung fahren bei „Spätgelb") oder das *Geschehen in einer Haupteinkaufsstraße* kurz nach Bürodienstschluß (mit Beobachtungselementen wie eiliges Einkaufsverhalten nach Feierabend, Verhalten vor dem Schaufenster, Gedränge am Eingang, Schlangenbildung vor der Kasse im Selbstbedienungsladen, Nutzung der Sitzplätze und Ausruhmöglichkeiten im Geschäftsgebiet).

Wie nun bei der Inhaltsanalyse von Texten zu unterscheiden ist zwischen der *Bedeutung,* die der Sender mit einer bestimmten Wortfolge gemeint hat, und der Bedeutung, die der Vercoder daraus herausliest (vgl. Abschn. 7.1.1), so ist bei der Beobachtung zu unterscheiden zwischen der subjektiven Bedeutung eines Tuns für den Handelnden und der Bedeutung, die der Beobachter dieser Handlung beimißt. Und ähnlich wie bestimmte Worte eine „durchschnittliche" oder übliche Bedeutung haben (an der sich z. B. der Vercoder bei der Feststellung des manifesten Inhalts von Mitteilungen orientiert), so haben auch bestimmte Handlungen, Gesten oder Verhaltenssequenzen eine „durchschnittliche", eine übliche Bedeutung, an der sich der Beobachter orientiert.

In beiden Fällen kann es jedoch sein, daß die Bedeutungsinterpretationen nicht übereinstimmen, daß also der Sender (der Verfasser eines Textes) mit den geäußerten Worten eine andere Vorstellung verbindet als der Empfänger, oder daß der Handelnde mit bestimmten Gesten oder Aktivitäten etwas anderes bezweckt als ihm vom Analysierenden unterstellt wird. Im ersten Fall sprechen Verfasser und Vercoder „verschiedene Sprachen", und der Vercoder interpretiert dadurch „falsch". Im zweiten Falle leben der Handelnde und der Beobachtende möglicherweise in unterschiedlichen kulturellen (subkulturellen) Handlungskontexten, und der Beobachtende interpretiert „falsch". In dieser Hinsicht haben die Instrumente Inhaltsanalyse und Beobachtung mit der gleichen Art von Schwierigkeiten fertig zu werden.

Als zusätzliche Schwierigkeit kommt bei der Beobachtung hinzu, daß sich – wie bereits angedeutet – die zu beobachtende Situation während des Beobachtungsprozesses ständig *verändert,* daß zudem gleichzeitig vielfältige Aktivitäten einer Vielzahl von Handelnden ablaufen. Einmal verpaßte Beobachtungen können nicht nachgeholt werden. Die Interpretation des beobachteten Handlungsablaufs muß vom Beobachter an Ort und Stelle und im gleichen Tempo vorgenommen werden, in dem die beobachteten Handlungen ablaufen.

Das stellt an das *Kategorienschema für die Beobachtung* ein noch höheres Maß an Anforderungen· als bei der Inhaltsanalyse. Die Beobachtungskategorien müssen nicht nur eindeutig und präzise definiert sein; sie müssen zusätzlich die Situation so strukturieren, daß alle Beobachtungselemente leicht identifizierbar sind, ohne daß damit der Sinnzusammenhang einer Handlung zerrissen wird. Außerdem dürfen nicht zu viele Beobachtungskategorien gleichzeitig zu beachten sein, weil sonst der Beobachter überfordert wird.

Mehr noch als bei der Inhaltsanalyse muß das Beobachtungsinstrument aus einer soliden, theoretischen Strukturierung des Forschungsgegenstandes heraus entwickelt werden: Die bei der Datenerhebung vorzunehmende Selektion ist notwendigerweise größer als bei der Inhaltsanalyse; verpaßte Einzelheiten können nicht durch nochmalige Beobachtung *derselben* Situationen nachgeholt werden. Stärker auch als bei der Inhaltsanalyse kann der Beobachter bei nicht sorgfältig entwickeltem Kategorienschema zur Fehlerquelle werden: durch nicht gesteuerte Prozesse selektiver Zuwendung, selektiver Wahrnehmung und selektiver Erinnerung; durch die Tendenz, auch unzusammenhängende Einzelereignisse entsprechend den eigenen Erwartungen (des Beobachters) zu sinnvollen Einheiten zusammenzufassen, Fehlendes zu ergänzen, die Situation entsprechend der eigenen Deutung zu strukturieren.

Die Beobachtung scheint damit entschieden weniger objektiv – im Sinne von intersubjektiv nachprüfbar – zu sein als das Verfahren der Inhaltsanalyse. Zwar gibt es mittlerweile technische Hilfsmittel, um diese Nachteile zu vermindern: Zusätzlich zur Beobachtung an Ort und Stelle kann das Geschehen durch einen zweiten Teilnehmer mit Filmkamera oder Videorecorder aufgezeichnet werden, um hinterher die angefertigten Beobachtungsprotokolle mit dieser Aufzeichnung vergleichen und die endgültige Zuordnung der Beobachtungselemente zum Kategorienschema vornehmen zu können. Dadurch wird die *intersubjektive Nachprüfbarkeit* wohl wesentlich verbessert, ausgeschaltet ist die Subjektivität des Vorgehens damit jedoch nicht: Auch auf der Filmaufzeichnung sind nur Ausschnitte des gesamten Geschehens in der abgegrenzten Situation festgehalten. Wenn ein Beobachter das zu beobachtende Geschehen direkt vercodet und ein zweiter die Kamera bedient, werden beide normalerweise nicht die gleichen Ausschnitte (z. B. des Geschehens auf einer belebten Straßenkreuzung oder auf der Haupteinkaufsstraße) als wichtig einstufen und festhalten. Was soll dann gelten: die vom Beobachter protokollierten Aspekte, die Filmaufzeichnung oder beides?

Nicht in jeder Situation ist es jedoch *möglich*, Filmaufzeichnungen zu machen. In manchen Zusammenhängen sind solche Aufzeichnungen auch gar nicht *angebracht*, weil sich dadurch die Situation so verändern kann, daß sie nicht mehr dem Beobachtungsziel entspricht. Kaum jemand verhält sich ungezwungen und „normal", wenn er eine laufende Kamera bemerkt.

7.2.1 Arten der Beobachtung

Das zuletzt angesprochene Problem verweist auf eine wichtige Unterscheidung von B e o b a c h t u n g s t y p e n, nämlich anhand des Kriteriums „Kenntnis der Beobachtungs-,Objekte' vom Beobachtungsvorgang". Falls die zu beobachtenden Personen nicht bemerken sollen, daß sie beobachtet werden, spricht man von v e r d e c k t e r B e o b a c h t u n g. In diesem Falle ist die Aufzeichnung der Handlungsabläufe mit Hilfe einer Kamera problematisch, weil zu auffällig. Möglich ist eine Aufzeichnung, ohne bemerkt zu werden, nur entweder in technisch dafür ausgerüsteten Räumen oder in öffentlichen Situationen, wo so vieles gleichzeitig abläuft, daß eine versteckt angebrachte Kamera überhaupt nicht bemerkt wird. Eine Aufzeichnung ist weiter dort möglich, wo ohnehin häufig Kameras angebracht sind, so daß ihre Benutzung nicht auffällt, z. B. in Selbstbedienungsläden, auf Sportplätzen oder an Verkehrskreuzungen.

Sind dagegen die Handelnden über den Beobachtungsvorgang informiert, spricht man von o f f e n e r B e o b a c h t u n g. Wenn die zu beobachtenden Personen mit einer Aufzeichnung einverstanden sind, ist natürlich der Einsatz einer Kamera im Prinzip kein Problem. Allerdings dürfte dieser Fall nicht sehr häufig eintreten. Zudem ist nicht auszuschließen, daß das Bewußtsein, nicht nur beobachtet, sondern auch noch gefilmt zu werden, die Beobachtungssituation (das gezeigte Verhalten) drastisch verändert.

Zur Unterscheidung möglicher *Varianten der Beobachtung* (Art der Beobachtungssituation und des Beobachtungsvorgangs) zieht *Friedrichs* (1977, 272f.) fünf Dimensionen heran:

1) verdeckt/offen: Ist der Beobachter als solcher erkennbar oder nicht; ist er z. B. durch eine nur von einer Seite durchsichtige Glasscheibe verdeckt?

2) teilnehmend/nicht teilnehmend: Nimmt der Beobachter an den Interaktionen teil oder befindet er sich außerhalb des Feldes?

3) systematisch/unsystematisch: Erfolgt die Beobachtung systematisch mit einem standardisierten Schema oder eher unsystematisch und dem spontanen Interesse des Beobachters folgend?

4) „natürliche"/„künstliche" Beobachtungssituation: Es können z. B. spielende Kinder im Kindergarten beobachet werden (natürliche Situation), oder die Spielsituation kann im Raum eines psychologischen Instituts unter kontrollierten Bedingungen nachgestellt werden („Labor"-Situation).

5) Selbstbeobachtung/Fremdbeobachtung: Die Anwendung des Verfahrens der Beobachtung als Instrument der Datenerhebung beschränkt sich im allgemeinen auf Fremdbeobachtungen. Selbstbeobachtungen kommen häufig in der Psychoanalyse und Psychiatrie vor.

Beschränkt man sich auf die ersten vier Dimensionen und unterscheidet man jeweils nur zwei gegensätzliche Ausprägungen — bleiben also mögliche Zwischenformen unberücksichtigt, etwa auf dem Kontinuum von „überhaupt keine Beteiligung des Beobachters im Feld" bis „vollständiges Eingebundensein des Beobachters in die zu beobachtenden Interaktionen" —, dann gelangt man bereits zu einer Differenzierung in 16 Beobachtungsarten:

		nicht-teilnehmende Beobachtung		teilnehmende Beobachtung	
		verdeckt	offen	verdeckt	offen
„natürliche" Beobachtungssituation	systematisch	1	2	3	4
	unsystematisch	5	6	7	8
"künstliche" Beobachtungssituation	systematisch	9	10	11	12
	unsystematisch	13	14	15	16

Natürlich wird man nicht alle so gewonnenen Beobachtungs-,,Typen" — von der verdeckten, nicht-teilnehmenden, systematischen Beobachtung in natürlichen Situationen (1) bis zur offenen, teilnehmenden, unsystematischen Beobachtung in künstlich geschaffenen Situationen (16) — gleich häufig in der empirischen Praxis vorfinden. Im folgenden werden sich die Ausführungen vor allem auf die systematische, nicht teilnehmende Fremdbeobachtung (Nr. 1, 2, 9, 10) beziehen. Die auftretenden Probleme sollen dabei so weit wie möglich im Vergleich zur Inhaltsanalyse abgehandelt werden.[103]

7.2.2 Anwendungsprobleme bei der systematischen Beobachtung

a) Analog zur Inhaltsanalyse als Datenerhebungsinstrument steht auch bei der Beobachtung am Beginn die Festlegung der Art oder Klasse von Beobachtungsgegenständen.

Ausgehend von der zu untersuchenden Fragestellung ist zunächst die *Art der Situationen* zu definieren, in denen per Beobachtung Daten gesammelt werden sollen. Richtet sich die Fragestellung auf Verhalten in „natürlichen" Situationen, oder sollen „reine" Bedingungen in künstlichen Situationen, in „Labor"-Situationen hergestellt werden? Bei Beobachtungen in natürlichem Kontext ist, was das Zustandekommen der Daten angeht, die Ausgangslage ähnlich wie bei der Analyse von Texten, die im normalen Handlungsvollzug entstanden sind (Briefe, Zeitungsberichte, Akten) und die nicht erst für die Zwecke der Untersuchung geschaffen worden sind. Bei der Beobachtung unter Laborbedingungen dagegen ist die Ausgangslage ähnlich wie bei der Analyse von Antworten auf offen gestellte Fragen im Interview. Solche Texte sind erst durch den Interviewer künstlich für den Untersuchungszweck provoziert worden; ebenso wird das unter Laborbedingungen beobachtete Verhalten für die Untersuchung selbst provoziert.

Zusammengefaßt:

1) Ob in natürlichem oder künstlichem Kontext beobachtet wird, hängt von der Fragestellung ab.

2) Welcher Art die Beobachtungsgegenstände sind, hängt ebenfalls von der Fragestellung ab.

Beispiele: Sind „Art und Ausmaß von Vereinsaktivitäten" Gegenstand des Interesses, können inhaltsanalytisch Vereinsrundschreiben, Vereinssatzungen, Protokolle von Vorstandssitzungen und Versammlungen, Zeitungsberichte über Aktivitäten und Erfolge der Vereinsarbeit, Flugblätter ausgewertet werden. Mit Hilfe der Beobachtung können dagegen Interaktionen zwischen den Vorstandsmitgliedern bei Vorstandssitzungen direkt erfaßt werden (falls der Vorstand einverstanden ist); oder der Beobachter kann an Vereinsversammlungen teilnehmen, kann öffentliche Veranstaltungen des Vereins besuchen usw.

Besonders wichtig ist für diese Entscheidung die Festlegung, *welche Situationen* und welche in diesen Situationen vorkommenden Aktivitäten für die Fragestellung relevant und ob diese Situationen für den Beobachter zugänglich sind. Auch hier ist wieder erforderlich, daß eindeutig definiert ist, wie eine Situation abgegrenzt wird.

103 Vgl. zum Folgenden den Abschn. 7.1.4 (Phasen der Inhaltsanalyse). — An teilnehmender Beobachtung Interessierte seien auf die aufführlichen Darstellungen bei Friedrichs/Lüdtke 1973 (standardisierte Verfahren) und bei Dechmann 1978 (qualitativ orientierter Ansatz) verwiesen.

Beispiel: Als Beginn einer Vereinsversammlung wird die offizielle Eröffnung der Sitzung durch den Versammlungsleiter, als Ende die offizielle Schließung der Versammlung definiert. Oder: Bei einer Flugblattverteilungsaktion einer Organisation werden alle Aktivitäten der von seiten der Organisation an der Aktion beteiligten Personen beobachtet sowie zusätzlich alle Ereignisse, die dadurch unmittelbar oder mittelbar in einem Umkreis von . . . Metern hervorgerufen wurden (Diskussionen zwischen Passanten, Stehenbleiben von Zuschauern usw.).

Neben der Definition der Art der zu beobachtenden Situationen und der Klasse der relevanten Ereignisse ist auch der *Beobachtungszeitraum* festzulegen (etwa: sämtliche Vereinsaktivitäten in der Amtsperiode eines Vorstands von der Wahl bis zur nächsten turnusmäßigen Mitgliederversammlung mit dem Tagesordnungspunkt Vorstandswahl) sowie der *räumliche Ausdehnungsbereich,* in dem Beobachtungen anzustellen sind (etwa bei Aktivitäten von Organisationsgliederungen politischer Parteien: Aktivitäten in einem Stadtbezirk).

Bei Dokumenten, die inhaltsanalytisch ausgewertet werden sollen, kann der Untersuchungszeitraum ohne weiteres auch längere Perioden – z. B. 100 Jahre und mehr – umfassen (etwa Analyse der Fachdiskussion um städtebauliche Zielsysteme oder „Leitbilder" seit Beginn der Industrialisierung), und der räumliche Bezug kann sich auf die ganze Welt erstrecken (etwa: Auswertung von Quellen zur städtebaulichen Zieldiskussion aus Europa, Asien und Amerika). Der Anwendung des Instruments Beobachtung sind im Vergleich dazu sehr enge Grenzen gesetzt. Diese Überlegungen sind bereits bei der Abgrenzung der angestrebten Grundgesamtheit zu berücksichtigen.

b) Nach der Definition der relevanten Situationen und Ereignisse sowie der angestrebten Grundgesamtheit ist auch bei der Beobachtung im allgemeinen der Rückgriff auf die Erhebung von Daten nur für eine Teilgesamtheit, also die Konstruktion einer Stichprobe erforderlich.
Man kann nicht alle zur Grundgesamtheit zählenden Situationen oder Ereignisse in einem angegebenen Zeitraum und einem abgegrenzten Gebiet beobachten. Die Erstellung eines Auswahlplans ist allerdings bei der Beobachtung wesentlich komplizierter als bei der Inhaltsanalyse. Jede Auswahl muß hier mindestens zwei Gesichtspunkte berücksichtigen: Zum einen handelt es sich um eine Stichprobe von Zeitpunkten (oder Zeitintervallen, Beobachtungsintervallen) aus dem abgegrenzten Zeitraum, zum anderen ist es eine Stichprobe aus dem abgegrenzten räumlichen Beobachtungsbereich (Regionen, Orte, Plätze). Das Verfahren ist also in jedem Fall mindestens zweistufig: Auswahl von *Zeitpunkten* bzw. -intervallen sowie von *räumlichen Bezugspunkten* (und innerhalb dieses Rahmens üblicherweise nochmals mehrstufig).

Beispiel: Will man etwa die Beobachtungen über ein Jahr (Z) ausdehnen, so ist erforderlich: Z1) Stichprobe aus den 365 Tagen; Z2) Stichprobe aus den innerhalb der ausgewählten Tage für die Beobachtung in Frage kommenden

Intervallen (im Fall der Beobachtung des Verkehrsflusses etwa in den Hauptverkehrsstunden am Morgen und am Nachmittag jeweils Ein-Minuten-Intervalle; oder im Falle der Beobachtung des Verhaltens von Passanten in einer Haupteinkaufsstraße jeweils Fünf-Minuten-Intervalle in der Zeit zwischen Büroschluß und Geschäftsschließung). Soll zudem die Beobachtung im ganzen Bundesgebiet (R) erfolgen, dann könnte man weiter wie folgt vorgehen: R1) Flächenstichprobe nach Regionen (z. B. Regierungsbezirke); R2) Flächenstichprobe nach räumlichen Beschreibungskategorien (z. B. Areale mit jeweils annähernd gleich großen Einwohnerzahlen in ländlichen Gebieten, Mittelstädten, großstädtischen Einzugsbereichen, Großstädten; R3) Stichprobe aus den in Frage kommenden eng begrenzten Orten der Beobachtung (z. B. Straßenkreuzungen an den Hauptverkehrswegen; oder Haupteinkaufsplätze bzw. -straßen).

Das spezifische Problem bei der Entwicklung eines Auswahlplans für die Beobachtung liegt darin, daß die Auswahl auf Ereignisse („Elemente der Grundgesamtheit", vgl. Kap. 6.1) abzielen muß, die zum Zeitpunkt der Stichprobenkonstruktion noch gar nicht existieren. Die zu beobachtenden Handlungsabläufe werden ja erst während des Zeitraums der Datenerhebung stattfinden; die Auswahl aber muß *vorher* vorgenommen werden. Da es also die angestrebte Grundgesamtheit von Ereignissen, auf die sich die späteren Aussagen der Untersuchung beziehen sollen, erst in Zukunft geben wird, ist weder diese Grundgesamtheit schon *empirisch definierbar,* noch sind die Erhebungseinheiten im voraus *eindeutig bestimmbar,* noch sind alle potentiellen Einheiten im Moment der Auswahl *greifbar* (vgl. Kap. 6.6).

Auch eine „symbolische Repräsentation" aller Elemente der Grundgesamtheit ist nicht unmittelbar möglich (etwa in Form einer Kartei). Bei der „symbolischen Repräsentation" muß deshalb auf Ersatzmerkmale zurückgegriffen werden, durch die die zu beobachtenden zukünftigen Ereignisse „festgemacht" werden können. Das ist der Grund, warum oben von der Notwendigkeit einer mindestens zweistufigen Auswahl nach Beobachtungsräumen und Beobachtungszeitpunkten (bzw. -intervallen) die Rede war. Die interessierenden Ereignisse werden — das ist die einzig sichere (und triviale) Prognose — an bestimmten Orten und zu bestimmten Zeiten stattfinden; und indem eine repräsentative Auswahl von potentiellen Ereignisräumen und potentiellen Ereigniszeiten getroffen wird, kann man — so die Hypothese — davon ausgehen, zugleich auch eine repräsentative Auswahl aus der Grundgesamtheit der interessierenden Ereignisse gezogen zu haben.

c) Bei der Inhaltsanalyse wurde als dritter Punkt die Definition der Zähleinheit oder Kategorisierungseinheit genannt. Eine analoge Festlegung ist auch bei der Beobachtung erforderlich: Wonach soll die Häufigkeit des Auftretens bestimmter Kategorien bemessen werden?

Ist etwa als Auswahleinheit „eine Minute Verkehrsfluß an der Kreuzung x" festgelegt worden, dann geben die Beobachtungskategorien darüber Auskunft, auf welche Tatbestände der Beobachter in diesem

Zeitintervall zu achten hat: Mißachtung der Ampelregelung, Stauung, Verkehrsunfall. Zusätzlich ist anzugeben, ob lediglich das Auftreten einer Stauung, das Vorkommen eines Verkehrsunfalls, die Tatsache der Mißachtung der Ampelregelung festgestellt oder zusätzlich deren Häufigkeit im Beobachtungsintervall gezählt werden soll, ob also die Ergebnisse jeweils auf das Beobachtungsintervall zu beziehen sind.

Die Protokollaussage könnte dann lauten: Im Intervall t_1 sind n_1 Ampelregelungsmißachtungen, n_2 Stauungen, n_3 Verkehrsunfälle vorgekommen (oder: diese Ereignisse sind nicht vorgekommen). Das Beobachtungsintervall ist in diesem Fall der *Merkmalsträger;* die Kategorien sind die *Merkmale* (Variablen); die Häufigkeit des Auftretens ist die *Ausprägung* des Merkmals. *Untersuchungsziel* könnte sein, Aussagen über die Belastung des Verkehrsnetzes im Tagesverlauf zu gewinnen.

Es könnte aber auch sein, daß nicht die Häufigkeit des Auftretens eines Ereignisses pro Zeitintervall, sondern speziell das einzelne Ereignis interessiert: z. B. der Verkehrsunfall.

Dann sind *pro Verkehrsunfall* bestimmte Merkmale zu erheben: Ort und Zeitpunkt des Verkehrsunfalls, beteiligte Fahrzeuge (Art und Zahl), Folgen (Verletzungen, Sachschäden), Ursachen (Mißachtung der Vorfahrt, überhöhte Geschwindigkeit, Glätte) usw. In diesem Fall ist der Verkehrsunfall das Untersuchungsobjekt (der *Merkmalsträger*); Zeitpunkt des Ereignisses, beteiligte Fahrzeuge, Folgen und Ursachen des Unfalls sind die *Merkmale;* Ort x, Uhrzeit 10.05, Zahl der beteiligten Fahrzeuge, Art der Folgen und der Ursachen sind dann die Merkmals*ausprägungen. Untersuchungsziel* könnte jetzt sein, Aussagen über die Bestimmungsgründe von Verkehrsunfällen zu gewinnen.

Zähleinheiten (die Einheiten, auf die sich die festgestellten Merkmale beziehen) wären im ersten Beispiel die Beobachtungsintervalle, im zweiten Beispiel die Ereignisse, vorgegeben durch die Oberkategorien des Beobachtungsplans. *Auswahleinheiten* aber wären in beiden Fällen eine Kombination von Beobachtungsorten und -zeitintervallen.

Bei *häufig auftretenden Ereignissen* wird man Beobachtungsintervalle als Zähleinheiten (als Merkmalsträger) wählen. Bei manchen Tatbeständen, in denen die Zeit praktisch als Dimension mit enthalten ist, ergibt sich dies *zwangsläufig:* etwa Verkehrsdichte, definiert als: n Fahrzeuge pro Zeiteinheit.

Bei manchen Tatbeständen bietet sich auch ein bestimmter Raum, eine Fläche als zusätzlicher Bestandteil der Definition der Zähleinheit an; etwa bei: Passantendichte auf der Haupteinkaufsstraße, definiert als „n Personen pro abgegrenzter Fläche zum Zeit*punkt* t". Die Zähleinheit wäre definiert durch einen Raum und einen Zeitpunkt; Beschreibungsmerkmal wäre: Passanten, die sich auf dieser Fläche befinden; Merkmalsausprägung wäre die Zahl der Passanten pro Flächeneinheit.

Bei *seltenen Ereignissen* (oder zumindest Ereignissen, die nicht zu jedem Zeitpunkt oder in jedem Beobachtungsintervall auftreten) wird man dagegen das Ereignis selbst als Zähleinheit oder als Merkmalsträger heranziehen.

d) Wie bei der Inhaltsanalyse ist auch bei der Beobachtung die Entwicklung des Kategorienschemas das Kernstück und der problematischste Teil des ganzen Verfahrens.

Da lediglich die „Beobachtungsgegenstände" bei beiden Verfahren unterschiedlich sind (s. o.), nicht jedoch die Logik der Datenerhebung, sind die bei der Aufstellung des Beobachtungsschemas zu beachtenden Regeln die gleichen wie bei der Inhaltsanalyse. Auf die Ausführungen dort (Abschn. 7.1.2) kann deshalb verwiesen werden.

Daß auch die Abgrenzung beider Verfahren anhand ihrer „Beobachtungsgegenstände" fließend ist, zeigt ein bekanntes Kategorienschema, das von *R. F. Bales* zur Analyse von Interaktionen in problemlösenden Kleingruppen entwickelt worden ist und das von manchen Autoren als Beispiel für ein Kategorienschema zur Beobachtung, von anderen als Beispiel für ein Kategorienschema zur Inhaltsanalyse verbaler Gruppenprozesse genannt wird.

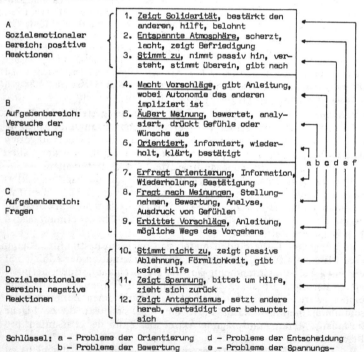

A
Sozialemotionaler
Bereich: positive
Reaktionen

1. Zeigt Solidarität, bestärkt den anderen, hilft, belohnt
2. Entspannte Atmosphäre, scherzt, lacht, zeigt Befriedigung
3. Stimmt zu, nimmt passiv hin, versteht, stimmt überein, gibt nach

B
Aufgabenbereich:
Versuche der
Beantwortung

4. Macht Vorschläge, gibt Anleitung, wobei Autonomie des anderen impliziert ist
5. Äußert Meinung, bewertet, analysiert, drückt Gefühle oder Wünsche aus
6. Orientiert, informiert, wiederholt, klärt, bestätigt

C
Aufgabenbereich:
Fragen

7. Erfragt Orientierung, Information, Wiederholung, Bestätigung
8. Fragt nach Meinungen, Stellungnahme, Bewertung, Analyse, Ausdruck von Gefühlen
9. Erbittet Vorschläge, Anleitung, mögliche Wege des Vorgehens

D
Sozialemotionaler
Bereich: negative
Reaktionen

10. Stimmt nicht zu, zeigt passive Ablehnung, Förmlichkeit, gibt keine Hilfe
11. Zeigt Spannung, bittet um Hilfe, zieht sich zurück
12. Zeigt Antagonismus, setzt andere herab, verteidigt oder behauptet sich

a b c d e f

Schlüssel: a – Probleme der Orientierung   d – Probleme der Entscheidung
b – Probleme der Bewertung   e – Probleme der Spannungs-
c – Probleme der Kontrolle   bewältigung
f – Probleme der Integration

194

Das dargestellte Schema selbst sowie die theoretische Herleitung und die Möglichkeiten seiner Anwendung sind ausführlich (mit Beispielen) in einem ins Deutsche übersetzten Aufsatz beschrieben worden (*Bales* in: *König* 1962).

Beobachtungseinheit (Zähleinheit) ist hier „die kleinste erkennbare Einheit des Verhaltens, . . ., die ihrem Sinn nach so vollständig ist, daß sie vom Beobachter (entsprechend der Definition einer der Kategorien, H. K.) gedeutet werden kann oder im Gesprächspartner eine Reaktion hervorruft. Die Einheit wird also durch einen Bedeutungswechsel innerhalb eines Systems von Symbolen, die der Mitteilung dienen, definiert . . .“ (*Bales* a.a.O., 158). Die 12 Beobachtungskategorien entsprechen (das heißt: sind die Operationalisierung von) sechs aus einer Theorie der Gruppe abgeleiteten Aspekten der Lösung von Problemen in Gruppenarbeit (vgl. Schlüssel a bis f) sowie zwei Verhaltensbereichen, dem „sozial-emotionalen Bereich“ (vgl. A und D) sowie dem „Aufgabenbereich“ (B und C).

Wie bei der Inhaltsanalyse kann man bei konkreten eigenen Untersuchungen jedoch selten auf bereits ausgearbeitete Kategorienschemata zurückgreifen. Vielmehr werden diese im allgemeinen nur als Anhaltspunkte für die Bildung eines eigenen, auf die spezielle Untersuchungsfrage zugeschnittenen Kategoriensystems heranzuziehen sein.

Auch hierbei ist es im Prinzip auf zweierlei Weise möglich, zu einem *Kategorienschema* für die Untersuchung zu kommen (vgl. Abschn. 7.1.2):

— durch empirisches Vorgehen. Man beobachtet zunächst in Frage kommende Situationen relativ unstrukturiert; man notiert alles, was auffällt, und ordnet das Beobachtungsmaterial nach Unterkategorien (Ausprägungen von Eigenschaften eines Ereignisses) und Oberkategorien (zu unterscheidende Ereignisse). Oder
— man bestimmt vor der Beobachtung aufgrund von Ableitungen aus Hypothesen oder aus einer Theorie die relevanten Beobachtungsdimensionen und bildet davon ausgehend die Beobachtungskategorien.

Üblicherweise wird man sowohl bei der Inhaltsanalyse als auch bei der systematischen Beobachtung beide Vorgehensweisen kombinieren: Zunächst wird — ausgehend von der Fragestellung und den Hypothesen — ein grobes Beobachtungsraster entworfen, um damit Pretests durchzuführen; anhand der in den Pretests gewonnenen Erfahrungen wird das Kategoriensystem ausgefeilt und verbessert.

Was die *Auswertung* der so gewonnenen Ergebnisse angeht, so besteht bei den Resultaten systematischer Beobachtung (den mit Hilfe des Instruments der Beobachtung ermittelten Daten) kein Unterschied gegenüber Daten, die mit Hilfe anderer Instrumente gewonnen wurden.

7.3 Befragung

In der empirischen Sozialforschung ist die Befragung noch immer das am häufigsten verwendete Instrument der Datenerhebung. Zugleich ist es auch dasjenige Instrument, das am weitesten entwickelt ist. In etwas mehr als der Hälfte aller größeren Forschungsprojekte wird das persönliche Interview als Verfahren der Datensammlung benutzt; das zweitwichtigste Verfahren ist die schriftliche Befragung (vgl. *Scheuch* 1973, 66), das allerdings in den letzten Jahren an Bedeutung gewonnen hat.

Fragen zu stellen, um Informationen zu erhalten, erscheint besonders leicht. Daß allerdings Sprache als Instrument der Informationsübermittlung nicht ohne Probleme ist, wurde bereits bei der Einführung zur empirischen Inhaltsanalyse angedeutet (vgl. Abschn. 7.1.1): Es gibt „unterschiedliche Sprachen" in verschiedenen Subkulturen; bezogen auf das Interview: Es existiert häufig für ein und dieselbe Frage ein unterschiedliches Verständnis, eine unterschiedliche Deutung zwischen Interviewer und Befragtem sowie innerhalb verschiedener Gruppen von Befragten. Hinzu kommt noch − und das ist eine einschneidende Einschränkung −, daß bei der Befragung die beobachtbaren Reaktionen auf gegebene verbale Stimuli (also die protokollierbaren Antworten auf gestellte Fragen) im allgemeinen nicht schon Ausprägungen der eigentlich interessierenden Merkmale sind, sondern nur Indikatoren für die eigentlich interessierenden Merkmale. Wenn politische Einstellungen als Merkmale von Individuen interessieren, erhält der Forscher Antworten auf sogenannte Einstellungsfragen und verwendet diese Antworten als Indikatoren für die eigentlich interessierenden, aber nicht direkt feststellbaren Einstellungen. Interessiert das Haushaltseinkommen als Merkmal des untersuchten Haushalts, erhält der Forscher z. B. Angaben der Ehefrau über das Haushaltseinkommen aufgrund einer entsprechend gestellten Frage und verwendet diese Angaben als Indikatoren für das eigentlich interessierende Merkmal Haushaltseinkommen.

Friedrichs (1977, 223) berichtet zu dem letztgenannten Beispiel von einer vergleichenden Auswertung verschiedener Quellen im Statistischen Bundesamt, die zeigt, in welch geringem Maß selbst eine so einfach scheinende Frage wie die nach dem Einkommen das tatsächliche Einkommen des Haushalts wiedergibt: Nur bei 52% aller Haushalte stimmten danach die Angaben im Interview mit Zahlen anderer Datenquellen (hier: Haushaltsbücher) überein. In 37% der Fälle wurde das monatliche Nettoeinkommen im Interview zu niedrig, in 11% zu hoch angegeben.

Solche Abweichungen müssen nicht darauf zurückgeführt werden, daß − was natürlich auch vorkommen wird − die Befragten bewußt falsche Angaben machen. Abweichungen müssen vielmehr schon deshalb auftreten, weil in der Befragung nicht die eigentlich interessierenden Merkmale erhoben werden *können* (Einstellungen; Einkommen; Bildung), sondern einzig Kenntnisse oder Vermutungen der Befragten über den jeweiligen Sachverhalt zum Zeitpunkt der Befragung. Diese Kenntnisse aber können fehlerhaft, die Vermutungen können ungenau sein. Sie werden zunehmend ungenauer, je komplizierter der erfragte Sachverhalt für den Befragten ist und je weiter das erfragte Ereignis zeitlich zurückliegt.

In diesem Zusammenhang vom „Befragten als Fehlerquelle" zu sprechen (so etwa *Scheuch* 1973, 115ff.), ist allerdings problematisch. Der Befragte wird im Interview in eine Rolle gedrängt, die ihm verbale Reaktionen auf verbale Stimuli abverlangt. Wenn diese Reaktionen (seine Antworten) auf die Stimuli (die Fragen) nicht mit den Sachverhalten übereinstimmen, die erhoben werden sollen, dann ist darin kein „Fehlverhalten" des Befragten zu sehen. Vielmehr wird der Befragte sich bemühen, jeweils für ihn „angemessen" auf diese künstliche Situation zu reagieren, mit der er sich konfrontiert sieht. Ist er unsicher, wird er vielleicht versuchen, so zu antworten, wie er meint, daß dies vom Interviewer oder von seiner sozialen Umwelt erwartet wird (Neigung zu sozial erwünschten Antworten). Fühlt er sich „überfallen", wird er möglicherweise trotzig reagieren und eventuell häufig Antworten auf unbequeme Fragen verweigern. Ist er zum Zeitpunkt der Fragestellung ermüdet, wird er vielleicht automatisch von vorgelegten Antwortvorgaben irgendwelche aus dem mittleren Bereich der Vorgabeliste wählen. Fühlt er sich überfordert, wird er vielleicht raten, um nicht vor dem ihm fremden Interviewer als jemand dazustehen, der „nichts weiß" (zum „Befragtenverhalten" vgl. die Untersuchungen von *Esser* 1975, 1977). Der Befragte ist eben keine EDV-Datenbank, aus der man nach Bedarf Daten abrufen kann. Das Interview ist vielmehr ein Interaktionsprozeß, der ausgesprochen „unnatürlich", „künstlich" ist (zu den Besonderheiten der „Forschungskontaktsituation" Befragung s. *Kreutz* 1972).

Die Daten, die mit dem Instrument Befragung gesammelt werden, sind speziell für den Zweck der Forschung *produzierte Daten;* es sind nicht Aufzeichnungen über normale soziale Prozesse (wie etwa im Falle der Beobachtung in „natürlichen" Situationen). Jede Befragung hat etwas von der Künstlichkeit einer Laborsituation an sich. Würden Gespräche in natürlichen Situationen festgehalten und ausgewertet, hätte man es nicht mehr mit der Anwendung des Instruments Befragung zu tun, sondern es handelte sich um die Inhaltsanalyse von Texten, die ohne das Instrument der Befragung entstanden sind.

7.3.1 Eigenschaften der Interview-Situation

Die Befragung (das Interview, die schriftliche Befragung) ist ein *formalisiertes Instrument* der empirischen Sozialforschung, mit dem sozialwissenschaftliche Sachverhalte gemessen werden sollen. Die gestellte Frage ist ein *Mittel zum gewünschten Zweck:* der Antwort. Das Instrument Befragung mißt im allgemeinen nur indirekt, indem es nicht Eigenschaften von Sachverhalten mißt, sondern *Aussagen über* Eigenschaften von Sachverhalten (im einzelnen s. *Kreutz* 1972, 62ff.).

Zur Künstlichkeit der Befragungssituation werden häufig drei Punkte besonders hervorgehoben (vgl. *v. Alemann* 1977, 208f.).

Erstens sind im Normalfall die interagierenden Personen (Interviewer und Befragter) *Fremde,* die sich noch nie gesehen haben. Für den einen von ihnen — nämlich den Interviewer — gibt es bestimmte Rollenvorschriften, nach denen er sich verhalten soll. Diese Verhaltensvorschriften werden ihm in der Interviewerschulung explizit vermittelt. Je nach Art der Verhaltensvorschriften unterscheidet man zwischen „weichen", „neutralen" oder „harten" Interviews. Für den Befragten gibt es solche ausformulierten Rollenvorschriften nicht. Hat er noch keine Erfahrungen mit Interviewsituationen, wird er vergleichbare oder ähnliche Situationen zur Orientierung heranziehen: etwa Vertreterbesuche an der Wohnungstür. Von daher ergeben sich für den Interviewer teilweise erhebliche Probleme, das Einverständnis des zu Befragenden für das Interview zu gewinnen.

Je nach Zugehörigkeit zu sozialen Schichten sind unterschiedliche Antwortbereitschaften beobachtet worden: Mittelschichtangehörige sind mitteilungsfreudiger als Arbeiter oder Oberschichtangehörige. Man spricht häufig sogar von einer ausgesprochenen Mittelschichtorientierung der Methode Befragung. Vorausgesetzt wird bei der Befragung ein nicht unerheblicher Individualismus des zu Befragenden. Es wird unterstellt, daß zum einen der Interviewpartner seine eigenen Ansichten überhaupt für mitteilenswert ansieht und daß er zum anderen nicht so vollständig in Gruppenbezügen denkt, daß bei verschiedenen Personen der gleichen Gruppenzugehörigkeit immer die gleichen Antworten zustande kämen. Mit anderen Worten: „Es muß zu den sozial eingeübten Verhaltensweisen (des Befragten) gehören, in einer dyadischen Beziehung mit Fremden mitteilbare und als mitteilenswert angesehene Meinungen und Informationen zu besitzen und sich zu ihrer Äußerung fähig und kompetent zu fühlen" (*Esser* 1974, 111).

Zweitens handelt es sich bei einem Interview um eine *asymmetrische* soziale Beziehung. Die eine Person, der Interviewer, stellt ständig Fragen; von ihr gehen fast alle Aktivitäten aus. Die andere Person, der Befragte, gibt Auskünfte über sich selbst und verhält sich weitgehend passiv. Der Befragte ist im Rahmen des Datenerhebungsmodells „standardisiertes Interview" kein eigentlicher Gesprächspartner, sondern in allererster Linie „Datenträger". Strategien zur Strukturierung der Interviewsituation (Interviewerschulung, vorgeschriebener Interviewstil, s. o.) sowie zur adäquaten Konstruktion von Fragebögen (vgl. *Kreutz/Titscher* 1974) sind Bestandteil von Bemühungen zur Optimierung der Bedingungen des „Datenabrufs".

Drittens unterscheidet sich die Situation des Interviews von natürlichen Interaktionen dadurch, daß sie *sozial folgenlos* ist. Im Normalfall weist der Interviewer auf diesen Tatbestand ausdrücklich hin (Zusicherung der Wahrung der Anonymität). Wenn den Befragten nicht gerade dieser Hinweis besonders mißtrauisch machen sollte, kann er über alles seine Meinungen frei „von der Leber weg" äußern. Wenn er sagt, sein Vorgesetzter sei ein Quatschkopf, dann hat das für ihn − anders als würde er diese Äußerung am Arbeitsplatz tun − keine Konsequenzen. Eine Folge ist u.a., daß auch weniger „harte" Meinungen im Interview geäußert werden. In anderen nicht-privaten sozialen Situationen wird jemand eine bestimmte Meinung erst dann vertreten, wenn er auch wirklich fest von ihr überzeugt ist, etwa in der Diskussion bei einer öffentlichen politischen Wahlveranstaltung.

Dies zusammengenommen verdeutlicht, daß das Interview niemals ein neutrales Erhebungsinstrument sein kann, das ohne Einfluß von außen die verbalen Stimuli des Fragebogens an den Befragten weitergibt und dessen Antworten möglichst exakt aufzeichnet.

7.3.2 Nochmals: Das Modell sozialer Kommunikation (erweitert)

Vorn wurde bereits ein vereinfachtes Modell sozialer Kommunikation eingeführt (Abschn. 7.1.1). Zum Verständnis der bei Inhaltsanalysen zu überwindenden Probleme war die vereinfachte Darstellung hinreichend. Um die bei der Anwendung des Instruments Befragung hinzukommenden Schwierigkeiten zu illustrieren, ist jedoch eine Modifizierung notwendig: Man stelle sich einen Forscher vor, der − etwa für die Überprüfung einer Theorie − Daten über soziale Sachverhalte benötigt und der als geeignetes Instrument der Datenerhebung das standardisierte Interview wählt, also zur Operationalisierung der zentralen Begriffe seiner Hypothesen eine Reihe von Fragen formulieren will. Das heißt:

Der Forscher (F) hat in seinem Kopf bestimmte Fragestellungen (gedankliche Frageinhalte (G); wobei im folgenden der Prozeß der Datenerhebung im Hinblick auf nur *eine* solche Fragestellung nachvollzogen werden soll):
1a) F benötigt Daten zum sozialen Sachverhalt S.
1b) F denkt G1.
Zu dieser gedanklichen Fragestellung formuliert er einen konkreten Fragewortlaut:
2) F verschlüsselt G1 in W1 (= Frageverständnis des Forschers).

Nun führt jedoch im Normalfall nicht der Forscher, der den Fragebogen entwickelt hat, auch selbst die Interviews durch. Vielmehr wird die Feldarbeit einem Interviewerteam übertragen. Die Interviewer werden – im Idealfall – für ihre Aufgaben speziell „geschult", d. h. ihnen wird der Fragebogen erläutert, sie werden in den gewünschten Interviewstil eingewiesen usw. Danach suchen die Interviewer (I) die ausgewählten Interviewpartner auf; im folgenden Interview wird dem Befragten (B) der vom Forscher formulierte Fragewortlaut übermittelt:

3) I übermittelt W1 an B (= Interviewer als „Übertragungsmedium" zwischen Sender –Forscher– und Empfänger –Befragter–).

Der Befragte hört den Fragewortlaut und übersetzt die Worte entsprechend seinem Sprachverständnis in eine gedankliche Frageassoziation:

4) B hört W1 und entschlüsselt in G2 (= Frageverständnis des Befragten).

Aufgrund seines Frageverständnisses entwickelt der Befragte den gedanklichen Vorstellungsinhalt einer Antwort, die er für angemessen hält:

5) B denkt G3.

Diese ihm angemessen erscheinende Antwort hat der Befragte nun sprachlich zu formulieren, wobei er je nach Art der Fragestellung dies entweder in eigenen Worten tun kann (bei sogenannten „offenen Fragen") oder aus einer Anzahl vom Forscher vorgegebener Antwortmöglichkeiten auszuwählen hat (bei „geschlossenen Fragen"):

6) B verschlüsselt G3 in W2.

Im Falle einer „geschlossenen Frage" protokolliert der Interviewer, welche der vorgegebenen Antwortkategorien der Befragte genannt hat:

7a) I hört und protokolliert W2.

Komplizierter ist der Ablauf im Falle „offener Fragen". Der Interviewer hört die Antwort W2, kann jedoch normalerweise nicht vollständig den ganzen Wortlaut protokollieren, sondern muß das nach seinem Verständnis „Wesentliche" in Stichworten festhalten.

7b) I hört W2 und entschlüsselt in G4 (= Antwortverständnis des Interviewers).

7c) I wählt aus G4 das nach seiner Auffassung „Wesentliche" heraus und verschlüsselt dies zu W3 (= Antwort von B im Antwort- und Sprachverständnis von I; d.h. Antwort von B, wie sie durch Vermittlung des Mediums I zu Protokoll genommen wird).

Später erhält der Forscher die kompletten Fragebögen und wertet diese aus. Das heißt, er entschlüsselt die Antworten unter Rückgriff auf sein Sprachverständnis und interpretiert die protokollierten (und damit zu Daten gewordenen) Antworten als Indikatoren für den Sachverhalt S:

im Falle „geschlossener Fragen" (vgl. 7a):

8a) F entschlüsselt W2 in G4 (= Antwortverständnis des Forschers) und interpretiert W2 als Indikator für S.

Im Falle „offener Fragen" (vgl. 7b, c):

8b) F entschlüsselt W3 in G5 und interpretiert W3 als Indikator für S.

Die Schritte 1b bis 8b skizzieren den formalisierten Prozeß der Kommunikation zwischen Forscher und Befragtem im Falle eines standardisierten Interviews. Skeptischer formuliert: sie skizzieren Rudimente einer Kommunikation mit eingebauten Hindernissen.

Um sich diese „eingebauten Hindernisse" vor Augen zu führen, vergegenwärtige man sich einige Voraussetzungen für einen gelingenden

Kommunikationsprozeß: Alle am Kommunikationsprozeß Beteiligten müssen die erforderliche *kommunikative Kompetenz* besitzen, d. h. jeder Beteiligte muß die Bedeutung der Zeichen kennen, mit deren Hilfe kommuniziert wird (hier: sprachliche Zeichen, deren Grammatik und Semantik), und zwar müssen alle Beteiligten (Forscher, Interviewer, Befragter) den Zeichen die *gleiche* Bedeutung beimessen.

Im alltäglichen Gespräch wählt man, um Mißverständnisse nach Möglichkeit zu vermeiden, eine redundante Ausdrucksweise; d. h. es wird einiges wiederholt, es wird der gleiche Gedankengang in verschiedenen Worten ausgedrückt. Es wird also insgesamt mehr Information angeboten, als zur Verständigung notwendig wäre, wenn alle möglichen *Kommunikationshemmnisse* technischer, psychischer und sozialstruktureller Art ausgeschlossen werden könnten. Diese Strategie kann beim standardisierten Interview nur in begrenztem Ausmaß verfolgt werden: Der Fragebogen darf nicht allzu lang werden; der Fragewortlaut muß für alle Befragten identisch sein, er muß der gleiche sein für Personen mit hoher kommunikativer Kompetenz wie für Personen mit geringer kommunikativer Kompetenz. Der Forscher muß deshalb versuchen, einen Mittelweg zu finden: Er muß eine Sprache wählen, die möglichst allgemeine Geltung hat; eine Sprache, die Personen aus der einen Subkultur nicht überfordert, die aber zugleich Personen aus einer anderen Subkultur nicht als zu banal oder zu wenig differenziert erscheint. Das Ergebnis wird tendenziell eine mittelschichtorientierte Sprache sein.

Die Strategie, Kommunikationshemmnisse technischer, psychischer und sozialstruktureller Art weitgehend auszuräumen, stößt nicht nur hier — bei der Wahl der Sprachebene —, sondern auch bei anderen Teilproblemen sehr schnell an Grenzen. Am ehesten lassen sich *technische Kommunikationshemmnisse* überwinden:

— Der Fragebogen kann so gestaltet werden, daß der Interviewer keine Schwierigkeiten hat, die Fragen des Forschers an den Befragten zu übermitteln (vgl. Punkt 3): deutliche Schrift, übersichtliche Anordnung der Fragen, gut erkennbare Anweisungen für den Interviewer.

— Der Interviewer wird geschult, darauf zu achten, daß der *Wortlaut* vom Befragten korrekt wahrgenommen (gehört) werden kann (vgl. Punkt 4): deutliches Sprechen, Ausschalten störender Geräusche in der Interviewsituation, unterstützende Hilfsmittel wie vorzulegende Listen mit Antwortvorgaben bei Auswahlfragen.

— Der Fragebogen kann so aufgebaut werden, daß bei geschlossenen Fragen die vom Befragten gewählte Antwortalternative ohne Probleme durch Ankreuzen protokolliert werden kann (vgl. Punkt 7a). Bei offenen Fragen jedoch ist die Protokollierung wesentlich schwieriger (vgl. Punkte 7b, 7c). Ein Tonbandgerät zum Aufzeichnen der Antworten kann im allgemeinen nicht eingesetzt werden (Einverständnis des Befragten erforderlich, wodurch das Zustandekommen des Interviews erschwert würde; großer Zeitaufwand beim nachträglichen Übertragen der Tonaufzeichnung auf den Interviewbogen).

Wesentlich geringer allerdings sind die Chancen, die *nicht-technischen Kommunikationshemmnisse* in den Griff zu bekommen. Keine Kommunikation geschieht voraussetzungslos. Jeder Gesprächspartner macht sich vom anderen bestimmte Vorstellungen.

Beim *Interviewer* entsteht dadurch die Gefahr, daß er nach einigen durchgeführten Befragungen zu wissen glaubt, was sein Gegenüber wohl antworten werde; etwa: „Wenn jemand alt ist und Arbeiter, dann stellt er an die Qualität seiner Wohnumwelt keine hohen Ansprüche". Entsprechend einer solchen Vorerfahrung wird der Interviewer bei nicht ganz klaren, bei Sowohl-als-auch-Antworten auf eine entsprechende Frage *den* Sinn in die Antwort hineininterpretieren, der seinem eigenen (Vor-)Urteil am nächsten kommt (vgl. Punkte 7a bis 7c). Aber nicht nur beim Protokollieren der Antworten, sondern schon beim Übermitteln des Fragewortlauts kann der Interviewer Ursache für eine verzerrte Kommunikation zwischen Forscher und Befragtem werden (vgl. Punkt 3). Der vom Forscher formulierte Fragewortlaut wird ja nicht rein mechanisch vom Interviewer nur verlesen, sondern der Interviewer entschlüsselt die Frage für sich zunächst ebenfalls zu einem gedanklichen Vorstellungsbild. Und entsprechend *seinem* Frageverständnis kann er durch die Betonung der Worte seine Sinninterpretation, die nicht mit dem vom Forscher gemeinten Sinn voll übereinstimmen muß, an den Befragten weitervermitteln (zum „Interviewer als Fehlerquelle" vgl. *Erbslöh/Wiendieck 1974*).

Auch der *Befragte* macht sich natürlich ein Bild vom Interviewer, wobei er — da dieser ihm als Person im Normalfall völlig unbekannt ist — lediglich auf dessen Aussehen und Auftreten als Anhaltspunkte für seine Urteilsbildung zurückgreifen kann. Entsprechend wird sich beim Befragten das Urteil über den Interviewer aus generalisierten Erfahrungen bilden, aus Vorurteilen etwa über „junge Leute mit Bart und langen Haaren", über „junge Damen, die sich nicht genieren, an fremder Leute Türen zu klingeln" oder aber über „adrett aussehende Burschen" oder „geschniegelte und gestriegelte junge Leute, die es doch nicht nötig haben sollten, ‚mit sowas' ihr Geld zu verdienen". Auf das Antwortverhalten wird das jeweilige Bild vom Gegenüber nicht ohne Einfluß bleiben (vgl. Punkte 5 und 6). Je nachdem, wie der Befragte den Interviewer einschätzt, wird er bestimmte inhaltliche Antwortmöglichkeiten und bestimmte Formulierungen für mehr oder weniger „angemessen" halten und wird sich mehr oder weniger zurückhaltend oder vertrauensvoll zeigen. Hierbei ist natürlich auch das Verhalten des Interviewers bedeutsam: Ob er sich interessiert oder gelangweilt zeigt, ob er bestimmte Antworten bestärkt oder vielleicht mit einem „na ja" herabsetzt, wird vom Befragten — wenn auch nicht immer bewußt — wahrgenommen und wirkt sich auf das Interviewresultat aus.

Ein besonderes Problem entsteht für den Befragten bei „geschlossenen Fragen", wenn er die ihm angemessen erscheindende Antwort (vgl. Punkt 5) nicht in den vorgegebenen Antwortalternativen wiederfindet und deshalb den gedanklichen Vorstellungsinhalt seiner Antwort nicht ohne Informationsverlust oder nicht zutreffend in den vom Forscher vorformulierten Kategorien verschlüsseln kann (vgl. Punkt 6). Er wird dann die seinen Vorstellungen am nächsten kommende Antwortalternative wählen und damit streng genommen „nicht richtig" antworten; oder er wird sagen müssen, alles treffe für ihn nicht zu. Kommt so etwas häufiger im Fragebogen vor, wird der Befragte möglicherweise das ganze Interview nicht mehr sehr ernst nehmen und Beliebiges antworten oder das Gespräch abbrechen.

7.3.3 Die Lehre von der Frage und vom Fragebogen

Das Vorgehensschema bei der Entwicklung und Anwendung des Instruments Befragung ist wieder das gleiche wie bei anderen empirischen Erhebungsinstrumenten: Ausgangspunkt ist die zu untersuchende Problemstellung; über dimensionale und/oder semantische Analyse, Begriffspräzisierung und Hypothesenbildung gelangt der Forscher zur Klärung, welche Art von Informationen er benötigt und mit welchen Instrumenten sie beschafft werden könnten. Kommt er dabei zu der Meinung, das Instrument Befragung sei ein geeignetes Instrument, dann erst wird er sein theoretisches Modell — d. h. die Variablen, die in den Hypothesen vorkommen, und die in den Hypothesen postulierten Beziehungen zwischen den Variablen — in Fragen übersetzen, also operationalisieren. Die Hypothesen — das theoretische, untersuchungsleitende Modell — bilden den *Bezugsrahmen des Forschers;* sie sind der Grund, warum bestimmte Fragen gestellt werden. Ihr Zweck sind Antworten, die als Daten der Überprüfung der Hypothesen dienen sollen. „Die Frage ist demnach das Bindeglied zwischen den Variablen der Hypothesen und den Antworten" (*Friedrichs* 1977, 204).

Wegen der Unterschiedlichkeit der wissenschaftlichen Sprache und der Alltagssprache wird der Forscher natürlich nicht seine theoretischen Begriffe (etwa Anomie, Partizipation, Integration, Schichtung, Berufsprestige) in der Frageformulierung benutzen, sondern solche Worte verwenden, die nach Möglichkeit von allen zu befragenden Personen verstanden werden, und zwar in möglichst gleicher Weise verstanden werden (s. o.). Der Forscher wird außerdem für einen theoretischen Begriff nicht nur eine einzige Frage stellen, sondern mehrere, um der Mehrdeutigkeit der Alltagssprache Rechnung zu tragen. Bei Begriffen, die von unterschiedlichen Personengruppen in unterschiedlicher Weise benutzt werden, kommt vielleicht noch eine Frage zum Begriffsverständnis des Befragten hinzu: „Was verstehen Sie unter ...?"

Um zu sichern, daß die im Fragebogen formulierten Fragen so weit wie möglich einheitlich verstanden werden, sind insbesondere die folgenden Grundsätze der Frageformulierung und der Fragebogenkonstruktion zu beachten (vgl. *v. Alemann* 1977, 209f.; *Kreutz/Titscher* 1974, 53ff.):

1) Fragen sollen so *einfach formuliert* sein, wie es mit dem sachlichen Zweck der Fragestellung noch vereinbart werden kann: keine komplizierten Sätze, nicht zu lange Fragen, einfache Sachverhalte ansprechen.

2) Fragen sollen so eindeutig sein, daß mit der Frage ein für alle Befragten *einheitlicher Bezugsrahmen* geschaffen wird. Wird z. B. nach dem Nettoeinkommen des Haushalts gefragt, dann muß dieser Begriff in der Frage eindeutig geklärt werden (Was gehört dazu, was gehört nicht dazu?). Gleiches gilt für die einfach erscheinende Frage nach der Wohnungsgröße (Angabe in Quadratmetern oder in Zahl der Zimmer? Wenn Quadratmeter: Zählen der Balkon, der Flur, das Bad, der Abstellraum dazu oder nicht? Wenn Zimmerzahl: Ab welcher Größe zählen Räume als ganze Zimmer? Wird die Küche mitgezählt oder erst, wenn es eine Wohnküche ist? Wird der große Flur in der Wohnung mitgezählt, falls er als Eßplatz benutzt wird?). In jedem Fall ist der gewünschte *Genauigkeitsgrad* der Antwort zu spezifizieren.

Im übrigen darf zur Sicherung der Eindeutigkeit nur *eine* Frage zur gleichen Zeit gestellt werden. Dieser Forderung würde z. B. folgende Formulierung nicht gerecht: „Haben Sie in den vergangenen vier Wochen allein oder mit Ihrer Familie einen Ausflug unternommen?" Hierbei handelt es sich um zwei ineinander verschränkte Fragen, nämlich: „Haben Sie einen Ausflug unternommen?" und: „Haben Sie den Ausflug allein unternommen oder mit der Familie?" Unter dem Gesichtspunkt „Einheitlichkeit des Bezugsrahmens" wäre im übrigen noch der Begriff „Ausflug" zu klären.

3) Der Befragte darf *nicht überfordert* werden; d. h. sein Wissensstand darf nicht überstrapaziert, er darf nicht „überfragt" werden. Zu viele Unterscheidungen sind zu vermeiden; man darf nicht erwarten, daß der Befragte ein Gedächtniskünstler ist. Hilfsmittel wie Listen, „Kartenspiel" mit Antwortvorgaben können weiterhelfen, wenn sehr viele Unterscheidungen unabdingbar sind oder wenn sehr viele Aspekte miteinander verglichen werden sollen.

4) Fragen sollen *nicht suggestiv*, sondern so neutral wie eben möglich gestellt werden. Der Zweck dieser Forderung ist es zu verhindern, daß sich in den Antworten statt der persönlichen Meinung des Befragten die Auffassungen des Forschers oder gesellschaftliche Vorurteile widerspiegeln. Eine suggestive Wirkung hat eine Frage schon dann, wenn im Wortlaut nur *eine* Antwortalternative *genannt* oder nahegelegt wird,

etwa: „Wären Sie damit einverstanden, wenn Sie auch Gastarbeiter-
familien als Nachbarn hätten?" Aus diesem Grund werden Formulierungen wie die folgende bevorzugt, auch wenn diese „weniger elegant"
klingen: „Wären Sie damit einverstanden, wenn Sie auch Gastarbei-
terfamilien als Nachbarn hätten, oder wären Sie damit nicht ganz einverstanden?" (es folgen mehrere Antwortvorgaben). Oder: „Überlegen
Sie einmal, welche Personengruppe Sie gern als Nachbarn hätten und
welche Sie weniger gern als Nachbarn hätten?" (es folgen Antwortvorgaben).

Zusammengefaßt: Der Forscher muß mit größter Sorgfalt die Fragestellungen, die sich aus *seinem* Forschungsbezugsrahmen ergeben, in
den *Bezugsrahmen des Befragten* übertragen.

Als Resultat der bisherigen Erfahrungen im Umgang mit dem Instrument Befragung haben sich hierfür bestimmte Frage- und Befragungs-
formen herausgebildet.

Frageformen

Nach der *Art der Antwortvorgabe* unterscheidet man zwischen offenen und geschlossenen Fragen. Bei geschlossenen Fragen sind vor-
formulierte Antwortalternativen vorgegeben. Bei nur zwei Vorgaben
— etwa: ja und nein — spricht man von Alternativfragen. Offene
Fragen überlassen die Antwortformulierung dem Befragten; sie
lassen die Kategorien, in denen er antworten kann, offen. Für offene
Fragen ist nicht eine Vorab-Inhaltsanalyse möglicher Antworten und
die Entwicklung von Antwortkategorien erforderlich. Sie sind deshalb
auch bei Problemstellungen geeignet, für die nicht schon umfassende
Kenntnisse über das Universum möglicher Antworten vorhanden sind.
Andererseits setzen offene Fragen beim Befragten viel voraus: Artiku-
lationsfähigkeit, Information, Motivation.

Bei geschlossenen Fragen muß der inhaltsanalytische Teil der Auswertung vorweggenommen werden. Die Gefahr dabei ist, daß Kategorien
gewählt werden, die aus dem Bezugsrahmen des Forschers stammen
und nicht dem Bezugsrahmen des Befragten entsprechen. Für den
Befragten können dadurch Kategorien uneindeutig sein oder eine ganz
andere Verständnisdimension betreffen, so daß er Schwierigkeiten
haben mag, seine beabsichtigte Antwort in den vorgegebenen Kategorien unterzubringen. Ein weiteres Problem ist bei geschlossenen
Fragen die Reihenfolge der Antwortvorgaben, die — insbesondere bei
einer größeren Zahl von Vorgaben — nicht ohne Einfluß auf das Antwortverhalten ist. Man kann den Effekt der Reihenfolge von Antwortvorgaben durch die Verwendung eines sogenannten „Kartenspiels"
ausschalten, d. h. durch Karten mit Antwortvorgaben, die man in
beliebiger Reihung nebeneinander dem Befragten vorlegt.

Im übrigen kann der Fall eintreten, daß vom Forscher als „geschlossen" angesehene Fragen dem Befragten gar nicht so geschlossen erscheinen. Dies ist in der Regel der Fall, wenn der Befragte in der Lage ist,

ein Problem sehr differenziert zu beurteilen, etwa weil er viel damit zu tun hat, weil er auf diesem Gebiet ein Experte ist. Er wird dann meist zusätzliche Kategorien vermissen, da nach seinem differenzierteren Verständnis eventuell die Antwortvorgaben sämtlich nicht voll zutreffen. Häufig hilft man sich damit, „halboffene" oder „halbgeschlossene" Fragen zu stellen: Die aus der Sicht des Forschers wichtigsten Kategorien werden vorgegeben, zusätzlich wird eine Kategorie „Sonstiges, und zwar . . ." offen gehalten.

Nach der *Art der Frageformulierung* unterscheidet man zwischen direkten und indirekten Fragen. Direkte Fragen sprechen den Befragten persönlich an: „Was ist *Ihre* Meinung zu . . .? Wie hoch ist *Ihr* Haushaltseinkommen . . .?" Bei indirekten Fragen wird der Befragte nicht persönlich angesprochen, sondern die Frage wird „eingekleidet", z. B. in eine kleine Geschichte.[104] Oder es wird eine Aussage oder Meinung einer größeren Zahl anonym gelassener Personen zugeschrieben und gefragt, was man von dieser Aussage oder Meinung zu halten habe; etwa: „Es gibt eine Menge Leute, die die folgenden Ansichten vertreten. Kann man solchen Meinungen zustimmen, oder sollte man sie zurückweisen?: ,Man sollte dafür sorgen, daß die Gastarbeiter aus den heruntergekommenen Behausungen in anständige Wohnungen kommen, auch wenn Wohnungen knapp sind.' " (Antwortvorgaben von „starke Zustimmung" bis „starke Ablehnung").

Eine Formulierung, die zu einer direkten, persönlichen Stellungnahme auffordert, könnte dagegen so lauten: „Ich bin der Meinung, daß die Ausländer in den Wohngegenden wohnen sollen, die nicht so gut mit Einkaufsmöglichkeiten, Kindergärten, Schulen, Gaststätten usw. ausgestattet sind. Die besseren Wohngegenden sollten den Deutschen vorbehalten bleiben." (Antwortvorgaben von „starke Zustimmung" bis „starke Ablehnung").

Indirekte Fragen werden in der Hoffnung formuliert, daß der Befragte dann eher antwortet als auf eine direkt gestellte Frage. Von ihm wird mehr eine *Aussage über andere* als über sich selbst erwartet. Allerdings wird dadurch nicht nur die Bereitschaft positiv beeinflußt, überhaupt zu antworten, sondern auch die Bereitschaft, bestimmte Meinungen oder Ansichten zu äußern. Das heißt, es werden im allgemeinen nicht nur *mehr* Antworten gegeben, sondern die Antworten fallen auch *anders* aus als bei direkten Fragen. Ungewiß bleibt: Welche Antwort spiegelt die Haltung des Befragten zum angesprochenen Sachverhalt am ehesten wider, ist also zutreffender?

Damit ist ein weiterer Punkt angesprochen, die sogenannten „schwierigen Fragen". Gemeint sind hierbei nicht solche Fragen, die unver-

---

104 Z. B.: „Drei Personen unterhalten sich über Gastarbeiter. Welcher von ihnen könnten Sie am ehesten zustimmen? (Es folgen drei Ansichten über Gastarbeiter in der BRD von Personen A, B, C)" (Friedrichs 1977, 201).

ständlich formuliert wären oder den Befragten überforderten. Vielmehr sind es Fragen, die sich auf „schwierige" Themen beziehen; auf Themen, zu denen nicht gern Stellung genommen wird, bei denen die Zahl der Antwortverweigerungen höher liegt (etwa: Schlagen von Kindern als Erziehungsmaßnahme, aber auch Verdienst/Einkommen). Generell darf man vermuten: Je mehr eine Frage nach Auffassung des Befragten in seinen Intimbereich eindringt, desto weniger wird er bereit sein, zu antworten.

Was allerdings zum Intimbereich zählt, ist nicht konstant, sondern unterscheidet sich je nach Kultur, aber auch nach sozialer Schicht. So berichtet etwa *Scheuch* (1973, 117ff.), daß es bei manchen Personenkreisen „schwieriger" sei, Fragen über das Einkommen zu stellen als über das Sexualverhalten. Noch problematischer sei das Thema „körperliche Hygiene": „Etwas überspitzt kann man sagen, daß in westlichen Gesellschaften Befragte eher abweichendes Sexualverhalten eingestehen als Verletzung der Normen für die körperliche Sauberkeit" (a.a.O., 119).

An Maßnahmen zur Erhöhung der Antwortquote bei „schwierigen" Themenbereichen werden neben der Formulierung indirekter Fragen häufig genannt:
- Die Vorgabe vorverschlüsselter Antworten: beim Einkommen etwa die Vorgabe von Einkommensklassen statt einer offenen Frage;
- die Entschärfung oder Verharmlosung dieser Frage durch geeignete Formulierungen: statt von Diebstahl spricht man davon, daß jemand „etwas weggenommen" habe; statt von Steuerhinterziehung ist die Rede davon, jemand habe das Finanzamt „übers Ohr gehauen";
- der Appell an den Mitläufer-Effekt: „Die meisten Leute haben ja eine feste Meinung darüber, ob die Wiedereinführung der Todesstrafe die Terroristen von ihrem Tun abhalten könnte. Wie ist Ihre Ansicht dazu?";
- das „schwierige" Thema wird als etwas Selbstverständliches dargestellt: „Man erfährt ja täglich aus den Tageszeitungen und im Bekanntenkreis über Ehescheidungen und über Gründe, die zum Scheitern von Ehen führen . . .";
- die Überrumpelung des Befragten mit ganz direkt gestellten Fragen: „Wie oft sind Sie im letzten Karneval fremdgegangen?"

Nach ihrer *Funktion im Gesamtfragebogen* unterscheidet man Einleitungs- und Übergangsfragen, Filter-, Folge- sowie Sondierungsfragen. Einleitungs- und Übergangsfragen werden gestellt, um den Befragten in das Gespräch einzuführen oder um auf ein neues Thema überzuleiten. Filterfragen dienen dazu, bestimmte Untergruppen von Befragten zu bilden, für die je spezielle Fragen zu stellen sind.

Beispiel: „Sind Sie Mitglied einer Gewerkschaft?" (Ja/nein). Wenn ja → Fragen darüber, welche Vorteile die Mitgliedschaft bringe, was die Gewerkschaft für ihre Mitglieder tue, was sie besser machen könne usw. Wenn nein → Fragen darüber, ob der Befragte Kenntnisse über die Tätigkeit der Gewerkschaften habe, welche Probleme die Gewerkschaft eigentlich verfolgen solle, was eine Mitgliedschaft in der Gewerkschaft den Mitgliedern wohl an Vorteilen bringe usw.

Im Normalfall wird zu einem Thema nicht nur *eine* Frage gestellt, sondern mehrere Einzelfragen beziehen sich auf denselben Themenkreis (Fragenbatterie); und je nach den Antworten auf vorhergehende Fragen entfallen dann bestimmte Einzelfragen oder werden zusätzliche Einzelfragen erforderlich. Filterfragen erlauben also für konkrete Befragungssituationen die Entscheidung darüber, welche Fragen zu stellen sind und welche nicht.

Folgefragen sind das Gegenstück dazu. Sie dienen dem Zweck, einzelne Aspekte aus vorhergehenden Antworten genauer zu erfassen. Schreitet man von allgemeinen Fragen zu immer spezielleren Fragen, spricht man von *„Trichterung"*, von einem „Fragentrichter".

Sondierungsfragen sind eine Sonderform der Folgefragen. Sie werden gestellt, um nach unklaren Antworten eine genaue Bedeutung der Antworten zu ermitteln. Dies kann insbesondere bei offenen Fragen erforderlich werden.

Fragebogenkonstruktion

Mit der zuletzt vorgenommenen Unterscheidung von Fragen nach ihrer Stellung im Gesamtinterview wurde bereits die Fragebogenkonstruktion berührt:

- Die Fragen werden nicht zufällig zusammengewürfelt, sondern nach bestimmten Gesichtspunkten im Fragebogen angeordnet. Man beginnt üblicherweise mit möglichst neutralen, jedenfalls nicht mit „schwierigen" Fragen, um das Interview erst einmal in Gang kommen zu lassen. Vor allem sollten am Beginn des Interviews Fragen stehen, die beim Befragten Interesse wecken.

- Man wird mehrere Fragen zum gleichen Komplex zusammenfassen, nicht ständig von einem Thema zum anderen springen. Jeder neue Themenkomplex wird mit Überleitungsfragen vorbereitet.

Eine Ausnahme sind die sogenannten Kontrollfragen. Man stellt zu einer Frage, für die man die Zuverlässigkeit der Antwort ermitteln möchte, an einem anderen Platz im Fragebogen eine ähnliche Frage, und zwar so, daß der Befragte nach Möglichkeit nicht merkt, daß diese Frage so ähnlich schon einmal gestellt worden ist.

Im übrigen sind bei der Fragenanordnung zwei mögliche *verzerrende Effekte* in Rechnung zu stellen und zu vermeiden: der Ausstrahlungs- und der Plazierungseffekt.

Der Ausstrahlungseffekt (halo effect) ist bei der sogenannten „Mikroplanung" des Fragebogens – der Abfolge der einzelnen Fragen innerhalb der verschiedenen Themenbereiche – zu berücksichtigen. Jede Frage bildet für die nachfolgenden den Bezugsrahmen, sie stellt den Hintergrund für das weitere Gespräch dar, sie „strahlt aus" auf die weitere Gedankenführung. Keine Frage wird vom Befragten isoliert gesehen. Der Ausstrahlungseffekt ist vor allem auch dem Bemühen des Befragten um Widerspruchslosigkeit seiner Antworten zuzuschreiben (*Scheuch* 1973, 91). Er wird um so stärker wirksam, je größer das emotionale Engagement des Befragten bei bestimmten Fragen ist.

Die Tatsache des Ausstrahlungseffekts nutzt man gezielt bei der

Trichterung: Mit allgemeinen Fragen wird der Befragte in ein Thema eingeführt, mit immer spezielleren Fragen geht man schließlich bis in Einzelaspekte des Problems. Die Fragen über spezielle Einzelaspekte könnte der Befragte vermutlich gar nicht beantworten, wenn nicht das Thema von Frage zu Frage weiter entfaltet würde.

Bei der Trichterung arbeitet man also mit einem gewollten Ausstrahlungseffekt. In anderen Fällen ist dieser Effekt absolut unerwünscht, etwa bei Meinungsfragen.

Wenn zum *Beispiel* zunächst von Überfällen auf Taxifahrer sowie vom Mord an einem Taxifahrer die Rede war und direkt anschließend die Meinung zur Todesstrafe erfragt werden sollte, dann darf der Interviewer sich eines „halo-Effekts" sicher sein. Die Frage nach der Meinung zur Todesstrafe bezieht sich dann nicht mehr nur auf den manifesten Inhalt der Frageformulierung; vielmehr schwingt latent die Einbettung in das Thema Mord und Überfälle bei Taxifahrern mit. Hätte sich das Interview vorher um Justizirrtümer gedreht, etwa um die Hinrichtung eines fälschlicherweise zum Tode verurteilten Unschuldigen, dann würde die anschließende Frage nach der Todesstrafe erheblich andere Antworten bringen.

Fragen, die in unerwünschter Weise Einfluß aufeinander ausüben können, müssen im Interview möglichst weit auseinander liegen und sollten durch andere Themenbereiche auch inhaltlich getrennt werden.

Für die analoge Ausstrahlung, die die Plazierung ganzer Gruppen von Fragen im Interview („Makroplanung" des Fragebogens) auf die Antworten ausübt, schlägt *Scheuch* (a.a.O.) die Bezeichnung Plazierungseffekt vor. Die Beziehung, die oben für aufeinander folgende Einzelfragen skizziert wurde, besteht nämlich durchaus auch zwischen einem ganzen Themen*komplex* und dem nächsten. Eine ganze Gruppe von Fragen gibt also den Bezugsrahmen für eine nachfolgende Gruppe von Fragen ab.

Wenn *beispielsweise* zunächst von Eigentumsrechten, von Verfügungsgewalt über Produktionsmittel, von Aussperrung und Streik die Rede war, haben Fragen zur gewerkschaftlichen Forderung nach paritätischer Mitbestimmung einen anderen Stellenwert und einen anderen Bezugsrahmen als wenn vorher Fragen zur Demokratisierung, zur Lebensqualität, zur Verwirklichung von Persönlichkeitsrechten gestellt worden wären.

Wo eine Trennung von Fragen bzw. von Fragenkomplexen (zur Ausschaltung des halo- bzw. des Plazierungseffekts) nicht möglich ist, kann man sich damit helfen, daß man für zufällig bestimmte Teilgruppen von Befragten Interviewbögen mit unterschiedlicher Reihenfolge der Fragen verwendet. Auf diese Weise können Effekte der Reihenfolge zwar nicht ausgeschaltet, aber doch immerhin kontrolliert werden.

So hat *beispielsweise* das Marktforschungsinstitut Infratest bei einer Befragung über die Nutzung und Einschätzung der Informationsmedien Fernsehen, Hörfunk und Tageszeitung die Interviews je zu einem Drittel mit unterschiedlichen Fragebogenfassungen durchgeführt:

„Splitversion 1" mit der Reihenfolge: Fernsehen – Tageszeitungen – Hörfunk;
„Splitversion 2" mit der Reihenfolge: Hörfunk – Fernsehen – Tageszeitungen;
„Splitversion 3" mit der Reihenfolge: Tageszeitungen – Hörfunk – Fernsehen.[105]

Formen der Befragung (vgl. Übersicht S. 210)

Nach der *Befragungssituation* kann man trennen zwischen mündlicher und schriftlicher Befragung. Bei der mündlichen Befragung (im allgemeinen *Interview* genannt) unterscheidet man das Einzelinterview, bei dem der Interviewer den Befragten aufsucht (im allgemeinen in dessen Wohnung; es kann aber auch seine Arbeitsstelle oder sonst ein Ort sein, der von der Fragestellung der Untersuchung her geeignet ist), und das Gruppeninterview, bei dem mehrere Personen anwesend sind und *gleichzeitig befragt* werden. Dabei notiert der Interviewer die gegebenen Antworten (nicht zu verwechseln mit der Gruppen-*diskussion*). Eine Sonderform des mündlichen Interviews ist das telefonische Interview, das oft für sogenannte „Blitzumfragen" mit einem kurzen Fragenkatalog zu eng begrenzten Themen verwendet wird.

Bei den schriftlichen Befragungen gibt es einerseits die postalische Befragung: Zustellung des Fragebogens per Post oder Verteilung von Fragebögen in die Briefkästen durch Boten. Vom Adressaten wird dabei erwartet, daß er den Fragebogen selbst ausfüllt und ihn anschließend an den Forscher (das Institut) zurückschickt. Um eine ähnliche Befragungsart handelt es sich, wenn zunächst der Fragebogen durch Interviewer überbracht und nach Erläuterung des Zwecks der Befragung zum Selbstausfüllen im Haushalt gelassen wird. Später holt der Interviewer den Fragebogen wieder ab, wobei er ihn auf Vollständigkeit hin überprüft und eventuell ergänzt (z. B. bei der Volkszählung). Diese Vorgehensweise hat gegenüber der postalischen Befragung den Vorteil, daß im allgemeinen die Ausfallquote geringer ist.

Davon zu unterscheiden ist die (schriftliche) Befragung in einer Gruppensituation: Eine ganze Gruppe von zu Befragenden ist gleichzeitig anwesend und füllt in Anwesenheit des Interviewers oder einer Aufsichtsperson den Bogen aus (etwa bei schriftlichen Befragungen von Schulklassen).

Hinsichtlich des *Grades an Standardisierung* der Befragung muß unterschieden werden zwischen voll-standardisierter, teil-standardisierter und nicht-standardisierter Befragung. Bei der voll-standardisierten Befragung sind sämtliche Fragen explizit vorformuliert; es ist festgelegt, in welcher Reihenfolge die Fragen zu stellen sind, ob die Fragen „offen" oder „geschlossen" gestellt werden, ob Listen oder Karten vorgelegt werden usw. Der Interviewer hat keinen Spielraum

---

105 Infratest-Medienforschung 1975: Massenkommunikation 1964-1970-1974, München; S. 6.

bei der Gestaltung des Gesprächs. Schriftliche Befragungen sind im allgemeinen voll-standardisiert. Beim teil-standardisierten Fragebogen handelt es sich dagegen vor allem um ein Fragebogen*gerüst:* In der Hauptsache wird mit offenen Fragen gearbeitet; Sondierungsfragen sind zugelassen; der Interviewer hat die Möglichkeit, die Befragungssituation selbst mitzustrukturieren. Einzelinterviews mit Hilfe eines solchen Fragebogengerüsts oder Interviewer-Leitfadens werden Leitfadengespräch bzw. Intensiv- oder Tiefeninterview genannt. Diese Form der Befragung erlaubt es, zu bestimmten Themen genauer nachzufragen, Sachverhalte intensiver oder mehr in die Tiefe gehend zu erfassen. Schriftliche teil-standardisierte Befragungen sind selten. Sie richten sich allenfalls mit eng abgegrenztem Themenbereich an Experten oder spezielle Zielgruppen.

Das nicht-standardisierte Interview verzichtet vollständig auf einen Fragebogen. Dem Interviewer sind nur Stichworte oder Themen vorgegeben, die er anzusprechen hat, und der Befragte kann ohne Vorgabe, ohne präzise Einzelfragen dazu Stellung nehmen (etwa bei Experteninterviews). Die Gruppendiskussion (nicht zu verwechseln mit dem Gruppeninterview) wird meist in dieser Weise geführt. Der Diskussionsleiter gibt lediglich das Rahmenthema vor und achtet darauf, daß nach Möglichkeit jeder zu Wort kommt; er führt zum Thema zurück, wenn die Diskussion abschweift (vgl. Kromrey 1986). In qualitativ orientierten Forschungsdesigns kommt offenen, nur wenig standardisierten Befragungstechniken ein relativ großer Stellenwert zu; Begriffe wie situationsflexibles, narratives und exploratives Interview stehen hier für entsprechende Konzepte (für kurze Überblicke s. *Hoffmann-Riem* 1980, 357ff.; *Hopf* 1978).

Nach der *Häufigkeit der Befragung* von Personen unterscheidet man schließlich noch zwischen einmaliger Befragung und Panel (d. h. Befragung der gleichen Personen zu mehreren Zeitpunkten). Das Panel ist sehr kostspielig; man muß mit einer relativ großen Stichprobe arbeiten, da bei jeder neuen Welle von Befragungen eine gewisse Zahl von Ausfällen einzukalkulieren ist. Nur mit einem direkten Panel, bei dem die *gleichen* Personen mehrfach interviewt werden, lassen sich Veränderungen von Meinungen und Einstellungen wie auch von Verhaltensweisen messen.

212

Übersicht

Formen der Befragung

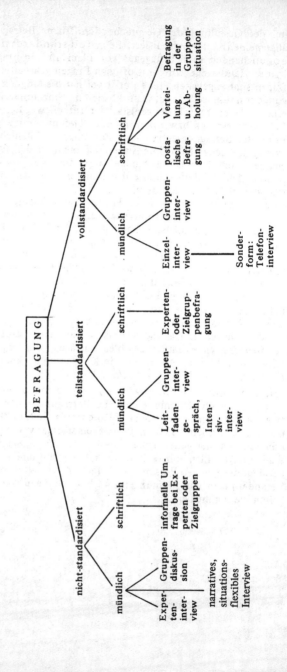

BEFRAGUNG

nicht-standardisiert

mündlich
- Experten-interview
- Gruppen-diskussion
- narratives, situations-flexibles Interview

schriftlich
- informelle Umfrage bei Experten oder Zielgruppen

teilstandardisiert

mündlich
- Leitfaden-ge-spräch, Inten-siv-interview
- Gruppen-interview

schriftlich
- Experten- oder Zielgrup-penbefra-gung

vollstandardisiert

mündlich
- Einzel-interview
- Sonder-form: Telefon-interview
- Gruppen-interview

schriftlich
- postalische Befra-gung
- Vertei-lung u. Ab-holung
- Befragung in der Gruppen-situation

7.3.4 Beispiel für einen Fragebogen (mündliches Einzelinterview)

(. . . INSTITUT . . .)

Fragebogen zum Forschungsprojekt:
„Wohnverhalten als Kriterium bedarfsgerechten Bauens", durchgeführt für . . .

(Interviewer:
Wenn eckige Kästchen, Code-Ziffern einsetzen; wenn Ziffern vorgedruckt, Zutreffendes einkreisen)

Vom *Interviewer* auszufüllen:

Wohngebiet Nr.:
Interviewer Nr.:
lfd. Nr. des Interviews:

Hinweis für den *Interviewer:*
Zielpersonen sind nur der Haushaltungsvorstand oder sein Ehepartner!
(folgt einleitende Erläuterung für den Befragten)

Frage 1: Mit wem leben Sie zusammen in einem Haushalt?

(Interviewer:
Mehrfachnennungen möglich!)

Befragter lebt

allein	0
zusammen mit Ehepartner	1
zusammen mit Kind(ern)	2
zusammen mit Geschwistern	3
zusammen mit Eltern	4
zusammen mit sonstigen Verwandten	5
zusammen mit anderen Personen	6
keine Antwort	9

Frage 2: Wie viele Personen sind das insgesamt?

Frage 3: Wie groß ist die Wohnfläche, die Ihnen – also dem gesamten Haushalt – zur Verfügung steht? Bitte Angabe in Quadratmetern! qm

Frage 4: Wie viele Zimmer bewohnen Sie (zusammen mit Ihrer Familie und den übrigen Haushaltsmitgliedern)? Gemeint sind alle Wohn- und Schlafräume einschließlich Küche; nicht mitzurechnen sind Badezimmer, WC, Kellerräume usw.

Frage 5: Was für Zimmer sind das? Bitte bezeichnen Sie die Zimmer danach, wie sie genutzt werden, also z. B. Küche, Wohnküche oder Elternschlafzimmer, Schlafzimmer der Oma oder Kinderzimmer, Gästezimmer usw.

213

(*Interviewer:*
Sämtliche Angaben
genau notieren und
kontrollieren, ob
alle Zimmer aufge-
führt worden sind;
vgl. Frage 4)

....
....
....
....
....

⋮

Frage 12: Wohnen Sie (und Ihre Familie) . . .

      (a) im eigenen Haus?   1 ⎤→ weiter zu
      (b) in einer Eigentumswohnung?   2 ⎦ Frage 13 a, b, c
      (c) zur Miete?   3 ⎤→ weiter zu
      (d) zur Untermiete?   4 ⎦ Frage 14 a, b

(falls Eigentum:)

Frage 13: a) Wie hoch sind Ihre gesamten monat-
             lichen Belastungen für Zinsen, Hei-
             zung, Instandhaltung, Steuern, Ge-
             bühren sowie für die Tilgung von
             Krediten?   DM ▢▢▢▢

       b) Wieviel davon macht die Kredit-
             tilgung aus?   DM ▢▢▢▢

       c) Und wieviel von dem Gesamtbetrag
             machen die Heizkosten aus?   DM ▢▢▢▢

                                    └→ weiter zu
                                     Frage 15

(*Interwiever:*
Falls Antwort „weiß nicht",
bitte 8888 eintragen)

(falls Miete oder Untermiete:)

Frage 14: a) Wie hoch sind Ihre gesamten monat-
             lichen Belastungen für Miete, Hei-
             zung und andere Nebenkosten?   DM ▢▢▢▢

       b) Wieviel davon machen die Heiz-
             kosten aus?   DM ▢▢▢▢

(*Interviewer:*
Falls Antwort „weiß nicht",
bitte 8888 eintragen)

Frage 15: . . .

Frage 16: Wenn Sie nun Ihre jetzige Wohnung beurteilen:
          Was gefällt Ihnen daran, und was gefällt Ihnen
          nicht?
          Ich lese Ihnen jetzt einige Merkmale vor, und
          Sie sagen mir bitte, ob das in Ihrer Wohnung
          besonders vorteilhaft oder ob es besonders
          nachteilig ist.

	besonders vorteilh.	besonders nachteilig	weder/ noch
(a) Zahl der Zimmer	1	2	3
(b) Größe der Wohnung (Grundfläche)	1	2	3
(c) Wohnungszuschnitt (Grundriß)	1	2	3

⋮

(Interviewer:
Falls Antwort „trifft für mich nicht zu"
oder ähnliche Antwort, bitte 8 an den
Rand schreiben und einkreisen)

⋮

Frage 31: Bitte sagen Sie mir jetzt noch, was Ihnen
an Ihrem Wohngebiet besonders gut gefällt,
und was Sie für besonders schlecht halten.

besonders gut: besonders schlecht:

. . . .

. . . .

Erläuterungen:
Fragen 1 und 2 leiten in das Thema Haushalt und Wohnung ein. Sie sind sehr
einfach formuliert, um zunächst das Gespräch in Gang zu setzen (eine geschlossene und eine leichte offene Frage).
In *Frage 4* wird zur Herstellung eines gemeinsamen sprachlichen Bezugsrahmens
für alle Befragten in der Frageformulierung genau festgelegt, welche Räume im
Haus als „Zimmer" gerechnet werden sollen.
Frage 5 ist eine offene Frage mit Erläuterungen und mit Beispielen, in welchen
sprachlichen Kategorien der Befragte seine Antwort verschlüsseln soll (Bezeichnung der Zimmer nach ihrer Nutzung). Zugleich ist dies eine Kontrollfrage zu
Frage 4 (vgl. den Hinweis an den Interviewer).
Bei *Frage 31* dagegen handelt es sich um eine offene Frage ohne Angabe, in
welchen sprachlichen Kategorien der Befragte seine Antwort formulieren soll.
Die Frage ist so angelegt, daß die Antworten darauf als Indikatoren für *die*
Qualitäten und Nachteile des Wohngebiets gelten können, die im Bewußtsein
der Befragten besonders stark präsent sind, so daß sie auch ohne weitere the-
matische Hinführung direkt abgerufen werden können. Bei der Auswertung dieser
Antworten wird das Bezugssystem des Befragten zu berücksichtigen sein.
Frage 12 dient (neben der Sammlung von Informationen über das Wohnverhält-
nis) als Filterfrage. Falls der Befragte im eigenen Haus oder in einer eigenen
Wohnung lebt, hat der Interviewer die Fragen 13 a bis c zu stellen und dann mit
Frage 15 fortzufahren. Falls der Befragte als Mieter oder Untermieter wohnt,
hat der Interviewer mit den Fragen 14 a, b fortzufahren und geht dann zur
Frage 15 über.
In *Frage 16* soll durch die Formulierung „ob das in Ihrer Wohnung besonders
vorteilhaft oder ob es besonders nachteilig ist" vermieden werden, daß eine
bestimmte Antwortrichtung (z. B. vorteilhaft) nahegelegt wird. Danach folgt
eine Reihe von Bewertungsdimensionen, zu denen der Befragte jeweils anhand
der vorgegebenen Bewertungskategorien Stellung nehmen soll.

7.4 Vergleich der Erhebungsinstrumente Inhaltsanalyse, Beobachtung, Befragung

7.4.1 Besonderheiten und Ähnlichkeiten: Die Inhaltsanalyse als Basismodell

Mit der Definition als „eine Forschungstechnik, mit der man aus jeder Art von Bedeutungsträgern durch systematische und objektive Identifizierung ihrer Elemente Schlüsse ziehen kann", ist die empirische Inhaltsanalyse nur vage bestimmt. Sehr unterschiedliche Verfahren, Texte (bzw. andere Dokumente) in Einzelteile, in Elemente zu zerlegen und diese Elemente dann einem System von Kategorien zuzuordnen, können dem Oberbegriff Inhaltsanalyse zugerechnet werden (vgl. Abschn. 7.1.5). Gemeinsam ist allen diesen Verfahren, daß sie in irgend einer Weise qualitative Inhalte (Bedeutungsinhalte) zu quantifizieren versuchen; und je nach der Art und Weise, in der Inhalte quantifiziert werden, sind unterschiedliche inhaltsanalytische Strategien zu unterscheiden. Bei dem lange Zeit geführten Streit um „quantitative" versus „qualitative" Inhaltsanalyse (vgl. *Ritsert* 1972, 14ff.) handelt es sich also im Grunde um ein Scheingefecht. Selbst wenn auf „rein qualitativer Ebene" die analysierten Texte entsprechend ihren Aussageinhalten lediglich in Gruppen oder Klassen „qualitativ unterscheidbarer Aussagen" eingeteilt werden, so wird damit doch zumindest bereits eine einfache Klassifikation von Textelementen vorgenommen, d.h. es wird auf Nominalskalenniveau „gemessen" und so die Basis für eine quantitative Auswertung gelegt (vgl. Abschn. 5.1.2; 5.2.1; 5.3.3). Es macht auch keinen prinzipiellen Unterschied, ob anschließend – wie bei der Frequenzanalyse – das Resultat der Klassifikation genau ausgezählt und die Häufigkeit des Auftretens bestimmter Inhalte als Maß ihrer „Bedeutsamkeit" verwendet wird, oder ob der Forscher sich nur einen groben Überblick über die Verteilung von Inhalten in den analysierten Texten verschafft und für die Bestimmung der „Bedeutsamkeit" von Aussagen andere Kriterien heranzieht. Genauso einseitig wäre allerdings ein Standpunkt, der auf der Möglichkeit einer „rein quantitativen" Inhaltsanalyse beharrte. Das Zuordnen von Bedeutungsgehalten eines Textes zu den definierten inhaltsanalytischen Kategorien setzt notwendigerweise „qualitative" Prozesse des Erkennens und Interpretierens in der Person des Lesers (des Vercoders) voraus. „Jede Identifizierung eines inhaltlichen Textmerkmals durch den Codierer ist zunächst ein qualitativer Analyseakt, dessen zählend-quantifizierende Weiterverarbeitung diesen Charakter nicht aufhebt ... Zwischen qualifizierenden und quantifizierenden Analyseschritten besteht so bei der Inhaltsanalyse eine nicht auflösbare dialektische Wechselbeziehung" (*Früh* 1981a, 102). Auch für die qualitativen Analyseschritte gilt allerdings die Forderung, daß ihre Resultate möglichst *intersubjektiv* sein sollen (vgl. oben, Kap. 7.1).

Im Unterschied zu den Verfahren Beobachtung und Befragung — wo die Prozesse, über die Daten erhoben werden, unmittelbar bei der Anwendung des Erhebungsinstruments ablaufen: systematisch beobachtete Aktivitäten, protokollierte verbale Reaktionen der Befragten auf verbale Stimuli — richtet sich die empirische Inhaltsanalyse auf *Dokumente*[106] *über* stattgefundene soziale Prozesse, auf das Ergebnis der Aktivitäten von Einzelpersonen, Gruppen, Organisationen, auf „symbolische Materialien" (*Treinen* 1979). Diese Materialien sind im allgemeinen nicht speziell für die Zwecke der Inhaltsanalyse angefertigt worden, sondern spiegeln — anders als bei Befragungen sowie Beobachtungen in „künstlichen" Situationen — soziale Sachverhalte wider, die unabhängig und unbeeinflußt von der Forschungsabsicht existiert haben oder existieren. Dadurch werden wiederholte Analysen *derselben* Sachverhalte, wie sie im realen Ablauf sozialer Prozesse dokumentiert wurden, *erstens* überhaupt möglich (im Gegensatz zum Verfahren der Beobachtung), und *zweitens* wird durch wiederholte Analysen derselben Sachverhalte der Forschungsgegenstand in keiner Weise verändert; d.h. die Inhaltsanalyse ist insofern *nicht reaktiv* (im Gegensatz zur Befragung).

Wenn trotzdem die Inhaltsanalyse häufig als ein relativ spezielles Datenerhebungsinstrument für einen eng begrenzten Anwendungsbereich angesehen und auch in Methoden-Lehrbüchern so behandelt wird, dann mag dies durch ihren überwiegenden Einsatz bei der Untersuchung von Problemen der Massenkommunikation erklärbar sein. In Übereinstimmung mit *Lisch/Kriz* (1978) wird hier dagegen die Auffassung vertreten, „daß Inhaltsanalyse *das* zentrale Modell zur Erfassung ... sozialwissenschaftlicher Realität ist" (a.a.O., 11). Zum einen nämlich entstehen inhaltsanalytisch auswertbare symbolische Materialien nicht nur auf dem Feld der Massenkommunikation, sondern — da soziale Prozesse ohne (verbale oder nichtverbale) Kommunikation nicht denkbar sind — in einer Vielzahl von sozialen Handlungszusammenhängen: als Akten bei Behörden, Schriftverkehr zwischen Organisationen und Politikern, Protokolle von Vereins- und Parteiversammlungen, Flugblätter von Bürgerinitiativen, Protokolle von Parlamentsberatungen, als „graue Literatur" in sämtlichen Politik- und Forschungsbereichen, als Kinderzeichnungen, Tagebücher, Eintragungen in den „Klassenbüchern" von Schulen, als historische Quellen, Romane, Gemälde, Skulpturen usw. Zum anderen stellen sich die Probleme der Entwicklung eines inhaltsanalytischen Datenerhebungsinstruments

---

106 Der Begriff „Dokument" ist hier im weitesten Sinne zu verstehen als „jede Art von Bedeutungsträgern" (s. o.), als jede Art sinnhaltigen Materials, festgehalten z. B. in Schrift, Bild oder Tonaufzeichnung.

in vergleichbarer Weise in *jedem* empirisch-sozialwissenschaftlichen Forschungsansatz.

In jedem Fall sozialwissenschaftlicher Datenerhebung ist die vorherige Entwicklung eines Kategoriensystems erforderlich (inhaltsanalytische und Beobachtungs-Kategorien, Fragen im Fragebogen und Antwortkategorien). In jedem Fall auch wird dieses vorab entwickelte Schema anschließend auf die Untersuchungs-„Objekte" angewendet (seien diese nun Texteinheiten, Beobachtungssituationen, Befragte). Die Beobachtung unterscheidet sich dabei von der Inhaltsanalyse im wesentlichen nur durch die Art ihres Beobachtungsgegenstandes: zum Zeitpunkt des Beobachtens *ablaufende* Aktivitäten gegenüber *dokumentierten Ergebnissen* von Aktivitäten. Das Instrument Befragung stützt sich gar vollständig auf Ergebnisse verbaler Kommunikation und enthält in vielfacher Hinsicht Elemente der inhaltsanalytischen „Technik".

Speziell bei der Befragung allerdings werden — wegen ihrer Ähnlichkeit zu Alltagssituationen — dem Forscher wie auch dem Rezipienten der Forschungsergebnisse die methodologischen und theoretisch-inhaltlichen Probleme weit weniger bewußt als bei inhaltsanalytischen Verfahren („Fragen stellen kann jeder"). Ein großer Teil der für das Interview entwickelten „Kunstregeln der Befragung" (vgl. Abschn. 7.3.3) zeigt, daß die Probleme der Gültigkeit des Instruments (Was „bedeuten" die mit Hilfe der Befragungstechnik erhobenen Daten eigentlich?) häufig in technische Handlungsanweisungen verdrängt werden, „in Operationalisierungen, welche hinsichtlich ihres theoretischen Stellenwertes kaum je diskutiert werden" (*Lisch/Kriz* 1978, 11; vgl. auch *Cicourel* 1974, *Müller* 1978). Die systematische empirische Inhaltsanalyse dagegen „zwingt zur Präzision, und zwar nicht nur der verwandten Forschungstechnik, sondern vor allem dazu, den eigenen theoretischen Hintergrund gründlicher zu reflektieren, als dies häufig der Fall zu sein scheint" (*Treinen* 1979, 102).

Wie vielseitig die Fragestellungen sind, die mit Hilfe des Instruments Inhaltsanalyse angegangen werden können, illustriert das im folgenden wiedergegebene Übersichtsschema von *Holsti* (1968), das vom Autor zwar speziell für den Anwendungsbereich Kommunikationsforschung entwickelt wurde, das prinzipiell aber auch auf andere Bereiche angewendet werden kann.

Ziel der Untersuchung	Zweig der Semiotik[107]	Art des inhaltsanalytischen Vergleichs	Frage	Untersuchungsproblem (Fragestellung)
Beschreiben der Charakteristika von Kommunikation	Semantik (Zeichen/ Bezeichnetes) und Syntaktik (Zeichen/ Zeichen)	Nachrichten einer Quelle vom Typ A: 1. Variable X im Zeitverlauf 2. Variable X in verschiedenen Situationen 3. Variable X bei verschiedenen „Empfänger"-Gruppen 4. Variablen X und Y innerhalb der gleichen Gesamtheit von Dokumenten	was?	Beschreiben von Trends in Kommunikationsinhalten; Herstellen von Beziehungen (Verbindungen) zwischen bekannten Charakteristika von Quellen und den Nachrichten, die sie produzieren (verbreiten); Überprüfen von Kommunikationsinhalten auf der Basis fester Vergleichsstandards.
		Nachrichten einer Quelle (Sender) A im Vergleich zu Nachrichten einer Quelle (Sender) B	wie?	Analysieren von Überredungs-/ Überzeugungstechniken; Stilanalysen.
		Nachrichten in Relation zu einem festen Vergleichsstandard: 1. a priori 2. inhaltlich 3. nicht-inhaltlich	zu wem?	Herstellen von Beziehungen (Verbindungen) zwischen bekannten Charakteristika der Empfänger und den Nachrichten, die für sie produziert (gesendet) wurden; Beschreiben von Kommunikationsmustern.

---

107 Semiotik nennt man die Wissenschaft von der Sprache, von der Funktion der sprachlichen Zeichen. Sie unterteilt sich in die Bereiche Syntaktik, Semantik und Pragmatik: Die Syntaktik handelt von den Beziehungen zwischen den Zeichen untereinander (Häufigkeiten von Zeichen, Grammatik, Syntax). Der Vorgang der Nominaldefinition spielt sich auf syntaktischer Ebene ab: Ein zu definierendes sprachliches Zeichen (Definiendum) wird mit einem oder mehreren definierenden Zeichen (Definiens) gleichge-

Schlüsse auf die Bestimmungsgründe der Kommunikation, d. h. Schließen auf das, was der Kommunikation vorausging (Prozeß des Verschlüsselns, des „Encodierens")	Pragmatik (Zeichen/ Sender)	Nachrichten im Vergleich zu nichtsymbolischen Verhaltensdaten: 1. direkt 2. indirekt	warum?	Beschaffen politisch oder militärisch bedeutsamer Erkenntnisse; Analyse psychologischer Merkmale von Individuen; Schließen auf Aspekte der Kultur und des kulrellen Wandels; Beschaffen gerichtlich verwertbaren Beweismaterials (legal evidence).
			wer?	Beantworten von Fragen umstrittener Autorenschaft.
Schlüsse auf die Wirkungen von Kommunikation (Prozeß des Entschlüsselns, des Decodierens)	Pragmatik (Zeichen/ (Empfänger)	Nachrichten des Senders im Vergleich zu Nachrichten des Empfängers (Rezipienten)	mit welcher Wirkung?	Lesbarkeits-Messung; Analyse des Informationsflusses; Einschätzen von Reaktionen auf Kommunikation.
		Nachrichten des Senders im Vergleich zu Verhaltensdaten des Empfängers (Rezipienten)		

setzt. — Die Semantik handelt von den Beziehungen zwischen den sprachlichen Zeichen und ihren Bedeutungen, mit anderen Worten: von den Beziehungen zwischen den sprachlichen Zeichen und den damit bezeichneten Sachverhalten, bzw. den sprachlichen Zeichen und ihren „Referenzobjekten". Der Vorgang der „Referition", d.h. der Bedeutungszuweisung zu sprachlichen Zeichen, betrifft die semantische Ebene. Durch Bedeutungszuweisungen werden „Wörter" zu „Begriffen". — Die Pragmatik schließlich handelt von den Beziehungen zwischen Zeichen und Menschen. Wenn z. B. gesagt wird, Wissenschaft sei nicht Sache einzelner Wissenschaftler, sondern sei auf die Kommunikation zwischen den am Wissenschaftsprozeß Beteiligten angewiesen (vgl. etwa die Forderung nach „Intersubjektivität"), dann wird auf der Ebene der Pragmatik argumentiert. Im obigen Holsti-Schema ist unter den zur Pragmatik zählenden Forschungsfragestellungen einmal das Verhältnis Sender und Sprache (Prozeß des Verschlüsselns von zu übermittelnden Aussageinhalten), zum anderen das Verhältnis Sprache und Empfänger/Rezipient (Prozeß des Entschlüsselns der übermittelten sprachlichen Zeichen) angesprochen. Für einen kurzen Überblick vgl. Herkner 1974, 164ff.

7.4.2 Zuverlässigkeit, Gültigkeit, Repräsentativität

Bei allen Meßoperationen, d. h. bei jeder empirischen Erhebung sozialwissenschaftlicher Daten, sollte sich der Forscher darüber vergewissern, ob seine Instrumente zuverlässig messen (ob die Meßergebnisse bei mehrfacher Messung desselben Sachverhalts bzw. bei Messung durch verschiedene Personen stabil sind) und ob seine Instrumente auch diejenigen Merkmale messen, die sie messen sollen (ob also die Resultate gültig sind, ob den gemessenen unterschiedlichen Merkmalsausprägungen auch Unterschiede auf der „gemeinten" Bedeutungsdimension in der empirischen Realität entsprechen). Falls schließlich von einer Stichprobe auf eine Grundgesamtheit (auf eine Gesamtpopulation) geschlossen werden soll, müssen die Stichprobenergebnisse „repräsentativ", verallgemeinerbar sein. Die drei behandelten Erhebungsinstrumente sind hinsichtlich dieser „Gütekriterien" erkennbar unterschiedlich einzustufen.

Über die *Zuverlässigkeit* des Instruments *Inhaltsanalyse* wurde bereits im Abschn. 7.1.4 das Wesentliche ausgesagt. Durch eine präzise Operationalisierung der Kategorien und Schulung der Vercoder kann sie im Prinzip bis zum gewünschten Grad gesichert werden. Dazu ist allerdings eine präzise semantische Analyse der Sprache in den zu codierenden Dokumenten unerläßlich.

Was die *Gültigkeit* der Kategorien angeht, so liegt die Sache nicht ganz so einfach. Beim Verfahren der Inhaltsanalyse (die Argumentation sei hier auf die Analyse von Texten beschränkt) wird die Vielfalt sprachlicher Äußerungen in den ausgewerteten Dokumenten auf einen begrenzten Satz von Kategorien und hier wieder auf eine begrenzte Zahl von „Ausprägungen" (Unterkategorien) reduziert. Das Problem liegt darin, daß die Zuordnung von Textabschnitten zu Kategorien nach dem Kriterium der Bedeutungsgleichheit (semantische Äquivalenz) erfolgen soll. Das setzt *nicht nur* eine operationale Definition der Kategorien[108] voraus, die für alle Vercoder einen identischen (intersubjektiven) Rahmen für die Deutungen der Zuordnungskategorien und der Textabschnitte in intensionaler und extensionaler Hinsicht schafft (dies war ja schon Voraussetzung für die Sicherung der Zuverlässigkeit). Weiterhin müssen die Korrespondenzregeln (die Hypothesen

---

108 Wie bei jeder Messung kann man auch bei der inhaltsanalytischen Messung vier „Realitätsschichten" (Hartmann 1970, 108) unterscheiden: 1. Eine inhaltsanalytische Messung erfaßt nicht das eigentliche Objekt, den realen Sachverhalt, sondern den „Begriff", den sich der Autor eines Dokuments und auch der inhaltsanalytisch arbeitende Forscher davon macht. 2. richtet sie sich nicht auf den Sachverhalt „als Ganzes", sondern auf ausgewählte Merkmale. Diese werden 3. nicht direkt gemessen, sondern über Indikatoren. Die Indikatoren schließlich (genauer: die beobachteten „Ausprägungen") werden beschrieben mit Hilfe von Zahlen, werden also in ein numerisches System „übersetzt".

über die Verknüpfung der theoretischen Begriffe der Untersuchung mit den Kategorien des Analyseschemas) zutreffen, und die Deutungsregeln für die Vercoder zur Verschlüsselung der Texte (Decodierregeln) müssen mit den Deutungen der Textproduzenten (Encodierregeln) übereinstimmen. *Schließlich* müssen auch die Texteinheiten (Zähleinheiten) im Hinblick auf die theoretischen Begriffe der Untersuchung sinnvoll abgegrenzt sein, wobei man häufig auf die Definition *semantischer Einheiten* (Texteinheiten, die eine inhaltliche Deutung ermöglichen; zusammenhängende Aussagen, Argumente) zurückgreifen wird.

Um solche semantischen Einheiten abgrenzen zu können, müssen, „um Willkür zu vermeiden, Bedeutungen bereits im Text eindeutig spezifizierbar, definierbar und endlich sein" (*Treinen* 1979, 104). Dies wirft jedoch wiederum Probleme auf, weil damit dem Codierer bei der Zuordnung der Texte zu Kategorien ein sehr großer Spielraum bleibt, mit der Folge, daß auch bei der Inhaltsanalyse — die vorn als ein nichtreaktives Verfahren bezeichnet wurde — unter Umständen ein „response set" (ein dem Vercoder als Person und nicht dem jeweiligen Text zuzurechnendes Vercodungsverhalten) auftritt: „Der Coder wird nach Strukturierungen suchen, um seine Vorgehensweise einheitlich und für ihn selbst eindeutig zu gestalten. Er greift dabei etwa auf die Forschungshypothesen zurück, auf die Deutung seiner Kollegen oder aber auf unkontrollierbare Einstellungen, die er sich selbst im Verlauf der Untersuchung bildet" (a.a.O., 105). D.h. während der Untersuchungs*gegenstand* auch durch wiederholte Analysen nicht verändert wird, können doch die erzielten *Daten* durch nicht vollständig kontrollierte Selektions- und Interpretationskriterien der Vercoder beeinflußt sein.

Eine weitere Gefahr für die Gültigkeit der inhaltsanalytisch erzielten Ergebnisse besteht darin, daß der Vercoder im Verlaufe seiner Arbeit seine persönlichen Textdeutungen verändert, sie seinem jeweils gewonnenen und fortentwickelten Gesamtverständnis der Texte anpaßt, so daß seine Zuordnungen gegen Ende des Codierprozesses andere sind als zu Beginn. Ein Ausweg aus diesem Problem — bei Verwendung semantischer Texteinheiten für die Analyse — könnte nach *Treinen* die Miterfassung der je spezifischen Kontexte bei der Textproduktion sein, die aus dem Gesamtzusammenhang des Textes selbst *nicht* ableitbar sind. Nach seiner Auffassung ist nämlich „eine ‚reine' Inhaltsanalyse gar nicht möglich ..., wenn bedeutungsvolle Fragestellungen auf systematische, objektive und methodisch kontrollierte Weise angegangen werden sollen. Zusätzlich erforderlich sind Meßverfahren zur eindeutigen Bestimmung von Kontexten und damit von kontextuellen Variablen, die es erst dem Forscher ermöglichen, die Bedeutung sprachlicher Symbole zu entziffern" (a.a.O., 106).

Greift der Forscher dagegen nicht auf semantische Einheiten als

Zähleinheiten zurück, sondern wählt formale Abgrenzungskriterien für die Zähleinheiten (etwa Worte, Sätze, Absätze, Flächenstücke der zu analysierenden Dokumente), dann stellt sich normalerweise das Problem, daß diese Abgrenzung von Textteilen nicht immer im Hinblick auf die theoretischen Begriffe der Analyse sinnvolle Deutungen ermöglicht.

Während die geschilderten Schwierigkeiten bei der Sicherung der Gültigkeit kaum — oder doch in weit geringerem Maße — auftreten, sofern sich die Analyse auf objektive Textbeschreibungen auf syntaktischer Ebene (vgl. Fußn. 107) beschränkt, verschärfen sich die Probleme noch bei Einbeziehung auch der pragmatischen Dimension (s. *Merten* 1981a, 51 ff.).

Relativ unproblematisch ist im Vergleich dazu bei der Inhaltsanalyse die Sicherung der *Repräsentativität:* Sobald die Grundgesamtheit der relevanten Dokumente definiert und ihre Zugänglichkeit gesichert ist, läßt sich eine „symbolische Repräsentation" der Grundgesamtheit erstellen und daraus eine repräsentative Stichprobe (z.B. nach dem Verfahren der einfachen Zufallsauswahl) ziehen.

Bei der *Beobachtung* gilt für die *Zuverlässigkeit* des Instruments zunächst einmal das, was hinsichtlich der Inhaltsanalyse schon ausgeführt wurde: durch systematische Präzisierung der Beobachtungskategorien (z. B. wiederholte Kategorisierungstests anhand von Videoaufzeichnungen oder Fotos) und durch Beobachterschulung läßt sich die Zuverlässigkeit bis auf ein gewünschtes Ausmaß erhöhen. Nachteilig allerdings wirkt sich bei der Beobachtung der Zeitdruck aus, unter dem die Kategorisierungen durch die Beobachter vorgenommen werden müssen. Zuverlässigkeitsmindernd wirken auch die Wahrnehmungsstrukturen bei den Beobachtern: selektive Wahrnehmung, nachlassende Konzentration, Tendenz zur Angleichung des wahrgenommenen Geschehens an das bisher Geschehene u. ä.

Auch für die Kontrolle der *Repräsentativität* der Resultate sind die Bedingungen ungünstiger. Die zu beobachtenden Ereignisse existieren ja bei der Konstruktion der Stichprobe noch nicht, so daß ihre symbolische Repräsentation (z. B. durch eine Kartei) nicht möglich ist. Die Ereignisse treten erst zum Zeitpunkt der Beobachtung auf; und es muß unterstellt werden, daß die beobachteten Ereignisse eine Zufallsstichprobe aus der Gesamtheit aller möglichen Ereignisse sind, daß also nicht während der Beobachtung Bedingungen herrschen, die das Ergebnis systematisch verzerren. Es ist leicht erkennbar, daß z. B. für das Verhalten im öffentlichen Raum allein schon so selbstverständliche Randbedingungen wie das Wetter das Verhalten erheblich beeinflussen. Die Gesamtheit aller möglichen Randbedingungen kann jedoch in keinem Fall bei Beobachtungen in natürlichen Situationen kontrolliert werden.

Zwar läßt sich die Repräsentativität *formal* realisieren, indem bestimmte Räume und bestimmte Beobachtungsintervalle entsprechend den Regeln der Stichprobentheorie ausgewählt werden und somit auch repräsentativ in der Auswahl vertreten sind. Ob aber *diese* Repräsentativität auch für die zu beobachtenden Ereignisse, Merkmale und Merkmalskombinationen gilt, ist nicht zu klären. Als „Faustregel" gilt: Je alltäglicher, je häufiger und je unabhängiger von äußeren Bedingungen die zu beobachtenden Ereignisse sind, um so eher kann davon ausgegangen werden, daß durch Sicherung der Repräsentativität der Auswahleinheiten (Raum-Zeit-Punkte) auch eine Repräsentatitivät der zu beobachtenden Merkmale erzielt wird.

Die Unsicherheit im Hinblick auf die Repräsentativität beeinflußt natürlich die Einschätzung der *Gültigkeit* von Beobachtungsergebnissen. Wenn schon die Repräsentativität der erhobenen Daten nicht sicher ist, dann ist natürlich auch die Gültigkeit einer Verallgemeinerung über die beobachtete Gesamtheit hinaus nicht gesichert. Hinzu kommt, was schon angedeutet wurde, daß der Beobachter bei komplexen Handlungszusammenhängen nicht sicher sein kann, ob der Sinn, den er in eine Handlung hineininterpretiert, auch der „tatsächliche" Sinn dieser Aktivität ist. Im übrigen gilt für das Kategorienschema zur Beobachtung analog das für die Inhaltsanalyse Ausgeführte: Wie weit die Beobachtungskategorien die relevanten Dimensionen der Untersuchungsfrage abbilden, wie weit sie den Handlungsprozeß nicht in einer Weise zerreißen, daß wesentliche Bestandteile, wesentliche Bedeutungen untergehen, das ist nur aufgrund gesicherter Kenntnisse, aufgrund bestätigter Theorien abzuschätzen.

Das Instrument Beobachtung ist also hinsichtlich der drei Gütekriterien problematischer einzuschätzen als die Inhaltsanalyse. Für die Untersuchung bestimmter Tatbestände ist sein Einsatz jedoch unentbehrlich: nonverbale Kommunikation, Verhalten statt Aussagen *über* Verhalten, Kinder als Untersuchungsobjekte, das Geschehen in räumlichen Einheiten u. ä.

Die gravierendsten Einschränkungen bei der Erfüllung der Gütekriterien aber sind für das am häufigsten verwendete Instrument — *Befragung/Interview* — anzubringen. Schon was die Stabilität der Meßergebnisse — die *Zuverlässigkeit* — angeht, kann nicht davon ausgegangen werden, daß dasselbe Interview bei derselben Person zu einem anderen Zeitpunkt durchgeführt, oder daß dasselbe Interview bei derselben Person von einem anderen Interviewer durchgeführt, das gleiche Ergebnis bringen würde:

„Nicht einmal radikale Behavioristen können sinnvoll bestreiten, daß Befragungen eine soziale Interaktion zwischen den an ihr beteiligten Personen (wenngleich vorwiegend verbaler Art) darstellen. Die besondere Sozialbeziehung mit dem Befrager beeinflußt unvermeidlich das Verhalten der Befragten, damit aber auch deren Reaktion auf Fragen, die doch dem Anspruch der Sozialforschung nach situationsunabhängige Einstellungen und Verhaltensmuster vermitteln sollen" (*Berger* 1974, 32f.).

Mit anderen Worten: Das Interview ist ein *reaktives Meßinstrument*. Auch durch noch so intensive Interviewerschulungen kann dies nicht aus der Welt geschafft werden.

Auch hinsichtlich der *Repräsentativität* der Ergebnisse sind Fragezeichen anzubringen. Zwar können — bei Anwendung geeigneter Auswahlpläne — im Prinzip immer Zufallsauswahlen aus einer Bevölkerungsgrundgesamtheit gezogen werden. Damit ist aber das Problem der Repräsentativität noch nicht gelöst. Anders als bei Inhaltsanalyse und Beobachtung ist bei der Befragung zusätzlich die ausdrückliche *Bereitschaft des Befragten* zur Mitarbeit erforderlich. Nicht bei allen ausgewählten Zielpersonen kommt daher eine Befragung (ein Interview) zustande: es gibt „Ausfälle". Solche Ausfälle sind naturgemäß besonders zahlreich bei der Form der schriftlichen Befragung, bei der vom Befragten zusätzlich zum Ausfüllen des Fragebogens auch erwartet wird, daß er den ausgefüllten Bogen selbst an die Forschergruppe (Institut) zurückschickt. Aber auch beim mündlichen Interview darf der Umfang der Ausfälle nicht unterschätzt werden.

In der zitierten Untersuchung von Infratest (vgl. Fußn. 105) findet sich eine Aufstellung, die Auskunft über die Verteilung verschiedener Arten von Ausfällen zwischen Stichprobenziehung und Interviewauswertung gibt: Es wurde eine Zufallsstichprobe von Haushalten anhand einer Adressenkartei im Umfang von n = 2850 gezogen; diese wurde um 205 „qualitätsneutrale Ausfälle" (z. B. nicht zutreffende Adressen) bereinigt, so daß 2645 ausgewählte Haushalte verblieben. Pro Haushalt sollte eine Person im Alter von 14 Jahren oder älter interviewt werden, die „anhand eines mathematisch errechneten Zufallsschlüssels" auszuwählen war. Die sich ergebenden Ausfälle verteilten sich wie folgt (a.a.O., 8f.):

Adressen-Stichprobe	2850	
„qualitätsneutrale" Ausfälle	205	
= bereinigte Stichprobe	2645	100 %
systematische Ausfälle:		
1. im Haushalt niemanden angetroffen	191	7,2%
2. im Haushalt Auskunft verweigert	88	3,3%
3. Zielperson nicht angetroffen	48	1,8%
4. Zielperson krank	60	2,3%
5. Zielperson verreist, Urlaub	31	1,2%
6. Zielperson verweigert das Interview	163	6,1%
7. Verständigungsschwierigkeiten	23	0,9%
Summe der systematischen Ausfälle	604	22,8%
nicht auswertbare Interviews	26	1,0%
zur Auswertung gegebene Interviews	2015	76,2%

Die Repräsentativität einer Zufallsstichprobe würde natürlich dann nicht durch Ausfälle beeinträchtigt, wenn *auch* die Ausfälle zufallsverteilt wären. Das aber kann nicht unterstellt werden: Ob jemand im Haushalt anzutreffen ist oder nicht, hängt z. B. systematisch mit

Merkmalen wie Art der Berufstätigkeit, Alter, Geschlecht zusammen. Ob angetroffene Personen bereit sind, sich dem Interview zu stellen, hängt ebenfalls mit Persönlichkeitsvariablen zusammen: nicht nur mit kategorialen Merkmalen wie Alter und Geschlecht sowie mit sozialer Schicht (um die am häufigsten angeführten zu nennen), sondern ebenfalls mit Variablen wie Interesse am Befragungsthema, Vertrautheit mit interviewähnlichen Situationen, allgemeiner „Wissensstock". Gleiches gilt — falls sich eine Person auf das Interview eingelassen hat — für die Bereitschaft, einzelne Fragen zu beantworten, sich auf präzise Meinungen festzulegen, so daß *Esser* (1975) zu der Schlußfolgerung kommt:

> „Abgesehen davon, daß bereits durch die Verweigerung von Befragungen insgesamt offensichtlich solche Populationssegmente aus der Untersuchungsgesamtheit ausgefiltert werden, die überdurchschnittlich zur Meinungslosigkeit neigen, zeigt sich, daß die Befragten mit nur mangelhafter Fähigkeit und Bereitschaft zur Rollenübernahme ebenfalls eine z.T. dramatisch hohe Neigung zur Meinungslosigkeit aufweisen" (a.a.O., 279).[109]

Ähnlich ungünstig fällt die Beurteilung der *Gültigkeit* der durch das Instrument Befragung erhobenen Daten aus. Soweit es die Umsetzung der Forschungsfrage in Begriffe und Variablen angeht, gilt dasselbe wie für jedes andere Instrument. Zusätzlich kommt aber hinzu, daß nicht gesichert ist, daß verschiedene Personen unter der gleichen Frage (dem gleichen Fragewortlaut) das gleiche verstehen. Die zum Punkt „Deutung des Aussagegehalts semantischer Texteinheiten" für die Inhaltsanalyse gemachten Anmerkungen haben analog auch für die Befragung ihre Berechtigung. Zusätzlich ist zu bedenken, daß die Antworten auf Fragen im Interview (im Befragungsbogen) nicht die Ausprägung des eigentlich interessierenden Merkmals, sondern lediglich *Indikatoren* für die interessierenden Merkmalsausprägungen sind. Das Instrument Befragung mißt in hohem Maße indirekt.

Zwar wird „an der Berechtigung der Annahme einer unmittelbaren (bzw. angebbar eindeutigen) Korrespondenz von verbalen Äußerungen und faktischen Zuständen ... i. d. R. nicht gezweifelt; allein die Üblichkeit einer Praxis, daß eine nicht nur formale Validierung ... von Befragungsinstrumenten ... unterbleibt, sollte jedoch kein hinreichendes Kriterium für die Richtigkeit dieser Annahme sein" (*Esser* 1975, 286).

So gibt es denn auch eine Vielzahl von Untersuchungen, die zeigen, daß eine unmittelbare Übereinstimmung von Angaben im Interview mit den „tatsächlichen" Gegebenheiten nicht in dem Ausmaß existiert, daß Daten aus Befragungen als verläßliche Datenbasis zur Überprüfung

109 Zu den verschiedenen Determinanten der Kooperationsbereitschaft bei Befragungen vgl. im einzelnen die Untersuchung von Esser, a.a.O., S. 29ff. Zum Problem unvollständiger Daten (hier: Antwortverweigerung nur bei einzelnen Fragen) vgl. auch Abschn. 5.2.3, S. 112 und Fußnote 71.

(Falsifizierung) empirischer Hypothesen oder Theorien (vgl. Kap. 1.2, „Basissatzproblem") geeignet erscheinen könnten.[110]

Insbesondere zwei Antwortverhaltens-Tendenzen (response sets) gefährden die Gültigkeit von Befragungsdaten:

— eine vom Frageihnhalt unabhängige: die Tendenz, Fragen unabhängig vom Fragegegenstand zuzustimmen (Bejahungstendenz), sowie
— eine inhaltsabhängige: die Neigung, sich selbst bei der Beantwortung von Fragen solche Eigenschaften zuzuschreiben, die in der sozialen Umwelt als „erwünscht" gelten (Tendenz der Orientierung an der sozialen Erwünschtheit, social desirability response set).

Das Dilemma ist nun, „daß alle Maßnahmen, den einen RS (response set) auszuschalten, das Eintreten des anderen RS provozieren, kurz: daß die Gültigkeit der Datenerhebung nicht maximiert werden kann" (*Esser* 1977, 259). Als ein weiteres Dilemma kommt hinzu, daß die gleichen Merkmale von Personen, die die Bereitschaft zur Aufnahme von Forschungskontakten (z. B. zur Einwilligung in ein Interview) beeinflussen, in gleicher Weise auch die Tendenz beeinflussen, in „sozial erwünschtem" Sinne zu antworten, so daß zusammengefaßt behauptet werden kann, „daß mit abnehmender Annäherung des Auswahlplans einer Befragung an die Zufallsauswahl (d. h. mit zunehmender Zahl von Ausfällen, H. K.) das Ausmaß an Konformität mit dem gesellschaftlich dominanten Wertsystem im Vergleich zu seiner faktischen Entsprechung über die Gesamtpopulation hinweg in Befragungsdaten überpointiert erscheint" (*Esser* 1975, 345).

Trotz aller genannten Einschränkungen aber kann natürlich in der empirischen Sozialforschung auf den Einsatz von Befragungstechniken als Instrument der Datenerhebung nicht verzichtet werden; einfach schon aus dem Grunde, daß eine Alternative, die an die Stelle von Befragungstechniken treten könnte, nicht existiert. Allerdings muß wohl zusammengenommen die Schlußfolgerung gezogen werden, daß ein Untersuchungsdesign sich nicht auf die Befragung *allein* bei der Erhebung von Daten beschränken sollte.

7.5 Literatur zu Kap. 7

a) Methoden-Lehrbücher und Reader

Alemann, Heine von, 1977: Der Forschungsprozeß, Stuttgart
Atteslander, Peter, 1969: Methode der empirischen Sozialforschung, Berlin (5., überarbeitete Auflage 1985)
Cicourel, Aaron C., 1974: Methode und Messung in der Soziologie, Frankfurt/M.

---

110 Einige Beispiele sind hier angeführt worden (vgl. Kap. 4.3). Für eine ausführliche Darstellung entsprechender Studien sei wiederum auf Esser (1975, 287ff.) verwiesen.

Friedrich, Walter; *Hennig*, W., 1975: Der sozialwissenschaftliche Forschungs-
prozeß, Berlin (DDR)
Friedrichs, Jürgen, 1977: Methoden empirischer Sozialforschung, Reinbek
Galtung, Johan, 1974: Theory and Methods of Social Research, London
Harder, Theodor, 1974: Werkzeug der Sozialforschung, München (UTB 304)
Holm, Kurt (Hg.), 1975ff.: Die Befragung, München (UTB 372ff.)
Kerlinger, Fred N., 1975: Grundlagen der Sozialwissenschaften, Weinheim
König, René (Hg.), 1973ff.: Handbuch der empirischen Sozialforschung, Stuttgart
Koolwijk, Jürgen van; *Wieken-Mayser*, M. (Hg.), 1974ff.: Techniken der empiri-
schen Sozialforschung, München
Mayntz, Renate, *Holm*, P., *Hübner*, P., 1971: Einführung in die Methoden der
empirischen Soziologie, Opladen
Roth, Erwin (Hg.), 1984: Sozialwissenschaftiche Methoden. Lehr- und Hand-
buch für Forsehung und Praxis, München, Wien; Kap. 2: Gewinnung von Daten
Schrader, Achim, 1971: Einführung in die empirische Sozialforschung, Stuttgart,
Berlin

b) Veröffentlichungen zur Inhaltsanalyse

Berelson, Bernard, 1952: Content Analysis in Communication Research, Glencoe,
Ill.
Deichsel, Alexander, 1975: Elektronische Inhaltsanalyse. Zur quantitativen
Beobachtung sprachlichen Handelns, Berlin
Früh, Werner, 1981a: Inhaltsanalyse und strukturale Textanalyse, in: Analyse
& Kritik, Jg. 3, Heft 1, 93-116
–, 1981b: Inhaltsanalyse. Theorie und Praxis, München
Gerbner, Georg; *Holsti*, O. R.; *Krippendorff*, K. u. a. (eds.), 1969: The Analysis
of Communication Content, New York
Herkner, Werner, 1974: Inhaltsanalyse, in *Koolwijk/Wieken-Mayser* (Hg.), vgl.
Lit. zu a), Bd. 3, 158-191
Holsti, Ole R., 1968: Content Analysis, in: *Lindzey*, G.; *Aronson*, E. (eds.),
Handbook of Social Psychology, Vol. 2, Reading, Mass., 596-692
–, 1969: Content Analysis for the Social Sciences and Humanities, Reading,
Mass.
Janis, Irving, L., 1949: The Problem of Validating Content Analysis, in: *Lasswell*,
H. D.; *Leites*, N. u.a. (eds.): The Language of Politics, New York, 155-169
Klafki, Wolfgang, 1971: Hermeneutische Verfahren in der Erziehungswissen-
schaft, in: *Klafki*, W. (Hg.), Funkkolleg Erziehungswissenschaft 3, Frank-
furt/M., !25-160
Kops, Manfred, 1977: Auswahlverfahren in der Inhaltsanalyse, Meisenheim
Kuttner, Heinz G., 1981: Zur Relevanz text- und inhaltsanalytischer Verfah-
rensweisen für die empirische Forschung, Frankfurt/M., Bern
Lisch, Ralf; *Kriz*, J., 1978: Grundlagen und Modelle der Inhaltsanalyse, Rein-
bek
Merten, Klaus, 1981a: Inhaltsanalyse als Instrument der Sozialforschung, in:
Analyse & Kritik, Jg. 3, Heft 1, 48-63
–, 1981b: Inhaltsanalyse. Eine Einführung in Theorie und Methode, Opladen
Mochmann, Ekkehard (Hg.), 1980: Computerstrategien für die Kommunika-
tionsanalyse, Frankfurt/M., New York
Osgood, Charles, E.; *Saporta*, S.; *Nunally*, J. C., 1956: Evaluative Assertion

228

Analysis, in: Litera 3, 47-102

Ritsert, Jürgen, 1972: Inhaltsanalyse und Ideologiekritik, Frankfurt/M.

Seiffert, Helmut, 1968: Information über die Information, München

Silbermann, Alphons, 1974: Systematische Inhaltsanalyse, in: *König* (Hg.), vgl. Lit. zu a), Bd. 4, 253-339

Stone, Philip J., *Dunphy,* D. C. u. a., 1966: The General Inquirer: a computer approach to content analysis, Cambridge (Mass.), London

Treinen, Heiner, 1979: Zur Inhaltsanalyse symbolischer Materialien, in: *Vondung,* K. (Hg.), Der erste Weltkrieg in der literarischen Gestaltung und symbolischen Deutung der Nationen, Göttingen

Wersig, Gernot, 1968: Inhaltsanalyse – Einführung in ihre Problematik und Literatur, Berlin

c) Veröffentlichungen zur Beobachtung

Bales, Robert F., 1962: Die Interaktionsanalyse – Ein Beobachtungsverfahren zur Untersuchung kleiner Gruppen, in: *König,* R. (Hg.), Beobachtung und Experiment in der Sozialforschung, Köln, Berlin, 148-167

Cranach, M. von; *Frenz,* H.-G., 1969: Systematische Beobachtung, in: *Graumann,* C. F. (Hg.), Sozialpsychologie. Handbuch der Psychologie, Bd. 7/I, Göttingen

Dechmann, Manfred D., 1978: Teilnahme und Beobachtung als soziologisches Basisverhalten, Bern, Stuttgart

Friedrichs, Jürgen; *Lüdtke,*H., 1973: Teilnehmende Beobachtung. Einführung in die Feldforschung, Weinheim

Grümer, Karl-W., 1974: Beobachtung, Stuttgart

Jahoda, Marie; *Deutsch,* M., *Cook,* St. W., 1962: Beobachtungsverfahren, in: *König,* R. (Hg.), Beobachtung und Experiment in der Sozialforschung, Köln, Berlin, 77-96

König, René, 1973: Die Beobachtung, in: *König* (Hg.), vgl. Lit. zu a), Bd. 2, 1-65

Manz, Wolfgang, 1974: Die Beobachtung verbaler Kommunikation im Laboratorium, in: *Koolwijk/Wieken-Mayser* (Hg.), vgl. Lit. zu a), Bd. 3, 27-65

Scherer, Klaus, R. 1974: Beobachtungsverfahren zur Mikroanalyse nonverbaler Verhaltensweisen, in: *Koolwijk/Wieken-Mayser* (Hg.), vgl. Lit. zu a), Bd. 3, 65-109

Weick, K. E., 1968: Systematic Observational Methods, in: *Lindzey,* G.; *Aronson,* E., Handbook of Social Psychology, Vol. 2, Reading, Mass.

Weidmann, Angelika, 1974: Die Feldbeobachtung, in: *Koolwijk/Wieken-Mayser* (Hg.), vgl. Lit. zu a), Bd. 3., 9-26

Zander, Alvin, 1962: Systematische Beobachtung kleiner Gruppen, in: *König,* R. (Hg.), Beobachtung und Experiment in der Sozialforschung, Köln, Berlin, 129-147

d) Veröffentlichungen zur Befragung

Atteslander, Peter; *Kneubühler,* H.-U., 1975: Verzerrungen im Interview. Zu einer Fehlertheorie der Befragung, Opladen

Berger, Hartwig, 1974: Untersuchungsmethode und soziale Wirklichkeit, Frankfurt/M.

Erbslöh, Eberhard, 1972: Das Interview, Stuttgart

229

-; *Wiendieck,* G., 1974: Der Interviewer, in: *Koolwijk/Wieken-Mayser* (Hg.), vgl. Lit. zu a), Bd. 4. 83-106

Esser, Hartmut, 1974: Der Befragte, in: *Koolwijk/Wieken-Mayser* (Hg.), vgl. Lit. zu a), Bd. 4, 107-145

-; 1975: Soziale Regelmäßigkeiten des Befragtenverhaltens, Meisenheim

-, 1977: Response set — Methodische Problematik und soziologische Interpretation, in: Zeitschrift für Soziologie, Jg. 6, Heft 3, 253-263

Hoffmann-Riem, Christa, 1980: Die Sozialforschung einer interpretativen Soziologie — Der Datengewinn —, in: Kölner Zeitschr. f. Soziologie und Sozialpsych., Jg. 32, Heft 2, 339-372

Holm, Kurt, 1975: Zweck und Verlauf einer Befragung: Das Modell des Untersuchungsgegenstandes; Die Frage, in: *Holm* (Hg.), vgl. Lit. zu a), Bd. 1, 9-21, 32-91

Hopf, Christel, 1978: Die Pseudo-Exploration — Überlegungen zur Technik qualitativer Interviews in der Sozialforschung, in: Zeitschr. f. Soziologie, Jg. 7, Heft 2, 97-115

Karmasin, F. und H., 1977: Einführung in die Methoden und Probleme der Umfrageforschung, Wien, Köln

Kirschhofer-Bozenhardt, Andreas von; *Kaplitza,* G., 1975: Der Fragebogen, in: *Holm* (Hg.), vgl. Lit. zu a), Bd. 1, 92-126

Kreutz, Henrik, 1972: Soziologie der empirischen Sozialforschung, Stuttgart

Kreutz, Henrik; *Titscher,* S., 1974: Die Konstruktion von Fragebögen, in: *Koolwijk/Wieken-Mayser* (Hg.), vgl. Lit. zu a), Bd. 4, 24-82

Kromrey, Helmut, 1986: Gruppendiskussionen. Erfahrungen im Umgang mit einer weniger häufigen Methode empirischer Sozialwissenschaft, in: *Hoffmeyer-Zlotnik,* J. (Hg.): Datenerhebung mit qualitativen Methoden (erscheint bei ZUMA, Mannheim)

Müller, Ursula, 1978: Probleme und Perspektiven reflexiver Methodologie, Frankfurt/M. (Diss.)

Scheuch, Erwin K., 1973: Das Interview in der empirischen Sozialforschung, in: *König* (Hg.), vgl. Lit. zu a), Bd. 2, 66-190

Wilk, Liselotte, 1975: Die postalische Befragung, in: *Holm* (Hg.), vgl. Lit. zu a), Bd. 1, 187-200

8. Methoden und Modelle der deskriptiven Statistik

Die Rolle der Statistik bei empirischen Untersuchungen wurde schon mehrfach angesprochen. Im vorgestellten Schema des Forschungsprozesses als Reihe ineinander verzahnter Entscheidungen und Arbeitsschritte (vgl. Kap. 2.1) nehmen Überlegungen zur statistischen Auswertung in der Reihenfolge den vorletzten Platz (Punkt i) vor der schließlichen Interpretation der erzielten Ergebnisse ein.[111] Statistische Auswertung und Ergebnisinterpretation machen zusammen die „Analyse" der mit empirischen Instrumenten erhobenen Daten (des in Form von Zahlen vorliegenden empirischen Materials) aus, wobei sich die *Auswertung* „besonders eng an das Material anschließt, während die Interpretation auf Schlußfolgerungen ausgeht, die das Material übergreifen" (*Hartmann* 1970, 152). Im Zuge der *Interpretation* berechneter statistischer Werte ist insbesondere der *Rückbezug zur Fragestellung,* zu den untersuchungsleitenden Hypothesen herzustellen (vgl. Kap. 2.1, Punkt k).

Statistische Modelle und Verfahren (Methoden) werden benötigt, um Ordnung in die Daten zu bringen, die nach dem Einsatz empirischer Erhebungsinstrumente zunächst in ungeordneter und unübersichtlicher Form vorliegen. Für das statistische Instrumentarium gilt dabei ebenfalls die Feststellung, die schon zu Beginn von Kap. 7 für die Datenerhebungsinstrumente getroffen wurde: Die von der Statistik als Wissenschaft (theoretische Statistik) zur Verfügung gestellten Modelle und

---

111 Das bedeutet nicht, daß der Forscher sich erst am Schluß des Forschungsprozesses über die anzuwendenden statistischen Modelle Gedanken zu machen brauchte. Die geplanten Auswertungsverfahren sind vielmehr bereits in der Phase des ersten Entwurfs eines Forschungsdesigns mit festzulegen, und die Operationalisierung der zentralen Begriffe hat sich daran zu orientieren.

Methoden sind für den empirisch arbeitenden Sozialwissenschaftler ein *wichtiges Hilfsmittel,* um die in den Daten enthaltenen Informationen durch geeignete Transformationen des Zahlenmaterials herauszuarbeiten, sichtbar zu machen, zu verdichten, so daß diese Informationen − die empirischen Ergebnisse − für die Ziele der Untersuchung verwertet werden können (angewandte Statistik). Die Statistik kann aber auch *nicht mehr* sein als ein Hilfsmittel; sie kann keine Informationen *produzieren,* die nicht schon − in weniger deutlicher Form − in den Daten vorhanden sind.[112]

Der Leser möge sich jedoch unbedingt ins Gedächtnis zurückrufen, was in Kap. 5.1 über Möglichkeiten und Grenzen statistischer Argumentation in den Sozialwissenschaften, insbesondere was über die Gefahren der Anwendung inadäquater statistischer Modelle (Abschn. .5.1.1) ausgeführt wurde! Die in der theoretischen Statistik entwickelten Modelle beruhen auf idealisierten Annahmen über Eigenschaften der Daten (insbesondere über Meßniveaus und Verteilungsformen). Und nur dann, wenn die Daten diese als Bedingung unterstellten Eigenschaften auch aufweisen (d. h. wenn die Realität, die in den Daten abgebildet wird, diese Eigenschaften aufweist), kann das entsprechende statistische Modell „unverfälschte" Resultate über die Eigenschaften der Realität liefern.[113] Zwar produziert die Anwendung bestimmter mathematisch-statistischer Methoden im Rahmen des gewählten Auswertungsmodells auch dann zahlenmäßig eindeutige Resultate, wenn die Modellvoraussetzungen in den Daten nicht erfüllt sind;[114] diese sind dann jedoch lediglich ein Produkt des Modells (ein „statistisches Artefakt") und nicht die Abbildung etwa von Zusammenhängen in der Realität.

Eine entscheidende Aufgabe ist deshalb *vor* Anwendung der Statistik immer die Prüfung, ob die statistischen Modellannahmen bei gegebener Datenbasis erfüllt sind oder − weil das in den Sozialwissenschaften selten *hundertprozentig* der Fall sein wird − ob sie zumindest hinreichend genau erfüllt sind. Das von Statistikgegnern häufig zu hörende Argument, man könne mit Statistik alles beweisen, auch das Gegenteil davon, läßt also das Problem der Auswahl des geeigneten Auswertungsmodells außer acht. Wenn *bei gleichen Sachverhalten* mit Hilfe statistischer Verfahren verschiedene Untersuchungen sich widersprechende Ergebnisse erzielen, dann muß − falls die Ursache nicht schon bei der Datenerhebung liegt − zumindest in einem Fall ein unangemessenes statistisches Modell verwendet worden sein.

---

112 „The magic of numbers cannot produce cognitive rabbits out of truly empty hats" (Kaplan 1964, 220).
113 Vgl. etwa Abschn. 5.3.4 über „empirisch sinnlose Statistik".
114 wenn z. B. statistische Transformationen sich auch auf Relationen im numerischen Relativ beziehen, die im empirischen Relativ keine Entsprechung haben; vgl. Abschn. 5.3.2.

8.1 Einige zentrale Begriffe

Bisher war im vorliegenden Text pauschal von *der* Statistik oder von *den* statistischen Modellen die Rede. Bevor in den folgenden Abschnitten auf einzelne Verfahren eingegangen werden kann, ist daher eine Differenzierung vorzunehmen und sind zusätzliche Begriffe einzuführen.

Zunächst ist entsprechend ihren Hauptfunktionen die Statistik zu unterteilen in eine beschreibende und eine schließende Aufgabenstellung. Die beschreibende (deskriptive) Statistik zielt darauf ab, die in einem Datensatz enthaltenen Informationen möglichst übersichtlich darzustellen, so daß „das Wesentliche" schnell erkennbar wird. Diese Beschreibungen können graphischer und/oder numerischer Art sein. Sie beschränken sich in ihrer Geltung auf *die* Menge von Fällen (Untersuchungseinheiten), für die Daten erhoben worden sind. Die Aufbereitung von Daten zum Zwecke der Beschreibung kann einerseits so geschehen, daß die ursprünglich in der Datenbasis (vgl. Abschn. 5.2.3: Datenmatrix) enthaltenen Informationen — mit Ausnahme der zeitlichen Abfolge der Datenerhebung — erhalten bleiben. In diesem Fall wird lediglich die Redundanz verringert *(= Informationsverdichtung)*. Die Datenbasis kann aber auch so aufbereitet werden, daß der im Hinblick auf die interessierende Fragestellung nicht relevante Teil der ursprünglichen Informationen „ausgefiltert" wird *(= Informationsreduktion)*.

Die schliessende Statistik (auch analytische oder Inferenzstatistik genannt) begnügt sich nicht mit der Beschreibung der in einer Untersuchung erhobenen Datenmenge. Vielmehr macht sie es sich zur Aufgabe, die bei einer begrenzten Zahl von Fällen gefundenen Ergebnisse auf eine größere Gesamtheit zu verallgemeinern, d. h. aufbauend auf Stichprobenwerten auf induktivem Wege Schlußfolgerungen für die Grundgesamtheit zu ziehen (vgl. Kap. 6: Repräsentationsschluß). Voraussetzung ist allerdings, daß die Daten an einer *Zufallsstichprobe* von Untersuchungseinheiten (vgl. Kap. 6.5) erhoben wurden.

Die Brücke zwischen beiden — der unmittelbaren Beschreibung einer vorhandenen Datenbasis und der über die vorliegenden Daten hinausreichenden Schlußfolgerungen — bildet die *Wahrscheinlichkeitsrechnung*.

Statistische Kennwerte (z. B. Mittel- oder Anteilswerte), die sich auf die Grundgesamtheit beziehen, nennt man Parameter. Kennwerte für Teilgesamtheiten (Stichproben) werden als Statistiken bezeichnet. Während die Parameter der Grundgesamtheit einen bestimmten, eindeutig fixierten Wert annehmen,[115] variieren die Statistiken von

---

115 Dieser Wert ist allerdings meist unbekannt und muß deshalb mit dem Instrumentarium der Inferenzstatistik aus Stichprobenwerten geschätzt werden.

Stichprobe zu Stichprobe, bei Zufallsstichproben im Rahmen wahr-
scheinlichkeitstheoretisch berechenbarer Schwankungsintervalle.

Der vorliegende Text wird sich ausschließlich mit der *deskriptiven
Statistik* befassen. Dabei werden in Kap. 8.2 Möglichkeiten der *univariaten Auswertung* der Datenmatrix (Beschreibung jeweils nur *einer*
einzelnen Variablen) behandelt. Anschließend (Kap. 8.3) werden einige
Verfahren der *Analyse von Zusammenhängen* zwischen Variablen
vorgestellt, allerdings beschränkt auf Möglichkeiten *bivariater Auswertung* der Datenmatrix (Beschreibung der *gemeinsamen* Variation
zweier Variablen).[116]

In Abschn. 5.2.2 wurde der Begriff der „*Variablen*" definiert als
Merkmals- bzw. Eigenschaftsdimension, die mehrere Ausprägungen annehmen kann. Für einige im folgenden vorkommende Argumentationen
ist es sinnvoll, zwischen *möglichen* Werten (Ausprägungen) einer
Variablen X^{117} und *faktisch beobachteten* Werten der gleichen Variablen X zu unterscheiden. Die Definition „Variable = Merkmalsdimension, die mehrere Ausprägungen annehmen kann" bezieht sich auf die
möglichen Ausprägungen. Bei einer Reihe von Messungen eines Merkmals an verschiedenen Untersuchungseinheiten kann sich dagegen der
Fall einstellen, daß als Ergebnis der Messungen nicht alle prinzipiell
möglichen Werte auftreten oder daß von den möglichen Variablen-
werten bei den konkreten Untersuchungseinheiten sogar immer wieder
der gleiche Wert auftritt.

Beispiel: Ein eifriger Lottospieler gibt ein Jahr lang jede Woche einen Lotto-
schein mit je acht ausgefüllten Reihen in der Lottoannahmestelle ab und notiert
die Resultate seines Bemühens. Als Jahresbilanz kann er feststellen, daß er in
den insgesamt abgegebenen 416 Tippreihen (= Menge der Merkmalsträger)
49 mal keine Zahl richtig getippt hat, daß er 188 mal nur einen und 165 mal
zwei „Treffer" hatte; 13 mal konnte er sich über drei und einmal sogar über vier
richtig getippte Zahlen freuen. Die Variable „Zahl der Treffer" (X) hat also als
mögliche Ausprägung die Werte 0, 1, 2, 3, 4, 5, 5 mit Zusatzzahl, 6. Davon sind
die Werte 0 bis 4 im Beobachtungszeitraum mit den angegebenen Häufigkeiten
aufgetreten; die möglichen Ausprägungen 5, 5 mit Zusatzzahl und 6 stellten sich
dagegen nicht ein.

Für die Entscheidung über den Einsatz geeigneter statistischer Methoden ist weiterhin eine Differenzierung in diskrete (oder diskonti-
nuierliche) und stetige (oder kontinuierliche) Variablen bedeutsam.
Diese Unterscheidung bezieht sich ebenfalls auf die *möglichen* Ausprägungen der Variablen, nicht auf die faktisch beobachteten.

Bei k o n t i n u i e r l i c h e n V a r i a b l e n – also solchen, die stetige Merkmalsdimensionen repräsentieren und bei deren Operationalisierung

---

116 Wird simultan die Variation von mehr als zwei Merkmalen (Variablen)
    beschrieben, spricht man von multivariater Auswertung oder Analyse.
117 Zur in diesem Text verwendeten verkürzenden Schreibweise im Zusam-
    menhang mit statistischen Argumentationen s. u. S. 228.

diese Stetigkeit der Merkmalsdimension berücksichtigt wurde – stellen die individualisierenden ganzen Zahlen (die natürlichen Zahlen 1, 2, 3, . . ., die Null und die negativen Zahlen) *nicht* die angemessene mathematische Abbildung bereit. Vielmehr sind zwischen zwei Werten beliebige Zwischenwerte möglich. Die abzubildende Merkmalsdimension stellt ein Kontinuum möglicher Ausprägungen dar; es gibt keine Bruch- oder Sprungstellen. Mathematisch ausgedrückt: Die Variable kann im Prinzip jeden beliebigen Wert eines bestimmten Intervalls der reellen Zahlengeraden annehmen.

Beispiele: X sei das Lebensalter oder das Körpergewicht oder die Körpergröße einer Person; X sei die Entfernung zwischen zwei Orten oder die benötigte Zeit zum Durchlaufen einer 100-m-Strecke.

Bei diskontinuierlichen (diskreten) Variablen existieren zwischen je zwei möglichen Ausprägungen Sprungstellen; diskrete Variablen können nur *ganz bestimmte* Werte annehmen, die streng voneinander getrennt sind. Auf der Zahlengeraden bestehen zwischen ihnen „Lücken". Mathematisch ausgedrückt: Diskrete Variablen können nur endlich viele oder abzählbar unendlich viele Werte der reellen Zahlengeraden annehmen. Im einfachsten Fall sind bei einer diskreten Variablen lediglich zwei mögliche Ausprägungen definiert. Man spricht dann von einer *dichotomen Variablen*.

Beispiele: Zahl der Personen im Haushalt mit den Ausprägungen 1, 2, 3, . . .; Religionszugehörigkeit mit den Ausprägungen „keine Konfession", „katholisch", „evangelisch", „sonstige Konfessionen"; Bildung mit den Ausprägungen „höchstens Hauptschulabschluß", „mittlere Reife", „Abitur", „Studium". – Dichotome Variablen sind: Geschlecht mit den Ausprägungen „männlich/weiblich"; Berufstätigkeit mit den Ausprägungen „berufstätig/nicht berufstätig"; Bildung mit den Ausprägungen „höchstens Hauptschulabschluß/mehr als Hauptschulabschluß".

Die strenge Unterscheidung in stetige und diskrete Variablen ist allerdings wiederum eine mathematische Modellvorstellung. Ob für die empirischen Variablen der Sozialwissenschaften das Modell einer diskreten oder das Modell einer stetigen (kontinuierlichen) Variablen angemessener ist, ist eher eine graduelle als eine prinzipielle Frage und abhängig von der jeweils gewählten Operationalisierung.

Beispiele: Das Merkmal „Einkommen" wird praktisch immer als stetige Variable behandelt, obwohl zwischen den kleinsten Geldeinheiten (hier: Pfennigbeträgen) Sprungstellen existieren; streng genommen handelt es sich also um eine diskrete Variable mit endlich vielen Ausprägungen. Die Differenz von einem Pfennig zwischen zwei nebeneinander liegenden möglichen Werten ist jedoch *praktisch* bedeutungslos, wenn es sich um größere Beträge handelt. – Die Merkmale „Größe" oder „Länge" werden dagegen häufig als diskrete Variablen definiert, obwohl es sich im Prinzip um stetige Merkmale handelt. So interessieren häufig nicht präzise Längenangaben, sondern es wird lediglich zwischen Längenintervallen unterschieden, wobei man von Vorstellungen über die Existenz bestimmter Schwellenwerte ausgeht, etwa bei der Messung der Länge des Arbeitsweges: weniger als 1 km, bis 2 km, bis 5 km, bis 10 km, bis 30 km, mehr als 30 km.

Bevor im nächsten Abschnitt auf Verfahren der univariaten Statistik eingegangen wird, seien zunächst noch einige *verkürzende symbolische Darstellungsweisen* vorgestellt, die in diesem Text im Zusammenhang mit statistischen Argumentationen und in den − nicht zu vermeidenden − Formeln vorkommen.

Große lateinische Buchstaben (gewöhnlich X, Y, Z) werden verwendet, wenn eine Variable mit *allen* (beobachteten oder möglichen) Ausprägungen bezeichnet werden soll. Sind dagegen einzelne Ausprägungen der Variablen gemeint, wird dies durch entsprechende kleine lateinische Buchstaben angedeutet (z. B. x, y, z). Indices (Subskripte) dienen der weiteren Unterscheidung der einzelnen Ausprägungen untereinander (z. B. $x_1, x_2, \ldots, x_i, \ldots, x_n$).

Gilt die Aufmerksamkeit den beobachteten Werten bei den einzelnen Untersuchungseinheiten, dann wird der Laufindex „i" verwendet. „i" kann die Werte 1 bis n (= Zahl der Fälle in der Stichprobe; d. h. Zahl der Untersuchungseinheiten, für die Daten erhoben worden sind) annehmen.

Greifen wir das *Beispiel* des Lottospielers wieder auf, der in den 52 Wochen des Jahres insgesamt 416 Tippreihen (n = 416) ausgefüllt und für jede Tippreihe die Zahl der Treffer (x) notiert hat. Dies kann die folgende Beobachtungsreihe ergeben: 2, 0, 1, 1, 2, 0, . . ., 4. Für x_i mit i = 1 können wir die Ausprägung „2" ablesen; d. h. in der ersten ausgefüllten Tippreihe fanden sich zwei richtig getippte Lottozahlen. Für x_i mit i = 2 (2. Tippreihe) können wir die Ausprägung „0" (keine richtig getippte Zahl), für x_i mit i = 416 (letzte Tippreihe) können wir die Ausprägung „4" (vier Richtige) ablesen.

Bezieht sich die Argumentation nicht auf die bei den einzelnen Untersuchungseinheiten beobachteten, sondern entweder auf die *möglichen* Ausprägungen der Variablen oder auf Gruppen (Klassen) zusammengefaßter Beobachtungswerte, dann wird als Laufindex der Buchstabe „j" verwendet. „j" kann die Werte 1 bis k (Zahl der Klassen von Beobachtungswerten bzw. Zahl der möglichen Ausprägungen) annehmen. Zu jedem möglichen Variablenwert (bzw. zu jeder Klasse zusammengefaßter Beobachtungswerte) ist dann zusätzlich die Häufigkeit des Auftretens (abgekürzt „f"; englisch: frequency = Häufigkeit, Frequenz) anzugeben.

Im *Beispiel* waren als mögliche Ausprägungen die Werte 0, 1, 2, 3, 4, 5, 5 mit Zusatzzahl, 6 richtig getippte Zahlen aufgeführt; d. h. die Variable X („Trefferzahl") hat acht mögliche Ausprägungen x_j. Für x_j mit j = 1 steht die Ausprägung 0 (keine richtig getippte Zahl), für x_j mit j = 8 steht die Ausprägung 6 (alle Zahlen richtig getippt).

Übersichtlicher als im obigen Beispieltext können jetzt die genannten Werte wie folgt zusammengefaßt werden:

Tabelle 1:

x_j	f_j
0	49
1	188
2	165
3	13
4	1
5	0
5 u. Z.	0
6	0

Soll eine Reihe von Werten aufsummiert (addiert) werden, dann wird dies durch das Summenzeichen Σ und zusätzliche Angaben, welche Wertereihe aufsummiert werden soll, gekennzeichnet.

So bedeutet z. B. $\sum\limits_{i=1}^{n} x_i$:

Addiere die Ausprägungen der Variablen X für alle n Untersuchungseinheiten; bzw.: Addiere alle x_i mit i = 1, 2, 3, . . ., n; bzw. $x_1 + x_2 + x_3 + . . . + x_n$.

Dagegen bedeutet $\sum\limits_{j=1}^{k} f_j$:

Addiere die Häufigkeiten, mit denen die einzelnen Ausprägungen im Beobachtungszeitraum aufgetreten sind; bzw.: Addiere alle f_j mit j = 1, 2, . . ., k; bzw. im Beispielsfall 49 + 188 + 165 + 13 + 1 + 0 + 0 + 0 = 416 = n.

8.2 Univariate Statistik

Zu Beginn dieses Kapitels wurde hervorgehoben, daß statistische Verfahren dazu benötigt werden, Ordnung in die Daten zu bringen, die zunächst in ungeordneter und unübersichtlicher Form vorliegen.

Beispiel: Man stelle sich vor, es seien mit dem Instrument standardisiertes Interview 1000 Personen je 100 Fragen vorgelegt worden, so daß vor Beginn der Auswertung 100.000 Einzeldaten zur Verfügung stehen. Die erste – allerdings lediglich formale – Ordnung der Daten wird durch die zeilen- und spaltenweise Anordnung der codierten Antworten der Befragten auf die 100 Fragen in Form einer Datenmatrix vorgenommen. In diesem Fall hätte die Matrix einen Umfang von 1000 Zeilen und 100 Spalten.[118]

Wollte der Forscher allerdings versuchen, die Einzeldaten unmittelbar durchzusehen, um daraus Antworten auf seine Forschungsfragen zu gewinnen, würde er sicher an dieser Aufgabe scheitern. Er wird also gut daran tun, die Datenmatrix lediglich als Basis für Auswertungen mit Hilfe statistischer Verfahren (als Daten-„Urliste") zu verwenden. Die Daten müssen also in geeigneter Weise weiter aufbereitet werden, so daß die interessierenden Inhalte in leicht überschaubarer Weise zum Ausdruck kommen.

---

118 Die Organisation der Daten zur Datenmatrix (vgl. Abschn. 5.2.3) ist eine notwendige Vorarbeit für den Einsatz automatisierter Auswertungsverfahren (EDV).

8.2.1 Häufigkeitsverteilungen

Ein einfaches Verfahren zur übersichtlichen Darstellung der in den Daten enthaltenen Informationen ist die Erstellung univariater (eindimensionaler) Häufigkeitsverteilungen. Eine Häufigkeitsverteilung ergibt sich dadurch, daß die Untersuchungseinheiten entsprechend den jeweils *beobachteten* (gemessenen) Ausprägungen eines Merkmals den *möglichen* Ausprägungen einer einzigen Variablen zugeordnet werden; d. h. es wird festgestellt, wie häufig die einzelnen Ausprägungen aufgetreten sind. Die Zahl der Fälle, die je Merkmalsausprägung oder je Intervall (x_j) bei einer gegebenen Menge von Untersuchungseinheiten ausgezählt werden kann, nennt man die absolute Häufigkeit (f_j) dieser Merkmalsausprägung. Die Verteilung der Häufigkeiten auf alle unterschiedenen Merkmalsausprägungen (bzw. Intervalle) der Variablen X nennt man die Verteilung der absoluten Häufigkeiten.

Die Zuordnung der Häufigkeiten erreichter „Trefferzahlen" im Lottospieler-Fall zu den *möglichen* Ausprägungen der Variablen „Trefferzahl" ist ein *Beispiel* für ein solches Vorgehen.

Bei *diskreten Variablen* (insbesondere bei solchen mit relativ wenigen möglichen Ausprägungen) bereitet die Bildung von Häufigkeitsverteilungen wenig Schwierigkeiten, da nur ganz bestimmte Ausprägungen vorkommen können. Falls sämtliche möglichen Ausprägungen bei Erstellung der Häufigkeitsverteilung erhalten bleiben, ist diese Art der Datenaufbereitung ein Verfahren, bei dem – mit Ausnahme der Reihenfolge des Auftretens von Meßwerten – keine Information verloren geht. Falls eine diskrete Variable allerdings sehr viele mögliche Ausprägungen aufweist, wird eine Häufigkeitsverteilung, die sämtliche einzelnen Ausprägungen beibehält, sehr schnell unübersichtlich; sie erfüllt nicht mehr hinreichend die Funktion der Informationsverdichtung. In solchen Fällen wird man sinnvollerweise jeweils mehrere benachbarte Werte zu Gruppen (Klassen) zusammenfassen und die Häufigkeiten für diese Werte-Klassen angeben. Man spricht dann von einer Häufigkeitsverteilung mit gruppierten (oder klassierten) Werten.

Beispiel: X sei das Alter von Befragten, das als diskrete Variable (in ganzen Jahren, jeweils auf- oder abgerundet) operationalisiert wurde. Eine Häufigkeitsverteilung der Befragten nach ihrem Alter mit den Ausprägungen z. B. 16, 17, 18, ..., 103 Jahre wäre äußerst unübersichtlich. Außerdem würde eine Reihe von Ausprägungen die empirische Häufigkeit 0 aufweisen. Es ist deshalb sinnvoller, Alters*klassen* zu bilden, etwa: bis 20 Jahre, 21 - 25 Jahre, 26 - 30 Jahre, 31 - 35 Jahre, ..., 61 - 65 Jahre, 66 - 70 Jahre, 71 Jahre und älter.

Auch im Lottospieler–Beispiel könnte die Darstellung noch übersichtlicher werden, ohne daß Informationen verlorengehen: Die Ausprägungen 5, 5 mit Zusatzzahl sowie sechs Richtige, die jeweils die empirische Häufigkeit 0 aufweisen, können zu einer Gruppe „5 und mehr Richtige" zusammengefaßt werden. Aus inhaltlichen Überlegungen bietet es sich schließlich an, zusätzlich auch die Ausprägungen 0, 1 und 2 zusammenzufassen und deren Häufigkeiten zu addieren (49 + 188 + 165). In diesem Fall würde eine gewollte Informationsreduktion vorgenommen: Die interne Differenzierung innerhalb der Klasse „keine Gewinne" wird als weniger relevant in der Darstellung vernachlässigt:

Tabelle 2:

	x_j	f_j
keine Gewinne: 0 - 2 Richtige		402
Gewinne: 3 Richtige		13
4 Richtige		1
5 - 6 Richtige		0

Treibt man die Zusammenfassung der einzelnen Ausprägungen so weit, daß nur noch zwei Werteklassen unterschieden werden, spricht man von einer Dichotomisierung der Variablen. Hierbei gehen allerdings im Regelfall sehr viele ursprünglich vorhandene Informationen verloren.

Im *Lottobeispiel* etwa könnte eine Dichotomisierung in Tippreihen ohne Gewinne und solche mit Gewinnen vorgenommen werden:

Tabelle 3:

	x_j	f_j
keine Gewinne: 0 - 2 Richtige		402
Gewinne: 3 - 6 Richtige		14

Eine Gruppierung (Klassierung) von Ausprägungen zu Werteklassen ist immer erforderlich, wenn für *kontinuierliche Variablen* Häufigkeitsverteilungen zu erstellen sind. Durch die Einteilung des Kontinuums *möglicher* Ausprägungen in Intervalle wird das stetige Merkmal in ein diskretes transformiert.

Beispiel: X sei das monatliche Bruttoeinkommen von Befragten, das als (annähernd) kontinuierliche Variable operationalisiert wurde (etwa durch die präzise Feststellung des Einkommens anhand von Verdienstabrechnungen). Eine Häufigkeitsverteilung, die von den *möglichen* Ausprägungen ausginge (kleinste Meßeinheit: Pfennig), wäre völlig unzweckmäßig. Auch eine Häufigkeitsverteilung auf der Basis der *empirisch festgestellten* Werte ergäbe keine informative Darstellung; im Extremfall würde die Variable bei 1000 Untersuchungseinheiten ebenso viele verschiedene Merkmalsausprägungen mit jeweils der empirischen Häufigkeit von $f_j = 1$ aufweisen.

Das Merkmalskontinuum ist also in Intervalle einzuteilen; etwa: 0 DM (kein eigenes Einkommen), bis unter 500 DM, 500 bis unter 1000 DM, 1000 bis unter 2000 DM, 2000 bis unter 3000 DM, 3000 bis unter 5000 DM, 5000 bis unter 10.000 DM, 10.000 DM und mehr.

Ein Vergleich der Klassenbildung bei diskreten und bei kontinuierlichen Variablen zeigt, daß die *Klassengrenzen* auf unterschiedliche

Weise gekennzeichnet werden müssen. Bei *diskreten Variablen*, die ja nur ganz bestimmte Ausprägungen annehmen können, existieren genau angebbare Klassenober- und -untergrenzen. Etwa: 0 - 2 Richtige im Lottobeispiel oder: 21 - 25 Jahre im Falle eines als diskrete Variable operationalisierten Merkmals „Alter". Bei *kontinuierlichen Variablen* dagegen gibt es keine natürlichen Klassengrenzen, da zwischen zwei beliebigen Werten immer noch (im Prinzip) ein weiterer Wert vorkommen kann. Die Intervalle werden deshalb voneinander so getrennt, daß *eine* Klassengrenze (Ober- oder Untergrenze) exakt angegeben und die andere offengelassen wird.

Im *Beispiel* oben wurden rechtsoffene Einkommensintervalle gebildet, etwa: (genau) 500 bis unter 1000 DM, (genau) 1000 bis unter 2000 DM. Natürlich kann man die Intervalle auch linksoffen definieren, etwa: über 500 bis (genau) 1000 DM, über 1000 bis (genau) 2000 DM usw.

Einige Faustregeln zur Bildung von Werteklassen:

— Hat eine Häufigkeitsverteilung zu viele Werteklassen, dann enthält sie zwar mehr Informationen als im Falle nur weniger Werteklassen. Jedoch wird der Zweck der Vereinfachung, der Informationsreduktion verfehlt.
— Man kann Werteklassen so abgrenzen, daß die Intervalle jeweils gleich groß sind. In diesem Falle geht man von den *möglichen* Ausprägungen der Variablen aus und untersucht, wie sich die empirisch beobachteten Werte auf diese Intervalle verteilen.
— Man kann Werteklassen auch so abgrenzen, daß die empirischen Häufigkeiten je Intervall möglichst gleich groß sind. In diesem Fall geht man von den beobachteten (gemessenen) Ausprägungen aus.
— Eine feste Regel, ob gleiche Intervalle oder gleiche Häufigkeiten je Klasse bei der Klassierung vorzuziehen sind, existiert nicht. Dies muß im Einzelfall entschieden werden. Annähernd gleiche Häufigkeiten je Intervall sind für manche statistische Auswertungsverfahren (etwa Zusammenhangsanalyse mit Hilfe von Kontingenztabellen) vorteilhaft. Andererseits können bestimmte Klassengrenzen sich aus inhaltlichen Überlegungen aufdrängen. Bei Klassierung des Merkmals „Alter" z. B. sollten möglicherweise aus theoretischen Gründen solche Zäsuren wie Schulbeginn, Beendigung der Ausbildung und Aufnahme der Berufstätigkeit oder Zeitpunkt der Pensionierung auch bei der Intervallabgrenzung zum Ausdruck kommen.

Die bisher behandelten absoluten Häufigkeiten eignen sich jedoch schlecht zum Vergleich von Ergebnissen aus verschiedenen Erhebungen, sobald nicht jeweils die gleiche Gesamtzahl von Fällen beschrieben worden ist.

Beispiel:

Tabelle 4: Landtagswahlergebnisse in Nordrhein-Westfalen 1980 und 1975

x_j (kandidierende Parteien)	f_j (abgegebene gültige Stimmen in 1000) 1980	1975
CDU	4241,0	4828,6
SPD	4755,6	4631,0
FDP	489,2	689,6
DKP	30,5	54,8
Die Grünen	291,2	–
Sonstige	10,6	58,2
$\sum f_j$:	9818,1	10262,2

Um solche Ergebnisse unmittelbar vergleichbar zu machen, ist es sinnvoll, die absoluten Häufigkeiten zur jeweiligen Gesamtzahl der Fälle in Relation zu setzen und so relative Häufigkeiten (f'_j) zu bestimmen.

Mit anderen Worten: Es wird nach der Formel: $f'_j = \dfrac{f_j}{\sum f_j} = \dfrac{f_j}{n}$

der Anteil der absoluten Häufigkeit *einer* Merkmalsausprägung an der Gesamtzahl der Fälle berechnet. Multipliziert man die relativen Häufigkeiten mit dem Faktor 100, erhält man *Prozentwerte*.

Bezogen auf das oben angeführte *Beispiel:*

Tabelle 5:

x_j	1980 f'_j	%	1975 f'_j	%
CDU	0,432	43,2	0,471	47,1
SPD	0,484	48,4	0,451	45,1
FDP	0,050	4,98	0,067	6,7
DKP	0,003	0,3	0,005	0,5
Die Grünen	0,030	3,0	–	–
Sonstige	0,001	0,1	0,006	0,6
$\sum f'_j$:	1,000		1,000	

Für manche Fragestellungen ist nicht nur die absolute und/oder relative Häufigkeit je Merkmalswert (je Klasse von Werten) wichtig, sondern es interessiert auch die sukzessive Zusammenfassung (Kumulierung) der Häufigkeiten. Das ist immer dann der Fall, wenn man wissen möchte, wie viele der beobachteten Merkmalsausprägungen kleiner als ein bestimmter Wert sind.[119] Zu diesem Zweck ordnet man zunächst die Merkmalsausprägungen (oder Klassen) nach ihrer Größe und summiert dann sukzessive die Häufigkeiten auf, so daß die kumulierte (absolute) Häufigkeit (f_{cj})[120] der niedrigsten Ausprägung (der untersten Klasse) = f_1, die kumulierte Häufigkeit der beiden niedrigsten Ausprägungen (Klassen) = $f_1 + f_2$, die kumulierte Häufigkeit der drei niedrigsten Ausprägungen (Klassen) = $f_1 + f_2 + f_3$ ist usw. In gleicher Weise kann man auch die relativen Häufigkeiten kumulieren.

Beispiel:

Tabelle 6: Verteilung des Vermögens auf die Haushalte in der Bundesrepublik Deutschland, 1973:

x_j (Vermögen in DM)	f_j (Haushalte in Mio.)	f_{cj}	f'_j	f'_{cj}
0	1,8	1,8	0,083	0,083
bis 5000	2,3	4,1	0,107	0,190
üb. 5000-35000	8,0	12,1	0,370	0,560
üb. 35000-100000	4,3	16,4	0,199	0,759
üb. 100000-500000	4,6	21,0	0,213	0,972
üb. 500000-2,5 Mio.	0,5	21,5	0,023	0,995
über 2,5 Mio.	0,1	21,6	0,005	1,000
	21,6			

8.2.2 Die Darstellung von Häufigkeitsverteilungen

Die übliche Form der Präsentation univariater statistischer Informationen ist die numerische mit Hilfe von Tabellen. Statistische Tabellen bestehen aus einer *Überschrift* (aus der hervorgeht, welche Art von Informationen aufbereitet worden ist), der *Vorspalte* (in der die Merkmalsausprägungen oder deren Zusammenfassung zu Klassen beschrieben sind), der *Kopfzeile* (die Erläuterungen zur Form der statistischen Aufbereitung der Daten enthält) sowie dem eigentlichen

119 Die Kumulierung, die vom kleinsten Wert ausgeht und zum größten fortschreitet, heißt Aufwärtskumulierung. Falls die Fragestellung lautet „Wieviele Beobachtungswerte sind größer als ein bestimmter Wert?", kann man die Rangfolge umkehren und vom größten zum kleinsten Wert fortschreiten. Dieses Vorgehen nennt man Abwärtskumulierung.
120 Kumulieren heißt „anhäufen" und wird hier in der Bedeutung von „schrittweise von Anfang an aufaddieren" benutzt.

Zahlenkörper.[121] Zusätzlich ist die *Quelle* anzugeben, aus der die Informationen stammen.

Das oben angeführte *Beispiel* könnte tabellarisch aufbereitet wie folgt aussehen:

Tabelle 7: Verteilung des Vermögens in der Bundesrepublik Deutschland 1973

Kopfzeile:	es besitzen:	Haushalte (in Mio.)	Anteil an der Gesamt-zahl der Haushalte (%)	kumulierte Anteile (%)
Vorspalte:	keine finanziellen Rücklagen	1,8	8,3	8,3
	einen „Notgro-schen", bis 5000 DM	2,3	10,7	19,0
	Rücklagen (5000 bis 35000 DM)	8,0	37,0	56,0
	„Polster" (35000 bis 100.000 DM)	4,3	19,9	75,9
	kleines Vermögen, z. B. Eigenheim (100.000 bis 500.000 DM)	4,6	21,3	97,2
	Vermögen (0,5 bis 2,5 Mio. DM)	0,5	2,3	99,5
	großes Vermögen (über 2,5 Mio. DM)	0,1	0,5	100,0

Quelle: *Mierheim, H.; Wicke, L.:* Die personelle Vermögensverteilung in der Bundesrepublik Deutschland, Tübingen 1978 (hier zitiert nach „Kölner Stadtanzeiger")

Tabellen werden oft durch graphische Darstellungen ergänzt. Liegen statistische Angaben vor, die sich auf eine diskrete Variable beziehen, dann ist das Stabdiagramm die übliche Form der graphischen Präsentation. Dazu wird ein rechtwinkeliges Koordinatensystem benutzt, auf dessen Ordinate die Häufigkeiten und auf dessen Abszisse die Merkmale abgetragen werden. Über jedem abgetragenen Merkmals-

---

121 Die tabellarische Darstellung univariater Verteilungen darf nicht verwechselt werden mit der Kontingenztabelle als Instrument der Zusammenhangsanalyse (vgl. Abschn. 8.3.1/2).

wert werden senkrechte Balken („Stäbe") errichtet, deren Längen den zugehörigen Häufigkeiten entsprechen.

Die Landtagswahlergebnisse NRW (vgl. Tab. 5) sind mit Hilfe von Stabdiagrammen wie folgt darstellbar:

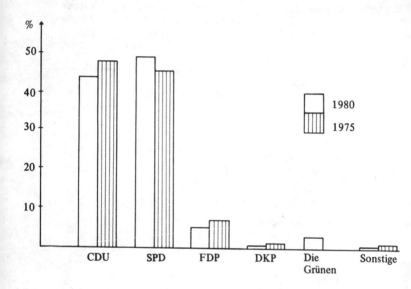

„Das Stabdiagramm ist die geeignete graphische Darstellungsform für diskrete Merkmale bzw. für ungruppiertes Material und für Statistiken mit *Nominaldaten"* (s. o.) (*Voss* 1979, 44).

Hat man gruppierte Werte einer kontinuierlichen Variablen vorliegen, ist die übliche Darstellungsform das Histogramm. Auch hierbei geht man von einem rechtwinkeligen Koordinatenkreuz aus. Auf der Abszisse sind wieder die Merkmalsausprägungen abzutragen, und zwar entsprechend der gewählten Klassierung, wobei unterschiedliche *Klassenbreiten* maßstabsgetreu zu berücksichtigen sind. Die Häufigkeiten werden nun durch Rechteckflächen über den jeweiligen Intervallen dargestellt. Bei unterschiedlichen Klassenbreiten (Intervallen) ist die Höhe des Rechtecks entsprechend umzurechnen.

Verbindet man im Histogramm die oberen Klassenmittelpunkte durch Geraden, so erhält man den sog. Polygonzug.

244

Beispiel:

Tabelle 8: Schichtung des Bruttoerwerbs- und -vermögenseinkommens in der Bundesrepublik Deutschland 1978:

Monatliches Haushaltseinkommen von ... bis unter ... DM	Haushalte in 1000	%	davon: Selbständige in 1000	%	Rentner, Versorgungsempfänger in 1000	%
unter 1000	6765	29,1	–	–	5953	25,6
1000 - 2000	3088	13,3	9	0,0	1243	5,3
2000 - 3000	3194	13,7	84	0,4	262	1,1
3000 - 4000	2808	12,1	232	1,0	70	0,3
4000 - 5000	2498	10,7	263	1,1	14	0,1
5000 - 7000	2561	11,0	458	2,0	14	0,1
7000 - 10000	1530	6,5	511	2,2	4	0,0
10000 o. mehr	831	3,6	503	2,2	–	–
	23275	100,0	2060	8,9	7560	32,5

Quelle: *Bedau, K.-D.,* 1979: Das Einkommen sozialer Gruppen in der Bundesrepublik Deutschland von 1970 bis 1978; WSI-Mitteilungen, 32. Jg., Heft 12, 645.

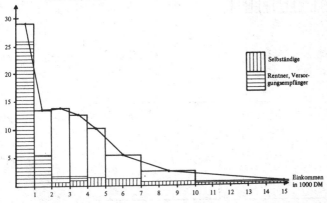

Im obigen Beispiel ist das Intervall 5000 - 7000 (mit 11% der Haushalte) doppelt, das Intervall 7000 - 10000 (mit 6,5% der Haushalte) dreimal so breit wie die vorhergehenden Intervalle. Für die graphische Darstellung hat man sich diese Intervalle als aus zwei (bzw. drei) Teilintervallen mit jeweils einer Klassenbreite von 1000 zusammengesetzt vorzustellen. Auf jedes dieser Teilintervalle entfällt dann eine gleichgroße Häufigkeit von 11,0% : 2 = 5,5% (bzw. von 6,5% : 3 = 2,2%). Für das letzte, nicht geschlossene Intervall wird man für die graphische Darstellung eine fiktive Obergrenze festlegen, so daß die überwiegende Zahl der zu dieser Merkmalsklasse zählenden Haushalte erfaßt sein dürfte (vielleicht 20000).

245

Histogramm und Polygonzug vermitteln im Prinzip dieselben Informationen wie die entsprechende Tabelle. Jedoch wird in der graphischen Darstellung durch die räumliche Veranschaulichung ungleicher Klassenbreiten die relevante Information (hier: Ungleichheit der Einkommensverteilung) offensichtlicher.

Häufigkeitsverteilungen werden oft nach ihrer bei der graphischen Darstellung erkennbaren Form charakterisiert. An typischen Verteilungsformen werden symmetrische (um einen Punkt maximaler Häufigkeit nehmen die Häufigkeiten nach beiden Seiten in gleicher Weise ab) sowie links- oder rechtsschiefe Verteilungen, ein- oder mehrgipfelige, flache, steile oder U-förmige Verteilungen unterschieden. Bei den folgenden Abbildungen kann man sich vorstellen, sie seien aus Histogramm- bzw. Polygonzug-Darstellungen kontinuierlicher Variablen entstanden, wobei auf der Basis einer sehr großen Zahl von Messungen die Intervalle verschwindend klein gehalten wurden:

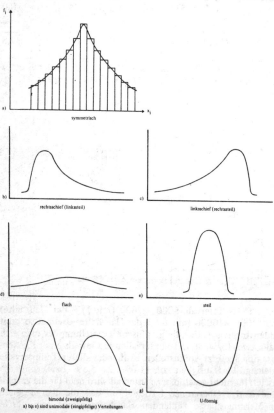

a) symmetrisch

b) rechtsschief (linkssteil)

c) linksschief (rechtssteil)

d) flach

e) steil

f) bimodal (zweigipfelig)

g) U-förmig

a) bis e) sind unimodale (eingipfelige) Verteilungen

8.2.3 Maße der zentralen Tendenz einer Verteilung

Bei den bisher behandelten Darstellungsformen univariater Verteilungen blieb noch ein relativ großer Teil der ursprünglich in den Daten vorhandenen Informationen erhalten. Für manche Zwecke reicht die damit erzielte Informationsreduktion jedoch nicht aus. Stattdessen sucht man eine einzige Zahl, die das Charakteristische (das „Typische") einer Verteilung repräsentieren soll; man sucht sozusagen den Schwerpunkt oder „Mittelpunkt" einer gegebenen Häufigkeitsverteilung, ihre „zentrale Tendenz". In solchen Maßen der zentralen Tendenz (gebräuchlicherweise auch als *Mittelwerte* bzw. umgangssprachlich als „Durchschnitt" bezeichnet) wird die *gesamte Datenmenge* einer Variablen (z. B. die Bruttomonatseinkommen von 23,275 Mio. Haushalten) *in nur einer Zahl* zusammengefaßt; die Gesamtheit der Einzelinformationen wird zu einer einzigen statistischen Kennziffer verdichtet.

Unter den Maßen der zentralen Tendenz sind die lagetypischen von den rechnerischen Mittelwerten zu unterscheiden. Die rechnerischen Mittelwerte erhält man durch algebraische Berechnung, die lagetypischen durch Ordnen bzw. Gruppieren der beobachteten Ausprägungen einer Variablen.

Wichtig ist in jedem Fall,
- daß der Mittelwertbildung eine homogene statistische Masse zugrunde gelegt wird (vgl. Abschn. 5.1.3),
- daß die zu beschreibende Reihe von Werten ein Mindestmaß an Veränderlichkeit (an Variation, Dispersion) zeigt (andernfalls wäre die Berechnung eines Mittelwertes überflüssig),
- daß die zu beschreibende Reihe eine gewisse Konzentration innerhalb der beobachteten Elemente aufweist (andernfalls hätte die Verteilung keine „zentrale Tendenz", würde ein berechneter Mittelwert nichts Typisches über die Verteilung aussagen).

Modus

Unter den lagetypischen Mittelwerten ist der Modus (Modalwert, häufigster Wert) am einfachsten zu bestimmen: Es wird eine Häufigkeitsverteilung der beobachteten Werte erstellt und diejenige Variablenausprägung bestimmt, für die die empirische Häufigkeit maximal ist. Der Modus ist also definiert als die am häufigsten vorkommende Ausprägung einer Variablen:

Formel (1): $\bar{x}_M = x_j$ mit max f_j

Entsprechend dieser Definition ist der Modus *dann* nicht eindeutig bestimmbar, wenn zwei oder mehrere Merkmalsausprägungen mit gleicher Häufigkeit an der Spitze liegen.

Der Modus kann bei Daten jeden Meßniveaus bestimmt werden; er ist also auch bei nominalskalierten Variablen anwendbar.

Beispiel: Ein Gymnasium ermittelt in seinen Abschlußklassen die gewünschten Studienorte A, B, C, D, E, F seiner Abiturienten (= Variable X mit den Ausprägungen A bis F). Es ergeben sich folgende Häufigkeiten: $f_A = 93$, $f_B = 102$, $f_C = 28$, $f_D = 105$, $f_E = 12$, $f_F = 57$. Die maximale Häufigkeit beträgt $f_D = 105$. Modalwert ist also Studienort D (= Ausprägung D auf der Variablen „gewünschter Studienort").

Der Modus vermittelt nur sehr geringe Informationen über das Typische, über die zentrale Tendenz einer Variablen. Die Berechnung des Modus ist *dann* wenig sinnvoll, wenn — etwa bei annähernd kontinuierlichen Variablen — sehr viele Werte auftreten können, so daß die Häufigkeiten pro Wert im allgemeinen nur gering sind.

Quantile

Praktisch bedeutsamer sind unter den lagetypischen Maßen die Quantile. Sie zerlegen eine Reihe von ihrer Größe nach geordneten *einzelnen* Werten x_i in Abschnitte, in bestimmte Mengenverhältnisse (Percentile zerlegen die Reihe in hundert Abschnitte, Dezile in zehn Abschnitte usw.).

War für die Ermittlung des Modus die Feststellung der empirischen Häufigkeiten je Merkmalswert erforderlich, so ist zur Bestimmung der Quantile das Sortieren der einzelnen Beobachtungswerte (Variablenausprägungen) entsprechend ihrer Rangordnung notwendig. Daraus folgt, daß zur Bestimmung von Quantilen die Daten *mindestens ordinales Meßniveau* aufweisen müssen (vgl. Abschn. 5.3.3).

Besonders gebräuchlich unter den Quantilen sind die Quartile, die die geordnete Reihe der Beobachtungswerte in vier Abschnitte zerlegen. In erster Annäherung kann definiert werden, daß das *1. Quartil* (Q_1) derjenige gemessene Wert ist, der die Reihe der geordneten Merkmalswerte im Verhältnis 1 : 3 teilt. Entsprechend zerlegt das *2. Quartil* (Q_2; üblicherweise als Median oder Zentralwert $\bar{x}_z$ bezeichnet) die Reihe im Verhältnis 2 : 2 und das *3. Quartil* (Q_3) im Verhältnis 3 : 1.

Die numerische Bestimmung der Quartile ist im Prinzip denkbar einfach, falls die gemessenen *Einzelwerte* — nicht zu Intervallen zusammengefaßt — vorliegen. In diesem Fall kann man — jedenfalls bei nicht zu großen Datenmengen — sämtliche Beobachtungswerte größenmäßig geordnet auflisten und durch einfaches Abzählen den Beobachtungswert bestimmen, der die Reihe im Verhältnis 1 : 3 (Q_1) oder 2 : 2 (Q_2) oder 3 : 1 (Q_3) zerlegt.

Beispiel: Bei zwanzigmaligem Würfeln wurden folgende Ergebnisse notiert (hier bereits nach der Größe der Zahlen geordnet): 1, 1, 1, 2, 2, 2, 2, 3, 3, 3, 4, 4, 4, 5, 5, 5, 5, 6, 6, 6. Als Wert, der die Reihe im Verhältnis 1 : 3 zerlegt, kommt offenbar das Ergebnis „2" in Betracht. Ebenso zerlegt offenbar das Ergebnis

„5" die Reihe im Verhältnis 3 : 1. Dagegen bereitet es nach der oben gegebenen Definition Schwierigkeiten, zu entscheiden, welcher Wert die Beobachtungsreihe im Verhältnis 2 : 2 zerlegt, das Ergebnis „3" oder das Ergebnis „4". Der Schnittpunkt, der die Reihe in genau zwei Hälften teilt, müßte zwischen diesen beiden Ergebnissen liegen. Für Q_1 und Q_3 ergab sich nach der bisherigen Definition allerdings das Problem, daß mehrere gleiche Werte vor und hinter Q_1 bzw. Q_3 existierten.

Die Definition soll deshalb wie folgt präzisiert werden: Das *1. Quartil* (Q_1) ist derjenige Wert in einer geordneten Reihe von Beobachtungswerten, der von einem Viertel der gemessenen Werte nicht über- und von dreiviertel der gemessenen Werte nicht unterschritten wird. Analoges gilt für das 2. und 3. Quartil. Außerdem sei für die *numerische Bestimmung der Quartile* folgende Regelung vereinbart:

Formel (2): $Q_1 = x_k$ mit $n/4 < k < n/4 + 1$

Formel (3): $Q_3 = x_k$ mit $3n/4 < k < 3n/4 + 1$

Hierbei sei k eine natürliche Zahl (1, 2, 3, . . .) und n/4 bzw. 3n/4 gehöre *nicht* zur Menge der natürlichen Zahlen. Für den Fall, daß n/4 bzw. 3n/4 eine natürliche Zahl ergeben sollte, kann für Q_1 ein Wert zwischen $x_{n/4}$ und $x_{n/4 + 1}$ sowie für Q_3 ein Wert zwischen $x_{3n/4}$ und $x_{3n/4 + 1}$ gewählt werden.

Auf das obige *Beispiel* (n = 20) angewandt bedeutet dies:
$Q_1 = x_k$ mit $20/4 < k < 20/4 + 1$; da $20/4 = 5$ eine natürliche Zahl ist, wird ein Wert zwischen x_5 und x_6 gewählt; da jedoch sowohl x_5 als auch x_6 den Wert (das Würfelergebnis) 2 aufweisen, ist $Q_1 = 2$.
$Q_3 = x_k$ mit $60/4 < k < 60/4 + 1$; da $60/4 = 15$ eine natürliche Zahl ist, wird ein Wert zwischen x_{15} und x_{16} gewählt; sowohl x_{15} als auch x_{16} weisen den Wert 5 auf, also ist $Q_3 = 5$.
$Q_2 = x_k$ mit $40/4 < k < 40/4 + 1$; da $40/4 = 10$ eine natürliche Zahl ist, wird ein Wert zwischen x_{10} und x_{11} gewählt; da x_{10} den Wert 3, und x_{11} den Wert 4 aufweist, bietet es sich an, als Q_2 den (faktisch nicht vorkommenden) Wert 3,5 zu wählen.

Verallgemeinert auf *beliebige Quantile* lautet die obige Regelung: Das p-Quantil (p ist der Zerlegungsfaktor; bei Dezilen z. B. 0,1, bei Percentilen 0,01, bei Quartilen 0,25) ist x_k, wobei $n \cdot p < k < (n \cdot p + 1)$ sowie k eine natürliche Zahl und $n \cdot p$ nicht eine natürliche Zahl ist. Falls $n \cdot p$ eine natürliche Zahl ist, kann für das p-Quantil ein Wert zwischen $x_{n \cdot p}$ und $x_{n \cdot p + 1}$ gewählt werden.

Median

Der bedeutendste Quantilswert ist der Median (das 2. Quartil). Er wird auch als Z e n t r a l w e r t bezeichnet und ist derjenige Merkmalswert, der in der Mitte einer ihrer Größe nach geordneten Reihe von

Beobachtungswerten liegt. Der Median ist also im wörtlichen Sinne ein *Mittelwert:* er wird im folgenden durch $\bar{x}_Z$ (Zentralwert) symbolisiert.

Nach der allgemeinen Quantilsdefinition, wie sie oben eingeführt wurde, ist der M e d i a n somit derjenige Wert in einer geordneten Reihe von Beobachtungswerten, der von der Hälfte der gemessenen Werte nicht über- und von der Hälfte der gemessenen Werte nicht unterschritten wird. Für seine numerische Bestimmung gilt:

F o r m e l (4): $\bar{x}_Z = x_k$ mit $n/2 < k < n/2 + 1$,

wobei k eine natürliche Zahl ist und $n/2$ nicht zur Menge der natürlichen Zahlen gehört.

Falls $n/2$ eine natürliche Zahl ist, kann für $\bar{x}_Z$ ein Wert zwischen $x_{n/2}$ und $x_{n/2 + 1}$ gewählt werden. Dies führt zu folgenden üblicherweise genannten

F o r m e l (4a): $\bar{x}_Z = x_{(n+1)/2}$, falls n ungerade;

F o r m e l (4b): $\bar{x}_Z = 0{,}5 \cdot (x_{n/2} + x_{n/2+1})$, falls n gerade.

Bei der numerischen Bestimmung des Medians muß man sich stets vor Augen halten, daß die angegebenen Formeln sich auf die Reihe der tatsächlich beobachteten Werte, nicht auf die *möglichen* Ausprägungen einer Variablen beziehen. Der Median ist nicht der mittlere Wert der *möglichen* Ausprägungen, sondern der mittlere Wert in der geordneten Reihe der *beobachteten* Ausprägungen. Im Würfelbeispiel (s. o.) kommt der Medianwert 3,5 deswegen zustande, weil er die sechs *möglichen* Würfelwerte im Verhältnis 1 : 1 teilt, sondern weil von den 20 notierten und in eine Rangordnung gebrachten Wurfresultaten in unserem Beispiel der 10. Wert „3" und der 11. Wert „4" beträgt.

Die für die Bestimmung von Quantilen bei überschaubarer Zahl von Daten skizzierte Vorgehensweise (sämtliche Beobachtungswerte größenmäßig auflisten und den Quantilswert durch Auszählen bestimmen) empfiehlt sich jedoch nicht bei größeren Fallzahlen. Vielmehr ist dann als Vorarbeit zunächst eine kumulierte absolute Häufigkeitsverteilung zu erstellen, aus der das Ergebnis dann relativ leicht abgelesen werden kann.

Zur Illustration sei auf das Lottospieler-*Beispiel* (Kap. 8.2, Tab. 1) zurückgegriffen:

Tabelle 9:

x_j	f_j	f_{cj}
0	49	49
1	188	237
2	165	402
3	13	415
4	1	416
5	0	416
5 u. Z.	0	416
6	0	416

Bei $n = 416$ ergibt sich für den Median laut Formel (4b): $\overline{x}_z = 0,5 \cdot (x_{208} + x_{209})$. In der nach der Zahl der Treffer geordneten Reihe der Tipp-Ergebnisse weist sowohl der 208. als auch der 209. Wert die Ausprägung „1" auf (die Ausprägung „1" erstreckt sich – s. o. – vom 50. bis zum 237. Beobachtungswert). $\overline{x}_z$ ist also $0,5 \cdot (1 + 1) = 1$.

Schwieriger ist die *Berechnung des Medians bei klassierten* (d. h. zu Werteintervallen zusammengefaßten) *Werten*. Hier kann der Median nicht durch Abzählen oder durch Rückgriff auf die Häufigkeitsverteilung für Einzelwerte genau ermittelt werden, sondern muß geschätzt werden. Dies geschieht, indem zunächst das Intervall bestimmt wird, in dem der Zentralwert liegt (Medianklasse); anschließend wird durch Interpolation der Zentralwert (Median) annäherungsweise bestimmt. Dies geschieht nach der

Formel (5):

$$\overline{x}_z = \begin{array}{c} \text{Untergrenze} \\ \text{der Median-} \\ \text{klasse} \end{array} + \left[\frac{n/2 - \text{kumulierte Häufigkeit}}{\begin{array}{c} \text{unterhalb der Medianklasse} \\ \hline \text{Häufigkeit innerhalb der} \\ \text{Medianklasse} \end{array}} \right] \cdot \begin{array}{c} \text{Breite} \\ \text{des} \\ \text{Inter-} \\ \text{valls} \end{array}$$

Dies sei am *Beispiel der Vermögensverteilung* (Abschn. 8.2.1, Tab. 6) illustriert:

Tabelle 10:

x_j	f_j	f_{cj}
0	1,8 Mio.	1,8 Mio.
bis 5000	2,3 Mio.	4,1 Mio.
üb. 5000-35000	8,0 Mio.	12,1 Mio.
üb. 35000-100000	4,3 Mio.	16,4 Mio.
üb. 100000-500000	4,6 Mio.	21,0 Mio.
üb. 500000-2,5 Mio.	0,5 Mio.	21,5 Mio.
üb. 2,5 Mio.	0,1 Mio.	21,6 Mio.

Bei $n = 21,6$ Mio. (Zahl der Haushalte) ist der Median der 10,8millionste Beobachtungswert; dieser liegt (s. o.) im Merkmalsintervall 5000-35000 DM (Medianklasse). Anhand von Formel (5) beträgt der Schätzwert für den Median:

$$\overline{x}_z = 5000 + \frac{10,8 - 4,1}{8,0} \ 30000 = 5000 + 0,8375 \cdot 30000 = 30125 \text{ DM.}$$

Nach den in Tab. 10 zusammengefaßten Werten läßt sich also schätzen, daß die Hälfte der Haushalte in der Bundesrepublik Deutschland nicht mehr als 30125 DM Vermögen besitzt.

Der Median hat die folgenden Eigenschaften:
– Er läßt die extremen Werte einer Verteilung unberücksichtigt.
– Er stellt bei einer ungeraden Zahl von Beobachtungen immer einen Wert dar, der in der Reihe der Beobachtungswerte tatsächlich vorkommt; bei gerader Zahl von Fällen kann er eine hypothetische Ausprägung annehmen (einen Wert, der weder zu den möglichen

noch zu den beobachteten Ausprägungen gehört, vgl. das Würfel-Beispiel).

— Die Summe der Abweichungen der Beobachtungswerte vom Median ist — ohne Berücksichtigung der Vorzeichen — kleiner als die Summe der Abweichungen von irgend einem anderen Wert.

— Der Median kann in die Irre führen, wenn die Reihe nicht in der Mitte konzentriert ist.

— Der gemeinsame Median zweier statistischer Mengen kann nicht durch Zusammenfassen der entsprechenden Mediane beider Beobachtungsreihen ermittelt werden. Vielmehr müssen die Elemente beider Mengen zunächst erneut geordnet werden. Ein ,,gewogener Median'' läßt sich also nicht ermitteln.

Arithmetisches Mittel:

Das arithmetische Mittel ist üblicherweise gemeint, wenn in der Umgangssprache vom ,,Mittelwert'' oder ,,Durchschnitt'' die Rede ist. Das arithmetische Mittel ($\bar{x}$) ist der *Schwerpunkt einer Verteilung:* Die Summe aller Abweichungen vom arithmetischen Mittel (mit Berücksichtigung der Vorzeichen) ist gleich Null; d. h. die Summe aller Abweichungen $x_i - \bar{x}$ für $x_i > \bar{x}$ ist genauso groß wie die Summe aller Abweichungen $\bar{x} - x_i$ für $x_i < \bar{x}$.

Im Falle einzelner Beobachtungswerte geschieht die numerische Bestimmung des arithmetischen Mittels dadurch, daß sämtliche Einzelwerte addiert und durch die Zahl der Fälle dividiert werden:

Formel (6a): $$\bar{x} = \frac{1}{n} \sum_{i=1}^{n} x_i$$

Hat man eine Häufigkeitsverteilung für Einzelwerte vorliegen, kann die Berechnung dadurch vereinfacht werden, daß zunächst die jeweiligen Ausprägungen (x_j) mit der zugehörigen Häufigkeit (f_j) multipliziert, diese Zwischenresultate über alle Merkmalsausprägungen addiert und dann durch die Zahl der Fälle dividiert werden.

Formel (6b): $$\bar{x} = \frac{1}{n} \sum_{j=1}^{k} x_j f_j$$

Die gleiche Formel ist bei klassierten (zu Intervallen zusammengefaßten) Werten anzuwenden. Für x_j ist in diesem Falle die Klassenmitte (der Mittelpunkt des Werte-Intervalls) einzusetzen.

Die Berechnung sei wieder am *Beispiel* der Vermögensverteilung vorgeführt:

Tabelle 11:

x_j	f_j	x_j (Klassenmitte)	$x_j \cdot f_j$
0	1,8 Mio.	0	0
bis 5000	2,3 Mio.	2500	5,75 Mrd.
üb. 5000-35000	8,0 Mio.	20000	160,00 Mrd.
üb. 35000-100000	4,3 Mio.	67500	290,25 Mrd.
üb. 100000-500000	4,6 Mio.	300000	1380,0 Mrd.
üb. 500000-2,5 Mio.	0,5 Mio.	1,5 Mio.	750,0 Mrd.
üb. 2,5 Mio.	0,1 Mio.	(6,0 Mio.)[122]	600,00 Mrd.
	$n = 21{,}6$ Mio.		$\sum x_j f_j = 3186{,}0$ Mrd.

Nach Formel (6b) ergibt sich: $\bar{x} = \dfrac{1}{21{,}6 \text{ Mio.}} \cdot 3186{,}0 \, \text{Mrd.} = 147.500 \, \text{DM}$

D. h. (bei Unterstellung einer Klassenmitte von 6,0 Mio. in der höchsten Vermögensgruppe) es läßt sich nach den Werten dieser Tabelle feststellen, daß das Vermögen der Haushalte in der BRD „im Durchschnitt" 147.500 DM beträgt. Vergleichen Sie diesen Wert mit dem Median (s. o., Tab. 10)!

Bei der Gegenüberstellung von Median (Zentralwert) und arithmetischem Mittel (Verteilungsschwerpunkt) lassen sich folgende *Unterschiede* herausarbeiten:

— Bei Berechnung des Medians besteht die Aufgabe darin, denjenigen Wert in einer nach ihrer Größe geordneten Reihe von Beobachtungswerten zu finden, der die Reihe genau in der Hälfte trennt.

— Bei Berechnung des arithmetischen Mittels lautet die Aufgabe, denjenigen Wert zu finden, von dem aus die *Summe der Abweichungen* nach oben und nach unten gleich groß ist.

Das arithmetische Mittel ist also durch eine Forderung definiert, die sich auf Abweichungen, auf *Differenzen* zwischen Merkmalswerten bezieht. Daraus ergibt sich, daß das arithmetische Mittel nur für Daten berechnet werden darf, die mindestens intervallskaliert sind.

Das arithmetische Mittel hat folgende *Vorzüge:*

— Es ist (im Unterschied zu den lagetypischen Mittelwerten) immer eindeutig bestimmt.

— Die Summe der quadrierten Abweichungen $\sum_{i=1}^{n}(x_i-\bar{x})^2$ ergibt ein Minimum.

122 Die Klassenmitte wird bei diskreten Merkmalen bestimmt nach der Formel: (Klassenobergrenze + Klassenuntergrenze)/2; bei stetigen Merkmalen lautet die Regel: (Klassenobergrenze j + Klassenobergrenze j-1)/2. Bei offenen Intervallen (wie hier: über 2,5 Mio.) läßt sich ohne weitere Informationen ein Klassenmittelpunkt nicht bestimmen. Im dargestellten Beispiel konnte der Schätzwert für die Klassenmitte aufgrund der zusätzlichen Angabe, das Gesamtvermögen der privaten Haushalte betrage deutlich „über drei Billionen DM", eingesetzt werden.

– Multipliziert man das arithmetische Mittel mit der Anzahl der Einzelwerte, so erhält man deren Summe: $n \cdot \bar{x} = \sum\limits_{i=1}^{n} x_i$. Dadurch ist möglich, ein gemeinsames arithmetisches Mittel aus den Mittelwerten zweier Beobachtungsreihen zu berechnen:
$\bar{x}_{(1+2)} = (\bar{x}_1 \cdot n_1 + \bar{x}_2 \cdot n_2)/(n_1 + n_2)$.

Man nennt dies das gemeinsame „gewogene" (d. h. mit den jeweiligen Fallzahlen der beiden Wertereihen gewichtete) arithmetische Mittel.

Die *Nachteile* des arithmetischen Mittels sind:

– Durch die Einbeziehung aller Einzelwerte erhalten die extremen Werte einer Verteilung ein hohes Gewicht. Im *Beispiel* oben hätte für die Veränderung des berechneten arithmetischen Mittels von 147.500 DM ein einziger Milliardär ein genauso großes Gewicht wie 6738 Haushalte ohne Vermögen. Ein zusätzlicher Milliardär würde den $\bar{x}$-Wert um 46 DM nach oben verschieben; für eine gleichgroße Verschiebung nach unten wären jedoch 6738 Haushalte ohne Vermögen erforderlich (Versuchen Sie, durch eigene Rechnungen diese Aussage zu überprüfen).

– Das arithmetische Mittel kann auf einem Punkt liegen, für den nur wenige oder gar keine Beobachtungswerte existieren; die Anwendung ist deshalb z. B. bei bimodalen Verteilungen wenig sinnvoll.

– Bei gruppierten (klassierten) Werten ist das arithmetische Mittel nicht zu berechnen, wenn offene Klassenanfangs- oder -endintervalle definiert sind und nicht durch zusätzliche Informationen ein Klassenmittelpunkt geschätzt werden kann.

– Bei gruppierten (klassierten) Werten ist das arithmetische Mittel in jedem Fall nur ein Schätzwert, da der Klassenmittelwert immer unter der (in der Regel unrealistischen) Annahme bestimmt wird, daß die einzelnen zu einem Intervall zusammengefaßten Beobachtungswerte über das gesamte Intervall gleichverteilt sind.

Die drei behandelten *Maße der zentralen Tendenz* einer univariaten Verteilung lassen sich in ihrem *Verhältnis zueinander* wie folgt charakterisieren:

– Alle drei Werte zielen darauf ab, die gesamte Information innerhalb einer Beobachtungsreihe auf einen einzigen „typischen" Wert zu reduzieren.

– „Typisch" wird für das statistische Modell „Modus" interpretiert als „am häufigsten vorkommend", für den Median als „in der Mitte einer geordneten Reihe liegend" und für das arithmetische Mittel als „den Schwerpunkt der gesamten Werte darstellend".

– Bei Daten, aus denen ein arithmetisches Mittel berechnet werden darf (die also mindestens intervallskaliert sind), können auch der Median (Zentralwert) und der Modus bestimmt werden. Die drei Maße stellen jedoch jeweils eine *andere* Information in den Vordergrund und weisen daher normalerweise unterschiedliche Zahlenwerte auf. Die Entscheidung für *eines* dieser Maße muß also von der Fragestellung der Auswertung her begründet werden.

- Lediglich im Sonderfall einer eingipfeligen und vollkommen symmetrischen Verteilung fallen $\bar{x}$, $\bar{x}_Z$ und $\bar{x}_M$ zusammen.
- Bei asymmetrischen eingipfeligen Verteilungen liegt der Modus immer genau unter dem Gipfelpunkt der Kurve; Median und arithmetisches Mittel liegen auf der flacheren Seite, wobei das arithmetische Mittel (da es von den extremen Werten der Verteilung stark beeinflußt wird) den größeren Abstand vom Modus aufweist:

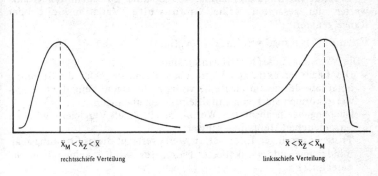

$$\bar{x}_M < \bar{x}_Z < \bar{x}$$
rechtsschiefe Verteilung

$$\bar{x} < \bar{x}_Z < \bar{x}_M$$
linksschiefe Verteilung

8.2.4 Streuungsmaße

Mit den Maßen der zentralen Tendenz sollte die Frage beantwortet werden: *Welches* ist der „typische Wert" (Mittelwert) einer univariaten Verteilung? Bei den Maßen für die Kennzeichnung der Streuung der einzelnen Merkmalsausprägungen (Variabilität, Variation, Dispersion) geht es dagegen um die Frage: „*Wie* typisch" ist der errechnete Mittelwert für die Gesamtreihe der Beobachtungswerte? Die einfache Überlegung ist: Je geringer die Streuung der Beobachtungswerte, um so „typischer" ist der Mittelwert, d. h. um so treffender charakterisiert er die Verteilung. Streuungsmaße können insofern als „Gütemaße" für Mittelwerte verstanden werden. Zur Charakterisierung einer Verteilung durch einzelne Kennziffern empfiehlt es sich also, nicht nur den Mittelwert ($\bar{x}$, $\bar{x}_Z$ oder $\bar{x}_M$) anzugeben, sondern zusätzlich ein Maß für die Streuung der Beobachtungswerte.

Die deskriptive Statistik kennt unterschiedliche Modelle, um die Streuung (Dispersion, Variation) der Merkmalswerte innerhalb einer Beobachtungsreihe abzubilden. Es existieren:

a) Maßzahlen, die die Differenzen aller Einzelwerte untereinander berücksichtigen; sie sind sehr rechenaufwendig und haben in der angewandten Statistik geringe Bedeutung; sie werden deshalb in diesem Text nicht behandelt;

b) Maßzahlen, die die Abweichungen einzelner Positionswerte voneinander angeben: zu diesen gehören der Range, der Quartils- und der Semiquartilsabstand;

c) Maßzahlen, die auf der Basis der Differenzen zwischen den Einzelwerten und einem Mittelwert berechnet werden; hierzu zählen die durchschnittliche lineare Abweichung, Varianz und Standardabweichung.

Das *einfachste Streuungsmaß* ist die Spanne zwischen den Grenzwerten der gesamten Reihe, S p a n n w e i t e, Variationsbreite oder Range genannt:

F o r m e l (7): Range = x_i (max) $-$ x_i (min).

Die *Nachteile* dieses Koeffizienten sind:
— Die Lage der extremen Werte einer Reihe kann für die Streuung innerhalb der gesamten Reihe völlig nichtssagend sein; die Extremwerte können stark von Zufallseinflüssen abhängen.
— Die Angabe in absoluten Werten macht einen Vergleich zwischen verschiedenen Meßreihen schwer.
— Trotz des geringen Informationswerts verlangt dieses Streuungsmaß mindestens intervallskalierte Daten (es wird ja eine Differenz berechnet).

Der zuerst genannte Nachteil des Range wird bei einem anderen, ebenfalls *lagetypischen Streuungsmaß* vermieden, dem Q u a r t i l s a b stand. Dieser ist definiert durch die Differenz zwischen dem 1. und dem 3. Quartil:

F o r m e l (8): $Q = Q_3 - Q_1$.

Der Quartilsabstand sagt aus, wie groß das Werteintervall ist, das 50% aller Beobachtungsfälle umfaßt, und zwar unter der zusätzlichen Bedingung, daß die jeweils 25% niedrigsten und die 25% höchsten Beobachtungswerte unberücksichtigt bleiben. Der Quartilsabstand ist also — präziser definiert — die Länge des Intervalls, das die 50% „mittleren Fälle" einer Beobachtungsreihe umfaßt.

Auch für den Quartilsabstand bleibt als *Nachteil* festzuhalten, daß der Vergleich zwischen verschiedenen Meßreihen dadurch erschwert wird, daß die Angabe des Abstands in absoluten Werten erfolgt. Voraussetzung seiner Anwendung sind — da eine Differenz zwischen zwei Skalenpunkten bestimmt wird — intervallskalierte Daten. Die Charakterisierung der Streuung ist jedoch auch bei ordinalskalierten Meßwerten möglich, wenn man statt der Differenz die jeweiligen Werte von Q_1 und Q_3 angibt, so daß auch hier die Interpretation möglich ist: 50% der gemessenen Merkmalsausprägungen unterschreiten nicht Q_1

und überschreiten nicht Q_3. Zusammen mit dem Median ($\bar{x}_Z$) ergeben diese Kennwerte bereits wesentliche und anschauliche Informationen über eine Verteilung.

Zur Illustration sei wieder auf das *Beispiel* der Vermögensverteilung (s. o., Tab. 10) zurückgegriffen. Bei analoger Anwendung der Formel (5) – Median für klassierte Werte – ergibt sich für

$$Q_1 = 5000 + \frac{5{,}4 - 4{,}1}{8{,}0} \cdot 30000 = 5000 + 4875 = 9875 \text{ DM sowie für}$$

$$Q_3 = 35000 + \frac{16{,}2 - 12{,}1}{4{,}3} \cdot 65000 = 35000 + 61977 = 96977 \text{ DM.}$$

Der Quartilsabstand $Q_3 - Q_1$ beträgt also $96977 - 9875 = 87102$ DM.

D. h.: Bei einem Median von 30125 DM befinden sich 50% aller nach der Höhe ihres Vermögens geordneten Haushalte in einem Intervall von 87102 DM. An zusätzlicher Information kann man aus den hier berechneten Werten entnehmen, daß die Verteilung stark linkssteil ist (der Abstand von Q_1 zum Median ist erheblich kleiner als der Abstand von Q_3 zum Median); d. h. relativ viele Haushalte haben nur geringe Vermögen, und relativ wenige Haushalte haben hohe Vermögen. Diese Information ist natürlich auch aus der tabellarisch dargestellten Häufigkeitsverteilung abzulesen; hier aber geht sie bereits aus nur wenigen einzelnen Kennziffern hervor.

Von verschiedenen Statistikern wird anstelle des Quartilsabstands der Semiquartilsabstand empfohlen:

Formel (9): $Q_{1/2} = \dfrac{Q_3 - Q_1}{2}$.

Von den Streuungsmaßzahlen, die auf der Überlegung beruhen, daß die *Differenzen zwischen den Meßwerten und einem Mittelwert* als Basis zur Kennzeichnung der Variation dienen können,[123] ist die mittlere lineare Abweichung „d" (engl.: mean deviation) am einfachsten zu berechnen. Sie ist definiert als das arithmetische Mittel der Abweichungen der Reihenwerte vom Mittelwert (üblicherweise vom arithmetischen Mittel) ohne Berücksichtigung der Vorzeichen:

Formel (10): $d = \dfrac{1}{n} \cdot \sum\limits_{i=1}^{n} |x_i - \bar{x}|$.

Die mittlere lineare Abweichung (vom arithmetischen Mittel) wird in der Praxis selten benutzt, die ebenfalls mögliche mittlere lineare Abweichung vom Median fast überhaupt nicht.

123 Bei den lagetypischen Streuungsmaßnahmen wird im Unterschied dazu die Differenz zwischen zwei Positionswerten zur Beschreibung der Streuung herangezogen, d. h. die Differenz zwischen zwei Werten, die einen bestimmten Platz in der geordneten Reihe der Beobachtungswerte einnehmen. Für nominalskalierte Variablen, die eine solche Ordnung der Ausprägungen nicht zulassen, gibt es keine Streuungsmaße.

Außerordentliche Bedeutung hat dagegen ein sehr ähnlich konstruiertes Streuungsmaß, die **mittlere quadratische Abweichung** (vom arithmetisches Mittel) — gebräuchlicherweise **Varianz** (s^2) genannt. Fast ebenso verbreitet ist die — in Einheiten des gemessenen Merkmals interpretierbare — Quadratwurzel aus der Varianz, die **Standardabweichung** (s).

Im Unterschied zur mittleren linearen Abweichung wird nicht der Durchschnitt aller *Absolutbeträge* der Differenzen zwischen den Einzelbeobachtungswerten und dem arithmetischen Mittel, sondern der Durchschnitt der *quadrierten* Differenzen zwischen den Einzelbeobachtungswerten und dem arithmetischen Mittel *(Abweichungsquadrate)* berechnet. Das hat zur Konsequenz, daß größere Abweichungen vom Mittelwert erheblich stärker ins Gewicht fallen als kleinere Abweichungen. Der Unterschied zur mittleren linearen Abweichung besteht also in der *Gewichtung* der Abweichuungen. Während bei der Maßzahl „d" alle Abweichungen genau *proportional* ihrem absoluten Abweichungsbetrag in die Rechnung eingehen, kommt bei der Berechnung der Varianz als zusätzliche Gewichtungsoperation das Quadrieren der Abweichungsbeträge hinzu, so daß größere Abweichungen gegenüber kleineren *überproportional* berücksichtigt werden.

Geometrisch läßt sich die quadrierte Abweichung eines Beobachtungswertes vom arithmetischen Mittel als ein Quadrat mit ($x_i - \bar{x}$) als Seite veranschaulichen (vgl. *Neurath* 1974, 36ff). Die Varianz ist dann das entsprechende „Durchschnittsquadrat", und die Standardabweichung ist eine Seite des „Durchschnittsquadrats":

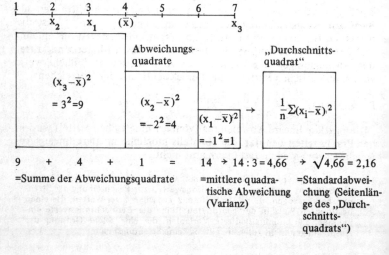

Die spezifische Art der Gewichtung durch Quadrieren, wie sie bei der Berechnung der Varianz vorgenommen wird, ist allerdings nicht rein willkürlich gewählt worden. Das Streuungsmaß Varianz (sowie die Standardabweichung als Quadratwurzel davon) stammen vielmehr aus der Gleichung der „Normalverteilung", die in der schließenden Statistik eine überragende Rolle spielt (vgl. Kap. 6.5). Obwohl in der deskriptiven Statistik anstelle von Varianz und Standardabweichung genauso gut die mittlere lineare Abweichung als Variationsmaß benutzt werden könnte, hat es sich dennoch eingebürgert, auch hier die Maßzahlen der schließenden Statistik zu verwenden.

Wie oben bereits beschrieben, berechnet man die Varianz auf der Basis von Einzelwerten nach der

Formel (11a): $s^2 = \dfrac{1}{n} \cdot \sum\limits_{i=1}^{n}(x_i - \bar{x})^2$.

Durch verschiedene mathematische Tranformationen, die hier nicht nachvollzogen werden sollen, gelangt man zu einer alternativen Schreibweise der Formel (11a), die im Falle größerer Datenmengen eine vereinfachte Berechnung ermöglicht:

Formel (11b): $s^2 = \dfrac{1}{n} \cdot \left[\sum\limits_{i=1}^{n} x_i^2 - \dfrac{1}{n} \left(\sum\limits_{i=1}^{n} x_i \right)^2 \right]$

Sofern eine Häufigkeitsverteilung für geordnete Einzelwerte vorliegt, empfiehlt sich die Anwendung der

Formel (11c): $s^2 = \dfrac{1}{n} \cdot \sum\limits_{j=1}^{k} f_j (x_j - \bar{x})^2$.

Die gleiche Formel ist bei klassierten (zu Intervallen zusammengefaßten) Werten anzuwenden. x_j sind in diesem Falle die Klassenmitten.

Die Standardabweichung gewinnt man als positive Quadratwurzel aus der Varianz.

Formel (11d): $s = +\sqrt{s^2}$.

Die Berechnung soll auch hier wieder am *Beispiel* der Vermögensverteilung (s. o., Tab. 11) aufgezeigt werden. Es empfiehlt sich in jedem Fall, ausgehend von der verwendeten Formel eine Arbeitstabelle zu erstellen. Bei Anwendung von Formel (11c) hat diese folgendes Aussehen (Spalten 1-5):

Tabelle 12:

(1) x_j [124] Klassen- mitte	(2) f_j ($\cdot 10^6$)	(3) [124] $(x_j-\bar{x})$ ($\cdot 10^3$)	(4) $(x_j-\bar{x})^2$ ($\cdot 10^{10}$)	(5) $f_j(x_j-\bar{x})^2$ ($\cdot 10^{16}$)	(6) $f_j(|x_j-\bar{x}|)$ ($\cdot 10^9$)
0	1,8	− 147,5	2,176	3,917	265,50
2500	2,3	− 145,0	2,103	4,837	333,50
20000	8,0	− 127,5	1,626	13,008	1020,00
67500	4,3	− 80,0	0,640	2,752	344,00
300000	4,6	152,5	2,326	10,700	701,50
1,5 Mio.	0,5	1352,5	182,926	91,463	676,25
6,0 Mio.	0,1	5852,5	3425,176	342,518	585,25

$\Sigma = 469{,}195 \quad \Sigma = 3926{,}00$

Die Varianz ist demnach:

$$s^2 = \frac{469{,}195 \cdot 10^{16}}{21{,}6 \cdot 10^6} = 21{,}722 \cdot 10^{10} = 217{,}22 \text{ Mrd. DM}^2.$$

Daraus errechnet sich als Standardabweichung:

$s = + \sqrt{21{,}722 \cdot 10^{10}} = 4{,}661 \cdot 10^5 = 466.100$ DM. Ein Vergleich mit der mittleren linearen Abweichung zeigt, wie stark sich die überproportionale Gewichtung großer Differenzen $(x_j - \bar{x})$ durch die Quadrierung auswirkt. Die mittlere lineare Abweichung beträgt für dieselben Daten (vgl. Spalte 6 der Arbeitstabelle):

$$d = \frac{3926{,}0 \cdot 10^9}{21{,}6 \cdot 10^6} = 181{,}759 \cdot 10^3 = 181.759 \text{ DM}.$$

Das Beispiel zeigt, daß Varianz und Standardabweichung relativ umständlich zu berechnen sind. Angesichts der Möglichkeit des Einsatzes von Rechenanlagen und ausgearbeitet vorliegender Datenanalyseprogramme (wie beispielsweise SPSS) bei umfangreichen Datenmengen ist dies jedoch kein ins Gewicht fallender Nachteil. Im Bereich der schließenden Statistik kann auf diese beiden Streuungsmaße ohnehin nicht verzichtet werden. Auch für die deskriptive Statistik wird der Standardabweichung vor der mittleren linearen Abweichung überwiegend der Vorzug gegeben, da sie als die zuverlässigste Art der Dispersionsmessung gilt (vgl. *Wagenführ* 1971, 118).

Wie leicht erkennbar, hängen Varianz und Standardabweichung in ihrer Höhe u. a. von der Maßeinheit ab, in der die Merkmalsausprägungen protokolliert werden: etwa Alter in Jahren oder Monaten, Entfernungen in Meilen oder Kilometern oder Metern, Einkommen in DM oder Lire. Mit anderen Worten: Man kann die Streuung zweier Verteilungen nicht direkt vergleichen, sobald die Maßeinheiten unterschiedlich sind. Dies gilt umso mehr, wenn die Variation von Variablen

124 $\bar{x} = 147.500$ DM; für die Festlegung der Klassenmitten vgl. Fußn. 122.

verglichen werden soll, die sich auf verschiedene Eigenschaftsdimensionen beziehen. Für solche Zwecke benötigt man eine Kennzeichnung der Streuung, die erstens unterschiedliche Maß*einheiten* ausgleicht, die aber zum anderen auch unabhängig von der gemessenen Merkmalsdimension (also „dimensionslos") ist.

Für vergleichende Fragestellungen dieser Art wurde der **Variationskoeffizient (V)** entwickelt. Er ist definiert als „relative Standardabweichung" und entsteht bei Division der Standardabweichung durch das arithmetische Mittel einer Verteilung.

Formel (12): $V = \dfrac{s}{\bar{x}}$.

Als *Beispiel* stelle man sich eine fiktive Jugendsportgruppe mit folgender Altersstruktur vor:

x_j (Jahre)	f_j
13	4
14	5
15	8
16	3

Berechnet man die Streuung des Merkmals Alter in dieser Gruppe, so erhält man s = 0,975 Jahre. Wäre das Alter in Monaten (statt in Jahren) angegeben, wäre die Streuung s = 11,7 Monate. (Der Leser möge zur Übung die angegebenen Werte durch eigene Berechnung kontrollieren). Da es sich um die Variation des Merkmals Alter in *derselben* Gruppe handelt, müssen beide Werte notwendigerweise eine gleichgroße Streuung symbolisieren. Das wird auch unmittelbar erkennbar, wenn für beide Werte der Variationskoeffizient V bestimmt wird:

V_1 = s (in Jahren) : $\bar{x}$ (in Jahren) = 0,975 : 14,5 = 0,0672.
V_2 = s (in Monaten) : $\bar{x}$ (in Monaten) = 11,7 : 174 = 0,0672.

Der Variationskoeffizient ist (anders als Mittelwert und Standardabweichung) nicht in Einheiten des gemessenen Merkmals interpretierbar. Er gewinnt seine Aussagekraft erst durch den Vergleich von Variationskoeffizienten für mehrere Verteilungen: je größer V, desto größer ist relativ zur anderen Verteilung die Streuung.

8.2.5 Messung der Konzentration einer Verteilung

Der statistische *Begriff der Konzentration* hat eine sehr spezifische und gegenüber dem alltäglichen Sprachgebrauch eingeschränkte Bedeutung. Vom alltäglichen Sprachverständnis ausgehend, könnte man sagen, daß auch mit den im vorigen Abschnitt behandelten Streuungsmaßen der Grad der Konzentration einer Verteilung beschrieben wird: Je geringer die Streuung (Dispersion) der beobachteten Merkmalsausprägungen ist, desto stärker „konzentrieren" sie sich auf einen Teilbereich der möglichen Ausprägungen. Wie wir gesehen haben, wird dabei üblicherweise der Mittelwert der Verteilung als Bezugsgröße für die Beschreibung der Streuung herangezogen. Die Fragestellung lautet also: Wie liegen die Merkmalsausprägungen der Untersuchungseinheiten (der Elemente der statistisch beschriebenen Menge) zueinander? Insbesondere der Variationskoeffizient (V) ist ein geeignetes Instrument zur Beantwortung der Frage nach der Stärke der Tendenz einer Verteilung, sich um einen Zentralwert (Mittelwert) herum zu gruppieren.

Im Zusammenhang dieses Abschnitts wird der Begriff Konzentration allerdings in einem davon zu unterscheidenden Sinne gebraucht. Es geht *nicht* darum, wie sich die einzelnen Beobachtungswerte um einen Zentralwert herum verteilen, sondern um die Frage, ob sich große Merkmalsbeträge „geballt" auf nur wenige (oder relativ wenige) Merkmalsträger „konzentrieren"; z. B. ob der Großteil des Gesamtumsatzes einer Branche auf nur wenige Unternehmen entfällt, ob relativ wenige Haushalte in einer Volkswirtschaft den Großteil des vorhandenen Vermögens besitzen.

Ausgehend von einer Menge von Untersuchungseinheiten und der dazugehörigen Gesamtsumme der Ausprägungen eines Merkmals fragt man, wie sich diese Summe auf einzelne Merkmalsträger (oder Gruppen von Merkmalsträgern) aufteilt.

Beispiele: n Gemeinden und deren gesamte Einwohnerzahl oder deren gesamte Ausgaben für das weiterführende Schulwesen; n Industriebetriebe einer Branche und der gesamte Jahresumsatz dieser Branche oder die Gesamtzahl der Beschäftigten; n Einkommensbezieher und die Gesamtsumme der Monatseinkünfte dieser Personen; n Tageszeitungen und die gesamte tägliche Auflagenstärke dieser Tageszeitungen.

Die Verteilung der Merkmalsbeträge auf die Untersuchungseinheiten kann so sein, daß sich bei wenigen ein Großteil des Gesamtbetrages konzentriert (Disparität), oder auch so, daß der gesamte Merkmalsbetrag gleichmäßig auf alle Merkmalsträger aufgeteilt ist (Gleichverteilung).

„Wenige" kann dabei bedeuten:

— „absolut wenige", einige wenige, etwa drei bis sechs Merkmalsträger; oder:

— „relativ wenige", d. h. ein geringer Prozentanteil der Merkmalsträger.

Beispiele:

a) 1969 hatten in der Bundesrepublik Deutschland die vier größten Konzerne der Stahlindustrie zusammen einen Anteil von 65 Prozent am Gesamtumsatz ihrer Branche.

b) In der Bundesrepublik verfügen 1,7 Prozent der Haushalte über rund 75 Prozent des Produktivvermögens.[125]

125 Vgl. Jaeggi, Urs, 1973: Kapital und Arbeit in der Bundesrepublik, Frankfurt/M., 69ff.

Im Falle a) wird etwas ausgesagt über die Konzentration eines großen Teils des Umsatzes einer Branche auf (in absoluten Zahlen) sehr wenige Konzerne, nämlich vier. Man spricht von absoluter Konzentration.

Im Falle b) dagegen wird etwas über die relative Konzentration des Produktivvermögens ausgesagt: Auf einen geringen Bevölkerungsanteil (auf relativ wenige Haushalte) entfällt ein großer Anteil am Produktivvermögen. In absoluten Zahlen ausgedrückt, handelt es sich hier dennoch um ziemlich viele Haushalte. Man spricht von relativer Konzentration.

Will man Maßzahlen zur Bestimmung der Stärke der Konzentration (bzw. Disparität) konstruieren, sind zunächst die beiden möglichen Grenzwerte „keine Konzentration" und „stärkstmögliche Konzentration" zu definieren:

Keine Konzentration liegt vor, wenn die Merkmalssumme *gleichmäßig* auf alle Untersuchungseinheiten aufgeteilt ist, d. h. wenn jeder Merkmalsträger dieselbe Merkmalsausprägung aufweist. Die *stärkstmögliche Konzentration* liegt vor, wenn ein Merkmalsträger die gesamte Merkmalssumme auf sich vereinigt und alle übrigen die Merkmalsausprägung Null aufweisen; etwa: ein einziges Unternehmen vereinigt sämtliche lohnabhängig Beschäftigten einer Branche auf sich, alle übrigen Unternehmen sind Familienbetriebe ohne zusätzlich beschäftigte Arbeitskräfte.

Absolute Konzentration

Eine verbreitete Art der Darstellung und Messung der absoluten Konzentration ist vom Prinzip her sehr einfach: Man ordnet die Merkmalsträger in der Reihenfolge der Größe ihres Merkmalsbetrages, wählt die m größten aus, bestimmt deren Anteile an der Gesamtsumme des Merkmals $(d_i = x_i / \Sigma x_i)$ und kumuliert diese Anteile. Der kumulierte Anteilswert sei hier (in Anlehnung an *Wagenführ* 1971, 134) als kumulierter Konzentrationsanteil bezeichnet.

Formel (13): $K_{cum} = \sum\limits_{i=1}^{m} d_i$. [126]

Man gelangt so zu Aussagen wie im obigen Beispiel zu a). Für die graphische Darstellung eignet sich der Polygonzug der kumulierten Anteile.

---

126 In Analogie zur Schreibweise bei der Verteilung kumulierter relativer Häufigkeiten (f_{ci} = kumulierte Anteile der Fälle an der Gesamtzahl n) kann der Ausdruck Σd_i auch mit d_{ci} gekennzeichnet werden.

Beispiel:

Tabelle 13: Umsatz an Personenkraftwagen in der BRD (nach Wagenführ 1971, 134):

Unternehmen	1967 Mio. DM	d_i	d_{ci}[126]	1968 Mio. DM	d_i	d_{ci}
VW/Audi	6908	0,394	0,394	8892	0,433	0,433
Opel	3594	0,205	0,599	3828	0,186	0,619
Daimler-Benz	2974	0,170	0,769	3397	0,165	0,784
Ford	2493	0,142	0,911	2570	0,125	0,909
BMW	871	0,050	0,961	1032	0,050	0,959
übrige	703	0,039	1,000	831	0,041	1,000
insgesamt	17543	1,000		20550	1,000	

Zum Ausmaß der absoluten Konzentration kann man sagen, daß die drei größten Unternehmen 1967 bereits 76,9% des Gesamtumsatzes ihrer Branche getätigt haben. Auch ein Vergleich der Konzentration zu verschiedenen Zeitpunkten ist unmittelbar möglich: Von 1967 auf 1968 hat sich der Anteil der drei größten Unternehmen am Gesamtumsatz ihrer Branche von 76,9 auf 78,4% leicht erhöht.

Der Nachteil dieser Betrachtungsweise liegt darin, daß zum einen die Zahl der „größten Fälle", über die die Merkmalsanteile kumuliert werden, willkürlich festgesetzt werden muß. Statt der drei größten Konzerne könnte man nach eigenem Belieben auch die zwei oder die vier größten wählen; im letzteren Fall käme es im vorgestellten Beispiel sogar zu einem unterschiedlichen Befund. Außerdem sagt der kumulierte Konzentrationsanteil der m größten Merkmalsträger nichts darüber aus, wie viele Merkmalsträger es insgesamt gibt. Letzteres ist jedoch bei einem Vergleich von Konzentrationsanteilen nicht unwichtig.

Beispiel: Wenn in einer Region drei Grundeigentümern 50% des gesamten Grund und Bodens gehören, dann ist dieses Faktum unterschiedlich zu beurteilen, je nachdem, ob insgesamt nur 10 oder ob insgesamt 1000 Grundeigentümer existieren. Und falls zwischen zwei Zeitpunkten zwar der Anteil der drei größten Grundeigentümer unverändert bei 50% geblieben ist, die Gesamtzahl derjenigen, denen Grund und Boden gehört, sich aber von 1000 auf vielleicht 720 verringert hat, dann ist offenbar die Konzentration gestiegen, ohne daß sich dies im Konzentrationsanteil widerspiegelt.

Als aussagekräftiger werden daher im allgemeinen sogenannte „summarische Konzentrationsmaße" (*Wagenführ* 1971, 135) vorgeschlagen, von denen hier lediglich der Hirschmann-Index (von einigen Autoren auch Herfindahl-Index genannt) vorgestellt werden soll.
Hierbei wird für jede Untersuchungseinheit deren Merkmalsanteil an der Gesamtsumme aller Merkmale (d_i) bestimmt (s. o.). Diese Konzentrationsanteile werden anschließend quadriert und über alle Fälle addiert:

Formel (14a): $K_H = \sum\limits_{i=1}^{n} d_i^2$ mit $d_i = \dfrac{x_i}{\Sigma x_i}$.

Die Berechnung aus klassierten Werten geschieht analog nach der

Formel (14b): $K_H = \sum\limits_{j=1}^{k} d_j^2 \cdot f_j$ mit $d_j = \dfrac{x_j}{\Sigma x_j f_j}$

(x_j = Klassenmitte, $\Sigma x_j f_j$ = Gesamtmerkmalsbetrag).

Der Hirschmann- bzw. Herfindahl-Index kann Werte im Intervall $1/n \leqslant K_H \leqslant 1$ annehmen. Die untere Grenze (keine Konzentration) wird erreicht, wenn alle $d_i = 1/n$ sind bzw. wenn der Merkmalsgesamtbetrag auf alle Untersuchungseinheiten gleichverteilt ist. Dann gilt: $K_H = \Sigma (1/n)^2 = n \cdot (1/n^2) = 1/n$.

Die Obergrenze (stärkstmögliche Konzentration) wird erreicht, wenn $x_i = 0$ für $i = 1$ bis n-1 ($d_i = 0$) und $x_i = \Sigma\, x_i$ für $i = n$ ($d_i = 1$; eine Untersuchungseinheit vereinigt den gesamten Merkmalsbetrag auf sich). Dann gilt
$K_H = d_1^2 = 0 + 0 + \ldots + 0 + 1^2 = 1$.

K_H wird als ein Maß für die Kennzeichnung der absoluten Konzentration angesehen, da es — bedingt durch die Quadrierung der d_i — Untersuchungseinheiten mit großen Konzentrationsanteilen überproportional gewichtet. Gegenüber der einfachen Kumulierung der Konzentrationsanteile (K_{cum}) hat es den Vorteil, daß es auch die Zahl der Fälle sowie Veränderungen der Konzentration unterhalb der jeweils m größten Merkmalsträger mit berücksichtigt. Sein Nachteil ist die geringere Anschaulichkeit im Vergleich zum kumulierten Konzentrationsanteil und der insbesondere bei großer Zahl von Merkmalsträgern hohe Rechenaufwand.

Relative Konzentration

Die gebräuchlichste Art der Darstellung der relativen Konzentration eines Merkmals ist die sog. Lorenz-Kurve, genannt nach dem amerikanischen Statistiker M. O. Lorenz, der sie entwickelt und erstmals 1904/05 vorgestellt hat.

Hierbei werden in einem Koordinatensystem für Gruppen von Untersuchungseinheiten[127] zwei Aspekte der Verteilung einer Variablen gegenübergestellt[128]: Auf der Abszisse erscheinen für die Gruppen

127 Normalerweise wird die Lorenz-Kurve auf der Basis klassierter Werte erstellt. Lediglich im Falle einer sehr geringen Zahl von Untersuchungseinheiten ist es praktikabel, die relative Konzentration auf der Basis von Einzelwerten graphisch darzustellen.
128 Es handelt sich bei der Lorenz-Kurve nicht um die Darstellung einer bivariaten Verteilung, sondern um die Gegenüberstellung zweier Aspekte einer univariaten Verteilung.

von Untersuchungseinheiten (geordnet nach der Größe des Merkmalsbetrags, beginnend mit den kleinsten Merkmalsausprägungen) die kumulierten relativen Häufigkeiten (f'$_{cj}$; vgl. Abschn. 8.2.1). Auf der Ordinate erscheinen die zugehörigen kumulierten Anteile der Gruppen am Gesamtmerkmalsbetrag. Im Falle von Einzelwerten wären dies die

$$d_{ci} = \sum_{i=1}^{n} d_i \text{ mit } d_i = \frac{x_i}{\Sigma x_i} \text{ ((s. o., Fußn. 126). Bei klassierten Werten wird}$$

zur Unterscheidung die Kennzeichnung $D_{cj} = \sum_{j=1}^{k} D_j$ mit $D_j = \dfrac{x_j \cdot f_j}{\Sigma x_j f_j}$

gewählt.[129]

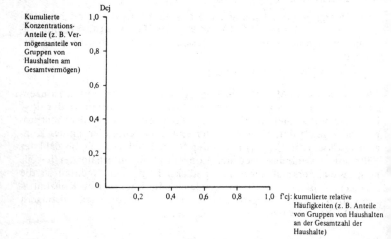

Kumulierte KonzentrationsAnteile (z. B. Vermögensanteile von Gruppen von Haushalten am Gesamtvermögen)

f'cj: kumulierte relative Häufigkeiten (z. B. Anteile von Gruppen von Haushalten an der Gesamtzahl der Haushalte)

Die Konstruktion des Lorenz-Kurven-Schemas anhand vorgegebener Daten soll hier an den bereits bekannten Beispielen der Verteilung des Vermögens (Tab. 6 und 11) sowie des Erwerbs- und Vermögenseinkommens (Tab. 8) erläutert werden. Zur Ermittlung der Werte f'$_{cj}$ und D_{cj} ist es wieder empfehlenswert, auf der Grundlage der obigen Angaben eine übersichtliche Arbeitstabelle zu erstellen. Die f'$_{cj}$-Werte erhält man über die Zwischenschritte f_j und f'$_j$. Für die D_{cj}-Werte werden zusätzlich die Klassenmitten x_j, die Merkmalsbeträge

---

129 Die Kennzeichnung d_j beim Hirschmann/Herfindahl-Index bezieht sich dagegen auf den Anteil des Klassenmittelwerts am Gesamtbetrag:
$d_j = x_j/\Sigma x_j \cdot f_j$. Für die Erstellung der Lorenz-Kurve wird der Anteil des auf die jeweilige Klasse entfallenden Merkmalsbetrags am Gesamtbetrag benötigt: $D_j = x_j f_j/\Sigma x_j f_j$.

je Klasse $x_j f_j$ sowie die relativen Anteile jeder Klasse am Gesamtmerkmalsbetrag $D_j = x_j f_j / \Sigma x_j f_j$ benötigt. Daraus folgt:

Tabelle 14:

Vermögens-klassen (DM)	f_j (in Mio.)	f'_j	f'_{cj}	x_j (in 1000)	$x_j f_j$ (in Mrd.)	D_j	D_{cj}
0	1,8	0,083	0,083	0,0	0,0	0,0	0,0
bis 5000	2,3	0,107	0,190	2,5	5,75	0,002	0,002
üb. 5000 - 35000	8,0	0,370	0,560	20,0	160,0	0,050	0,052
üb. 35000 - 100000	4,3	0,199	0,759	67,5	290,25	0,091	0,143
üb. 100000 - 0,5 Mio.	4,6	0,213	0,972	300,0	1380,0	0,433	0,576
üb. 0,5 Mio. - 2,5 Mio.	0,5	0,023	0,995	1500,0	750,0	0,236	0,812
über 2,5 Mio.	0,1	0,005	1,000	6000,0	600,0	0,188	1,000
	21,6				3186,0		

In gleicher Weise wird eine Arbeitstabelle mit den Daten des Bruttoerwerbs- und Vermögenseinkommens der privaten Haushalte 1978 erstellt:

Tabelle 15:

Monatliches Haushaltseinkommen (von ... bis unter ... DM)	f_j (in Mio.)	f'_j	f'_{cj}	x_j (in 1000)	$x_j f_j$ (in Mrd.)	D_j	D_{cj}
unter 1000	6,765	0,291	0,291	0,5	3,4	0,044	0,044
1000-2000	3,088	0,133	0,424	1,5	4,6	0,059	0,103
2000-3000	3,194	0,137	0,561	2,5	8,0	0,103	0,206
3000-4000	2,808	0,121	0,682	3,5	9,8	0,126	0,332
4000-5000	2,498	0,107	0,789	4,5	11,2	0,144	0,476
5000-7000	2,561	0,110	0,899	6,0	15,4	0,198	0,674
7000-10000	1,530	0,065	0,964	8,5	13,0	0,167	0,841
10000 oder mehr	0,831	0,036	1,000	$(15,0)^{130}$	12,4	0,159	1,000
	23,275				77,8		

130 Für das obere Intervall ist zwar die Klassenobergrenze nicht angegeben. Die Klassenmitte ist jedoch wiederum indirekt bestimmbar, da als Gesamtsumme der Bruttoerwerbs- und Vermögenseinkommen für 1978 der Betrag von 933,9 Mrd. DM in der verwendeten Quelle genannt ist (= 77,825 Mrd. im Monatsdurchschnitt).

Die jeweiligen Wertepaare (f'_{cj}, D_{cj}) werden nun im Koordinatensystem durch Punkte repräsentiert, die anschließend durch Geraden miteinander verbunden werden.

Um abschätzen zu können, in welchem Ausmaß die so erhaltene Kurve die relative Konzentration des Merkmals widerspiegelt, sind allerdings noch die beiden Vergleichsmaßstäbe „keine Konzentration" und „stärkstmögliche Konzentration" erforderlich:

a) Die Situation der Gleichverteilung des Gesamtbetrags über alle Merkmalsträger würde sich in den obigen Werte-Tabellen so niederschlagen, daß sämtliche f'_{cj}-Werte mit den zugehörigen D_{cj}-Werten identisch wären. D. h., wenn jeder Merkmalsträger den gleichen Anteil am Gesamtbetrag hat, dann haben z. B. 10% der Merkmalsträger genau 10% der Gesamtmerkmalssumme, 50% der Merkmalsträger genau 50% der Gesamtmerkmalssumme usw. Alle Wertepaare (f'_{cj}, D_{cj}) lägen dann auf einer Diagonalen, beginnend mit den Koordinaten $(0,0)$ und endend mit den Koordinaten $(1,1)$; in der Abbildung unten die Strecke $\overline{OA}$.

b) Die Situation, daß sich der gesamte Merkmalsbetrag auf einen einzigen Merkmalsträger konzentriert und alle anderen Elemente überhaupt keinen Anteil am Merkmalsbetrag haben, würde sich in den obigen Werte-Tabellen so niederschlagen, daß die D_{cj}-Werte bis zum Merkmalsträger n-1 bei 0 verbleiben, während die f'_{cj}-Werte bis auf annähernd 1 anwachsen. Für den Merkmalsträger n würde dann der D_{cj}-Wert auf genau 1,0 springen. Im Falle einer Darstellung der Konzentration auf der Basis von (unendlich vielen) Einzelwerten entspräche dieser Situation stärkstmöglicher Konzentration die Strecke von $\overline{OBA}$ im Koordinatensystem.

Das vollständige Lorenz-Kurven-Koordinatensystem hat nun nach den Werten der Tab. 14 und 15 folgendes Aussehen:

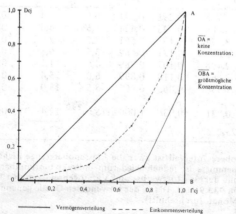

$\overline{OA}$ = keine Konzentration;

$\overline{OBA}$ = größtmögliche Konzentration

——— Vermögensverteilung – – – – Einkommensverteilung

Je näher nun die empirisch ermittelte Konzentrationskurve an der Diagonalen $\overline{OA}$ liegt, um so geringer ist die relative Konzentration; je näher sie an die Strecke $\overline{OBA}$ rückt, um so stärker ausgeprägt ist die relative Konzentration. Aus dem Kurvenverlauf in der obigen Abbildung ist auf einen Blick zu entnehmen, daß die Verteilung der Vermögen in der BRD eine erheblich stärkere Konzentration auf relativ wenige Haushalte aufweist als die Verteilung der Bruttoeinkommen. Nicht unmittelbar ablesbar ist dagegen, *wieviel* stärker die Konzentration der einen gegenüber der anderen Verteilung ist.

Für diese Fragestellung – Messung des *Grades* der relativen Konzentration – wurde auf der Basis der graphischen Darstellung eine spezifische Maßzahl entwickelt: das Lorenzkurvenmaß, manchmal auch Konzentrationsverhältnis genannt.

Es ist definiert als das Verhältnis der *empirischen* Abweichung von der Gleichverteilung zur *maximal möglichen* Abweichung. Es nimmt dementsprechend im Falle völliger Gleichverteilung (keine Konzentration) den Wert 0 an und geht im Falle stärkstmöglicher Konzentration gegen den Grenzwert 1.

Die Herleitung einer Formel zur Berechnung des Lorenzkurvenmaßes läßt sich anhand der folgenden Abbildung veranschaulichen. Darin ist F_1 die Fläche zwischen der Lorenzkurve und der Gleichverteilungsdiagonalen $\overline{OA}$, F_2 die Fläche zwischen der Lorenzkurve und der Strecke $\overline{OBA}$, die die stärkstmögliche Konzentration repräsentiert.

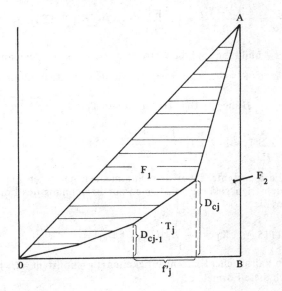

Die Aussage: „Je näher die empirisch ermittelte Lorenzkurve an der Gleichverteilungsdiagonalen $\overline{OA}$ liegt, desto geringer ist die relative Konzentration" ist gleichbedeutend mit der Aussage: „Je kleiner die Fläche F_1 ist, desto geringer ist die relative Konzentration". Im Falle empirisch ermittelter Gleichverteilung des Merkmals würde F_1 verschwinden: Im Falle stärkstmöglicher Konzentration würde F_1 die Gesamtfläche des Dreiecks OBA ausmachen.

Das oben definierte Lorenzkurvenmaß ist nun beschreibbar als das Verhältnis der Fläche F_1 zur Gesamtfläche des Dreiecks OBA (= F_1 + F_2):

$$K_L = \frac{F_1}{F_1 + F_2} = \frac{F_1}{\text{Dreieck OBA}} \text{ bzw } \frac{F_1}{0,5}, \text{ da die Dreiecksfläche OBA} =$$

$$\frac{1,0 \cdot 1,0}{2} = 0,5.$$

F_1 ist allerdings aus den gegebenen Werten der kumulierten Verteilungen f'_{cj} und D_{cj} nicht direkt bestimmbar. F_1 wird deshalb – da F_2 im Falle klassierter Werte leicht als die Summe der Trapeze (T_j) zwischen den Streckenabschnitten von $\overline{OB}$ und den entsprechenden Streckenabschnitten auf der Lorenzkurve zu berechnen ist – durch den Ausdruck $0,5 - F_2$ (= Dreieck OBA – F_2) ersetzt. Damit ergibt sich:

$$K_L = \frac{F_1}{0,5} = \frac{0,5 - F_2}{0,5} = 1 - \frac{F_2}{0,5} = 1 - 2F_2 = 1 - 2\Sigma T_j.$$

Aus der Abbildung sind die Werte abzulesen, die zur Berechnung der Trapezfläche ($T_j = G \cdot \frac{H_1 + H_2}{2}$) erforderlich sind: Grundlinie $= f'_j$; Höhe$_1 = D_{cj-1}$; Höhe$_2 = D_{cj}$. Daraus folgt: $T_j = f'_j \cdot \frac{D_{cj-1} + D_{cj}}{2}$ und

$$K_L = 1 - 2 \sum_{j=1}^{k} T_j = 1 - 2 \sum_{j=1}^{k} f'_j \cdot \frac{D_{cj-1} + D_{cj}}{2}$$

Wird die Konstante 2 vor dem Summenzeichen gegen die 2 unter dem Bruchstrich gekürzt, erhält man zur Berechnung des Lorenzkurvenmaßes die

Formel (15a): $\quad K_L = 1 - \sum_{j=1}^{k} f'_j (D_{cj-1} + D_{cj})$.

Für den Fall gleicher Klassenhäufigkeiten (f'_j = konstant = $1/k$) vereinfacht sich diese Formel zu:

Formel (15b): $K_L = 1 - \dfrac{1}{k}(2 \sum\limits_{j=1}^{(k-1)} D_{cj} + 1)$.

Im Falle der Berechnung aus Einzelwerten wird der Faktor $1/k$ lediglich durch $1/n$ ersetzt:

Formel (15c): $K_L = 1 - \dfrac{1}{n}(2 \sum\limits_{i=1}^{(n-1)} D_{ci} + 1)$.[131]

Rechenbeispiel: Aus den beiden Arbeitstabellen (Tab. 14 und 15) zur Erstellung der Lorenzkurve für die Vermögens- und für die Einkommensverteilung sind die Werte zur Berechnung des Lorenzkurvenmaßes nach Formel (15a) zu entnehmen. Zunächst berechnen wir $\sum\limits_{j=1}^{k} f_j (D_{cj-1} + D_{cj})$; anschließend wird dieser Wert von 1 subtrahiert.

a) Vermögensverteilung:

$$
\begin{aligned}
0{,}083(0{,}000 + 0{,}000) &= 0{,}00 \\
0{,}107(0{,}000 + 0{,}002) &= 0{,}00 \\
0{,}370(0{,}002 + 0{,}052) &= 0{,}02 \\
0{,}199(0{,}052 + 0{,}143) &= 0{,}04 \\
0{,}213(0{,}143 + 0{,}576) &= 0{,}15 \\
0{,}023(0{,}576 + 0{,}812) &= 0{,}03 \\
0{,}005(0{,}812 + 1{,}000) &= \underline{0{,}01} \\
& \ 0{,}25
\end{aligned}
$$

K_L (Vermögensverteilung) = $1 - 0{,}25 = 0{,}75$

b) Einkommensverteilung:

$$
\begin{aligned}
0{,}291(0{,}000 + 0{,}044) &= 0{,}01 \\
0{,}133(0{,}044 + 0{,}103) &= 0{,}02 \\
0{,}137(0{,}103 + 0{,}206) &= 0{,}04 \\
0{,}121(0{,}206 + 0{,}332) &= 0{,}06 \\
0{,}107(0{,}332 + 0{,}476) &= 0{,}09 \\
0{,}110(0{,}476 + 0{,}674) &= 0{,}13 \\
0{,}065(0{,}674 + 0{,}841) &= 0{,}10 \\
0{,}036(0{,}841 + 1{,}000) &= \underline{0{,}07} \\
& \ 0{,}52
\end{aligned}
$$

K_L (Einkommensverteilung) = $1 - 0{,}52 = 0{,}48$.

---

131 Aufgrund anders gearteter Überlegungen haben — ausgehend von Einzelwerten — der italienische Statistiker Gini (1912) als auch der deutsche Statistiker Münzner (1963) Konzentrationsmaße entwickelt, die in ihrem Ergebnis mit dem hier vorgestellten Maß K_L übereinstimmen (vgl. Ferschl 1978, 128). Verschiedentlich wird in statistischen Veröffentlichungen das Lorenzkurven-Konzentrationsmaß als Ginisches Konzentrationsverhältnis bezeichnet.

Wir sehen aus den K_L-Werten, daß die Disparität bei der Verteilung des Vermögens sehr stark ist und 75% des maximal möglichen Ausmaßes erreicht. Auch die Verteilung der Bruttoeinkommen weist ein beachtliches Maß an Ungleichheit auf; sie liegt ziemlich genau zwischen den beiden Extrempunkten der Gleichverteilung und der stärkstmöglichen Disparität.

Die Darstellung der relativen Konzentration in Form der Lorenzkurve ebenso wie das numerisch berechnete Lorenzkurvenmaß haben den *Vorteil*, anschaulich und leicht interpretierbar zu sein. Dem stehen einige Nachteile entgegen, von denen einer bereits in der Definition als Maß der *relativen* Konzentration begründet liegt. Man stelle sich vor, drei Elektronik-Konzerne seien alleinige Oligopolisten auf dem Kleincomputermarkt und teilten sich zu je einem Drittel den Gesamtumsatz. In *relativer* Hinsicht ist dann *überhaupt keine* Konzentration vorhanden; die Disparität ist gleich Null. Jeder Ökonom würde jedoch in einem solchen Fall von extremer Konzentration sprechen; d. h. es besteht eine sehr starke *absolute* Konzentration, die sich weder aus der Lorenzkurve noch aus dem Lorenzkurvenmaß ablesen läßt. Dieser Nachteil wird auch deutlich, wenn Tendenzen zur Verstärkung der absoluten Konzentration existieren, ohne daß sich an der relativen Stärke der ,,Großen" etwas ändert (kleine Betriebe werden von den Großunternehmen am Markt aufgekauft). Dieser Nachteil der Lorenzkurvendarstellung kann ausgeglichen werden, wenn ergänzend ein Maß der absoluten Konzentration — z. B. der Hirschmann/Herfindahl-Index — berechnet wird.

Ein weiterer Nachteil soll an einem konstruierten Beispiel illustriert werden. Man stelle sich zwei Aktiengesellschaften mit je 100 Aktionären vor. Bei Aktiengesellschaft A teilen sich 50% Aktionäre in nur 1% des gesamten Aktienkapitals (Kleinaktionäre), die restlichen 99% des Aktienkapitals verteilen sich gleichmäßig auf die restlichen 50 Aktionäre. Bei Aktiengesellschaft B teilen sich 99 Aktionäre gleichmäßig 50% des Aktienkapitals, die restlichen 50% besitzt ein einziger Großaktionär. Wie die Lorenzkurven-Darstellung erkennen läßt, ist die Fläche zwischen Kurvenverlauf A und der Gleichverteilungsdiagonalen genauso groß wie die Fläche zwischen Kurvenverlauf B und der Gleichverteilungsdiagonale. K_L hat also in beiden Fällen die gleiche Größe. Dennoch ist die Einschätzung der Konzentrationssituation in den beiden Fällen unterschiedlich. In Aktiengesellschaft A müssen sich 26 der Aktionäre (mit mittlerem Aktienbesitz) zusammentun, um in der Hauptversammlung die Mehrheit der Stimmen zu haben, in Aktiengesellschaft B geht nichts gegen den einen Großaktionär. In Aktiengesellschaft A sind 50% der Aktionäre von der Disparität benachteiligt. In Aktiengesellschaft B sind es 99%. Diese Situation ist aus der Kombination des Lorenzkurvenmaßes mit der graphischen Darstellung der relativen Konzentration mittels der Lorenzkurve jedoch leicht erkennbar. Eine weitere Möglichkeit besteht auch hier in der Ergänzung des Lorenzkurvenmaßes durch ein Maß der absoluten Konzentration.

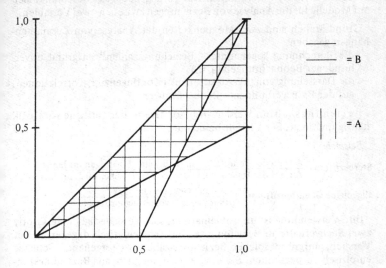

8.3 Bivariate Statistik

Bisher stand die Charakterisierung der Verteilung *einer einzigen* Variablen insbesondere durch Häufigkeitsauszählungen, Mittelwerte, Streuungs- und Konzentrationsmaße im Vordergrund. Insgesamt handelt es sich um Verfahren, die sich auf die Wiedergabe des Datenmaterials in verkürzter Form beschränken. Allerdings haben diese relativ einfachen statistischen Modelle der Datenauswertung in der angewandten Statistik (wohl gerade wegen ihrer Einfachheit) eine erhebliche Verbreitung gefunden. Dies gilt insbesondere für die Auszählung von Häufigkeiten und ihre Darstellung in Prozentwerten, deren Bedeutung erkennbar wird, „wenn man bedenkt, ein wie großer Teil der Forschungspraktiker mit Hilfe dieses einfachen Mittels seine Ergebnisse verbreitet und Anerkennung gefunden hat" (*Hartmann* 1970, 154).

Zur eigentlichen *Datenanalyse* jedoch gehört vor allem die Erforschung von Zusammenhängen, das Herausarbeiten von Beziehungen zwischen mehreren Merkmalen. Der vorliegende Text beschränkt sich auf Modelle für die Analyse von Beziehungen zwischen *zwei* Variablen.

Grundsätzlich sind zwei Möglichkeiten der Analyse von Zusammenhängen gegeben:
- die Berechnung sogenannter „Beziehungszahlen" aufgrund unverbundener Beobachtungen (s. u.);
- die Darstellung von „Assoziationen" (Kontingenzen, Korrelationen) auf der Basis verbundener Beobachtungen.

Beziehungszahlen werden insbesondere in der amtlichen Statistik häufig und in großer Vielfalt berechnet.

Beispiele:

$$\text{Sterbeziffern} = \frac{\text{Anzahl der Todesfälle von (z. B.) über 60jährigen im Jahr t}}{\text{Anzahl der Personen im Alter von (z. B.) über 60 J. im Jahr t}}$$

$$\text{allgemeine Geburtenziffer} = \frac{\text{Anzahl der Geburten im Jahr t}}{\text{Mittlere Wohnbevölkerung im Jahr t}}$$

Ihre Verwendung ist unproblematisch, solange sie lediglich deskriptiv zwei Sachverhalte in Beziehung setzen. *Problematisch* dagegen ist der Versuch, aufgrund solcher Beziehungszahlen weitergehende Schlüsse empirisch zu begründen. So ist es z. B. unmöglich, aus Beziehungszahlen zugleich kausal verknüpfte soziale Tatsachen, d. h. mögliche Ursachen und Wirkungen von sozialen Gegebenheiten abzuleiten. Der Berechnung von Beziehungszahlen liegen allerdings häufig *Vermutungen* über ursächliche Zusammenhänge zugrunde.

$$\text{*Beispiel:* „Raucher-Krebsgefährdung"} = \frac{\text{Anzahl der Krebserkrankungen}}{\text{Anzahl der Raucher}}$$

Bei einer solchen Verhältniszahl ist logisch nicht auszuschließen, daß alle Krebserkrankten Nichtraucher waren. Denn die Zahl der Krebserkrankten und die Zahl der Raucher wurden *unabhängig* voneinander festgestellt; etwa die Erkrankungen über Angaben der Krankenkassen, die Zahl der Raucher über eine Repräsentativbefragung und Hochrechnung auf die Gesamtbevölkerung. Danach wurden die beiden Globalziffern miteinander in Beziehung gesetzt. Man spricht in solchen Fällen von *unverbundenen Beobachtungen:* Die Verbindung „Person x ist Raucher *und* krebserkrankt"; „Person y ist Nichtraucher *und* nicht krebserkrankt" läßt sich nicht herstellen.

Ähnlich problematisch ist die Argumentation, wenn „Sättigungsgrade" in Form von Beziehungszahlen berechnet werden.

Beispiel: In der Großstadt X gebe es 300.000 Haushalte und 300.000 Wohnungen. Der Sättigungsgrad der Wohnversorgung wäre in dieser Stadt:

$$\frac{300.000 \text{ Wohnungen}}{300.000 \text{ Haushalte}} = 1{,}0 \text{ oder } 100\%.$$ Unzulässig ist jedoch eine Schlußfolgerung wie: Alle Haushalte haben eine Wohnung; es existiert kein Wohnungsmangel.

Es ist durchaus möglich (und wahrscheinlich), daß manche Haushalte mehr als eine Wohnung haben und daß Wohnungen leerstehen (etwa weil sie zu teuer oder von Größe und Zuschnitt her nicht bedarfsentsprechend sind), so daß bestimmte Haushalte und bestimmte Haushaltstypen (etwa Kinderreiche) ohne geeignete Wohnung sind. Auch hier wird mit unverbundenen Beobachtungen argumentiert.

Im vorliegenden Text werden lediglich solche Verfahren der Analyse von Zusammenhängen zwischen zwei Merkmalen behandelt, die sich auf sogenannte *verbundene Beobachtungen* stützen: Für jede Untersuchungseinheit (Person, Ereignis etc.) werden *gleichzeitig* mehrere Merkmale erhoben und in einer Weise protokolliert, daß die verschiedenen Merkmale einander zugeordnet werden können. Die Datenmatrix in Abschn. 5.2.3 ist ein Beispiel dafür: Zu jedem Befragten wird eine Reihe von Merkmalen nebeneinander aufgelistet. Bei der Auswertung solcher Daten können die oben aufgezeigten Möglichkeiten von Fehlschlüssen nicht auftreten.

Die Darstellung von Beziehungen zwischen zwei Variablen auf der Basis verbundener Beobachtungen ist auf zweierlei Weise möglich:

a) Im Falle nominal- oder ordinalskalierter Merkmale werden die möglichen Ausprägungen der beiden Variablen einander in Form einer sogenannten Kontingenztabelle zugeordnet, d. h. die Ausprägungen der einen Variablen werden nebeneinander in die Kopfzeile, die der anderen Variablen untereinander in die Vorspalte eingetragen. Danach wird ausgezählt, wie häufig welche Kombinationen beider Merkmale in der Stichprobe, d. h. in den erhobenen Daten vertreten sind. Diese Form der Datenaufbereitung einer *zweidimensionalen* (bivariaten) Verteilung darf nicht verwechselt werden mit der tabellarischen Darstellung der Verteilung einer einzigen Variablen (vgl. Abschn. 8.2.2). Bei metrischen (d. h. mindestens intervallskalierten) Daten sowie bei einer zu großen Zahl möglicher Ausprägungen im Falle ordinalskalierter Daten sind die möglichen Einzelausprägungen zunächst zu gruppieren, d. h. benachbarte Werte sind zu Intervallen zusammenzufassen.

b) Wir behalten – bei mindestens *ordinalskalierten* Daten – die beobachteten Einzelausprägungen der Merkmale für alle Untersuchungseinheiten bei und stellen die Beziehung graphisch in Form eines Streudiagramms und/oder rechnerisch in Form statistischer Kennziffern dar (z. B. Regressions- und Korrelationskoeffizienten im Falle intervall- oder ratioskalierter Daten).

Beispiel zu a)
Kontingenztabelle (die Zahlen in den Tabellenfeldern sind die Häufigkeiten, mit denen die Kombinationen von Ausprägungen zweier Variablen vorkommen = Besetzungszahlen):

Tabelle 16:

Y: Mietbelastung in % des Haushaltsnettoeinkommens	X: monatliches Nettoeinkommen des Haushalts 1972 (in DM)[132]				
	unter 800	800 bis unter 1200	1200 bis unter 1600	1600 bis unter 3000	Haushalte insges.
unter 10%	228	574	711	1345	2858
10 bis unter 15%	474	906	786	927	3093
15 bis unter 20%	546	725	526	426	2223
20 bis unter 25%	435	423	229	131	1218
25% oder mehr	966	392	133	60	1551
	2649	3020	2385	2889	10943

Beispiel zu b):
Streudiagramme (die einzelnen Untersuchungseinheiten sind als Punkte im zweidimensionalen Merkmalsraum repräsentiert; vgl. Abschn. 5.2.3):

(1) und (2) sind Beispiele für lineare Beziehungen, (3) bis (5) sind Beispiele für nicht-lineare (kurvilineare) Beziehungen.

---

132 Zusammengestellt nach Angaben in: Bundesminister für Raumordnung, Bauwesen und Städtebau (Hg.), 1975: Das Wohnen in der Bundesrepublik, Bonn-Bad Godesberg, S. 58 (Haushalte mit Einkommen von 3000 DM oder mehr im Monat werden dort nicht aufgeführt).

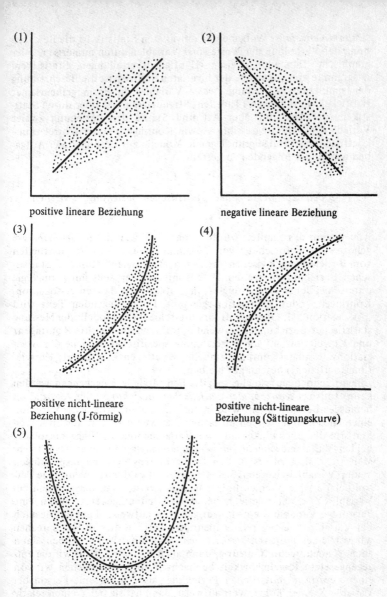

(1) positive lineare Beziehung

(2) negative lineare Beziehung

(3) positive nicht-lineare Beziehung (J-förmig)

(4) positive nicht-lineare Beziehung (Sättigungskurve)

(5) U-förmige nicht-lineare Beziehung

Zusammengefaßt: Aufgabe der univariaten Statistik ist die Beschreibung der Verteilung der Werte *einer* Variablen durch numerische oder graphische Darstellungsweisen (Häufigkeitsverteilungen, Statistiken, Diagramme etc.). Aufgabe der bivariaten Statistik ist die Beschreibung der simultanen Verteilung *zweier* Variablen in Form gemeinsamer Häufigkeitsverteilungen (Tabellen, Streudiagramme) oder durch Statistiken, die Auskunft über Art und Stärke der Beziehung zweier Variablen geben (Regressions- sowie Kontingenz- oder Korrelationskoeffizienten). Einige grundlegende Modelle zur Lösung dieser Aufgaben werden im folgenden vorgestellt.

8.3.1 Modelle zur Messung der „statistischen Beziehung" zwischen Variablen

Zu Beginn des Kapitels wurde gesagt, zur eigentlichen Datenanalyse gehöre „die Erforschung von Zusammenhängen, das Herausarbeiten von Beziehungen zwischen mehreren Merkmalen". Solche „statistischen Beziehungen" werden — teils mit gleicher, teils mit geringfügig unterschiedlicher Bedeutung — in statistischen Texten Assoziation, Kontingenz oder Korrelation genannt. Im vorliegenden Text wird „Assoziation" als Oberbegriff für unterschiedliche Modelle der Messung statistischer Beziehungen verwendet, während die Begriffe Kontingenz und Korrelation auf die Bezeichnung spezifischer Modelle der Assoziationsmessung (Kontingenztabelle, Kontingenzkoeffizient; Korrelationskoeffizient) beschränkt bleiben.

Bevor jedoch auf solche spezifischen Modelle eingegangen werden kann, soll das *Konzept der statistischen Beziehung* oder Assoziation herausgearbeitet werden: Wird in der univariaten Statistik die Variation einer einzelnen Variablen untersucht, so weitet sich in der bivariaten Statistik der Blickwinkel auf zwei Variablen und die Frage aus, ob die beiden Variablen *gemeinsam oder unabhängig* voneinander variieren. Man fragt also, ob es in den beobachteten Merkmalsausprägungen beider Variablen Regelmäßigkeiten gibt, etwa derart: Wenn eine Person bei Variable X einen hohen Wert aufweist, dann hat sie auch bei Variable Y einen relativ hohen Wert; und umgekehrt: Wenn eine Person bei Variable X einen niedrigen Wert aufweist, dann hat sie auch bei Variable Y einen relativ niedrigen Wert. In diesem Fall sprechen wir von einer *positiven statistischen Beziehung:* Wenn X hoch, dann auch Y hoch; wenn X niedrig, dann auch Y niedrig. Falls wir die entgegengesetzte Regelmäßigkeit beobachten können, sprechen wir von einer *negativen statistischen Beziehung;* also: Wenn eine Person bei Variable X einen hohen Wert aufweist, dann hat sie bei Y einen relativ niedrigen Wert; wenn eine Person bei Variable X einen niedrigen Wert aufweist, dann hat sie bei Y einen relativ hohen Wert. Die Beziehung ist in diesem Fall also gegenläufig („negativ"): Wenn X hoch, dann Y niedrig; wenn X niedrig, dann Y hoch.

Um von einer statistischen Beziehung sprechen zu können, muß diese Regelmäßigkeit allerdings nicht bei *allen* Personen zutreffen, sondern es genügt schon ein relativ großer Anteil. In erster Annäherung können wir festhalten: Je größer der *Anteil* der Beobachtungen ist, in denen eine Regelmäßigkeit der beschriebenen Art feststellbar ist, desto stärker ist die statistische Beziehung, die Assoziation.

Nach diesen Vorüberlegungen kann für das Konzept der Assoziation eine *Definition* eingeführt werden, die den Vorteil hat, sehr anschaulich zu sein: *„Zwei Variablen sind miteinander assoziiert, wenn die konditionalen Verteilungen (ausgedrückt in Prozentsätzen oder Proportionen) voneinander abweichen.* Oder anders formuliert: Zwei Variablen stehen *nicht* miteinander in Beziehung, wenn die konditionalen Verteilungen identisch sind" (*Benninghaus* 1974, 78).

Dies sei an zwei Fällen illustriert. Nehmen wir zunächst das vorgestellte Beispiel einer Kontingenztabelle mit den Variablen „Mietbelastung in % des Einkommens" (Y) und „monatliches Nettoeinkommen" (X) von Haushalten (Tab. 16) und betrachten die Verteilung der Variablen Y zum einen für diejenigen Haushalte, die ein Einkommen bis unter 800 DM beziehen, zum anderen für eine (zusammengefaßte) Gruppe mit mittleren Einkommen (800 bis unter 1600 DM) sowie schließlich für diejenigen Haushalte, deren Einkommen 1600 bis unter 3000 DM beträgt. Wir unterteilen also die Gesamtverteilung von Y in eine, die nur unter der Bedingung gilt, daß die Haushalte ein niedriges Einkommen haben (*konditionale Verteilung* von Y für X < 800), in eine zweite Verteilung von Y, die nur unter der Bedingung gilt, daß die Haushalte ein mittleres Einkommen beziehen (*konditionale Verteilung* von Y für 800 ≤ X < 1600), sowie eine dritte, die nur unter der Bedingung gilt, daß den Haushalten ein höheres Einkommen zur Verfügung steht (*konditionale Verteilung* von Y für 1600 ≤ X < 3000).[133]

---

133 Natürlich könnte man auch eine kleinere oder größere Zahl konditionaler Verteilungen bilden: z. B. zwei oder — wie in der dargestellten Kontingenztabelle — vier.

Tabelle 17:

Verteilung von Y (alle Fälle)			konditionale Verteilungen von Y für X < 800		für 800 ≤ X < 1600		für 1600 ≤ X < 3000	
y_j	f_j	f'_j	f_j	f'_j	f_j	f'_j	f_j	f'_j
unter 10%	2858	0,261	228	0,086	1285	0,238	1345	0,466
10- u. 15%	3093	0,283	474	0,179	1692	0,313	927	0,321
15- u. 20%	2223	0,203	546	0,206	1251	0,231	426	0,147
20 - u. 25%	1218	0,111	435	0,164	652	0,121	131	0,045
25% o. mehr	1551	0,142	966	0,365	525	0,097	60	0,021
	10943		2649		5405		2889	

Es ist klar erkennbar, daß die konditionalen Verteilungen von Y nicht miteinander übereinstimmen. Beispielsweise betragen die Anteile der Haushalte mit Mietbelastungen unter 10% bei den drei Haushaltsgruppen 0,086 bzw. 0,238 bzw. 0,466, und die Anteile der Haushalte mit Mietbelastungen von 25% oder mehr liegen bei 0,365 bzw. 0,097 bzw. 0,021. Es steht also fest: Gemäß der obigen Definition *liegt eine Assoziation* vor zwischen den Merkmalen X (Haushaltseinkommen) und Y (Mietbelastung), und zwar handelt es sich um eine negative Beziehung: Bei höherem Einkommen ist die prozentuale Mietbelastung tendenziell niedrig, bei niedrigerem Einkommen ist sie tendenziell höher.

Betrachten wir einen zweiten (diesmal konstruierten) Fall. Y sei die Verweildauer der Examenskandidaten an der Universität U, X das Geschlecht der Examenskandidaten. Gegeben seien die folgende Verteilung von Y sowie die konditionalen Verteilungen von Y für x_j = weiblich und x_j = männlich:

Tabelle 18:

Verteilung von Y (alle Fälle)			konditionale Verteilungen von Y für x_j = weibl.		für x_j = männl.	
y_j	f_j	f'_j	f_j	f'_j	f_j	f'_j
bis 9 Semester	60	0,30	24	0,30	36	0,30
10 - 11 Semester	100	0,50	40	0,50	60	0,50
12 Sem. u. mehr	40	0,20	16	0,20	24	0,20
	200		80		120	

Ein Vergleich der konditionalen Verteilungen zeigt, daß die Anteile der jeweiligen Intervalle y_j für die weiblichen und die männlichen Examenskandidaten identisch sind. Gemäß der obigen Definition *liegt keine Assoziation vor;* Y und X variieren unabhängig voneinander.

Zusammenfassend läßt sich mit *Benninghaus* (1974, 81f.) feststellen:

„Die Betrachtung bzw. Diskussion der Beziehung zwischen Variablen impliziert immer den Vergleich von Subgruppen. Es ist nämlich sinnlos, danach zu fragen, ob eine Variable mit einer anderen in Beziehung steht, ohne einen Vergleich der Untersuchungseinheiten, die eine bestimmte Ausprägung einer bestimmten Variablen aufweisen, mit anderen Untersuchungseinheiten, die eine andere Ausprägung dieser Variablen aufweisen, anzustellen".

Bevor die Argumentation weitergeführt wird, ist die Explizierung der Hypothesen notwendig, die die Erstellung der konditionalen Verteilungen in den beiden obigen Beispielen implizit geleitet haben. Wenn die konditionalen Verteilungen für Y (monatliche Mietbelastung) unter der Bedingung X (monatliches Nettoeinkommen) niedrig/mittel/hoch sowie – im anderen Beispiel – für Y (Verweildauer an der Universität) unter der Bedingung X (Geschlecht) = weiblich bzw. männlich berechnet wurden, so heißt dies, daß die monatliche Mietbelastung *in Abhängigkeit* von der Höhe des Einkommens und daß die Verweildauer an der Universität *in Abhängigkeit* vom Geschlecht der Examenskandidaten betrachtet worden sind. Es wurden also Annahmen gemacht, die sich in dieser Anordnung der Variablen ausdrücken. Im ersten Fall etwa: Die Variation der Einkommenshöhen ist größer als die Variation der Mieten, die auf dem Wohnungsmarkt zu zahlen sind, so daß bei niedrigeren Einkommen zunehmend der finanzielle Dispositionsspielraum allein durch die notwendigen Mietzahlungen stärker eingeschränkt wird. Im zweiten Fall: Das Merkmal „Geschlecht" hat Einfluß auf die Dauer des Studiums; d. h. man vermutet – aus welchen Gründen auch immer – geschlechtsspezifisch unterschiedliche Studienverläufe.

Diejenige Variable, die als abhängig von einer anderen angenommen wird, heißt in der Datenanalyse a b h ä n g i g e V a r i a b l e. Die Variable, die als „Ursache" oder als „Bedingung" für eine andere angesehen wird – anders formuliert: die Variable, von der man annimmt, daß sie auf eine andere einwirkt –, heißt u n a b h ä n g i g e (oder explikative) V a r i a b l e.

Es ist wichtig, sich klarzumachen, daß eine Variable nicht „von Natur aus" oder ein für allemal „unabhängig" ist; sie wird lediglich im Zuge einer spezifischen Auswertung als solche *definiert*.

So ist der Fall durchaus nicht selten, daß eine Variable X in einer Hypothese 1 als Ursache für eine Variable Y angesehen wird, während in einer alternativen Hypothese 2 umgekehrt die Variable Y als Ursache für Variable X genannt wird. Man nehme etwa den empirischen Befund, daß Haushalte mit höherem Einkommen tendenziell in größeren (und besseren) Wohnungen leben (vgl. *Bundesminister für Raumordnung, Bauwesen und Städtebau*, a.a.O., 74). Hypothese 1 könnte diesen Sachverhalt wie folgt „erklären": Mit höherem Einkommen nimmt die Möglichkeit zu, höhere Mieten zu zahlen und sich eine Wunschwohnung zu leisten. X (Einkommen) wird als *„Ursache"* für Y (Höhe der gezahlten Mieten) angesehen. Eine alternative Hypothese 2 könnte dagegen die Argumentationsrichtung umkehren, etwa so: Da die Wohnung ein Wirtschaftsgut ist, das *erstens* für jeden unbedingt notwendig ist, dessen erforderliche Qualitätsmerkmale (Größe, Ausstattung) *zweitens* vom Wohnungssuchenden nicht beliebig gewählt werden können, sondern weitgehend vom Familienstand und von der Familiengröße abhängen, und das *drittens* teuer ist, muß der Wohnungssuchende sein Einkommen an die geforderten Mieten „anpassen". Im Klartext: Wer eine große und gute Wohnung benötigt und nicht genügend verdient, um sich diese leisten zu können, macht Überstunden oder ist auf die Erwerbstätigkeit mehrerer Haushaltsmitglieder angewiesen. Bei einer solchen Sicht würde die Einkommenshöhe (X) als *abhängig* von der Höhe der Miete (Y), die jemand für eine angemessene Wohnung zahlen muß, definiert.

Da der Terminus „unabhängige Variable" leicht irreführend wirkt, wird häufig vorgeschlagen, stattdessen den Begriff explikative Variable zu benutzen. Dieser Terminus bringt besser zum Ausdruck, daß es sich hierbei um ein Merkmal handelt, das lediglich im jeweiligen Auswertungszusammenhang als *eine* mögliche „Erklärung" für die Variation der anderen, der als abhängig angesehenen Variablen herangezogen wird.

In der bivariaten Statistik wird die abhängige Variable durch den Buchstaben Y, die explikative („unabhängige") Variable durch den Buchstaben X symbolisiert.

Kehren wir zurück zum Konzept der Assoziation: Mit der Feststellung, *ob* eine Assoziation zwischen zwei Variablen besteht, ist natürlich noch nicht sehr viel erreicht. Zusätzlich − und vor allem − interessiert, *wie stark* denn eine festgestellte Beziehung ist. Bisher wurde dazu lediglich als erste Annäherung gesagt, eine Assoziation sei umso stärker, je größer der Anteil der Untersuchungseinheiten ist, bei dem Regelmäßigkeiten der Art beobachtet wurden: wenn X hoch, dann auch Y hoch (oder aber umgekehrt: wenn X hoch, dann Y niedrig). Um die Stärke der Beziehung in einem einzigen statistischen Koeffizienten ausdrücken zu können, benötigt man wieder (ähnlich wie bei der Messung der Konzentration; vgl. Abschn. 8.2.5) eine Definition der beiden Extrempunkte „keine Assoziation" (bzw. statistische Unabhängigkeit) und „stärkstmögliche Assoziation" (bzw. vollständige statistische Abhängigkeit). Erst in Relation zu diesen Bezugspunkten kann die Größe der Abweichung von der definierten statistischen Unabhängigkeit bzw. kann der Grad der Annäherung an die vollständige statistische Abhängigkeit gemessen werden.

Je nach der Art der Definition der statistischen Unabhängigkeit bzw. Abhängigkeit existieren unterschiedliche Modelle zur Messung der Stärke der Assoziation.

− *Ein erstes Modell* nimmt unmittelbar Bezug auf die hier eingeführte Definition des Begriffs „Assoziation", wonach zwischen zwei Variablen dann eine Beziehung besteht, wenn die konditionalen Verteilungen voneinander abweichen. Als Maß für die *Stärke* der Assoziation bietet sich dann unmittelbar die Größe der Subgruppendifferenzen an.

Um bei den vorgestellten Beispielen zu bleiben: Für die Ausprägung y_j = unter 10% (Tab. 17), besteht zwischen der Haushaltsgruppe, die unter 800 , und der Haushaltsgruppe, die zwischen 1600 und 3000 DM Einkommen bezieht, eine Differenz der relativen Häufigkeiten von $0,086 - 0,466 = - 0,380 = - 38,0\%$; für die Ausprägung y_j = 10 bis unter 15% ist dies $0,179 - 0,321 = - 0,142 = - 14,2\%$ usw. Im Falle der Verweildauer der Examenskandidaten (Tab. 18) betragen die Subgruppendifferenzen jeweils 0.000. Auf dieser Überlegung beruht das Assoziationsmaß Prozentsatzdifferenz, das im Abschn. 8.3.2 (Tabellenanalyse) behandelt wird.

– *Eine zweite Gruppe* von Assoziationsmaßen basiert auf dem Modell der proportionalen Fehlerreduktion (häufig abgekürzt als PRE-Maße, nach der englischen Bezeichnung „proportional reduction in error measures").

Die Grundüberlegung ist: In dem Maße, wie zwei Variablen miteinander in einer statistischen Beziehung stehen, enthalten sie redundante Informationen. Das heißt, wenn gilt: „Je höher X, desto höher Y" oder: „Wenn X hoch, dann auch Y hoch", dann kann man aufgrund der Kenntnis der Verteilung der einen (der unabhängigen) Variablen auf die Verteilung der anderen (der abhängigen) Variablen schließen. Auf die Merkmalsträger bezogen: Wenn z. B. gilt, daß mit zunehmender Höhe des Einkommens die relative Mietbelastung sinkt, dann kann bei Kenntnis des Monatseinkommens eines Haushalts auch dessen relative Mietbelastung bis zu einem gewissen Grade geschätzt („vorausgesagt") werden. Natürlich wird diese Schätzung nicht immer richtig sein; es werden Schätzfehler vorkommen. In dem Maße jedoch, in dem die Variablen assoziiert sind, reduzieren sich die Schätzfehler bis zu dem Punkt hin, an dem zwei Merkmale vollständig abhängig voneinander sind, so daß sich auf der Basis der Kenntnis der Ausprägung der unabhängigen Variablen für jede Untersuchungseinheit die Ausprägung der abhängigen Variablen exakt berechnen läßt (stärkstmögliche „prädiktive" Assoziation).

Im Abschn. 8.3.2 (Tabellenanalyse) wird als einfaches prädiktives Assoziationsmaß, das auch bei nominalskalierten Daten berechnet werden kann, λ (lambda) vorgestellt. Im Abschn. 8.3.4 (Korrelationsrechnung) wird als Maß der prädiktiven Assoziation zwischen mindestens intervallskalierten Variablen der Determinationskoeffizient r^2 behandelt.

– *Ein weiteres Modell* zur Messung der Stärke der Beziehung zweier Merkmale stützt sich auf die Abweichung von der statistischen Unabhängigkeit. Hierbei geht man von den Häufigkeitsverteilungen der beiden Variablen aus und fragt sich, wie deren *gemeinsame* Häufigkeitsverteilung (d. h. die Besetzungszahlen innerhalb der Tabellenfelder) aussehen müßte, falls die Merkmale statistisch unabhängig voneinander wären.

Aus dem Vergleich der *empirisch* beobachteten *gemeinsamen* Häufigkeiten (Besetzungszahlen in der *Kontingenztabelle*) mit den *hypothetisch* bestimmten gemeinsamen Häufigkeiten, die sich im Falle statistischer Unabhängigkeit hätten einstellen müssen *(Indifferenztabelle)*, wird die Stärke der Assoziation berechnet. Maßzahlen dieses Typs werden im vorliegenden Text nicht behandelt; Interessenten seien auf die Spezialliteratur verwiesen.

– *Ein viertes Modell* schließlich basiert auf dem paarweisen Vergleich der Merkmalsausprägungen über alle Untersuchungseinheiten.

Bei diesem Vergleich wird geprüft, ob bei je zwei Merkmalsträgern die Variablenausprägungen in die gleiche Richtung weisen (X hoch und Y hoch oder X niedrig und Y niedrig = konkordante Paare von Untersuchungseinheiten) oder ob die Variablenausprägungen in unterschiedliche Richtungen weisen (X hoch und Y niedrig oder X niedrig und Y hoch = diskordante Paare). Das Überwiegen konkordanter (diskordanter) Paare ist dann ein Anzeichen für die Existenz einer positiven (negativen) statistischen Beziehung.

Auch für Maßzahlen dieses Typs wird auf die Spezialliteratur verwiesen (eine kurze und leicht verständliche Einführung in Assoziationsmaße auf der Basis der vorgestellten Modelle bietet etwa *Benninghaus* 1974). Als Maßzahl, die sich aus dem paarweisen Vergleich der Merkmalsausprägungen herleitet, läßt sich. allerdings der in Abschn. 8.3.4 vorgestellte Korrelationskoeffizient interpretieren.

8.3.2 Tabellenanalyse

Wird eine zweidimensionale Häufigkeitsverteilung (d. h. die gemeinsame Verteilung zweier Merkmale) in Form einer Tabelle dargestellt, spricht man von einer Kontingenztabelle.[134]

Bivariate Tabellen entstehen durch die Kreuztabellierung (Kreuztabulation) zweier Merkmale. Sie stellen nichts anderes dar als eine Auflistung der konditionalen Verteilungen der Variablen Y unter den Bedingungen der verschiedenen Ausprägungen der Variablen X (vgl. Abschn. 8.3.1). Die Form dieser Auflistung, d. h. die formale Art und Weise der zusammenfassenden Darstellung der konditionalen Verteilungen, wird aus der folgenden Abbildung ersichtlich.

Y \\ X	Kategorien der „unabhängigen" (explikativen) Variablen			
	1	2	3	
1	f_{11}	f_{12}	f_{13}	$f_{1.}$
2	f_{21}	f_{22}	f_{23}	$f_{2.}$
3	f_{31}	f_{32}	f_{33}	$f_{3.}$
	$f_{.1}$	$f_{.2}$	$f_{.3}$	n

(Kategorien der „abhängigen" Variablen)

---

134 Synonym dazu findet man die Bezeichnung Korrelationstabelle. Manche Autoren unterscheiden auch zwischen „Korrelationstabelle", falls die gemeinsame Verteilung zweier mindestens ordinalskalierter Merkmale dargestellt wird, und „Kontingenztabelle" im Falle nominalskalierter Variablen.

Erläuterungen:

f_{ij} = konditionale Häufigkeiten (Häufigkeit in der Tabellenzelle von Zeile i und Spalte j)[135]

f_{i1} = konditionale Verteilung der Variablen Y bei gegebenem x = 1 („unter der Bedingung x = 1")

f_{1j} = konditionale Verteilung der Variablen X bei gegebenem y = 1 („unter der Bedingung y = 1")

$f_{i.}$ = Randverteilung (oder marginale Verteilung) der Variablen Y

$f_{.j}$ = Randverteilung (oder marginale Verteilung) der Variablen X

$$n = \sum_{i=1}^{r} \sum_{j=1}^{s} f_{ij} = \sum_{i=1}^{r} f_{i.} = \sum_{j=1}^{s} f_{.j}$$

Wie erkennbar, enthält diese Darstellung spaltenweise nebeneinander die konditionalen Verteilungen der Variablen Y für die x-Werte 1, 2, ... (f_{i1}, f_{i2}, ...) und zeilenweise untereinander die konditionalen Verteilungen der Variablen X für die y-Werte 1, 2, ... (f_{1j}, f_{2j}, ...). Die Kreuzpunkte je zweier konditionaler Verteilungen (f_{ij}) stellen die Tabellenfelder oder Tabellenzellen dar. In ihnen ist die Häufigkeit angegeben, mit der die jeweilige Wertekombination (z. B. y=1, x=2: $f_{1\,2}$) in den empirischen Beobachtungen vorkommt (= Besetzungszahl des Tabellenfeldes). In der rechten Randspalte der Tabelle erscheinen die Summen der Besetzungszahlen für y= 1, 2, ... ($f_{1.}$, $f_{2.}$, ...). Diese entsprechen der Häufigkeitsverteilung der Variablen Y, wie sie in der univariaten Statistik (Abschn. 8.2.1) behandelt wurde. Hier wird sie „Randverteilung" oder marginale Verteilung der Variablen Y genannt. In der untersten Zeile der Tabelle erscheinen die Summen der Besetzungszahlen für x=1, 2, ... ($f_{.1}$, $f_{.2}$, ...). Diese entsprechen der Häufigkeitsverteilung der Variablen X (hier „Randverteilung" oder marginale Verteilung der Variablen X genannt).

Um die Übersichtlichkeit der Darstellung zu erhöhen und um Flüchtigkeitsfehler bei weiteren Berechnungen anhand der so aufbereiteten Daten zu vermeiden, empfiehlt es sich, der abhängigen und der unabhängigen (explikativen) Variablen jeweils einen *festen Platz* in der Tabelle zuzuweisen. Überwiegend ist es üblich, die Variable, die für die jeweilige Auswertung als unabhängig (explikativ) angesehen wird, in den Kopf der Tabelle zu schreiben und mit dem Buchstaben X zu bezeichnen. Dementsprechend hat die Variable, die für die jeweilige Auswertung als abhängig angesehen wird (deren Variation „erklärt" werden soll), ihren Platz am linken Rand der Tabelle; sie wird mit Y bezeichnet.

Als Beispiel, an dem die folgende Argumentation entwickelt werden

---

135 Die Laufindices i und j bezeichnen hier also nicht — wie bisher — Einzelbeobachtungswerte im Unterschied zu gruppierten Werten, sondern Zeilen und Spalten der Tabelle; dabei kann i die Werte 1 bis r (r = Reihen oder Zeilen), j die Werte 1 bis s (s = Spalten) annehmen.

soll, möge ein Befund aus Forschungen zur Stigmatisierung (negative Typisierung) Obdachloser dienen. Eine durch zahlreiche Studien gestützte Hypothese lautet, daß die Bereitschaft, Obdachlose pauschal negativ zu beurteilen, davon abhängt, ob der Urteilende den Obdachlosen die „Schuld" an ihrer Lage selbst zuschreibt, oder ob er die Obdachlosigkeit als ein *gesellschaftliches* Phänomen ansieht.[136] Eine empirische Untersuchung ergab zu dieser Frage die folgenden Daten:[137]

Tabelle 19:

Y: negative Beurteilung der Obdach- losen	X: Individualisierung der Obdachlosigkeit				insgesamt	
	gering (1) (angenommene Fremdver- schuldung)		stark (2) (angenommene Selbstver- schuldung)			
	f_{i1}	%	f_{i2}	%	$f_{i.}$	%
keine (1)	20	31,3	61	18,0	81	20,1
gering (2)	26	40,6	68	20,1	94	23,3
stark (3)	14	21,9	108	31,8	122	30,3
sehr stark (4)	4	6,2	102	30,1	106	26,3
	64	100,0	339	100,0	403	100,0

Erläuterungen: Die Variable X bezieht sich auf die „Schuldvermutung" und mißt die Tendenz der Befragten, die „Schuld" an der Obdachlosigkeit zu individualisieren, d. h. den einzelnen Obdachlosen selbst anzurechnen. Die Variable Y gibt Auskunft über die Bereitschaft der Befragten, die Obdachlosen als Randgruppe zu stigmatisieren, d. h. ihnen pauschal negative Eigenschaften („asozial", „unordentlich", „unzuverlässig" u. ä.) zuzuschreiben.

Die Daten dieser Studie bestätigen offensichtlich die formulierte Hypothese: In der Gruppe der Befragten, die Obdachlosigkeit als ein Schicksal ansehen, das *nicht* von den Betroffenen selbst verschuldet wurde ($x_j = 1$), findet man überwiegend keine bzw. nur gering ausgeprägte Vorbehalte gegenüber Obdachlosen. In der Gruppe der Befragten dagegen, die der Meinung sind, die Obdachlosen trügen selbst die Verantwortung für ihre Lage, herrschen starke bis sehr starke negative Pauschalurteile vor.

Die Berechnung der relativen Häufigkeiten (hier: Prozentwerte) in der Tabelle wurde — wie ersichtlich — für jede der konditionalen Verteilungen (y_i unter der Bedingung $x_j = 1$; y_i unter der Bedingung $x_j = 2$) getrennt vorgenommen. Das heißt: für jede Gruppe von Untersu-

136 Vgl. Vaskovics, L.; Weins, W., 1979: Stand der Forschung über Obdachlose und Hilfen für Obdachlose, Schriftenreihe des Bundesministers für Jugend, Familie und Gesundheit, Band 62, Stuttgart, Berlin, 70ff.
137 Roschinsky, B., 1974: Die Situation der Obdachlosen in Duisburg; Köln; zit. nach Vaskovics/Weins 1979, 135.

chungseinheiten, die gleiche Ausprägungen auf der als unabhängig betrachteten Variablen (X) aufweisen, wurden die Anteile je y_i-Wert bestimmt. Das läßt sich zu folgender Prozentuierungsregel verallgemeinern (vgl. *Zeisel* 1970): Bei der Zusammenhangsanalyse mit Hilfe von Kontingenztabellen ist die als unabhängig betrachtete Variable (die explikative Variable) als Basis der Prozentuierung zu nehmen. Von der vorgeschlagenen Anordnung der Variablen ausgehend (X im Tabellenkopf), bedeutet dies: Es ist „spaltenweise" zu prozentuieren mit der Spaltensumme ($f._j$) als Basis. Entsprechend sind die Prozentwerte der konditionalen Verteilungen „zeilenweise" zu vergleichen.

Betrachten wir nun in dieser Weise die beiden konditionalen Verteilungen in Tab. 19, dann finden wir folgende Subgruppendifferenzen:

für y_i = 1: $31,3 - 18,0 = 13,3$%-Punkte;
für y_i = 2: $40,6 - 20,1 = 20,5$%-Punkte;
für y_i = 3: $21,9 - 31,8 = -9,9$%-Punkte;
für y_i = 4: $6,2 - 30,1 = -23,9$%-Punkte.

In Worten: In der Befragtengruppe mit gering ausgeprägter Tendenz zur Individualisierung der Obdachlosigkeit ist der Anteil von Personen, die Obdachlose nicht (bzw. nur gering) stigmatisieren, um 13,3 (bzw. 20,5) %-Punkte höher als in der Befragtengruppe mit starker Tendenz zur Individualisierung der Obdachlosigkeit. Die entgegengesetzte Beziehung gilt für die Bereitschaft, Obdachlose pauschal stark bzw. sehr stark negativ zu beurteilen.

Die berechneten Subgruppendifferenzen können im Prinzip als Maß der Stärke der Assoziation der beiden Variablen interpretiert werden (vgl. Abschn. 8.3.1). Das Problem besteht jedoch darin, daß im vorgestellten Beispiel die Subgruppendifferenzen keine *einheitliche* Aussage über die Stärke der Assoziation liefern: es existieren vier unterschiedliche Werte. Die Situation würde noch unübersichtlicher, wenn auch die Variable X mehr als zwei Ausprägungen aufwiese (vgl. etwa Tab. 17 in Abschn. 8.3.1). Lediglich im Falle zweier dichotomer (oder dichotomisierter) Variablen, deren konditionale Häufigkeiten also eine 2 x 2-Tabelle (Vierfeldertabelle) ergeben, weisen die beiden existierenden Subgruppendifferenzen − ohne Berücksichtigung des Vorzeichens − den gleichen Betrag auf. In diesem Fall ist die Größe der Subgruppendifferenz ein brauchbares und eindeutig interpretierbares Maß für die Stärke der Assoziation. In Prozentwerten ausgedrückt handelt es sich hierbei um die häufig benutzte Prozentsatzdifferenz (d%). Die Prozentsatzdifferenz nimmt bei statistischer Unabhängigkeit der dichotomen (oder dichotomisierten) Variablen den Wert 0, bei stärkstmöglicher Assoziation den Wert $\pm$ 100 an.

Dichotomisieren wir die Variable Y durch Zusammenfassung der Ausprägungen „keine" und „geringe negative Beurteilung" einerseits sowie „starke" und „sehr starke negative Beurteilung" andererseits, so erhalten wir folgende 2 x 2-Tabelle:

Tabelle 20:

Y: negative Beurteilung der Obdach-losen	X: Individualisierung der Obdachlosigkeit				insgesamt	
	gering (1)		stark (2)			
	f_{i1}	%	f_{i2}	%	$f_{i.}$	%
keine oder gering	46	71,9	129	38,1	175	43,4
stark oder sehr stark	18	28,1	210	61,9	228	56,6
	64	100,0	339	100,0	403	100,0

Die Prozentsatzdifferenz beträgt nun $71,9 - 38,1 = 33,8$; d. h. in der Befragtengruppe mit gering ausgeprägter Tendenz zur Individualisierung der Obdachlosigkeit ist der Anteil der Personen, die gar nicht oder höchstens in geringem Maße Obdachlose pauschal negativ bewerten, um 33,8%-Punkte höher als in der zweiten Befragtengruppe. Die entgegengesetzte Beziehung gilt für das Vorhandensein starker bis sehr starker Stigmatisierungsbereitschaft.[138]

Falls man von einer Tabelle ausgeht, in der die Prozentwerte für die konditionalen Verteilungen noch nicht berechnet sind, kann bei Berücksichtigung der oben genannten Prozentuierungsregel die *Prozentsatzdifferenz* unmittelbar aus den Besetzungszahlen der Vierfeldertabelle bestimmt werden:

Formel (16a): $d\% = 100 \left(\dfrac{a}{a+c} - \dfrac{b}{b+d} \right)$

oder

Formel (16b): $d\% = 100 \dfrac{ad - bc}{(a+c)(b+d)}$

Hierbei haben die Buchstaben a bis d folgende Bedeutung:

X Y	1	2	
1	a	b	a+b
2	c	d	c+d
	a+c	b+d	n

138 Wie leicht erkennbar, hängt die Prozentsatzdifferenz von der Art und Weise der Dichotomisierung ab; sie wäre z. B. niedriger, wenn etwa die Ausprägung „keine negative Beurteilung" den (zusammengefaßten) übrigen drei Ausprägungen der Variablen Y gegenübergestellt würde. Daher darf die Prozentsatzdifferenz nur als ein Maß für die Stärke der Assoziation der Variablen in der Form, wie sie dichotomisiert worden sind, interpretiert werden.

Auf unser Beispiel angewandt:

$$d\% = 100 \left(\frac{46}{46+18} - \frac{129}{129+210} \right) = 100 \ (0{,}719 - 0{,}381) = 33{,}8; \text{ bzw.}$$

$$d\% = 100 \ \frac{46 \cdot 210 - 129 \cdot 18}{(46+18)\,(129+210)} = 100 \ \frac{7338}{21696} = 33{,}8.$$

Ein Assoziations-Koeffizient, dessen Berechnung nicht auf 2 x 2-Tabellen beschränkt ist und der auf dem Modell der proportionalen Fehlerreduktion basiert, ist die Maßzahl λ (lambda), entwickelt von Guttman sowie Goodman und Kruskal. λ ist sehr einfach zu berechnen und speziell auf nominalskalierte Daten zugeschnitten. Die Verwendung ist jedoch auch bei ordinalskalierten Variablen noch empfehlenswert, sofern nicht zu viele Merkmalsausprägungen existieren.[139]

Assoziations-Koeffizienten auf der Grundlage des *Modells der proportionalen Fehlerreduktion* (PRE-Maße oder Maße der prädiktiven Assoziation; vgl. Abschn. 8.3.1) geben Auskunft darüber, wie sich die Schätzung der Ausprägungen, die die Untersuchungseinheiten auf der abhängigen Variablen aufweisen, durch die Einbeziehung von Informationen über die unabhängige (explikative) Variable verbessert. Solche Koeffizienten existieren für nominal-, für ordinal- und für intervallskalierte Daten. Sie haben eine gemeinsame Logik und unterscheiden sich jeweils nur in der Formulierung der Regeln für die Schätzung der Merkmalsausprägungen (1. auf der Grundlage der abhängigen Variablen *ohne* Auswertung der Informationen über die explikative Variable, 2. *mit* Auswertung der Informationen über die explikative Variable) sowie in der Definition der Schätz- oder „Vorhersage"-Fehler E_1 (error 1) und E_2 (error 2). Gemeinsam ist ihnen, daß die Zahl oder Größe der Schätzfehler, die man *ohne* Kenntnis der explikativen Variablen begehen würde, als Basis für die Berechnung des Assoziationskoeffizienten dient (vgl. *Benninghaus* 1974, 87ff.):

$$\text{PRE-Maß} = \frac{(\text{Fehler nach Regel 1}) - (\text{Fehler nach Regel 2})}{(\text{Fehler nach Regel 1})} = \frac{E_1 - E_2}{E_1}$$

Für das *PRE-Maß* λ *(lambda)* gelten folgende Definitionen:
Schätzung der Ausprägungen y_i, die die Untersuchungseinheiten auf der abhängigen Variablen Y aufweisen: Diese ist bei nominalskalierten Daten gleichbedeutend mit der Klassifikation der Untersuchungseinheiten, d. h. mit der Angabe, zu welcher Teilmenge von Fällen mit

---

139 Die Maßzahl λ berücksichtigt nicht die zusätzliche Information der Rangordnung, die in ordinalskalierten Daten enthalten ist. Bei nur geringer Zahl von Ausprägungen ist der damit in Kauf genommene Informationsverlust jedoch nicht sehr groß. Für Koeffizienten, die auf ordinalskalierte Variablen zugeschnitten sind, wird auf die statistische Spezialliteratur verwiesen.

jeweils gleichem Variablenwert y_i die einzelnen Untersuchungseinheiten gehören sollen.

Schätzregel 1 (ohne Auswertung der Informationen über die explikative Variable): Die y_i-Werte werden allein *auf der Basis ihrer eigenen Verteilung* geschätzt, und zwar so, daß die Schätzfehler minimal sind. Dies ist allgemein der Fall, wenn als Schätzwert ein geeigneter „typischer" Wert der Verteilung gewählt wird. Bei nominalskalierten Daten stellt der Modus (die am häufigsten vorkommende Ausprägung; vgl. Abschn. 8.2.3) diesen geeigneten typischen Wert dar. Regel 1 lautet dann: Für jede Untersuchungseinheit wird die Modalkategorie „vorhergesagt": y'_i (Schätzwert) = y_i mit max f_i in der Randverteilung.

Schätzregel 2 (mit Auswertung der Informationen über die explikative Variable): Die y_i-Werte werden *auf der Basis ihrer konditionalen Verteilungen* (f_i unter den Bedingungen $x_j = 1, x_j = 2, \ldots$) geschätzt, und zwar so, daß der Schätzfehler minimal ist. Bei nominalskalierten Daten bedeutet dies, daß für jede konditionale Verteilung von Y deren Modalkategorie gewählt wird. Regel 2 lautet dann: Für jede Untersuchungseinheit mit der Ausprägung x_j wird die Modalkategorie der zugehörigen konditionalen Verteilung von Y „vorhergesagt": y'_i = y_i mit max f_{ij} in der konditionalen Verteilung.

Schätzfehler: Als Fehler gilt jeder Fall, der aufgrund der Schätzregeln unzutreffend klassifiziert wurde. Daraus folgt:

E_1 = Fehler nach Regel 1 = $n - \max f_{i.}$ (Randverteilung Y);

E_2 = Fehler nach Regel 2 = $\sum_{j=1}^{s}(f_{.j} - \max f_{ij})$.

Die *Berechnung* von λ_{yx} (lambda bei Schätzung der y_i-Werte mit X als explikativer Variable) geschieht nach dem generellen Schema: $(E_1 - E_2)/E_1$.

Daraus folgt nach den gegebenen Definitionen die

Formel (17a): $\lambda_{yx} = \dfrac{(n - \max f_{i.}) - \sum\limits_{j=1}^{s}(f_{.j} - \max f_{ij})}{n - \max f_{i.}}$

Einfacher zu handhaben ist die

Formel (17b): $\lambda_{yx} = \dfrac{\sum\limits_{j=1}^{s} \max f_{ij} - \max f_{i.}}{n - \max f_{i.}}$

λ_{yx} ist in der obigen Definition ein *asymmetrisches Maß*; d.h. es nimmt in aller Regel einen anderen Wert an, wenn statt der y_i-Werte die x_j-Werte geschätzt werden sollen, und zwar unter Auswertung der Informationen über die Verteilung von Y. In diesem Fall wird die Blickrichtung umgekehrt: Y wird als unabhängige (explikative) und X als abhängige Variable definiert. Zur Berechnung von λ_{xy} (lambda bei Schätzung der x_i-Werte mit Y als explikativer Variable) betrachtet man in der Tabelle die Zeilen (Reihen) als konditionale Verteilungen von X unter den Bedingungen $y_i = 1$, $y_i = 2$, ...

Dies führt zur

$$\text{Formel (17c):} \quad \lambda_{xy} = \frac{\sum\limits_{i=1}^{r} \max f_{ij} - \max f_{\cdot j}}{n - \max f_{\cdot j}}$$

Für solche Variablenzusammenhänge, in denen die XY-Beziehung nicht als asymmetrisch (entweder X → Y oder Y → X) angesehen werden kann, sondern in denen man wechselseitige Abhängigkeit unterstellt (X ⟷ Y), ist schließlich noch ein symmetrisches λ-Maß entwickelt worden:

$$\text{Formel (17d):} \quad \lambda_{sym} = \frac{\sum\limits_{j=1}^{s} \max f_{ij} + \sum\limits_{i=1}^{r} \max f_{ij} - \max f_{i \cdot} - \max f_{\cdot j}}{2n - \max f_{i \cdot} - \max f_{\cdot j}}$$

In unserem *Beispiel* (Tab. 19) kommen wir, wenn die vier Ausprägungen von Y (negative Beurteilung der Obdachlosen) geschätzt werden sollen, zu folgendem Resultat. Nach Vorhersageregel 1 (ohne Auswertung der Informationen über die Tendenz der Befragten, Obdachlosigkeit zu individualisieren: X) werden wir für jeden Befragten die Ausprägung $y_i = 3$ (starke negative Beurteilung) schätzen, weil diese insgesamt am häufigsten vorkommt (maxf$_i$ = 122). Jeder andere Wert würde zu einer größeren Zahl von Fehlklassifikationen führen. Nach Vorhersageregel 2 werden wir für jeden Befragten mit geringer Tendenz zur Individualisierung der Obdachlosigkeit die Ausprägung $y_i = 2$ (geringe negative Beurteilung; maxf$_{i1}$ = 26), für jeden Befragten mit starker Tendenz zur Individualisierung der Obdachlosigkeit die Ausprägung $y_i = 3$ (starke negative Beurteilung; maxf$_{i2}$ = 108) schätzen. E_1 beträgt dann $403 - 122 = 281$; E_2 summiert sich auf $(64 - 26) + (339 - 108) = 269$. Das führt zu

$$\lambda_{yx} = \frac{E_1 - E_2}{E_1} = \frac{281 - 269}{281} = \frac{12}{281} = 0,04$$

und entspricht der Berechnung nach Formel (17a). Bei Verwendung von Formel (17b) lauten die Zahlen:

$$\lambda_{yx} = \frac{26 + 108 - 122}{403 - 122} = \frac{134 - 122}{281} = 0,04$$

Die prädiktive Assoziation ist demnach sehr schwach; bei Auswertung der Informationen über die explikative Variable verringern sich die Schätzfehler nur geringfügig gegenüber der Schätzung, die sich lediglich auf die Verteilung von Y selbst beschränkt. In einer Zahl ausgedrückt: Die proportionale Fehlerreduktion beträgt lediglich 4%.

Schrauben wir den Anspruch etwas zurück und versuchen wir lediglich zu schätzen, ob die Bereitschaft zur negativen Beurteilung Obdachloser bei den

Befragten „gar nicht oder allenfalls gering" bzw. „stark oder sehr stark" ausgeprägt ist (Tab. 20). Jetzt werden wir nach Vorhersageregel 1 für alle Personen „starke oder sehr starke" Bereitschaft zu negativer Beurteilung prognostizieren. Nach Vorhersageregel 2 schätzen wir, daß Personen mit geringer Tendenz zur Individualisierung der Obdachlosigkeit diese Randgruppe „gar nicht oder allenfalls gering", Personen mit starker Tendenz zur Individualisierung der Obdachlosigkeit dagegen „stark oder sehr stark" negativ beurteilen. Somit wird

$$\lambda_{yx} = \frac{(403-228) - (64-46 + 339-210)}{403 - 228} = \frac{28}{175} = 0,16;$$

bzw. nach Formel (17b):

$$\lambda_{yx} = \frac{46 + 210 - 228}{403 - 228} = \frac{28}{175} = 0,16.$$

Es zeigt sich, daß die Stärke der prädiktiven Assoziation auch von der Anzahl der Kategorien abhängen kann, die die abhängige Variable aufweist: Werden Kategorien zusammengefaßt, wird die Vorhersage „leichter", und der Assoziationskoeffizient wird häufig größer. Dies muß jedoch nicht immer der Fall sein; es kann auch vorkommen, daß eine Differenzierung, die vorher möglich war (etwa zwischen stark und sehr stark) durch die Zusammenfassung wegfällt und dadurch die Schätzung „schlechter" wird.

Bei einem *Vergleich der Prozentsatzdifferenz mit dem* λ-*Maß* zeigt sich eine weitere Besonderheit. Während die Prozentsatzdifferenz in unserem Beispiel eine relativ starke Assoziation ausdrückt (33,8%-Punkte Subgruppendifferenz; starke oder sehr starke negative Urteile sind in der Subgruppe $x_j = 2$ mehr als doppelt so häufig vertreten wie in der Subgruppe $x_j = 1$), ist die prädiktive Assoziation nur schwach.

Diese scheinbare Widersprüchlichkeit ist in den unterschiedlichen Konstruktionsvorschriften der beiden Assoziationsmodelle begründet. Die Prozentsatzdifferenz vergleicht die *relativen* Häufigkeiten zwischen den Subgruppen, so daß ungleiche Häufigkeiten in den Kategorien der *explikativen* Variablen (hier: $f_{.1} = 64$ und $f_{.2} = 339$) unberücksichtigt bleiben; die Subgruppen werden als (qualitativ) gleichgewichtig betrachtet. λ dagegen wird anhand der *absoluten* Häufigkeiten berechnet, so daß die Abweichungen mit den Häufigkeiten der explikativen Variablen gewichtet werden. Im Beispiel führt die Vorhersageregel 2 in den meisten Fällen ($f_{.2} = 339$) zum gleichen Resultat wie die Vorhersageregel 1 und damit zu keiner Fehlerreduktion. Nur in der weitaus geringeren Zahl von Fällen ($f_{.1} = 64$) bringt die Vorhersageregel 2 eine Verbesserung der Schätzung. Dadurch bleibt insgesamt die Verbesserung gegenüber Regel 1 relativ unbedeutend.

Man erkennt an diesem Beispiel, daß auch hinsichtlich der Messung der Stärke von Variablen-Beziehungen *unterschiedliche Modelle* zu *unterschiedlichen Resultaten* führen. Dies ist kein Nachteil; es bedeutet lediglich, daß jedes Modell unterschiedliche Aspekte des Begriffs Assoziation hervorhebt. Es hängt (neben dem Meßniveau der Daten) vor allem von der Fragestellung der Untersuchung ab, welches Assoziationsmaß das jeweils geeignete ist.

8.3.3 Lineare Einfachregression

Während die Tabellenanalyse — das in den Sozialwissenschaften wohl am häufigsten verwendete Datenanalyseverfahren — unabhängig vom Meßniveau der Variablen immer anwendbar ist, beschränkt sich die Regressionsrechnung auf metrische, d. h. mindestens intervallskalierte Daten.[140] Die Regressionsrechnung — speziell in ihrer Ausweitung auf das Modell der Mehrfachregression — wird häufig als besonders geeignet für die Überprüfung von Hypothesen empfohlen, die quantitative Zusammenhänge postulieren (Je-desto-Sätze: Je größer X, desto größer/kleiner Y). Das bei der linearen Einfachregression zu lösende Problem ist mathematisch-eindeutig definiert: Es gilt eine Gleichung zu finden, die den linearen Zusammenhang zwischen einer auf mindestens Intervallskalennivau gemessenen unabhängigen Variablen und einer ebenfalls mindestens auf Intervallskalenniveau gemessenen abhängigen Variablen in bestmöglicher Weise zum Ausdruck bringt. Anders formuliert: Es gilt eine Gleichung zu finden, mit deren Hilfe die Werte der abhängigen Variablen (in diesem Zusammenhang häufig „Kriterium" genannt) aufgrund der Werte der explikativen Variablen (hier „Prädiktor" genannt) so geschätzt werden können, daß die Schätzfehler minimal sind.

Diese Problemstellung auf der Ebene der *bivariaten Statistik* ist analog zur Suche nach einem Mittel- oder Zentralwert im Falle der *univariaten Statistik* zu sehen. Der Mittel- oder Zentralwert soll im Rahmen bestimmter Modellvoraussetzungen etwas „Typisches" über die Verteilung einer *einzigen* Variablen aussagen. Bei der linearen Einfachregression wird danach gefragt, was im Rahmen der Modellvoraussetzungen (u. a. Linearität der Beziehung: mit zunehmendem X nimmt Y kontinuierlich und *proportional* zu/ab) das „Typische" der *gemeinsamen Verteilung* zweier Variablen ist. Das Resultat wird in der Form der Gleichung einer *Geraden* ($\hat{y}_i = a + bx_i$) ausgedrückt.[141] Das heißt: Die lineare Einfachregression beschränkt sich auf *nur die lineare (proportionale) Beziehung* zwischen *einer* unabhängigen (explikativen) und *einer* abhängigen Variablen. Falls also unter diesen Voraussetzungen eine statistische Beziehung zwischen den untersuchten Variablen nicht festgestellt werden kann, bedeutet dies noch nicht, daß *überhaupt keine* Beziehung, sondern lediglich, daß *keine lineare* Beziehung zwischen ihnen besteht. Man wird sich deshalb sinnvollerweise vor

140 Auf Möglichkeiten der Ausweitung des Verfahrens auch auf Variablen niedrigeren Skalenniveaus — etwa durch Transformation in „Indikatorvariablen" — soll hier nicht eingegangen werden. Vgl. dazu Boyle, R.P., Pfadanalyse und Ordinalskalen, in: Hummell, H. J.; Ziegler, R., 1976: Korrelation und Kausalität, Bd. 2, Stuttgart, 236-255.

141 In der univariaten Statistik ist das Resultat der Suche nach dem „Typischen" einer Verteilung dagegen ein einziger Punkt auf der beobachteten Merkmalsdimension.

Anwendung dieses statistischen Modells darüber vergewissern, daß die Annahme der Linearität zutrifft, z. B. indem man ein Streudiagramm der gemeinsamen Verteilung beider Variablen erstellt (vgl. Abschn. 8.3).[142]

Die Bezeichnung „Regression" entstammt einer ganz spezifischen Fragestellung aus der Biologie. Der Biologe Francis Galton hatte beim Studium der Vererbung entdeckt, daß einerseits großgewachsene Eltern auch relativ großgewachsene Kinder haben, daß aber andererseits die durchschnittliche Körpergröße der erwachsenen Kinder großer Eltern geringer ist als die Durchschnittsgröße ihrer Eltern. Galton entdeckte also eine Rückkehr (engl.: regression = Rückkehr, Rückbildung, Rückentwicklung) der nächsten Generation zur mittleren Größe der erwachsenen Personen einer Bevölkerung. Um diese „Regressionstendenz" (Galton: line of regression) zahlenmäßig zu erfassen, suchte er
a) nach einer mathematisch definierten „Regressionslinie", die die Tendenz der Beziehung zwischen den Körpergrößen von Eltern und Kindern unter Vernachlässigung der jeweiligen Abweichungen klarer zum Ausdruck bringt (Beschreibung der *Art* der Beziehung),
b) nach einem Koeffizienten, mit dessen Hilfe Daten verschiedener Beobachtungsgruppen miteinander verglichen werden können (Bestimmung der *Stärke* der Beziehung).

Der Mathematiker Karl Pearson nahm sich dieses Problems an und entwickelte um 1880 zu a) eine Regressionsgleichung und zu b) den sog. Produkt-Moment-Korrelationskoeffizienten r (r von „regression"), der in Abschn. 8.3.4 behandelt wird. Pearson machte dabei zwei allgemeine mathematische Annahmen, die beide auf Galtons Problem mit sehr guter Annäherung zutrafen (vgl. *Neurath* 1974, 127f):

– Die beiden Variablen, deren Beziehung zueinander dargestellt werden sollte, sind jede für sich normalverteilt, so daß sie zusammen eine bivariate Normalverteilung bilden;[143]
– die „Regression", d. h. die unterstellte Beziehung zwischen den beiden Variablen, ist geradlinig oder linear.[144]

---

142 Es existieren auch Regressionsmodelle für nichtlineare Variablenbeziehungen; genauso gibt es Regressionsansätze für die Bestimmung des gemeinsamen Einflusses mehrerer explikativer auf eine abhängige Variable. Der vorliegende Text beschränkt sich auf die Darstellung des Modells der linearen Einfachregression für deskriptive Zwecke.
143 Diese Einschränkung gilt nicht für Anwendungen in der deskriptiven Statistik. Aber auch in der schließenden Statistik reduziert sie sich auf die Forderung, daß die Abweichungen der Kriteriumswerte von der beobachteten Regressionstendenz normalverteilt sein (und gleiche Varianz aufweisen) müßten; d. h. die Annahme der Normalverteilung wird im Regressionsmodell nur für die Schätzfehler gemacht (vgl. *Gaensslen/Schubö* 1976, 45ff.).
144 Im Falle zweier normalverteilter Variablen ist diese Bedingung immer erfüllt.

Die Logik des Vorgehens soll an einem (konstruierten) *Beispiel* veranschaulicht werden: Der energieverbrauchsbewußte, in einem Luxusappartment wohnende, statistisch geschulte, jedoch technisch nicht sehr beschlagene Student S aus B möchte wissen, wie hoch der Verbrauch seines elektrischen Wäschetrockners ist. Er notiert deshalb bei jeder Benutzung die Laufzeit des Geräts und faßt die Zeiten monatsweise zusammen (Variable X). Zugleich entnimmt er seiner Elektrizitätsrechnung den Gesamtverbrauch pro Monat in Kilowattstunden (Variable Y). Da er in seinem Appartment nicht nur den Wäschetrockner betreibt, sondern auch andere elektrische Geräte, kann er nicht unmittelbar aus diesen Angaben den Stromverbrauch des Wäschetrockners berechnen. Der Student S ist jedoch sicher, daß der gesamte übrige Elektrizitätsbedarf *unabhängig* von der Trocknerbenutzung variiert (d. h. mit zunehmender Trocknerbenutzung erhöht/ vermindert sich *nicht* systematisch der sonstige Elektrizitätsverbrauch). Nach einem Jahr Buchführung entscheidet er sich daher für die Anwendung des Modells der linearen Einfachregression, um endlich eine Antwort auf seine dringende Frage zu finden. Die von ihm notierten 12 Wertepaare ergeben, in einem Streudiagramm dargestellt, die folgende gemeinsame Verteilung:

Tabelle 21:

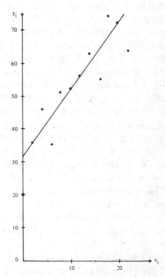

monatliche Betriebszeit des Trockners (Stunden):	monatlicher Gesamtverbrauch an Elektrizität (kWh):
x_i	y_i
20	72
10	52
16	55
4	46
22	64
0	20
18	74
12	56
2	36
8	51
14	63
6	35

Das Streudiagramm läßt erkennen, daß die Annahme einer linearen Beziehung zwischen X (Betriebsdauer des Wäschetrockners) und Y (Gesamtverbrauch an Elektrizität) gerechtfertigt ist: Proportional zur zunehmenden Betriebszeit des Trockners steigt tendenziell auch der Gesamtverbrauch. Diese (positive) proportionale Beziehung können wir durch eine von links unten nach rechts oben verlaufende „Trendgerade" zum Ausdruck bringen, die wir – zunächst nach Augenmaß – „mitten durch" die Punkte (die im Koordinatensystem eingetragenen

Wertepaare) legen. Dabei sieht man, daß erstens noch zusätzliche Verbrauchsursachen existieren müssen; denn auch in dem Monat ohne Trocknerbenutzung (x_i = 0) wurde Elektrizität verbraucht. Zweitens liegen die Punkte nicht genau auf der „Trendgeraden", sondern weisen mehr oder weniger große Abweichungen auf; demnach variiert also nicht nur die Trocknerbetriebszeit, sondern auch der übrige Verbrauch ist nicht in jedem Monat gleich hoch.

Aufgabe der Regressionsrechnung ist es nun, die zunächst „freihändig" oder nach Augenmaß gezeichnete Trendgerade mathematisch präzise zu bestimmen. Diese „Regressionsgerade" soll dabei ein bestimmtes Gütekriterium maximieren, sie soll nämlich die „beste Schätzlinie" für die gemeinsame Verteilung der Variablen X und Y (d. h. für den Punkteschwarm im Streudiagramm) sein. Die Bezeichnung „Schätzlinie" stammt von der bereits genannten spezifischen Aufgabenstellung, für die die Regressionsrechnung häufig verwendet wird: Auf der Basis der (bekannten) Ausprägungen der unabhängigen Variablen X (Prädiktor) sollen die (unbekannten) Ausprägungen der abhängigen Variablen Y (Kriterium) geschätzt werden. Falls nun im Koordinatensystem die Regressionsgerade eingezeichnet ist, kann man mit ihrer Hilfe zu jedem Wert auf der Abszisse (x_i) den zugehörigen *Schätzwert* der abhängigen Variablen ($\hat{y}_i$) ablesen. Bei der linearen Regressionsrechnung geht es also darum, die mathematische Gleichung für diese Schätzgerade so zu bestimmen, daß der Schätzwert ($\hat{y}_i$) als lineare Funktion der Prädiktorvariablen dargestellt wird.

Eine *lineare Funktion* hat die Form Y = a + bX und ist eine spezielle, mathematisch-formale Fassung des Je-desto-Satzes (s. o.). Falls der Koeffizient b > 0 ist, entspricht sie der Formulierung: Je größer X, desto größer Y; falls b < 0 ist, entspricht sie der Formulierung: Je größer X, desto kleiner Y. Die Konstante a bezeichnet denjenigen Wert, den die Variable Y annimmt, falls X die Ausprägung 0 aufweist. Die Gleichung ist jedoch insofern eine *spezielle* Fassung des Je-desto-Satzes, als bei ihr größeren X-Werten nicht nur größere Y-Werte entsprechen, sondern darüber hinaus gleichen *Differenzen* in X auch gleiche *Differenzen* in Y (vgl. *Gaensslen/Schubö* 1976, 19). Anders formuliert: Die lineare Funktion Y = a + bX ist die mathematisch-formale Fassung des Je-desto-Satzes für den Fall, daß einem Zuwachs in X jeweils ein *proportionaler* Zuwachs (oder eine proportionale Abnahme) in Y entspricht, wobei b der Proportionalitätsfaktor ist.[145] In der graphischen Darstellung (im Streudiagramm) entspricht b der Steigung der Geraden und a ihrem Schnittpunkt mit der Y-Achse.

Die Werte der Y-Variablen werden jedoch durch die Gleichung Y = a + bX nur in dem Grenzfall zutreffend dargestellt, daß Y hundert-

---

145 Bei überproportionalen Zuwächsen/Abnahmen wären nichtlineare Funktionen zu formulieren, etwa: $Y = a + bX + cX^2$, falls gleichzeitig ein linearer und ein quadratischer Zusammenhang besteht.

prozentig eine Funktion von X ist. In allen sonstigen Fällen treten Abweichungen (e_i) zwischen den empirisch beobachteten Werten y_i und den durch „a + bX" definierten Werten auf: dies ist im Streudiagramm zu erkennen. Für die *empirische* Variable Y muß die Gleichung daher lauten: $y_i = a + bx_i + e_i$. Das heißt: Jeder Beobachtungswert y_i wird in zwei Komponenten zerlegt: in den Teil, der mit Hilfe der Regressionsgleichung geschätzt werden kann ($a + bx_i$), und den Teil, der nach Abzug des Schätzwerts übrig bleibt. Zur Unterscheidung von dem empirisch beobachteten Wert y_i wird der Schätzwert durch $\hat{y}_i$ gekennzeichnet, so daß nun gilt: $\hat{y}_i = a + bx_i$. Die Gesamtheit der einzelnen Schätzwerte ist dann die *Schätzvariable* $\hat{Y}$. Die Differenz zwischen den empirischen und den geschätzten Werten nennt man Schätzfehler oder Residuum (Rest) und wählt dafür das Symbol e_i ($e =$ error), so daß gilt: $y_i - \hat{y}_i = e_i$. Die Gesamtheit der einzelnen Schätzfehler oder Residuen ist die Fehler- oder Residualvariable e.

Nach diesen Vorüberlegungen können wir zu der mathematischen Problemstellung, der Bestimmung einer Regressionsgeraden zurückkehren. Damit diese eine „beste Schätzlinie" ist, muß sie bestimmte Eigenschaften aufweisen:

1) Sie darf nicht zu *systematischen* Über- oder Unterschätzungen führen; d. h. die Summe der Schätzfehler muß 0 ergeben, oder: die Abweichungen von der Schätzgeraden „nach oben" müssen insgesamt genauso groß sein wie die Abweichungen „nach unten". Diese Bedingung ist erfüllt, wenn die Schätzgerade durch den Punkt läuft, der aus den arithmetischen Mittelwerten beider Variablen ($\overline{x}$, $\overline{y}$) bestimmt ist; denn die Abweichungen vom arithmetischen Mittel nach oben und nach unten sind gleichgroß (vgl. Abschn. 8.2.3).

2) Die Regressionsgerade soll zu einem Minimum an Schätzfehlern führen. Dabei wird als Schätzfehler die *quadrierte Abweichung* des Beobachtungswertes vom Schätzwert definiert, so daß die zweite Bedingung präziser formuliert lautet: Die Summe der quadrierten Abweichungen der Beobachtungswerte von der Schätzgeraden soll ein Minimum ergeben: $\Sigma e_i^2 = \Sigma (y_i - \hat{y}_i)^2 =$ Minimum. Oder: Die Regressionsgerade soll so bestimmt werden, daß die Schätzfehlervarianz minimiert wird:

$$\frac{\Sigma e_i^2}{n} = \frac{\Sigma (y_i - \hat{y}_i)^2}{n} = \text{Minimum.}$$

Diese Bedingungen entsprechen der von dem Mathematiker C. F. Gauß entwickelten *„Methode der kleinsten Quadrate"*. Gauß hatte sich die Aufgabe gestellt, aufgrund nicht ganz übereinstimmender Beobachtungen von Planetenbahnen den „wahren Wert" eines Punktes auf einer Planetenbahn zu schätzen. Nach dem Prinzip der kleinsten Quadrate ist die beste Schätzung „jener Punkt, für den die Wahrscheinlichkeit, daß die Beobachtungswerte rein zufällige Beobachtungsfehler darstellen, am größten ist; was wiederum bedeutet: jener Punkt, um den die Varianz der Beobachtungswerte ein Minimum ist" (*Neurath* 1974, 130). In Anlehnung an dieses Verfahren nennt man die nach den genannten Bedingungen bestimmte Regressionslinie auch die „Linie der kleinsten Quadrate".

Da in der oben genannten zweiten Bedingung (Minimierung der Fehlervarianz) die erste Bedingung bereits enthalten ist (die Fehlervarianz kann nur dann minimal sein, wenn es keine systematischen Über- oder Unterschätzungen gibt), bleibt nur diese eine Minimierungsaufgabe zu lösen, um die numerischen Werte der Konstanten a und des Steigungskoeffizienten b in der Regressionsgleichung zu bestimmen. Zur Lösung von Maximierungs-/Minimierungsproblemen ist in der Mathematik das Instrumentarium der Differentialrechnung entwickelt worden. Allerdings brauchen wir nicht in jedem Einzelfall anhand der empirischen Daten diese Minimierungsaufgabe zu lösen, sondern es genügt, den Rechengang anhand allgemeiner Zahlen durchzuführen und so *Formeln* für die numerische Bestimmung von a und b zu entwickeln.

Nach Bedingung 2) soll die Regressionsgerade so bestimmt werden, daß die Summe der quadrierten Abweichungen der Beobachtungswerte von den Schätzwerten ein Minimum ergibt: $\Sigma (y_i - \hat{y}_i)^2 = \Sigma e_i^2 =$ Minimum. Aus der Gleichung $y_i = a + bx_i + e_i$ folgt: $e_i = y_i - a - bx_i$. Die Minimierungsbedingung lautet dann ausführlicher geschrieben: $\Sigma (y_i - a - bx_i)^2 =$ Minimum. Um die Konstanten a und b so zu bestimmen, daß die Minimierungsbedingung erfüllt ist, muß der Ausdruck $\Sigma (y_i - a - bx_i)^2$ zunächst nach a und b partiell abgeleitet werden. Man erhält:

$$\frac{d \Sigma (y_i - a - bx_i)^2}{da} = 2 \Sigma (y_i - a - bx_i) (-1) \text{ und}$$

$$\frac{d \Sigma (y_i - a - bx_i)^2}{db} = 2 \Sigma (y_i - a - bx_i) (- x_i).$$

Durch Nullsetzen dieser partiellen Ableitungen und geeignete Umstellungen erhält man die Formeln für die Berechnung der Regressionsparameter a und b, wobei im folgenden die Konstante a als *„Regressionskonstante"* und der Steigungskoeffizient b als *„Regressionskoeffizient"* bezeichnet werden sollen.

Da es sich beim Regressionsproblem wieder um eine asymmetrische Fragestellung handelt (vgl. Abschn. 8.3.2), ist die Richtung der Schätzung durch Subskripte zu kennzeichnen. Wenn – wie in der bisherigen Argumentation – die y_i- anhand der x_i-Werte geschätzt werden sollen, wird dies durch die Regressionskonstante a_{yx} und den Regressionskoeffizienten b_{yx} angedeutet. Kehrt man die Richtung um, so daß die x_i- anhand der Kenntnis der y_i-Werte geschätzt werden sollen, werden auch die Subskripte vertauscht: a_{xy} und b_{xy}.

Formeln bei Schätzung der y_i auf der Basis von x_i:

$$\text{Formel (18a):} \quad b_{yx} = \frac{\Sigma\,(x_i - \bar{x})\,(y_i - \bar{y})}{\Sigma\,(x_i - \bar{x})^2}\ .$$

Bei größeren Datenmengen empfiehlt sich

$$\text{Formel (18b):} \quad b_{yx} = \frac{\sum\limits_{i=1}^{n} x_i y_i - \dfrac{1}{n} \sum\limits_{i=1}^{n} x_i \sum\limits_{i=1}^{n} y_i}{\sum\limits_{i=1}^{n} x_i^2 - \dfrac{1}{n} \left(\sum\limits_{i=1}^{n} x_i \right)^2}\ .$$

$$\text{Formel (19):} \quad a_{yx} = \frac{1}{n} \sum\limits_{i=1}^{n} (y_i - b_{yx} x_i) = \bar{y} - b_{yx} \cdot \bar{x}\ .$$

Formeln bei Schätzung der x_i auf der Basis von y_i:

$$\text{Formel (20a):} \quad b_{xy} = \frac{\Sigma\,(x_i - \bar{x})\,(y_i - \bar{y})}{\Sigma\,(y_i - \bar{y})^2} \quad \text{bzw.}$$

$$\text{Formel (20b):} \quad b_{xy} = \frac{\sum\limits_{i=1}^{n} x_i y_i - \dfrac{1}{n} \sum\limits_{i=1}^{n} x_i \sum\limits_{i=1}^{n} y_i}{\sum\limits_{i=1}^{n} y_i^2 - \dfrac{1}{n} \left(\sum\limits_{i=1}^{n} y_i \right)^2}$$

$$\text{Formel (21):} \quad a_{xy} = \frac{1}{n} \sum\limits_{i=1}^{n} (x_i - b_{xy} \cdot y_i) = \bar{x} - b_{xy} \cdot \bar{y}\ .$$

Das *Beispiel* des Studenten S aus B (Tab. 21) soll unter Verwendung der Formeln (18a) und (19) durchgerechnet werden. Wir benötigen dazu wieder eine Arbeitstabelle, deren Spalten sich aus den verwendeten Formeln ergeben:

Tabelle 22:

x_i	y_i	$(x_i - \bar{x})$	$(y_i - \bar{y})$	$(x_i - \bar{x})(y_i - \bar{y})$	$(x_i - \bar{x})^2$
20	72	9	20	180	81
10	52	-1	0	0	1
16	55	5	3	15	25
4	46	-7	-6	42	49
22	64	11	12	132	121
0	20	-11	-32	352	121
18	74	7	22	154	49
12	56	1	4	4	1
2	36	-9	-16	144	81
8	51	-3	-1	3	9
14	63	3	11	33	9
6	35	-5	-17	85	25
$\Sigma = 132$	$\Sigma = 624$			$\Sigma = 1144$	$\Sigma = 572$
$\bar{x} = 11$	$\bar{y} = 52$				

$$b_{yx} = \frac{1144}{572} = 2{,}0; \; a_{yx} = 52 - 2 \cdot 11 = 30{,}0.$$

Die Regressionsgleichung für den Gesamtelektrizitätsverbrauch des Studenten S aus B in Abhängigkeit von der Betriebsdauer seines Wäschetrockners lautet: $\hat{y}_i = 30 + 2x_i$. Der Regressionskoeffizient b = 2,0 gibt ihm die gewünschte Antwort: Je Betriebsstunde des Trockners (x_i) steigt der Gesamtverbrauch an Strom um zwei Kilowattstunden (die Leistungsaufnahme des Trockners beträgt also 2 kW). Die Regressionskonstante a = 30,0 läßt sich in unserem Beispiel so interpretieren, daß ohne Berücksichtigung des Trocknerbetriebs (d. h. bei $x_i = 0$) der Student S monatlich im Durchschnitt 30 Kilowattstunden Strom verbraucht.

Welche Fragen lassen sich mit Hilfe der linearen Einfachregression beantworten?

1) Wir wollen die *Grundrichtung der Beziehung* zwischen X und Y ermitteln, d. h. wir wollen wissen, wie groß die proportionale Veränderung in Y ist, wenn X um eine Einheit erhöht oder vermindert wird. Dies ist in den Sozialwissenschaften der häufigste Anwendungsfall. Man hat eine Hypothese — beispielsweise: Das monatliche Arbeitseinkommen von Berufstätigen steigt mit dem Grad der formalen Schulbildung (gemessen in Schuljahren); oder in Je-desto-Formulierung: Je höher der Grad der formalen Schulbildung, desto höher das monatliche Arbeitseinkommen von Berufstätigen — und überprüft diese mit dem Instrument der Regressionsanalyse. Falls die Daten eine Bestätigung für die Hypothese bieten, liefert der Regressionskoeffizient b den Proportionalitätsfaktor: Pro Jahr zusätzlicher Schulbildung steigt

bei den Untersuchungseinheiten im Durchschnitt das Einkommen um b Einheiten.[146]

2) Wir wollen einen Schätzwert der abhängigen Variablen Y für einen X-Wert ermitteln, der außerhalb der Reihe der Beobachtungswerte liegt *(Extrapolation)*.

3) Mitunter interessiert auch der Schätzwert der abhängigen Variablen Y für einen X-Wert, der zwischen zwei bekannten X-Werten liegt, selbst aber nicht realisiert ist *(Interpolation)*.

4) Schließlich wird nicht selten aufgrund von Beobachtungen des gleichen Sachverhalts zu verschiedenen Zeitpunkten (Zeitreihenwerte, „Längsschnittbetrachtung") ein *Entwicklungstrend* berechnet und als Prognose in die Zukunft fortgeschrieben. Der Logik nach ist dieses ein ähnliches Vorgehen wie bei der Extrapolation aufgrund von Werten aus einer Querschnittsbetrachtung. In beiden Fällen ist von der Annahme auszugehen, daß sich an der Art der Beziehung der Variablen nichts ändert, wenn der Bereich der empirischen Beobachtungen überschritten wird. Extrapolationen sind z. B. unzutreffend, wenn außerhalb des Wertebereichs, über den Daten vorliegen, die Beziehung nicht mehr linear ist. Prognosen aufgrund von Zeitreihenwerten erweisen sich als falsch, sobald sich Randbedingungen, die bisher die beobachteten Werte beeinflußt haben, in unerwarteter Weise in der Zukunft ändern.

8.3.4 Korrelationsrechnung

Mit dem Modell der Regressionsrechnung steht uns ein Instrument zur Verfügung, das es erlaubt, die Parameter einer Gleichung so zu bestimmen, daß bei gegebenen Daten eine abhängige Variable (Kriterium) in bestmöglicher Weise aus einem Satz explikativer Variablen (Prädiktoren) geschätzt werden kann. Im hier behandelten Spezialfall der linearen Einfachregression reduziert sich dies auf die Bestimmung der Gleichung der Regressions*geraden*, um aufgrund der Werte *einer* explikativen Variablen die Ausprägungen der abhängigen Variablen zu schätzen. Die Gleichung gibt Auskunft über die *Art* der statistischen Beziehung zwischen zwei Variablen (positive oder negative Assozia-

---

146 Bei Daten, die für eine Mehrzahl von Untersuchungseinheiten zum gleichen Zeitpunkt erhoben wurden (Querschnittsanalyse), darf der Koeffizient b nicht in dieser Weise „dynamisch" interpretiert werden, wie es die Formulierung („Pro Jahr ... steigt ... das Einkommen ...") auszudrücken scheint. Vielmehr handelt es sich um einen (statischen) Vergleich der Einkommen bei Subgruppen von Untersuchungseinheiten mit je unterschiedlicher Schulbildung. Genau genommen müßte man also sagen: Bei den Untersuchungseinheiten weist das Merkmal Arbeitseinkommen um b Einheiten höhere Werte auf, wenn das Merkmal Schulbildung um eine Einheit höher liegt. So umständliche Formulierungen wird man jedoch in keinem Forschungsbericht finden.

tion) sowie über den Proportionalitätsfaktor b_{yx} (vgl. den vorigen Abschnitt); sie gibt jedoch *keine* Auskunft über die *Stärke* der Assoziation. Bei identischen Regressionsgleichungen können die beobachteten (gemessenen) empirischen Werte der Variablen Y unterschiedlich stark um die Schätzgerade streuen, wie das folgende Beispiel zeigt:

Tabelle 23:

| a) Werte aus Tab. 21 | | b) geänderte y_i-Werte | |
x_i	y_i	x_i	y_i
20	72	20	87
10	52	10	47
16	55	16	45
4	46	4	51
22	64	22	54
0	20	0	10
18	74	18	79
12	56	12	51
2	36	2	51
8	51	8	56
14	63	14	68
6	35	6	25

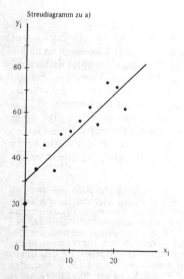

Streudiagramm zu a)

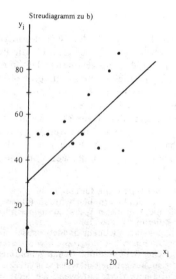

Streudiagramm zu b)

Beide Wertetabellen führen zu der Regressionsgleichung $\hat{y}_i = 30 + 2x_i$ (der Leser möge dies durch eigene Berechnungen nachprüfen). Dennoch liefert offensichtlich die Schätzgerade im Streudiagramm a) eine bessere Anpassung an den Punkteschwarm als im Streudiagramm b). Die Abweichungen der gemessenen y_i-Werte (= Punkte im Koordinatensystem) von den Schätzwerten $\hat{y}_i$ (= Punkte auf der Geraden) sind bei a) insgesamt geringer als bei b). Mit anderen Worten: Die Schätzung der y_i-Werte mit Hilfe der Gleichung $\hat{y}_i = 30 + 2x_i$ gelingt im Falle a) besser, präziser als im Falle b).

Wir benötigen also zur Charakterisierung der *gemeinsamen Verteilung* zweier metrischer Variablen neben der Regressionslinie (hier: Regressionsgerade), die den „typischen Verlauf" der gemeinsamen Verteilung, ihre „Tendenz" wiedergibt, zusätzlich ein Maß für deren „Güte". Zur Erinnerung: In der univariaten Statistik geben wir die „Tendenz"

Erläuterungen:
$\hat{y}_i = a + bx_i$ = Regressionsgerade; y_1 = gemessener Wert der Variablen Y bei UE_1; x_1 = gemessener Wert der Variablen X bei UE_1; (x_1, y_1) = Wertepaar bei UE_1; $\hat{y}_1$ = mit Hilfe der Regressionsgleichung aufgrund der Kenntnis von x_1 geschätzter Wert der Variablen Y bei UE_1; e_1 = Abweichung des gemessenen Wertes y_1 vom Schätzwert $\hat{y}_1$.

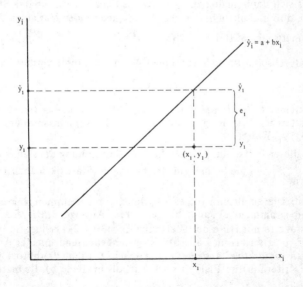

einer univariaten Verteilung durch einen geeigneten Mittelwert wieder und messen die „Güte" des Mittelwerts durch ein Streuungsmaß, dabei gilt: Je geringer die Streuung ist, desto besser charakterisiert der Mittelwert das „Typische" der Verteilung. Analog dazu kann man sagen: Je geringer die Abweichungen der gemessenen y_i-Werte von den Schätzwerten — d. h. von der Regressionsgeraden — ausfallen, desto besser charakterisiert die Regressionsgleichung den „typischen Verlauf" einer bivariaten Verteilung.

Bleiben wir beim Vergleich mit der univariaten Statistik: Als Streuung oder Merkmalsvariation wird dort bei metrischen Variablen die Verteilung der *Differenzen zwischen den Meßwerten und einem Mittelwert* — üblicherweise dem arithmetischen Mittel — definiert (vgl. Abschn. 8.2.4). Auf die bivariate Statistik übertragen bedeutet dies: Zur Charakterisierung der Güte der Regressionsgeraden bietet sich die *Streuung der Schätzfehler* (e_i) — d. h. die Verteilung der Differenzen zwischen den gemessenen y_i- und den geschätzten $\hat{y}_i$-Werten — an (vgl. Abb. S. 295),

Da jedoch für die Bestimmung der Regressionskonstanten a und des Regressionskoeffizienten b als „Schätzfehler" nicht die einfache Abweichung e_i, sondern die *quadrierte Abweichung* des Beobachtungswertes vom Schätzwert definiert wurde (vgl. Abschn. 8.3.3), ist die Summe der Schätzfehler gleich der Summe der quadrierten Abweichungen der Beobachtungswerte y_i von den zugehörigen Schätzwerten $\hat{y}_i$: $(y_i - \hat{y}_i)^2$. Als Maß für die Größe der Streuung der Schätzfehler bietet sich dann analog zur Varianz im Falle der univariaten Statistik (s_X^2 = durchschnittliches Abweichungsquadrat der Variablen X vom arithmetischen Mittel $\bar{x}$: $\frac{1}{n}\Sigma(x_i - \bar{x})^2$)

der „durchschnittliche Schätzfehler" oder die „Fehlervarianz" an:

$$s_e^2 = \frac{1}{n}\Sigma(y_i - \hat{y}_i)^2 = \frac{1}{n}\Sigma e_i^2 \; .$$

Je kleiner (größer) die Fehlervarianz ist, desto besser (weniger gut) charakterisiert die Regressionsgleichung die gemeinsame Verteilung der (x_i, y_i)-Werte.

Bei dieser Feststellung — nämlich der Bestimmung der Fehlervarianz $s_e^2 = \frac{1}{n}\Sigma e_i^2$ — bleibt man in der bivariaten Statistik jedoch nicht

stehen. Die zu Beginn dieses Abschnitts im Zusammenhang mit den Streudiagrammen a) und b) gemachte Aussage: „Die Schätzung der y_i-Werte mit Hilfe der Gleichung $\hat{y}_i = 30 + 2x_i$ gelingt im Falle a) besser, präziser als im Falle b)" ist gleichbedeutend mit der Aussage, daß die *prädiktive Assoziation* zwischen X (dem Prädiktor) und Y (dem Kriterium) im Falle a) stärker ist als im Falle b). Es bietet sich also an, zusätzlich zur Regressionsgleichung nicht lediglich die Streuung der Differenzen e_i zu berechnen, sondern ein *Assoziationsmaß nach dem Modell der proportionalen Fehlerreduktion* (vgl. Abschn. 8.3.1) zu bestimmen. Damit hätte man nicht nur eine Maßzahl zur Verfügung, die die „Güte" einer Regressionsgleichung zu charakterisieren erlaubt, sondern zugleich ein Maß für die *Stärke der Assoziation* zweier metrischer Variablen.

Determinationskoeffizient (r^2)

Die statistische Kennziffer, die aufgrund dieser Überlegungen entwickelt wurde, ist das sog. Bestimmtheitsmaß, auch Determinationskoeffizient genannt (Kurzbezeichnung: r^2). Diese Kennziffer gibt Auskunft darüber, in welchem Ausmaß die Werte der abhängigen Variablen Y durch die Werte der explikativen Variablen X „statistisch determiniert" sind, d. h. mit welcher Genauigkeit man die y_i-Werte aufgrund der x_i-Werte schätzen kann. r^2 nimmt den Wert 1 an, wenn Y vollständig durch X „statistisch determiniert" ist, wenn also die Ausprägungen der Variablen Y für alle Untersuchungseinheiten exakt, ohne jede Abweichung aus den x_i-Werten geschätzt werden können. r^2 nimmt den Wert 0 an, wenn Y von X vollständig unabhängig variiert, wenn also die Kenntnis der x_i-Werte überhaupt keinen Beitrag zur Verbesserung der Schätzung der y_i-Ausprägungen leistet.

Zur Ermittlung des *PRE-Maßes r^2 (Determinationskoeffizient)* benötigen wir, um die allgemeine Formel für PRE-Maße $(E_1 - E_2)/E_1$ auszufüllen, wieder zwei Vorhersageregeln – Regel 1 für die Schätzung der Merkmalsausprägungen der abhängigen Variablen auf der Basis ihrer eigenen Verteilung, Regel 2 für die Schätzung *mit* Auswertung der Informationen über die explikative Variable – sowie geeignete Fehlerdefinitionen E_1 und E_2 (vgl. im Abschn. 8.3.2 die Ausführungen zum λ-Maß). Nach den bisherigen Ausführungen steht bereits fest, daß als „Schätzfehler" in jedem Falle quadrierte Abweichungen gelten sollen. Auch die weiteren Überlegungen sind im Anschluß an die bisherige Argumentation leicht nachzuvollziehen.

Schätzregel 1 (ohne Auswertung der Informationen über die explikative Variable): Die y_i-Werte werden allein auf der Basis ihrer eigenen Verteilung geschätzt, und zwar so, daß die Schätzfehler minimal sind. Wenn die (unbekannten) Ausprägungen einer Variablen Y für die einzelnen Untersuchungseinheiten UE_i „vorhergesagt" werden sollen, außer allgemeinen Eigenschaften der Verteilung von Y weitere Informationen jedoch *nicht* zur Verfügung stehen, empfiehlt es sich, für jede Untersuchungseinheit einen „typischen Wert" der Variablen Y als Schätzwert zu wählen. Bei metrischen Merkmalen ist das arithmetische Mittel aus zwei Gründen der geeignetste „typische Wert": Erstens gleichen sich die positiven und negativen Abweichungen vom arithmetischen Mittel aus, zweitens ergibt die Summe der quadrierten Abwei-

chungen vom arithmetischen Mittel ein Minimum (vgl. Abschn. 8.2.3).
Regel 1 lautet also: Für jede Untersuchungseinheit wird das arithmeti-
sche Mittel der abhängigen Variablen „vorhergesagt":
y'_i (Schätzwert) = $\bar{y}$ für alle UE_i.

Schätzregel 2 (mit Auswertung der Informationen über die explikative Variable): Die y_i-Werte werden auf der Grundlage ihrer Abhängigkeit von den Ausprägungen der Variablen X „vorhergesagt", und
zwar so, daß die Schätzfehler minimal sind. Unter der zusätzlichen
Bedingung, daß die Abhängigkeit als linear unterstellt wird, haben wir
als Instrument zur Lösung dieser Schätzaufgabe im vorigen Abschnitt
die lineare Einfachregression kennengelernt. Regel 2 lautet also: Für
jede Untersuchungseinheit mit der Ausprägung x_i wird der Regres-
sionswert „vorhergesagt": $y'_i = \hat{y}_i = a_{yx} + b_{yx} \cdot x_i$.

Schätzfehler: Als Fehler gilt für jede UE_i die quadrierte Abweichung
des Meßwerts (Beobachtungswerts) von dem aufgrund der Schätzregeln
berechneten Wert. Als E_1 erhält man somit die Summe der quadrierten
Abweichungen der y_i-Werte vom arithmetischen Mittel: $\Sigma (y_i - \bar{y})^2$.
Als E_2 ergibt sich entsprechend die Summe der quadrierten Abwei-
chungen der y_i-Werte von den Regressionswerten: $\Sigma (y_i - \hat{y}_i)^2 = \Sigma e_i^2$.

Für die *Berechnung von r^2* folgt daraus die *Definitionsformel:*

$$\text{Formel (22a): } r^2 = \frac{E_1 - E_2}{E_1} = \frac{\sum_{i=1}^{n}(y_i - \bar{y})^2 - \sum_{i=1}^{n}(y_i - \hat{y}_i)^2}{\sum_{i=1}^{n}(y_i - \bar{y})^2}$$

Statt der Summe der quadrierten Abweichungen können wir, ohne
den Zahlenwert von r^2 zu verändern, jeweils die mittleren quadrati-
schen Abweichungen in die Definitionsformel einsetzen, so daß diese
folgendes Aussehen hat:

$$\text{Formel (22b): } r^2 = \frac{\frac{1}{n}\left[\sum_{i=1}^{n}(y_i - \bar{y})^2 - \sum_{i=1}^{n}(y_i - \hat{y}_i)^2\right]}{\frac{1}{n}\sum_{i=1}^{n}(y_i - \bar{y})^2} = \frac{s_y^2 - s_e^2}{s_y^2}$$

Die Formeln (22a) und (22b) weisen auf eine *wichtige Eigenschaft
der Variation* eines Merkmals, definiert *als Summe der quadrierten
Abweichungen* der Beobachtungswerte vom arithmetischen Mittel,
hin: Mit Hilfe der Regressionsrechnung läßt sich diese Variation in
zwei Komponenten zerlegen, nämlich in die Variation der Regressions-
werte um das arithmetische Mittel $\Sigma (\hat{y}_i - \bar{y})^2$ einerseits und die Variation der Beobachtungswerte um die Regressionswerte $\Sigma (y_i - \hat{y}_i)^2$
andererseits. Betrachten wir zunächst die einfachen (linearen) Abweichungen, so stellt sich deren Verhältnis – wie aus der Abbil-

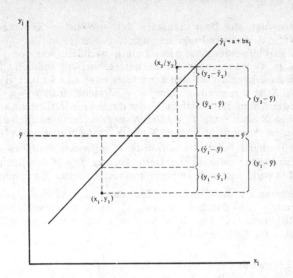

dung ersichtlich – wie folgt dar: $(y_i - \overline{y}) = (y_i - \hat{y}_i) + (\hat{y}_i - \overline{y})$.
Nach Quadrierung und Summierung erhalten wir: $\Sigma (y_i - \overline{y})^2 =$
$\Sigma[(y_i - \hat{y}_i) + (\hat{y}_i - \overline{y})]^2 = \Sigma(y_i - \hat{y}_i)^2 + 2\Sigma(y_i - \hat{y}_i)(\hat{y}_i - \overline{y}) + \Sigma(\hat{y}_i - \overline{y})^2$.
Bei Schätzung der $\hat{y}_i$ nach der Methode der kleinsten Quadrate – d.h.
bei Schätzung mit dem vorgestellten Instrumentarium der Regressionsrechnung – nimmt der mittlere (Produkt-)Ausdruck den Zahlenwert 0
an[147], so daß die folgende Gleichung der Variations-Zerlegung ver-
bleibt:

Formel (23a) : $\displaystyle\sum_{i=1}^{n}(y_i - \overline{y})^2 = \sum_{i=1}^{n}(\hat{y}_i - \overline{y})^2 + \sum_{i=1}^{n}(y_i - \hat{y}_i)^2$.

Wird die gesamte Gleichung mit dem Faktor $1/n$ multipliziert, erhalten wir auf der linken Seite des Gleichheitszeichens die Varianz von Y
und auf der rechten Seite die *Varianzzerlegung:*

Formel (23b): $\displaystyle\frac{1}{n}\sum_{i=1}^{n}(y_i - \overline{y})^2 = \frac{1}{n}\sum_{i=1}^{n}(\hat{y}_i - \overline{y})^2 + \frac{1}{n}\sum_{i=1}^{n}(y_i - \hat{y}_i)^2$

bzw.   (23c): s_y^2 $=$ $s_{\hat{y}}^2$ $+$ s_e^2

Für die beiden Komponenten auf der rechten Seite der Gleichung
existieren unterschiedliche Bezeichnungen. Der Grund dafür liegt
darin, daß sich je nach der Problemstellung, für die das Regressionsmodell verwendet wird, die *Differenz zwischen Beobachtungswert und
Schätzwert* $(y_i - \hat{y}_i)$ auf dreierlei Weise *interpretieren* läßt (vgl. *Neurath*
1974, 163):

147 Für einen mathematischen Beweis s. Neurath 1974, 138.

1. als *Fehler*, der beim Schätzen der y_i-Werte in Kauf genommen wird (rein deskriptive Fragestellung);

2. als verbleibender *Rest* (Residuum), nachdem von den y_i-Werten derjenige Teil abgezogen wurde, der rechnerisch auf den „Einfluß" von X zurückgeführt werden kann (dies setzt eine kausale Hypothese voraus: X ist – zumindest teilweise – „Ursache" für Y);

3. als der Anteil der Variablen Y, der durch eine statistische Beziehung zwischen X und Y *nicht „erklärbar"* ist (dies setzt lediglich die Hypothese einer Assoziation voraus: X und Y „hängen zusammen").

Entsprechend heißt der Ausdruck s_e^2 entweder *Fehlervarianz* oder *Residualvarianz* oder *nicht erklärte Varianz*. Die in den Sozialwissenschaften vorherrschende Interpretation ist die unter 3. genannte.

Dividieren wir die Gleichung (23c) durch den Ausdruck auf der linken Seite – also durch die Varianz s_y^2 – und setzen wir das Ergebnis zur Gleichung (22b) in Beziehung, so erhalten wir daraus die Interpretation für die Maßzahl r^2.

Aus (23c) wird: $\quad \dfrac{s_y^2}{s_y^2} = \dfrac{s_{\hat{y}}^2}{s_y^2} + \dfrac{s_e^2}{s_y^2}$ bzw. $1 = \dfrac{s_{\hat{y}}^2}{s_y^2} + \dfrac{s_e^2}{s_y^2}$.

Aus (22b) wird durch Umformen:

$$r^2 = 1 - \frac{s_e^2}{s_y^2} \ \text{bzw.} \ 1 = r^2 + \frac{s_e^2}{s_y^2} \ \text{bzw.} \ \frac{s_e^2}{s_y^2} = 1 - r^2.$$

Also: $1 = \dfrac{s_{\hat{y}}^2}{s_y^2} + \dfrac{s_e^2}{s_y^2}$ bzw. $1 = \dfrac{\textit{erklärte Varianz}}{\text{Varianz von Y}} + \dfrac{\textit{nicht erklärte Varianz}}{\text{Varianz von Y}}$

Oder: $1 = r^2 + (1\text{-}r^2)$ bzw. $1 =$ Anteil der Varianz von Y, der durch die Assoziation mit X „erklärbar" ist $+$ Anteil der Varianz von Y, der durch die Assoziation mit X nicht „erklärbar" ist

Der Determinations- oder Bestimmtheitskoeffizient r^2 stellt sich somit dar als der *Anteil der Varianz* der abhängigen Variablen Y, der unter Hinweis auf die Beziehung zur explikativen Variablen X statistisch erklärt werden kann. Anders formuliert: r^2 ist der Anteil der Varianz der berechneten Werte $\hat{y}_i$ an der Gesamtvarianz der gemessenen Merkmalsausprägungen y_i. Je größer dieser Anteil ist, desto stärker ist das Ausmaß der prädiktiven Assoziation zwischen X und Y.

Dies sei illustriert am Beispiel der Werte in Tab. 23, wo zwei unterschiedlich stark streuende (x, y)-Verteilungen zu identischen Regressionsgleichungen ($\hat{y}_i = 30 + 2x_i$) führen:

Tabelle 24:

x_i	$\hat{y}_i =$ $30+2x_i$	y_i (Fall a)	y_i (Fall b)	Fälle a und b $(\hat{y}_i - \bar{y})$	$(\hat{y}_i - \bar{y})^2$
20	70	72	87	18	324
10	50	52	47	- 2	4
16	62	55	45	10	100
4	38	46	51	- 14	196
22	74	64	54	22	484
0	30	20	10	- 22	484
18	66	74	79	14	196
12	54	56	51	2	4
2	34	36	51	- 18	324
8	46	51	56	- 6	36
14	58	63	68	6	36
6	42	35	25	- 10	100
		$\bar{y} = 52$	$\bar{y} = 52$	0	2288
		$s_y^2 = 231{,}66$	$s_y^2 = 400$		$s_{\hat{y}}^2 = 190{,}66$

Da im Beispiel die x_i-Werte für a und b identisch sind, ist die Reihe der geschätzten $\hat{y}_i$-Werte für beide Fälle gleich. Da außerdem die arithmetischen Mittel $\bar{y}$ in den Fällen a und b identisch sind, sind auch die Abweichungen der Schätzwerte vom arithmetischen Mittel und ist schließlich die Varianz der Schätzwerte (die „erklärte Varianz") in beiden Fällen identisch. Dennoch ergeben sich unterschiedliche *Anteile* der erklärten Varianz an der Gesamtvarianz von Y, da die y_i-Werte im Falle b stärker streuen als im Falle a. Wir erhalten somit für den Fall a: $r^2 = 190{,}66 : 231{,}66 = 0{,}823$ und für den Fall b: $r^2 = 190{,}66 : 400 = 0{,}477$. In Worten: Die Regressionsgleichung erklärt im Falle a 82,3% der Varianz des Merkmals Y, d. h. über 80% der *Variation* des Elektrizitätsverbrauchs des Studenten S sind auf die unterschiedlich lange Benutzung seines Wäschetrockners zurückzuführen. Im Falle b erklärt die Regressionsgleichung lediglich 47,7% der Varianz des Merkmals Y, d. h. weniger als die Hälfte der *Variation* des Elektrizitätsverbrauchs ist auf die unterschiedlich lange Benutzung des Wäschetrockners zurückzuführen (die übrigen Verbrauchsquellen variieren hier also erheblich stärker).

Korrelationskoeffizient (r_{xy})

Ein bei der Analyse mindestens intervallskalierter Daten häufig verwendetes Assoziationsmaß ist der Korrelationskoeffizient nach Bravais-Pearson oder Koeffizient der *linearen* Korrelation. Er entspricht in seinem Betrag der *Quadratwurzel aus dem Determinationskoeffizienten* und hat das gleiche Vorzeichen wie der Regressionskoeffizient b:

Formel (24): $r_{xy} = \pm \sqrt{r^2}$

Im Unterschied zu r^2 ist der Korrelationskoeffizient r_{xy} *nicht als Maß der prädiktiven Assoziation interpretierbar.* Trotz seiner eindeutigen betragsmäßigen Beziehung zum Determinationskoeffizienten r^2 ist er unabhängig davon aus anders gearteten Überlegungen herleitbar.

Nach dem Modell der Assoziation auf der Basis des *paarweisen Vergleichs* (vgl. Abschn. 8.3.1) stehen zwei Variablen dann in einer statistischen Beziehung, wenn die beiden Merkmale bei der überwiegenden Zahl der Untersuchungseinheiten entweder „gleichsinnig" (positive Assoziation) oder „gegensinnig" (negative Assoziation) variieren. Von gleichsinniger Variation spricht man, wenn tendenziell gilt: Wenn X hoch (niedrig), dann auch Y hoch (niedrig); gegensinnige Variation liegt dementsprechend vor, wenn tendenziell gilt: Wenn X hoch (niedrig), dann Y niedrig (hoch). Bei metrischen Merkmalen wird als *Bezugspunkt* für die Feststellung gleich- oder gegensinniger Variation das arithmetische Mittel herangezogen, so daß hier die Aussage lautet: Zwei Variablen X und Y stehen in positiver statistischer Beziehung, wenn für die überwiegende Zahl von Untersuchungseinheiten gilt: Wenn x_i-$\overline{x}$ positiv (negativ), dann auch y_i-$\overline{y}$ positiv (negativ); sie stehen in negativer statistischer Beziehung, wenn für die überwiegende Zahl von Untersuchungseinheiten gilt: Wenn x_i-$\overline{x}$ positiv (negativ), dann y_i-$\overline{y}$ negativ (positiv).

Als ein Maß für Richtung und Stärke dieser „*Kovariation*" könnte die Produktsumme der Abweichungen von den Mittelwerten $\Sigma\,(x_i$-$\overline{x})\,(y_i$-$\overline{y})$ dienen. Da diese Summe jedoch von der Zahl (n) der Untersuchungseinheiten abhängt, eignet sich wieder besser die *mittlere Kovariation*, die als K o v a r i a n z bezeichnet wird

Formel (24a) $Cov(x,y) = s_{xy} = \dfrac{1}{n}\,\Sigma\,(x_i - \overline{x})\,(y_i - \overline{y})$ bzw.

Formel (24b) : $Cov(x,y) = s_{xy} = \dfrac{1}{n}\,(\sum\limits_{i=1}^{n} x_i y_i - \dfrac{1}{n}\sum\limits_{i=1}^{n} x_i \sum\limits_{i=1}^{n} y_i)$.

Die Kovarianz hängt jedoch (ebenso wie in der univariaten Statistik die Varianz)[148] in ihrem Betrag von den Maßeinheiten der Merkmale ab. Um zum Vergleich der Stärke der Assoziation *verschiedener* Merkmalspaare geeignet zu sein, muß deshalb die Maßzahl noch vereinheitlicht werden. Dies geschieht, indem die Kovarianz der Variablen X und Y zur positiven Quadratwurzel aus dem Produkt ihrer beiden Varianzen in Beziehung gesetzt wird.[149] Das Ergebnis ist der oben genannte *Korrelationskoeffizient nach Bravais-Pearson* (r_{xy}), auch *Produkt-Moment-Korrelationskoeffizient* genannt. Anders formuliert:

---

148 Die Varianz kann praktisch als ein Sonderfall der Kovarianz angesehen werden, nämlich als die Kovarianz einer Variablen mit sich selbst:
$s_x^2 = 1/n\;\Sigma\,(x_i - \overline{x})\,(x_i - \overline{x}) = 1/n\;\Sigma\,(x_i - \overline{x})^2$.

149 In der univariaten Statistik werden Streuungen unterschiedlicher Merkmale vergleichbar gemacht, indem man die Standardabweichungen zum jeweiligen arithmetischen Mittel in Beziehung setzt (vgl. Abschn. 8.2.4: Variationskoeffizient).

Der Korrelationskoeffizient r_{xy} ist definiert als die Kovarianz der Variablen X und Y, dividiert durch das geometrische Mittel ihrer Varianzen.[150] r_{xy} bezeichnet also den *Anteil der gemeinsamen Varianz* zweier Merkmale am geometrischen Durchschnitt ihrer Einzelvarianzen.

Formel (25a) :
$$r_{xy} = \frac{\sum\limits_{i=1}^{n}(x_i - \bar{x})(y_i - \bar{y})}{+\sqrt{\sum\limits_{i=1}^{n}(x_i - \bar{x})^2 \cdot \sum\limits_{i=1}^{n}(y_i - \bar{y})^2}} = \frac{s_{xy}}{+\sqrt{s_x^2 \cdot s_y^2}} \text{ bzw.}$$

Formel (25b) :
$$r_{xy} = \frac{\sum\limits_{i=1}^{n}x_i y_i - \frac{1}{n}\sum\limits_{i=1}^{n}x_i \sum\limits_{i=1}^{n}y_i}{+\sqrt{\left[\sum\limits_{i=1}^{n}x_i^2 - \frac{1}{n}\left(\sum\limits_{i=1}^{n}x_i\right)^2\right] \cdot \left[\sum\limits_{i=1}^{n}y_i^2 - \frac{1}{n}\left(\sum\limits_{i=1}^{n}y_i\right)^2\right]}}.$$

Der Korrelationskoeffizient hat folgende *Eigenschaften:*

— Wegen der positiven Wurzel aus den Varianzen in Formel (25a) nimmt er das gleiche Vorzeichen an wie die Kovarianz, d. h. r_{xy} ist positiv (negativ), wenn die beiden Variablen gleichsinnig (gegensinnig) variieren.

— Der Korrelationskoeffizient erreicht die maximalen Beträge +1 bei perfekter positiver sowie −1 bei perfekter negativer Korrelation. Er wird 0, wenn die Kovarianz gleich Null ist, d. h. wenn die beiden Variablen überhaupt nicht *linear* voneinander abhängig sind.

— Der Korrelationskoeffizient ist schließlich — anders als der Regressionskoeffizient b — *symmetrisch*, d. h. sein Wert wird nicht davon beeinflußt, ob die Variable Y als abhängig von X oder umgekehrt X als abhängig von Y definiert ist.

Vergleichen wir schließlich noch die Formeln für die beiden Regressionskoeffizienten b_{yx} und b_{xy} — (18a) und (20a) — dann erkennen wir, daß $b_{yx} = s_{xy}/s_x^2$ und $b_{xy} = s_{xy}/s_y^2$ ist.

Daraus folgt, daß das Produkt $b_{yx} \cdot b_{xy} = (s_{xy})^2/s_x^2 \cdot s_y^2 = r^2$ ist (vgl. Formel 25a).

Dies gibt uns eine weitere Möglichkeit der Bestimmung des Determinationskoeffizienten:

Formel (26) $\quad r^2 = b_{yx} b_{xy}.$

Die Berechnung sei abschließend noch an den Werten in Tab. 23 unter Verwendung von Formel (25a) demonstriert. Die vollständige Arbeitstabelle besteht aus folgenden Spalten:

150 Als „geometrisches Mittel" wird die n-te Wurzel aus dem Produkt von n Faktoren bezeichnet: $\bar{x}_G = \sqrt[n]{x_1 \cdot x_2 \cdot x_3 \cdot \ldots \cdot x_n}.$

Tabelle 25:

x_i	$(x_i-\bar x)$	$(x_i-\bar x)^2$	Fall a: y_i	$(y_i-\bar y)$	$(x_i-\bar x)(y_i-\bar y)$	$(y_i-\bar y)^2$	Fall b: y_i	$(y_i-\bar y)$	$(x_i-\bar x)(y_i-\bar y)$	$(y_i-\bar y)^2$
20	9	81	72	20	180	400	87	35	315	1225
10	-1	1	52	0	0	0	47	-5	5	25
16	5	25	55	3	15	9	45	-7	-35	49
4	-7	49	46	-6	42	36	51	-1	7	1
22	11	121	64	12	132	144	54	2	22	4
0	-11	121	20	-32	352	1024	10	-42	462	1764
18	7	49	74	22	154	484	79	27	189	729
12	1	1	56	4	4	16	51	-1	-1	1
2	-9	81	36	-16	144	256	51	-1	9	1
8	-3	9	51	-1	3	1	56	4	-12	16
14	3	9	63	11	33	121	68	16	48	256
6	-5	25	35	-17	85	289	25	-27	135	729
$\bar x = 11$		$\Sigma = 572$	$\bar y = 52$		$\Sigma = 1144$	$\Sigma = 2780$	$\bar y = 52$		$\Sigma = 1144$	$\Sigma = 4800$

In Formel (25a) eingesetzt, erhalten wir für den Fall a) einen Korrelationskoeffizienten $r_{xy} = 1144 : \sqrt{572} \cdot 2780 = 1144 : 1261,0 = 0,907$ bzw. einen Determinationskoeffizienten $r^2 = (0,907)^2 = 0,823$. Im Fall b) beträgt $r_{xy} = 1144 : \sqrt{572 \cdot 4800} = 1144 : 1657,0 = 0,6904$ und $r^2 = (0,6904)^2 = 0,477$. Ein Vergleich mit den vorn im Zusammenhang mit der Darstellung des Determinationskoeffizienten angestellten Berechnungen (Tab. 24) zeigt, daß die Ergebnisse übereinstimmen.

Nach Formel (26) ist schließlich das gleiche Resultat auch zu erzielen, wenn die Regressionskoeffizienten b_{yx} (die y_i werden aus den x_i geschätzt) und b_{xy} (die x_i werden aus den y_i geschätzt) miteinaner multipliziert werden. Aus Tab. 22 haben wir für $b_{yx} = 2,0$. b_{xy} ist leicht unter Verwendung von Formel (20a) aus obiger Tab. 25 bestimmbar: $b_{xy} = 1144 : 2780 = 0,4115$ (Fall a). Wir erhalten also für den Fall a) $r^2 = 2,0 \cdot 0,4115 = 0,823$. Für den Fall b) möge der Leser die Berechnung zur Kontrolle selbst durchführen.

8.4 Literatur zu Kap. 8

Atteslander, Peter, 1969: Methoden der empirischen Sozialforschung, Berlin, Kap. VI, IX (5., überarbeitete Auflage 1985)

Bartel, Hans, 1978: Statistik I, Stuttgart, New York (UTB 3)

Beiner, Friedhelm, 1975: Statistik für Sozialwissenschaftler, Düsseldorf

Benninghaus, Hans, 1974: Deskriptive Statistik, Stuttgart

Bortz, Jürgen, 1977: Lehrbuch der Statistik für Sozialwissenschaftler, Berlin, Heidelberg

Clauss, Günter; *Ebner*, H., 1972: Grundlagen der Statistik für Psychologen, Pädagogen und Soziologen, Frankfurt/M.

Ferschl, Franz, 1978: Deskriptive Statistik, Würzburg

Gaennslen, Hermann; *Schubö*, W., 1976: Einfache und komplexe statistische Analyse, München (UTB 274)

Galtung, Johan, 1967: Theory and Methods of Social Research, London

Hummell, Hans J.; *Ziegler*, R. (Hg.), 1976: Korrelation und Kausalität, 3 Bde., Stuttgart

Kellerer, Hans, 1972: Statistik im modernen Wirtschafts- und Sozialleben, Reinbek

Kriz, Jürgen, 1973: Statistik in den Sozialwissenschaften, Reinbek

Neurath, Paul, 1974: Grundbegriffe und Rechenmethoden der Statistik für Soziologen, in: *König*, R. (Hg.): Handbuch der empirischen Sozialforschung, Band 3 b, Stuttgart

Opp, Karl-D.; *Schmidt*, P., 1976: Einführung in die Mehrvariablenanalyse, Reinbek

Patzelt, Werner J., 1985: Einführung in die sozialwissenschaftliche Statistik, München, Wien

Urban, Dieter, 1982: Regressionstheorie und Regressionstechnik, Stuttgart

Voss, Werner, 1979: Bausteine der Statistik, Rezept für Nichtstatistiker, Köln

Wagenführ, Rolf, 1971: Statistik leicht gemacht, Band I: Einführung in die deskriptive Statistik, Köln

Yamane, Taro, 1976: Statistik, 2 Bde., Frankfurt/M.

Zeisel, Hans, 1970: Die Sprache der Zahlen, Köln

9. Typen und Konzepte empirischer Sozialforschung
   Eine Übersicht

In den Kapiteln 2 bis 8 wurde ein Überblick über den empirischen Forschungsprozeß einer quantitativ orientierten Sozialforschung (von der Problemformulierung über die Datenerhebung, die sog. F e l d p h a s e,[151] bis hin zur statistischen Auswertung) gegeben. Es wurde gezeigt, wie sozialwissenschaftliche Forschungsvorhaben zu strukturieren und welche Fragen und Probleme dabei anzugehen sind. Die anfallenden Entscheidungen und Arbeitsschritte wurden diskutiert und anhand von Beispielen illustriert. Im allgemeinen wird der hierbei abgehandelte „Typ" von empirischer Sozialforschung als „survey research" bezeichnet.

Daneben können aber noch andere „Typen" und alternative „Konzepte" empirischer Sozialforschung unterschieden werden, je nach der spezifischen Ausrichtung und Ausgestaltung des Untersuchungsdesigns, je nach Kombination von methodischen Ansätzen, Modellen, Instrumenten und damit gekoppelten Forschungszielen. Einen Gesamtüberblick über die breite Palette möglicher Untersuchungsformen, Forschungsstrategien und Forschungskonzepte kann natürlich ein einführendes Lehrbuch nicht geben, doch sollen im folgenden zumindest einige von ihnen ansatzweise dargestellt werden.

9.1 Spezielle Untersuchungsanordnungen

Die Entwicklung der empirischen Sozialforschung ist besonders eng verbunden mit den unter dem Begriff F e l d f o r s c h u n g zusammenge-

---

151 Im Alltagsverständnis wird häufig nur die Feldphase gemeint, wenn von empirischer Sozialforschung die Rede ist.

faßten Untersuchungen.[152] Verwiesen sei hier auf die bedeutenden Feldstudien von Peter M. *Blau* zur Analyse sozialer Austauschbeziehungen (Beobachtungen gegenseitiger Konsultationen bei Beamten einer Behördenabteilung) und von William F. *Whyte* zur Analyse der Bedeutung einer akzeptierten sozialen Rangordnung für soziales Handeln (bei den Mitgliedern einer „street gang").[153] Empirische Forschung wird daher häufig mit Feldforschung gleichgesetzt, nicht zuletzt wegen des überwiegenden Einsatzes von Beobachtungs- und Befragungstechniken in der Sozialforschung, die allgemein als *die* Methoden der Feldforschung schlechthin gelten. Tatsächlich umfaßt die Feldforschung jedoch nur einen – wenn auch den größten – Teil potentiell möglicher Untersuchungsanordnungen, wobei auch hier noch verschiedene, mehr oder weniger differenzierte Forschungsstrategien unterschieden werden können.

Ziel der Feldforschung ist es, soziale Prozesse und Strukturen aus dem Alltagsleben von Personen, d. h. aus der sozialen Realität, wie sie unabhängig vom wissenschaftlichen Forschungsprozeß besteht, zu erfassen und zu analysieren. Charakteristisch für Feldstudien ist daher, daß die empirischen Daten *über* die „natürliche" Umwelt und möglichst auch *in* der „natürlichen" sozialen Umwelt der Untersuchungsobjekte erhoben werden, wobei gleichgültig ist, ob, in welchem Ausmaß, wie lange und in welcher Art und Weise der Forscher mit den Untersuchungsobjekten – den Personen oder Gruppen – in eine soziale Interaktion eintritt. Allerdings spielen die Auswirkungen möglicher Eingriffe des Forschers in die jeweilige Feldsituation insbesondere bei der Beurteilung der Gültigkeit und Verallgemeinerbarkeit der Ergebnisse sowie bei deren Interpretation eine entscheidende Rolle (s. Abschn. 7.4.2).[154] Kennzeichnendes Merkmal von Untersuchungen im sozialen Feld ist, daß „eine Kontrolle über die zu manipulierenden Variablen entweder nicht oder nur in beschränktem Umfang ... möglich ist" (*Nowotny/Knorr* 1975, 83), daß weiter die Erhebungssituation von Faktoren strukturiert und verändert werden kann, die nicht in das Forschungskalkül einbezogen worden sind und somit auch nicht systematisch berücksichtigt werden können.

Versucht der Forscher dennoch, in systematischer Weise die Bedingungen einer gegebenen Feldsituation zu kontrollieren und die für die Untersuchung relevante Variablenreihe systematisch (gezielt) zu manipulieren, gelangt man zu zwei speziellen Untersuchungsanordnun-

152 Vgl. dazu Nowotny/Knorr 1975, 85ff.; s. auch Maus, Heinz, 1973: Zur Vorgeschichte der empirischen Sozialforschung, in: König, R. (Hg.), Handbuch der empirischen Sozialforschung, Bd. 1, Stuttgart, 21-56.
153 Eine Einführung in ausgewählte empirische Untersuchungen – auch in die von Blau und Whyte – findet sich bei Conrad, Wolfgang; Streeck, W., 1976: Elementare Soziologie, Reinbek,; s. auch die Übersicht bei v. Alemann 1977, 308ff.
154 Vgl. auch Albrecht 1975, 13ff.

gen in der Feldforschung: dem Feldexperiment sowie der quasi-experimentellen Untersuchungsanordnung.

Feldexperimente stellen den Versuch dar, Hypothesen (oder Theorien) und die darin aufgestellten Behauptungen über *kausale Beziehungen* zwischen zwei oder mehreren Variablen durch systematische Eingriffe in natürliche soziale Situationen oder Prozesse zu überprüfen (vgl. *French* 1962, 269ff.). Dies geschieht dadurch, daß der Forscher in systematischer Weise einige — allerdings für das Forschungsziel zentrale — Variablen kontrolliert variieren läßt und die einzelnen, sich verändernden Effekte zwischen den als abhängig und den als explikativ („unabhängig") definierten Variablen erfaßt und mit statistischen Verfahren quantifiziert. Feldexperimente haben zum Ziel, die Logik des traditionellen, klassischen Experiments auch auf Untersuchungsanordnungen im sozialen Feld zu übertragen und dort zu realisieren.[155]

Experimente gelten als „die exakteste Form wissenschaftlicher Forschung" (*Friedrichs* 1973, 334) sowie als spezielle methodologische Untersuchungsanordnungen zum Zwecke der Kausalanalyse,[156] d. h. zur Aufdeckung und Quantifizierung von Kausalzusammenhängen zwischen einzelnen Variablengruppen eines operationalisierten Kausalmodells. Kausalmodelle werden in der Regel — wie auch das *Blau/Duncan*-Beispiel (Kap. 3.2) zeigt — in Form von Pfeildiagrammen graphisch veranschaulicht.

Beispiel für ein Pfeildiagramm (Forschungsproblem: Analyse von Segregationsprozessen):

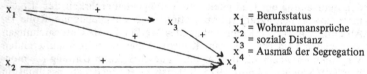

x_1 = Berufsstatus
x_2 = Wohnraumansprüche
x_3 = soziale Distanz
x_4 = Ausmaß der Segregation

In dem formalisierten Kausalmodell, dem Pfeildiagramm, werden vermutete kausale Beziehungen durch Pfeile, die Art der Beziehungen (positiv oder negativ) durch ein + oder ein — symbolisiert.

„Kausalanalysen" sind allerdings unter bestimmten Bedingungen auch mit nicht-experimentellen Daten möglich. Die Variablenkontrolle in der Feldsituation wird in diesem Falle durch „statistische Kontrollen" in der Auswertungsphase ersetzt. Durch den Einsatz der EDV und die Anwendung multivariater statistischer Analyseverfahren[157]

---

155 Einen guten, kurzgefaßten Überblick über die Experimentalmethode gibt Wellenreuther 1982, 57ff.; zu Anwendungen im sozialen Feld vgl. Nowotny/Knorr 1975, 91ff.

156 Vgl. Mayntz/Holm/Hübner 1972, 168ff.

157 Wie z. B. die „Pfadanalyse", vgl. Opp/Schmidt 1976. Für einen ausführlichen Überblick zur „Kausalanalyse nicht-experimenteller Daten" siehe Hummell/Ziegler 1976.

in der empirischen Sozialforschung („Computerforschung", *Scheuch* 1973) können diese zudem mit einer Vielzahl von Variablen durchgeführt werden, ein Vorteil, der gerade bei Untersuchungsanordnungen wichtig ist, die keinen explizit experimentellen Charakter haben. Daneben ist von Vorteil, daß der Forscher gezwungen wird, seine theoretischen Aussagen über vermutete kausale Zusammenhänge zu präzisieren, und zwar *vor* der eigentlichen statistischen Analyse.

Sehr häufig werden bei Kausalanalysen unterschiedliche soziale Ebenen miteinander in Beziehung gesetzt, z. B. Merkmale von Individuen als *eine* Analyseebene und Merkmale sozialer Aggregate bzw. Kontexte (wie Wohnumwelten, Organisationen, soziale Schichten usw.) als eine *andere* Analyseebene. Ist dies der Fall, spricht man von Mehrebenenanalyse.[158] Bei mehrebenenanalytischer Vorgehensweise werden also „Objekte verschiedener Ordnung gleichzeitig zum Gegenstand der Untersuchung" gemacht (*Hummell* 1972, 13) und deren gegenseitige Effekte möglichst unter Vermeidung von „Fehlschlüssen" identifiziert. Üblicherweise unterscheidet man zwischen den beiden Kategorien „individualistischer Fehlschlüsse" einerseits sowie „ökologischer Fehlschlüsse" andererseits. Bei ersteren schließt man unrichtigerweise von vorliegenden Daten über Individuen auf (Struktur-)Merkmale von Kollektiven (ökologischen Einheiten); bei letzteren schließt man unrichtigerweise von Kollektivmerkmalen auf Eigenschaften von Individuen, die zu diesen Kollektiven gehören.[159]

Neben dem geschilderten kausalanalytischen (gegebenenfalls mehrebenenanalytischen) Vorgehen sind für das Experiment vor allem noch drei zu realisierende *Anforderungen* charakteristisch:

— Wiederholbarkeit der experimentellen Meßsituation;
— die möglichst zeitgleiche Durchführung der Datenerhebung in strukturgleichen Experimental- und Kontrollgruppen;
— Kontrolle aller zum Hypothesentest notwendigen Bedingungen.

Ist es bei experimentellen Untersuchungen in natürlichen sozialen Situationen kaum möglich, alle unabhängigen Variablen zu kontrollieren und den Einfluß von „Störfaktoren" auf ein vernachlässigbares Minimum zu reduzieren — mit der Folge, bei der Berücksichtigung situationsrelevanter Variablen stark selektiv verfahren zu müssen —, so kann man demgegenüber bei Untersuchungen in „Laboratorien" den Anforderungen an ein „reines" Experiment unter „idealen"

---

158 Im einfachsten Fall einer Mehrebenenanalyse handelt es sich um eine Kontextanalyse: man setzt „individuelle Akteure und Eigenschaften des totalen Netzwerkes, dessen Mitglieder sie sind, in Beziehung ... Einheiten der Untersuchung sind Paare von individuellen Akteuren und Kontexten" (Hummell 1972, 32).

159 Typologien von Fehlschlüssen haben Davis (1961) und Alker (1969) erarbeitet; eine Zusammenfassung findet sich bei Hummell (1972) und Scheuch (1973).

Untersuchungsbedingungen schon viel näher kommen. Nur selten jedoch dürfte eine deterministische Wirkungs- und Kausalstruktur, durch die sich das klassische Experiment auszeichnet, sozialwissenschaftlichen Problemstellungen gerecht werden.[160]

Laborexperimente[161] ermöglichen es, die Bedingungen und Vorgänge in einer gegebenen Untersuchungs- bzw. Datenerhebungssituation besonders gut zu kontrollieren, zu beobachten und festzuhalten. In der jeweiligen Laboratoriumssituation geht es in der Regel darum, die Reaktionen von Versuchspersonen auf gezielt eingeführte „Stimuli" zu messen, was besonders durch die umfangreicheren Möglichkeiten des Einsatzes technischer Meßgeräte erleichtert wird. Im Gegensatz zur Feldforschung werden bei Untersuchungsanordnungen im Laboratorium im allgemeinen *gezielt* „Artefakte" produziert.[162] Dies ist einerseits ein Vorteil: soziale Prozesse können ohne Wartezeit und unter Bedingungen, die zur Prüfung von Hypothesen aus methodologischer Sicht besonders geeignet sind, eingeleitet und analysiert werden. Andererseits weist die Methode auch Nachteile auf: so ist unklar, inwieweit experimentell gewonnene Ergebnisse von Laborsituationen auf natürliche soziale Situationen übertragbar sind, dort Gültigkeit beanspruchen können (vgl. *Timaeus* 1975, 199f.). Daneben spielen natürlich auch bei Laboratoriumsuntersuchungen Auswahlprobleme und Probleme der Reaktivität[163] eine für die Güte der Untersuchung entscheidende Rolle (vgl. Abschn. 7.4.2).

Charakteristisch für *quasi-experimentelle Untersuchungsanordnungen* ist der Versuch, Bedingungen herzustellen, wie sie beim traditionellen Experiment vorherrschen, ohne diese allerdings – aus unterschiedlichsten Gründen – in vollem Umfang realisieren zu können. Anders for-

160 Theoretische Grundlage für das klassische Experiment sind vor allem die von John Stuart Mill in seinem „System of Logic" entwickelten Regeln für die Analyse von Kausal- oder „ursächlichen" Zusammenhängen (vgl. Friedrichs 1973, 355; Greenwood 1962, 171ff.). Daran anschließend kommt Greenwood (a.a.O., 177) zu folgender Definition: „Ein Experiment ist der Beweis für eine Hypothese, der zwei Faktoren in eine ursächliche Beziehung zueinander bringen will, indem er sie in unterschiedlichen Situationen untersucht. Diese Situationen werden in Bezug auf alle Faktoren kontrolliert mit Ausnahme des einen, der uns besonders interessiert, da er entweder eine hypothetische Ursache oder die hypothetische Wirkung darstellt". Prinzipiell gilt diese Definition natürlich für Laboratoriums- und für Feldexperimente.

161 Unter einem „Laboratorium" versteht man im weitesten Sinne jede vom Forscher künstlich geschaffene Erhebungssituation, zumeist innerhalb speziell ausgewählter Räumlichkeiten.

162 In diesem Zusammenhang soll unter einem Artefakt ein Sachverhalt verstanden werden, der erst durch die Untersuchung selbst künstlich produziert wird. Für eine umfassendere Auseinandersetzung mit Artefakten sozialwissenschaftlicher Forschung vgl. Kriz 1981.

163 Eine kurze Übersicht über Formen reaktiver Meßfehler geben Bungard/ Lück 1974 und Webb/Campbell/Schwartz/Sechrest (1975, 28ff.)

muliert: Quasi-experimentelle Anordnungen orientieren sich in ihrer Logik am traditionellen Experiment; sie setzen aber dessen methodologische und methodische Prinzipien für einen Hypothesentest weniger restriktiv in die Forschungspraxis um. Quasi-experimentelle Untersuchungen erfüllen also die Anforderungen an Laboratoriums- oder Feldexperimente nur zum Teil. „Der Forscher hat nur eine unvollständige Kontrolle über die experimentellen Bedingungen: Es fehlt eine zufällige Zuweisung der Teilnehmer auf die einzelnen Bedingungen, oder es besteht Unsicherheit über den Zeitpunkt der Erstmessung vor Einführung eines experimentellen Stimulus oder Unkenntnis über die Person, die die erste Messung vornahm" (*Friedrichs* 1973, 340). Ein besonderes Problem besteht zudem in der Regel darin, Auswirkungen oder Effekte reaktiver Meßvorgänge in den Griff zu bekommen. Dies gilt allerdings für die Meßprozesse (Datenerhebungsprozesse) in fast allen Untersuchungsanordnungen, die in den Sozialwissenschaften bzw. in der empirischen Forschungspraxis von Soziologen vorkommen.

Den Problemen der Reaktivität versucht man durch die Anwendung nicht-reaktiver Verfahren aus dem Wege zu gehen. Charakteristisch für nicht-reaktive Datenerhebungs- oder Meßverfahren ist, daß durch die Untersuchungsanordnung (insbesondere durch die Datenerhebungsverfahren) die zu messenden sozialen Phänomene *nicht* beeinflußt werden sollen. Es ist leicht vorstellbar, daß ausgeklügelte Methoden notwendig sind, sobald soziale Prozesse wie Verhalten, Interaktionen, Einstellungen usw. Gegenstand der Untersuchung sind. Selbstverständlich muß auch die Gefahr ausgeschaltet werden, daß der Forscher oder die mit der Datenerhebung beauftragte Person zur „Meßfehlerquelle" wird.[164]

„Ziel der nicht-reaktiven Methoden ist, daß die aus methodischen Erwägungen notwendige unstrukturierte Situation des Erhebungsprozesses in den untersuchten Objekten keine Abweichungen von den unter alltäglichen Bedingungen ablaufenden Interaktionen bewirken darf" (*Albrecht* 1975, 17). Mit anderen Worten: Mittels nicht-reaktiver Meßverfahren soll soziale Realität, so wie sie sich unabhängig und unbeeinflußt vom Forschungsprozeß darstellt, abgebildet werden.[165] Hierzu wird es in den meisten Fällen erforderlich sein, daß „Forscher und Betroffene nicht in Kontakt miteinander treten" (*Friedrichs* 1973, 309). Eine solche „Interaktionsvermeidungsstrategie" ist aber nicht zwingend, solange eine natürliche soziale Situation vom Forscher nicht in systematischer Weise strukturiert wird. Im Gegenteil emp-

---

164 Eine anregende Übersicht über einige ausgeklügelte und erfolgreiche nicht-reaktive Meßverfahren findet man bei Webb/Campbell/Schwartz/Sechrest 1975.

165 Zum Meßvorgang schreibt Campbell (1957): „Wenn der Meßvorgang nicht Teil der normalen Umgebung ist, ist er wahrscheinlich reaktiv" (zit. nach Bungard/Lück 1974, 88).

fiehlt z.B. *Kreutz* (1972) gerade, die Datenerhebung – um die immer vorhandene Künstlichkeit einer ,,Forschungskontaktsituation" zu überwinden – in ,,Realkontaktsituationen" durchzuführen und dabei ,,die Kommunikationen zu nutzen, die in der sozialen Wirklichkeit, ohne Zutun des Forschers, ablaufen" (a.a.O., 69). Der Forscher hätte dazu eine ,,natürliche" Rolle in dem sozialen Feld zu übernehmen, auf das sich seine Untersuchung bezieht.[165a] Falls die Rolle korrekt ausgefüllt wird, könnten a) Reaktivitätsprozesse wie in der künstlich strukturierten Forschungskontaktsituation gar nicht erst eintreten und würde b) die Interpretation der gewonnenen Daten aus dem für den Untersuchungsgegenstand geltenden Bezugsrahmen möglich. Dies führt zu dem Konzept einer ,,teilnehmenden" Forschung, auf das im Kap. 9.2 noch weiter eingegangen wird.

Eine weitere wichtige Untersuchungsanordnung in der empirischen Sozialforschung ist die Fallstudie oder – wenn nur ein einziger Fall Gegenstand der Untersuchung ist (n = 1) – die Einzelfallstudie. Bei (Einzel-)Fallstudien werden besonders interessante Fälle hinsichtlich möglichst vieler Dimensionen[166] und zumeist über einen längeren Zeitraum hinweg beobachtet (bzw. befragt, inhaltsanalytisch ausgewertet), beschrieben und analysiert. Untersuchungseinheiten können nicht nur einzelne Personen sein, sondern auch Personengruppen oder -klassen, ökologische Einheiten oder kulturelle Aggregate (vgl. *v. Alemann/Ortlieb* 1975, 159ff.). Fallstudien – und in besonderem Maße Einzelfallstudien – dienen in erster Linie *explorativen* Zwecken: ein Gegenstandsbereich der sozialen Realität soll möglichst umfassend deskriptiv aufgearbeitet werden, um im Anschluß daran empirisch begründbare theoretische Konzepte, Theorien, Hypothesen entwickeln zu können. Für den Test nicht-deterministischer Theorien oder Hypothesen wie auch für Prognosen, die sich auf Kollektive beziehen, eignen sie sich weniger, da Generalisierungen nur selten möglich sind.[167]

165a Als Beispiel für eine Kombination von Beobachtung und Interviews in einer ,,Realsituation" kann die Steiger-Studie von *Fricke* und Mitarbeitern gelten, wo die Forscher neben Gesprächen mit Beschäftigten im Kohlenbergbau diese während ihrer Arbeitsschichten begleiteten und anhand eines Beobachtungsrasters Aufzeichnungen über Arbeitsverlauf und Interaktionen machten – ohne allerdings selbst Anteil am Arbeits- und Interaktionsprozeß zu haben (Für eine kurze Darstellung des Projekts s. *Fricke,* Else und Werner, 1974: Auf dem Wege zu einer dynamischen Theorie der Qualifikation; in: Soziale Welt, Jg. 25, Heft 4).

166 Vgl. die Definition von Goode/Hatt (1962, 300): ,,Die Einzelfallstudie ist demnach keine besondere Technik. Sie ist vielmehr eine bestimmte Art, das Forschungsmaterial so zu ordnen, daß der einheitliche Charakter des untersuchten sozialen Gegenstandes erhalten bleibt. Anders ausgedrückt ist die Einzelfallstudie ein Ansatz, bei dem jede soziale Einheit als ein Ganzes angesehen wird."

167 Vgl. die Überlegungen zum Deduktionsprinzip in Kap. 1.2; s. auch v. Alemann/Ortlieb 1975, 164ff.

(Einzel-)Fallstudien eignen sich allerdings sehr gut für die Illustration von Theorien oder Hypothesen; in diesem Fall werden aber eben schon bestätigte Theorien/Hypothesen und somit auch Generalisierungen vorausgesetzt (zur methodischen Nutzung von Einzelfallstudien vgl. *v. Alemann/Ortlieb* 1975, 162ff.). Einzelfallstudien sind eine bevorzugte Untersuchungsanordnung in der Kulturanthropologie und dem Zweig der Soziologie, der als Ethnomethodologie bezeichnet wird.[168]

Das Grundproblem vieler empirischer Untersuchungen ist, daß die Datenerhebung sich nur auf *ein* Datenerhebungsinstrument und somit auf *nur eine Operationalisierungsstrategie* stützt. Folglich steht die gesamte Untersuchung unter dem prägenden Einfluß eines einzigen Instruments, dessen instrumentenspezifische „Verzerrungen" in der Regel kaum kontrolliert werden können. In den Naturwissenschaften ist man schon seit langem dazu übergegangen, bei empirischen Untersuchungen mehrere Meßinstrumente einzusetzen. Dadurch wird einerseits eine Kontrolle instrumentenspezifischer Verzerrungen (oder Effekte) gewährleistet, andererseits — durch eine Umsetzung unterschiedlicher Operationalisierungsstrategien — eine empirisch fundiertere Interpretation oder Überprüfung einer Theorie ermöglicht. Ein solches Vorgehen, also eine Kombination verschiedener Meßinstrumente, wird in den Sozialwissenschaften vor allem im Zusammenhang mit der Anwendung nicht-reaktiver Meßverfahren diskutiert (vgl. z. B. *Albrecht* 1975, 18), bisher aber nur selten in der Forschungspraxis angewandt.[169]

Eine weitere Möglichkeit, instrumentenspezifische Effekte zu isolieren, bieten Replikationsstudien. Hierbei wird eine Untersuchung bei systematischer Variation einiger ihrer Elemente (z. B. Einsatz eines anderen oder modifizierten Meßinstruments; Erhebung der Daten bei einer anderen Stichprobe) wiederholt, und die dabei erzielten Forschungsergebnisse werden mit den bisherigen Resultaten verglichen.

Replikationsstudien ermöglichen somit eine gegenseitige Überprüfung unterschiedlicher Meßinstrumente und Datenerhebungsverfahren. Im Gegensatz zu sog. *Test-Retest-Verfahren* — bei denen möglichst alle (Meß-)Bedingungen einschließlich der Erhebungs-

---

168 Eine klassische Fallstudie ist die schon erwähnte Untersuchung von William F. Whyte zur Gruppenstruktur von „street gangs" (vgl. Whyte, W. F., 1967: Street Corner Society — The Social Structure of an Italian Slum, Chicago). Eine ebenfalls lesenswerte und als Einzelfallstudie anzusehende Untersuchung ist: Jahoda, Marie; Lazarsfeld, P. F.; Zeisel, H., 1975: Die Arbeitslosen von Marienthal, Frankfurt/M.

169 Zumindest zum Teil kann dies auf mangelnden finanziellen Spielraum und geringe organisatorisch-technische Kapazitäten vieler Forschungsprojekte zurückgeführt werden.

situation reproduziert werden sollen[170] – können mit der Replikation „systematisch Fehlerquellen isoliert und die Annahme über Gleichheit oder Ungleichheit verschiedener Verfahren überprüft werden" (*Kreutz* 1972, 52). Weiter läßt sich feststellen, inwieweit die „Versuchsbedingungen" der Erstuntersuchung wieder realisiert werden können, „ob sie somit generell verfügbar sind" (a.a.O.).

Die durch Replikationsstudien gegebenen Möglichkeiten, die gleiche Fragestellung mit unterschiedlichen Operationalisierungskonzepten anzugehen, lassen sich bei Anwendung unterschiedlicher theoretischer Bezugsrahmen noch ausweiten. Replikationen können somit auch als Vorstufe zur Generalisierung von Hypothesen genutzt werden (vgl. *Kreutz* 1972, 52; s. auch *Galtung* 1967, 438). Sie tragen so zur empirischen Absicherung von Theorien bei. Voraussetzung für die Durchführung einer Replikationsstudie ist eine detaillierte Beschreibung des gesamten Designs der Erstuntersuchung – eine Anforderung, die allerdings nur in den seltensten Fällen erfüllt ist (vgl. dazu auch *Kriz* 1981, 149).

Einige Ähnlichkeit mit Replikationsstudien haben Panel- Untersuchungen. Hierbei werden genau definierte Personengruppen in zumeist regelmäßigen Zeitabständen mit denselben Meßinstrumenten hinsichtlich der gleichen Problemstellung untersucht („Längsschnitt-Untersuchung"). Panels finden vor allem bei der Einstellungsforschung Verwendung.

Eine gewisse Verwandtschaft zu Replikationsstudien weisen auch Sekundäranalysen auf. Während es bei den bisher aufgeführten Untersuchungsanordnungen darum ging, eine Primärerhebung zu organisieren, d. h. Daten speziell für ein bestimmtes Forschungsvorhaben zu erheben, geht es bei Sekundäranalysen um die statistische Auswertung schon vorhandenen Datenmaterials. Charakteristisch für Sekundäranalysen ist somit die Tatsache, daß die Prozesse der Datenerhebung von denen der Datenverarbeitung und -interpretation abgetrennt sind (vgl. *Klingemann/Mochmann* 1975, 178).[171] Dies hat sowohl Vor- als auch Nachteile. Unter finanziellen, zeitlichen und forschungstechnischen Aspekten ist besonders *vorteilhaft*, daß die Daten für eine empirische Untersuchung nicht erst erhoben zu werden brauchen. Es können Aspekte (Fragestellungen) angegangen werden, die von der Primäruntersuchung – der Primäranalyse – nicht oder nur am

---

170 Dies geschieht in der Regel dadurch, daß die Daten nach relativ kurzer Zeit bei der gleichen Population und mit demselben Datenerhebungsinstrument nochmals erhoben werden (vgl. unten: Panel-Untersuchungen).
171 Insofern kann im Grunde jede Auswertung vorliegender statistischer Daten (z. B. der amtlichen Statistik) als Sekundäranalyse bezeichnet werden. Statt „Sekundäranalyse" verwenden manche Autoren den Begriff „Re-Analyse".

Rande behandelt worden sind. Da schon empirische Ergebnisse vorliegen, können Fragestellungen — möglicherweise unter Berücksichtigung neuerer theoretischer Erkenntnisse — durch eingehendere Analysen, durch Anwendung komplexerer statistischer Auswertungsverfahren vertieft bearbeitet werden. Die schon vorliegenden empirischen Ergebnisse können dann mit den Ergebnissen der Sekundäranalyse konfrontiert werden. Zweifellos trägt eine solche Forschungsstrategie zur Weiterentwicklung und empirischen Füllung theoretischer Konzepte (Theorien, Modelle) bei.[172]

Der *Nachteil* von Sekundäranalysen besteht allerdings darin, daß sich die Operationalisierungsstrategie für die theoretischen Variablen der sekundäranalytischen Untersuchung auf das vorhandene Datenmaterial beschränken muß. Dabei ist zu berücksichtigen, daß die (auch instrumententheoretisch begründeten) Beziehungen zwischen den Indikatoren und den (über die theoretischen Variablen) angezielten empirischen Sachverhalten mit abhängig sind von der spezifischen Anlage der Primäruntersuchung und nicht unbedenklich auf ein neues Forschungskonzept übertragen werden können (vgl. dazu *Friedrichs* 1973, 359ff.; *Scheuch* 1973, 170f.; s. auch Kap. 4).

Der Forscher, der eine sekundäranalytische Auswertung beabsichtigt, muß auf jeden Fall über ,,ein Muster des Fragebogens, die Intervieweranweisungen, den Codeplan und die Datenträger (Lochkarten, Magnetbänder o. ä.)" verfügen. Hinzukommen muß ,,eine exakte Beschreibung der methodischen Anlage der Datenerhebung" (*Klingemann/Mochmann* 1975, 179). Erst dann ist eine Beurteilung der zu strukturierenden Datenbasis auf ihre ,,Qualität" und Brauchbarkeit für die beabsichtigte Sekundäranalyse möglich.

9.2 Alternative Forschungsparadigmen: Qualitative Sozialforschung und Aktionsforschung

Die bisher vorgetragenen Überlegungen zum Forschungsprozeß in der empirischen Sozialforschung charakterisieren ein Konzept wissenschaftlichen Forschens, das sich an den Kriterien und Postulaten der analytisch-nomologischen Wissenschaftstheorie orientiert (vgl. Kap. 1.2). Von seinen Kritikern werden diesem Forschungsparadigma — häufig als ,,traditionelle Sozialforschung" apostrophiert — Entwürfe alternativer Forschungsstrategien und -konzepte gegenübergestellt, die sich unter den Oberbegriffen

---

172 Zu den Vorteilen der Sekundäranalyse vgl. Friedrichs 1973, 354f.

– *qualitative Sozialforschung*[173] und
– *Aktionsforschung* (action research) oder *Handlungsforschung*

zusammenfassen lassen.

Versucht man, die grundlegenden Unterschiede zwischen der „traditionellen" Sozialforschung und den genannten Gegenströmungen auf einen Punkt zu bringen, so steht bei der *Aktionsforschung* die Absicht im Vordergrund, einerseits die Trennung zwischen Wissenschaftlern und „Beforschten" (zwischen Forschungssubjekten und -objekten) aufzuheben und andererseits die Forschungstätigkeit unmittelbar in die Alltagspraxis der Beteiligten einzubinden, um diese gemeinsam zu verändern.[174] *Qualitative Sozialforschung* dagegen zeichnet sich dadurch aus, daß sie bei der Datenerhebung den subjektiven Perspektiven der „Beforschten" einen im Vergleich zum traditionellen Paradigma entscheidenden Stellenwert zuschreibt, ohne jedoch die Rollentrennung zwischen Forscher und Objekten der Datenerhebung grundsätzlich in Frage zu stellen. Die der qualitativen Sozialforschung zugrunde liegenden methodologischen wie auch inhaltlich-theoretischen Positionen leiten sich aus dem „Symbolischen Interaktionismus" und der damit verwandten „Ethnomethodologie" ab.[175] Ansätze der Aktionsforschung berufen sich auf unterschiedliche, in wichtigen Punkten sogar gegensätzliche Paradigmen; sie stehen teilweise der „Kritischen Theorie", teilweise – wiederum – dem „Symbolischen Interaktionismus" nahe.[176]

Die von den Befürwortern einer alternativen Forschungspraxis vertretenen Positionen sollen hier so weit vorgestellt und charakterisiert werden, daß die wichtigsten Unterschiede zur „traditionellen Sozialforschung" deutlich werden.[173]

173 Ähnliche Ziele wie die qualitative Sozialforschung (vgl. dazu Hopf/Weingarten 1979) verfolgen die „reflexive Methodologie" (vgl. Müller 1979), die „natural sociology" und die „explorative Sozialforschung" (vgl. Gerdes 1979).
174 Erste Ansätze einer umfassenden Konzeption von „Aktionsforschung" finden sich schon bei Lewin (1953): Verbindung von wissenschaftlich-empirischer Sozialforschung und praktisch-politischem Handeln.
175 Beide werden unter dem Begriff „interpretatives Paradigma" zusammengefaßt, um sich gegenüber dem „normativen Paradigma" einer systemtheoretisch oder strukturfunktionalistisch orientierten Soziologie abzugrenzen (zu dieser Begriffsverwendung vgl. Wilson 1973).
176 Zur Kritischen Theorie: Adorno 1969; Esser/Klenovits/Zehnpfennig 1977, Bd. 2; Hülst 1975, 24 ff.; zum Symbolischen Interaktionismus: Arbeitsgruppe Bielefelder Soziologen 1973; Rose 1973; Meinefeld 1976; zur Ethnomethodologie: Weingarten/Sack/Schenkein 1976; eine Einführung in das interpretative Paradigma findet sich auch bei Nießen 1977, 16 ff.

Ausgangspunkt für Überlegungen zur Konzipierung und Etablierung alternativer Forschungsstrategien sind natürlich *kritische Einwände* gegen die traditionelle Sozialforschung, von denen einige wichtige – und durchaus ernstzunehmende – Punkte wie folgt zusammengefaßt werden können:

a) Die Forschungspraxis der traditionellen Sozialforschung zeige, daß relativ sichere Ergebnisse nur dann erreicht werden, wenn die *Fragestellung sehr eingeschränkt* wird, und zwar eingeschränkt „bis zur Belanglosigkeit". Traditionelle Sozialforschung sei mit ihrem Anspruch, sozialtechnologisches Wissen zu liefern, somit gescheitert.

b) Bei den Forschungsarbeiten spielten so viele *unkontrollierbare Faktoren* eine Rolle, daß manche Gebiete der Sozialwissenschaft einem wahren „Schlachtfeld widersprüchlicher Resultate" glichen.

c) *Forschung und Praxis* fielen auseinander; ob und wie Erkenntnisse des Forschers realisiert würden, sei für den Wissenschaftler nicht abzusehen. Zudem tendiere eine auf Wertneutralität verpflichtete Sozialforschung dazu, den gegebenen status quo zu stützen. Sie legitimiere die herrschende Praxis, indem sie ihr Wissen zuführe, mit dem das Prädikat der „Wissenschaftlichkeit" verbunden sei, ohne daß die Wissenschaft selbst sich im weiteren darum kümmere, was mit diesem Wissen geschehe, wozu es eingesetzt werde.

d) *Forschungspraxis und Methodologie* innerhalb der traditionellen Sozialforschung seien nicht deckungsgleich; die forschungspraktischen Regeln stimmten nicht mit den Regeln der zugrunde liegenden Wissenschaftstheorie (Methodologie) überein. Die Erfüllung der forschungspraktischen Regeln werde über eine zweifache Reduktion zu garantieren versucht: zum einen würden die Postulate der Validität und Reliabilität so eng interpretiert, daß sie auf der meßtechnischen Ebene immer als erfüllt gelten könnten; zum anderen werde der Untersuchungsgegenstand auf die Erfordernisse des methodischen Instruments (insbesondere auf das Instrument Befragung) hin definiert.

e) Traditionelle Sozialforschung berücksichtige nicht die *besondere Eigenart des Forschungsgegenstandes*, des Sozialen. Sie versuche stattdessen, naturwissenschaftliche Denkmodelle an die soziale Realität heranzutragen. Soziale Situationen aber seien sozial definiert und hätten somit eine subjektive Komponente, die durch den Prozeß der „Entsubjektivierung" einer auf „Objektivität" gerichteten Forschung verlorengehe. Die Tatsache, daß die Wissenschaft selbst jener Lebenspraxis angehöre, die sie erforscht, dürfe nicht ausgeblendet werden.

f) Die Tendenz zu *standardisierter Datenermittlung* in der traditionellen Sozialforschung schränke den zugänglichen Bereich gesellschaftlicher Wirklichkeit und die Möglichkeiten zu einer differenzierten Analyse erheblich ein. Vor allem die mit den erforschten Handlungszusammenhängen und Kommunikationsmustern verbundenen Sinngehalte und (subjektiven) Interpretationen durch die Handelnden seien mit standardisierten Erhebungsinstrumenten kaum zu erfassen. Zudem fördere die Standardisierung eine umdeutende Selektion von Beobachtungsergebnissen, insbesondere in Richtung solcher Verhaltens- und Denkweisen, die den herrschenden Normen und Ideologien — vor allem der Mittelschicht — entsprechen.

g) Die *Gütekriterien* der traditionellen Sozialforschung (Zuverlässigkeit, Gültigkeit, Repräsentativität) seien — so wie sie definiert sind — unbrauchbar für die Erforschung sozialer Sachverhalte (bei unterstellter besonderer Eigenart des Forschungsgegenstandes). Somit könne auch über die Wahrheit oder Falschheit von Forschungsresultaten bzw. über die Angemessenheit des forschungstechnischen Vorgehens nicht unter Rückgriff auf diese Kriterien entschieden werden.

Die angeführten kritischen Einwände gegen die traditionelle Sozialforschung machen deutlich, daß bei dieser Diskussion in erster Linie drei Bereiche der Wissenschaftspraxis angesprochen sind:

erstens die Forschungsmethodologie, d. h. die Verfahren zur Gewinnung und Prüfung von Theorien, zur Entscheidung über deren Wahrheitsgehalt und deren Generalisierbarkeit sowie die daran gekoppelten methodologischen Konsequenzen für den Forschungsprozeß;

zweitens das Verhältnis von forschenden „Subjekten" und erforschten bzw. zu erforschenden „Objekten", also der Interaktionsprozeß von Wissenschaftlern und „Betroffenen" sowie die sich daraus ergebenden Folgerungen für den Forschungsprozeß;

drittens die Einbindung des Forschungsprozesses — der institutionell verankerten Forschertätigkeiten — in gesamtgesellschaftliche Strukturen und Prozesse und die daraus abzuleitenden gesellschaftspolitischen Dimensionen der Wissenschaftspraxis.

An der konzeptionellen Strukturierung dieser drei Handlungsbereiche des Forschungsprozesses sollen im folgenden die gegensätzlichen Postulate, Strategien und Ziele von traditioneller Sozialforschung und einer alternativen Forschungspraxis skizziert werden; dies geschieht zunächst am Beispiel der *Aktionsforschung.*

Nach Auffassung des traditionellen Paradigmas ist es Aufgabe der Forschung, über die Realität zu *informieren,* Hypothesen zu testen, und zwar durch deren Vergleich mit vorfindbarer Realität. Durch Zurückweisen empirisch falscher und inhaltlicher Erweiterung empirisch bestätigter Aussagen (sowie deren erneutem Test) wird versucht, zu immer zutreffenderen und umfassenderen Aussagesystemen (Theorien) über soziale Sachverhalte zu gelangen, die im Idealfall raum-zeitunabhängige Geltung beanspruchen. D. h. der Forscher (als Forschungssubjekt) bringt seine Vermutungen über die Wirklichkeit an den Forschungsgegenstand (das Forschungsobjekt) heran und entscheidet aufgrund von Meßergebnissen auf geregelte Art und Weise (Forschungsmethoden) darüber, ob seine Vermutungen zutreffen. *Moser* (1977) charakterisiert aus diesem Grunde die traditionelle Sozialforschung als „monologischen" Prozeß. Aktionsforschung ist nach seiner Auffassung demgegenüber „dialogisch": Der Forscher setzt sich in der Diskussion mit den von der Forschung „Betroffenen" auseinander (Dialog als Forschungsstrategie).

„Subjekt" und „Objekt" sollen also nach dem Selbstverständnis der Aktionsforschung nicht als getrennte Instanzen betrachtet werden. Aus der *Subjekt-Objekt-Relation* zwischen Forscher und Untersuchungsobjekten soll eine *Subjekt-Subjekt-Relation* werden. Der Forscher soll sich selbst als Person mit in den Forschungsprozeß „einbringen", seine Distanz als Experte aufgeben; die „Erforschten" seien genauso gute, wenn nicht die besseren Experten zur Beurteilung ihrer Situation. „An die Stelle der Distanz zwischen Forscher und Untersuchungsgruppe, wie sie in der traditionellen Sozialforschung gefordert wird, tritt aktive Interaktion. Dies bedeutet für den Forscher, mit der Untersuchungsgruppe über eine längere Zeit zu arbeiten, vielleicht sogar mit ihr zu leben mit dem ... Ziel, Handlungsperspektiven zu erarbeiten und solidarisches Handeln erfahrbar zu machen" (*Kramer/ Kramer/Lehmann* 1979, 27).

Das Ziel traditioneller Sozialforschung, bewährte Theorien zu entwickeln, die über die Realität informieren, impliziert ein *Objektivitätspostulat* (intersubjektive Geltung und Überprüfbarkeit), das auch die Forderung einschließt, durch die Forschung (die Überprüfung von Hypothesen/Theorien) dürfe die soziale Realität *nicht verändert* oder „verfälscht" werden. Aktionsforschung zielt dagegen nicht auf die Erstellung grundlegender Theorien über soziale Prozesse. Sie nimmt die subjektiven Dimensionen des soziologischen Forschungsprozesses bewußt auf und nutzt die – wie auch immer gegebene – Beeinflussung des Forschungsgegenstandes durch die Forschung als Anknüpfungspunkt für eine gezielte Veränderung des sozialen Feldes. Die Situationsdeutungen oder Einschätzungen der sozialen Lage von Forscher und Erforschten sollen im Untersuchungsprozeß bewußt gemacht werden, sollen einen gemeinsamen Lernprozeß in Gang setzen. Durch neue Interpretationsmöglichkeiten der sozialen Realität sollen schließlich die Handlungsmöglichkeiten der Beteiligten verändert, erweitert werden. Während also traditionelle Sozialforschung die strikte Trennung zwischen der *Produktion von Wissen* als Aufgabe der Wissenschaft einerseits und aktiver *Veränderung der Realität* als Aufgabe der Politik andererseits postuliert, nimmt Aktionsforschung die gesellschaftspolitische Forderung nach Vermittlung von Theorie und Praxis zum Synonym für den Prozeß der Veränderung des jeweiligen Untersuchungsfeldes.

Zentral für den Forschungsprozeß und die Theoriekonstruktion in der traditionellen Sozialforschung sind im Zusammenhang mit dem erwähnten Objektivitätspostulat methodologische Prinzipien, die sich in den Forderungen nach „Wahrheitsannäherungs-" und „Gütekriterien" wiederfinden. Objektive Kriterien und Regeln sollen darüber entscheiden, ob eine Aussage oder ein Aussagensystem akzeptiert oder als unwahr zurückgewiesen werden kann. Traditionelle Sozialforschung kennt allerdings keine Möglichkeit, über die *endgültige Wahrheit* einer Aussage zu entscheiden (Verifikation), sondern lediglich die Möglichkeit, über deren Falschheit zu befinden (Falsifikation), wobei als empirisch falsch solche Aussagen gelten, die mit der Beobachtung der Realität nicht übereinstimmen. Durch einen immerwährenden Prozeß des Ausscheidens falscher Aussagen sollen Theorien sich allmählich an die „Wahrheit" über ihren Gegenstand annähern. Das Kriterium zur Zurückweisung falscher Aussagen ist also ein absolutes: die gegebene Realität der Natur. In der Aktionsforschung gilt dagegen ein *relatives Wahrheitskriterium:* anerkannt wird einzig eine „dialogische Wahrheit", eine „soziale Wahrheit", die sich aus dem Diskurs (dem „vernünftigen Argumentieren") der am Forschungsprozeß Beteiligten herleitet.[177] Aktionsforschung muß also bei konsequenter Aufhebung der Subjekt-Objekt-Trennung in der Forschung den Konsens der Beteiligten zum „Wahrheitskriterium", zur Grundlage der Beurteilung empirisch gewonnener Aussagen machen. Die dialogisch gewonnenen „richtigen" Ergebnisse und Handlungsorientierungen können bei anderer Zusammensetzung des Beteiligtenkreises dementsprechend anders lauten: „soziale Wahrheit" wird nicht als etwas Statisches, sondern als etwas Dynamisches, sich ständig Wandelndes begriffen.

Eng verknüpft mit dem Problem „Wahrheitskriterium" sind die sog. „Gütekriterien", d. h. die Kriterien, nach denen beurteilt wird, wie gut im Rahmen des geltenden Forschungsparadigmas ein konkretes Forschungsprojekt durchgeführt wurde. Die Kriterien der traditionellen Sozialforschung (insbesondere Gültigkeit, Zuverlässigkeit, Repräsentativität) können bei Aufgabe der Korrespondenztheorie der Wahrheit[178] für die Aktionsforschung natürlich nicht beibehalten werden. An ihre Stelle treten nach *Moser* (1975, 123f.) folgende Handlungsmaximen: „Transparenz" (Offenlegung von Funktionen, Zielen und Methoden), „Stimmigkeit" (Forschungsziele und Methoden müssen miteinander vereinbar sein), „Selbstkontrolle" des Forschers (dieser darf nicht bewußt verzerrend auf den Forschungsprozeß Einfluß nehmen).

Schließlich sind noch drei Aspekte zur Charakterisierung der Unterschiede von traditioneller Sozialforschung und Aktionsforschung bedeutsam, die bisher nicht direkt angesprochen wurden: das Wertneutralitätspostulat der traditionellen Sozialforschung, die Bedeutung der empirischen Datenerhebungsinstrumente sowie die Form des Forschungsprozesses.

177 Vgl. die Argumentation bei Moser 1975, 148ff.
178 Vgl. dazu die Ausführungen in Kap. 1, vor allem 1.3.

Im Gegensatz zur traditionellen Sozialforschung versteht sich die Aktionsforschung als „bewußt parteilich"; d. h. sie will *nicht für beliebige Zwecke* verwertbares sozialtechnologisches Wissen liefern, sondern die soziale Realität in Richtung auf „Abschaffung von sozialen Unterdrückungszusammenhängen" verändern, sie will sich an den Interessen der in einer Gesellschaft Benachteiligten orientieren. Ihre Themenstellungen sind somit — ebenso wie ihr Verwertungszusammenhang — nicht beliebig.

Hinsichtlich der Verwendung sozialwissenschaftlicher Erhebungsinstrumente kennt die Aktionsforschung im Prinzip keine anderen Instrumente als die traditionelle Sozialforschung. Aber mit dem veränderten Verhältnis von Forscher und Untersuchungsobjekt soll sich auch der *Charakter der Erhebungsinstrumente* und Methoden verändern: sie werden zu *Medien* innerhalb des Kommunikationsprozesses, ihre Ergebnisse werden erst im Diskurs relevant. Die Datenerhebungsinstrumente haben nicht die Funktion, „objektiv" Sachverhalte der Realität abzubilden, um über die Richtigkeit von Aussagen zu entscheiden (wie in der traditionellen Sozialforschung), sondern sie liefern das Rohmaterial für den Diskurs, in dem erst über die „Richtigkeit" entschieden wird.[176]

Was schließlich den *Forschungsprozeß* angeht, so verläuft dieser in der Aktionsforschung nicht „linear", wie in der traditionellen Sozialforschung (Hypothesenbildung, Operationalisierung, Datenerhebung und -auswertung, Interpretation der Ergebnisse im Hinblick auf die anfangs formulierten Vermutungen); sondern die Forschung durchläuft mehrere *Zyklen:* Informationssammlung → Diskurs → Entwurf von Handlungsorientierungen → praktisches Handeln → erneutes Sammeln von Informationen (etwa über den Erfolg des Handelns) → Diskurs → eventuell neue Handlungsorientierungen → praktisches Handeln (effektivere Handlungsstrategien) → usw. (vgl. *Moser* 1975, 146).

Die vorgenommene Gegenüberstellung von methodologischen Überlegungen (Postulaten, Regeln, Forschungsprinzipien) und darauf beruhenden Forschungsstrategien in der traditionellen Sozialforschung einerseits sowie der Aktionsforschung andererseits zeigt, daß — wenn die jeweiligen Positionen ernstgenommen werden — beide Paradigmen in der Forschungspraxis erhebliche Unterschiede aufweisen müssen. Je nachdem, zu welcher „Forschergemeinde" sich ein Forscher zugehörig fühlt, wird eine von ihm konzipierte und durchgeführte Untersuchung anders aussehen müssen, wird er empirische Sozialforschung anders „definieren". Auf seiten der Aktionsforschung liegen allerdings noch kaum Arbeiten vor, die die selbstgestellten methodologischen Prinzipien in umfassender Weise umgesetzt haben. Die grundsätzliche Auseinandersetzung wird daher vor allem auf der Ebene wissenschaftstheoretischer Dispute geführt.

Anders stellt sich die Situation für die *qualitative Sozialforschung* dar. Hier liegt eine Vielzahl von Arbeiten vor, die die Postulate des „interpretativen Paradigmas" in die Forschungspraxis umgesetzt haben.[179] Auch nach ihren Zielen unterscheiden sich beide Richtungen.

Im Unterschied zur Aktionsforschung beabsichtigen qualitative Ansätze weder die Subjekt-Objekt-Beziehung innerhalb des Forschungsprozesses aufzuheben noch die Realität (gezielt) zu verändern. Vielmehr geht es darum, die erforschte Realität zutreffend zu *deuten*. Zu diesem Zweck wird angestrebt, den Datenerhebungsprozeß so zu strukturieren, daß der Forscher „in direktem Kontakt mit den Handelnden ein *Verständnis* ihrer Wirklichkeit entwickelt" (*Meinefeld* 1976, 107), um nicht in unzulässiger Weise *seinen* Interpretations- und Bezugsrahmen dem Gegenstandsbereich aufzuprägen.[180]

Eine notwendige Voraussetzung, um überhaupt zu gültigen Aussagen über den Gegenstand einer Untersuchung kommen zu können, ist es nach Auffassung der Verfechter qualitativer Ansätze, die subjektiven Sichtweisen, Deutungsmuster und Denkschemata der Erforschten als Bestandteil ihrer „Lebenswelt" prinzipiell mit zu erheben. Der Prozeß der Datengewinnung wird als „kommunikative Leistung" angesehen, bei der umgangssprachliche Äußerungen und (Alltags-)Handlungen – die Datenbasis – nur aus dem Verständnis für den Gesamtkontext der Erhebungssituation heraus zu begreifen sind (vgl. *Dechmann* 1978, 210; *Hoffmann-Riem* 1980, 344; *Meinefeld* 1976, 96). Messungen basieren auf dem „allgemeinen Sprachverständnis" der an der Erhebungssituation beteiligten Personen (*Cicourel* 1974, 42) und sind prinzipiell „reflexiv mit sozialen Handlungskontexten verknüpft" (*Eickelpasch* 1982, 17).[181]

Das Verständnis von sozialer Wirklichkeit, das dieser Sichtweise zugrunde liegt, ist wie folgt charakterisierbar. Soziale Realität wird erst durch aufeinander bezogene Handlungen einzelner Individuen, durch soziale Interaktion konstruiert; soziale Realität unterliegt einem ständigen Interpretations- und Re-Interpretationsprozeß.[182] Die soziale Situation wird – im Gegensatz zum „normativen Paradigma" – nicht als eine „Konfiguration aus Gegebenheiten, unab-

---

179 Vgl. die Reader von Gerdes 1979; Hopf/Weingarten 1979 und Weingarten/ Sack/Schenkein 1976.
180 Der Forscher muß – mit anderen Worten – die „innere Perspektive" der Beforschten einzunehmen versuchen. Er soll lernen, die Welt mit den Augen der Handelnden im Forschungsfeld zu sehen, ohne dabei jedoch seine Rolle als Wissenschaftler aufzugeben.
181 Hierfür stehen die Konstrukte „Reflexivität" und „Indexikalität" (vgl. Wilson 1973, 60ff.).
182 Blumer und Turner sehen explizit „Interaktion als einen im Kern interpretativen Prozeß, in dem sich im Ablauf der Interaktion Bedeutungen ausbilden und wandeln" (Arbeitsgruppe Bielefelder Soziologen 1973, 60).

hängig von subjektiver Interpretation" aufgefaßt, sondern „als eine Erlebniseinheit, die sich in der Interpretation der Gegebenheiten durch das Subjekt herstellt" (*Gerhardt* 1971, 230). Soziale Realität und somit auch der Sinn von Handlungen sind also nicht „an sich" gegeben, sondern werden von (Erhebungs-)Situation zu (Erhebungs-) Situation erneut „ausgehandelt".

Aus dieser Sichtweise ergibt sich, daß der qualitative Sozialforscher nicht mit festgefügten und vorab endgültig definierten Begriffen, Konzepten und Meßinstrumenten in die Erhebungssituation eintreten darf. Die „ideale Rolle" für den Forscher wäre – wie *Meinefeld* (1976, 118) es formuliert – die Rolle eines „naiv Lernenden".[183] Grundlegend für den qualitativ orientierten Forschungsprozeß sind somit

– das „Prinzip der Offenheit" und das „Prinzip der Kommunikation" als Normen für die Datengewinnung (vgl. *Hoffmann-Riem* 1980, 343ff.)[184] sowie
– die Ausweitung der explorativen Phase des „traditionellen Forschungsprozesses" auf den gesamten Verlauf der Untersuchung (vgl. *Gerdes* 1979).[185]

Gültige Forschungsergebnisse erhofft sich der qualitative Sozialforscher dadurch, daß er sich mit der Alltagswelt der Erforschten vertraut macht, daß er seine Forschungsaktivitäten dazu benutzt, alltägliche Interaktions-, Kommunikations- und Interpretationsmuster in der Erhebungssituation zu aktualisieren und der „Beforschte" seine emotionale Distanz zu der „konstruierten Erhebungssituation" aufgibt (*Hoffmann-Riem* 1980, 350; s. auch *Cicourel* 1974).

183 Zur Frage der Strukturierung des Untersuchungsdesigns sind die Standpunkte innerhalb der qualitativen Forschungsrichtung nicht einheitlich. Sie reichen vom Postulat einer möglichst geringen Strukturierung (etwa: Ethnomethodologie) bis zur Forderung, den Untersuchungsgegenstand durch Hypothesen und Beobachtungskategorien möglichst gründlich vorzustrukturieren, die verwendeten Kategorien jedoch „sensibilisierend" zu verwenden und für unerwartete Beobachtungen offen zu bleiben (Dechmann 1978, 145ff.; vgl. auch Blumer 1973, 101ff.).
184 „Das Prinzip der Offenheit besagt, daß die theoretische Strukturierung des Forschungsgegenstandes zurückgestellt wird, bis sich die Strukturierung des Forschungsgegenstandes durch die Forschungssubjekte herausgebildet hat" (Hoffmann-Riem 1980, 343). – „Das Prinzip der Kommunikation besagt, daß der Forscher den Zugang zu bedeutungsstrukturierten Daten im allgemeinen nur gewinnt, wenn er eine Kommunikationsbeziehung mit dem Forschungssubjekt eingeht und dabei das kommunikative Regelsystem des Forschungssubjekts in Geltung läßt" (a.a.O., 347).
185 Ziel der qualitativen Sozialforschung ist somit nicht in erster Linie der Test von Hypothesen, sondern auch deren Konstruktion.

Statt auf standardisierte Datenerhebungsverfahren greift die qualitative Sozialforschung daher auch eher auf sogenannte „weiche Verfahren" wie Gruppendiskussion, Leitfadengespräche, situationsflexible Interviews, unstandardisierte Beobachtung usw. zurück, da diese der „Subjektivität" der Erforschten mehr Raum geben und somit das Kriterium der *Angemessenheit* besser erfüllen als stärker standardisierte Instrumente (vgl. *Hopf/Weingarten* 1979, 14f.; *Mohler* 1981, 725).[186]

Beschränkt man auf die Betrachtung der Unterschiede zwischen den hier dargestellten Forschungsrichtungen auf die wissenschaftstheoretisch-methodologische Ebene, so scheinen die Gegensätze unüberbrückbar. Dies muß jedoch noch nicht bedeuten, daß die verschiedenen Ansätze auch auf der *forschungspraktischen* Ebene unvereinbar wären.

Die hier nicht zu beantwortende Frage lautet dann, ob prinzipiell alle sozialen Gegebenheiten in gleicher Weise „Gegenstand" eines standardisierten oder eines qualitativen oder eines Aktionsforschungsansatzes sein können, oder ob es spezifische Forschungsgegenstände gibt, bei denen sich die Aktionsforschung oder ein qualitatives Design besonders gut eignet bzw. sich gerade aufdrängt, und andere Gegenstände, für die sich die eine oder andere Strategie nicht so sehr anbietet oder gar als ungeeignet erweist. Es ist immerhin denkbar, daß sich die Ansätze der traditionellen Sozialforschung und der dazu entwickelten Alternativen nicht *notwendigerweise* als Gegensätze herausstellen, sondern — ausgehend von geeigneten/ungeeigneten Forschungs-„Gegenständen" — sich gegenseitig ergänzen.

---

186 Im Unterschied zur Aktionsforschung behalten in der qualitativen Sozialforschung die verwendeten „Instrumente" im Forschungsprozeß ihre Funktion als Datenerhebungsverfahren. Es werden jedoch Verfahren bevorzugt, die einen relativ offenen, flexiblen Zugang zur Realität ermöglichen. Einen Überblick über den Methodenkanon der qualitativen Sozialforschung geben Hoffmann-Riem (1980, 353ff.) und Meinefeld (1976, 118ff.). Zur Gruppendiskussion im Rahmen einer interpretativen Soziologie vgl. Nießen 1977 und Volmerg 1977; zur teilnehmenden Beobachtung Dechmann 1978.

9.3 Literatur zu Kap. 9

Adorno, Theodor W., 1972: Soziologie und empirische Forschung, in: ders. u. a. (Hg.): Der Positivismusstreit in der deutschen Soziologie, Darmstadt, Neuwied, 81-111

Albrecht, Günter, 1975: Nicht-reaktive Messung und Anwendung historischer Methoden, in: *v. Koolwijk/Wieken-Mayser,* a.a.O., Bd. 2, 9-81

Alemann, Heine von, 1977: Der Forschungsprozeß, Stuttgart, Kap. 4

-;*Ortlieb,* P., 1975: Die Einzelfallstudie, in: *v. Koolwijk/Wieken-Mayser,* a.a.O., Bd. 2, 157-177

Alker, Hayward R., 1969: A Typology of Ecological Fallacies, in: *Dogan,* M.; *Rokkan,* S. (eds.), Quantitative Ecological Analysis in the Social Sciences, Cambridge, Mass.

Arbeitsgruppe Bielefelder Soziologen (Hg.), 1973: Alltagswissen, Interaktion und gesellschaftliche Wirklichkeit, Bd. 1, Reinbek

Berger, Hartwig, 1974: Untersuchungsmethode und soziale Wirklichkeit, Frankfurt/M.

Blumer, Herbert, 1973: Der methodologische Standort des Symbolischen Interaktionismus, in: *Arbeitsgruppe Bielefelder Soziologen,* a.a.O., 80-146

Bungard, Walter; *Lück,* H. E., 1974: Forschungsartefakte und nicht-reaktive Meßverfahren, Stuttgart

Chapin, F. Stuart, 1962: Das Experiment in der soziologischen Forschung, in: *König,* R. (Hg.), a.a.O., 221-258

Cicourel, Aaron V., 1974: Methode und Messung in der Soziologie, Frankfurt/M.

Cremer, Christa; *Klehm,* W. R., 1978: Aktionsforschung. Wissenschaftstheoretische und gesellschaftliche Grundlagen – methodische Perspektiven, Weinheim, Basel.

Davis, James A., 1961: Great Books and Small Groups, New York

Dechmann, Manfred D., 1978: Teilnahme und Beobachtung als soziologisches Basisverhalten, Bern, Stuttgart

Eickelpasch, Rolf, 1982: Das ethnomethodologische Programm einer „radikalen" Soziologie, in: Zeitschrift für Soziologie, Jg. 11, Heft 1, 7-27

Esser, Hartmut; *Klenovits,* K.; *Zehnpfennig,* H., 1977: Wissenschaftstheorie, Bd. 2, Stuttgart

French, John R. P., 1962: Feldexperimente: Änderungen in der Gruppenproduktivität, in: *König,* R. (Hg.), a.a.O., 259-273

Friedrichs, Jürgen, 1973: Methoden empirischer Sozialforschung, Reinbek

Galtung, Johan, 1967: Theory and Methods of Social Research, Oslo

Gerdes, Klaus (Hg.), 1979: Explorative Sozialforschung, Stuttgart

Gerhardt, Uta, 1971: Rollenanalyse als kritische Soziologie, Neuwied

Goode, William; *Hatt,* P. K., 1962: Die Einzelfallstudie, in: *König,* R. (Hg.), a.a.O., 299-337

Greenwood, Ernest, 1962: Das Experiment in der Soziologie, in: König, R. (Hg.), a.a.O., 171-220

Gstettner, Peter, 1979: Aktionsforschung – Diskurs der Könige?, in: Kölner Zeitschrift für Soziologie und Sozialpsychologie, Heft 2/1979, 337-346

Haag, Fritz u. a., 1972: Aktionsforschung, Forschungsstrategien, Forschungsfelder und Forschungspläne, München

Heintel, Peter; *Huber,* J., 1978: Aktionsforschung – Theorieaspekte und Anwendungsprobleme, in: Gruppendynamik, Heft 6/1978, 390-409

Herz, Thomas A., 1975: Vorhersagestudien, in: *v. Koolwijk/Wieken-Mayser*, a.a.O., Bd. 2, 131-156

Hoffmann-Riem, Christa, 1980: Die Sozialforschung einer interpretativen Soziologie – Der Datengewinn, in: Kölner Zeitschrift für Soziologie und Sozialpsychologie, Jg. 32, Heft 2, 339-372

Hopf, Christel; *Weingarten*, Elmar (Hg.), 1979: Qualitative Sozialforschung, Stuttgart

Horn, Klaus (Hg.), 1979: Aktionsforschung: Balanceakt ohne Netz?, Frankfurt/M.

Hülst, Dirk, 1975: Erfahrung – Gültigkeit – Erkenntnis, Frankfurt/M.

Hummell, Hans J., 1972: Probleme der Mehrebenenanalyse, Stuttgart

–, *Ziegler*, R., 1976: Zur Verwendung linearer Modelle bei der Kausalanalyse nicht-experimenteller Daten, in: dies. (Hg.), Korrelation und Kausalität, Bd. 1, Stuttgart, E5-E137

Klingemann, Hans D.; *Mochmann*, E., 1975: Sekundäranalyse, in: *v. Koolwijk/ Wieken-Mayser*, a.a.O., Bd. 2, 178-194

König, René (Hg.), 1962: Beobachtung und Experiment in der Sozialforschung, Köln

Koolwijk, Jürgen van; *Wieken-Mayser*, M. (Hg.), 1975: Techniken der empirischen Sozialforschung, Bd. 2, München

Kramer, Dorit; *Kramer*, H.; *Lehmann*, S., 1979: Aktionsforschung: Sozialforschung und gesellschaftliche Wirklichkeit, in: *Horn*, K. (Hg.), a.a.O., 21-40

Kreutz, Henrik, 1972: Soziologie der empirischen Sozialforschung, Stuttgart

Kriz, Jürgen, 1981: Methodenkritik empirischer Sozialforschung, Stuttgart

Mangold, Werner, 1973: Gruppendiskussionen, in: *König*, R. (Hg.), Handbuch der empirischen Sozialforschung, Bd. 2, Stuttgart, 228-259

Mayntz, Renate; *Holm*, K.; *Hübner*, P., 1971: Einführung in die Methoden der empirischen Soziologie, Opladen

Meinefeld, Werner, 1976: Ein formaler Entwurf für die empirische Erfassung elementaren sozialen Wissens, in: *Arbeitsgruppe Bielefelder Soziologen* (Hg.), Kommunikative Sozialforschung, München, 88-158

Mohler, Peter P., 1981: Zur Pragmatik qualitativer und quantitativer Sozialforschung, in: Kölner Zeitschrift für Soziologie und Sozialpsychologie, Jg. 33, Heft 4, 716-734

Moser, Heinz, 1975: Aktionsforschung als kritische Theorie der Sozialwissenschaften, München

–, 1977: Methoden der Aktionsforschung. Eine Einführung, München

Müller, Ursula, 1979: Reflexive Soziologie und empirische Sozialforschung, Frankfurt/M.

Niessen, Manfred, 1977: Gruppendiskussion. Interpretative Methodologie – Methodenbegründung – Anwendung, München

Nowotny, Helga; *Knorr*, K. D., 1975: Die Feldforschung, in: *v. Koolwijk/Wieken-Mayser*, a.a.O., Bd. 2, 82-112

Opp, Karl-D., 1976: Methodologie der Sozialwissenschaften, Reinbek

–, *Schmidt*, P., 1976: Einführung in die Mehrvariablenanalyse, Reinbek

Pagès, Robert, 1974: Das Experiment in der Soziologie, in: *König*, R. (Hg.), Handbuch der empirischen Sozialforschung, Bd. 3a, Stuttgart, 273-342

Rose, Arnold M., 1973: Systematische Zusammenfassung der Theorie der symbolischen Interaktion, in: *Hartmann*, H. (Hg.), Moderne amerikanische Soziologie, Stuttgart, 266-282

Roth, Erwin (Hg.), 1984: Sozialwissenschaftliche Methoden. Lehr- und Handbuch zur Forschung und Praxis, München, Wien; **Kap.** 3: Forschungsformen

Scheuch, Erwin K., 1973: Entwicklungsrichtungen bei der Analyse sozialwissenschaftlicher Daten, in: *König*, R. (Hg.), Handbuch der empirischen Sozialforschung, Bd. 1, Stuttgart, 161-237

Schneider, Ulrike, 1980: Sozialwissenschaftliche Methodenkrise und Handlungsforschung, Frankfurt/M.

Timaeus, Ernst, 1975: Untersuchungen im Laboratorium, in: *v. Koolwijk/Wieken-Mayser*, a.a.O., Bd. 2, 195-229

Volmerg, Ute, 1977: Kritik und Perspektiven des Gruppendiskussionsverfahrens in der Forschungspraxis, in: *Leithäuser*, Th. u. a.: Entwurf zu einer Empirie des Alltagsbewußtseins, Frankfurt/M., 184-217

Webb, Eugene J.; *Campbell*, D. T.; *Schwartz*, R. D.; *Sechrest*, L., 1975: Nichtreaktive Meßverfahren, Weinheim, Basel

Weingarten, Elmar; *Sack*, F.; *Schenkein*, J., 1976: Ethnomethodologie. Beiträge zu einer Soziologie des Alltagshandelns, Frankfurt/M.

Wellenreuther, Martin, 1982: Grundkurs: Empirische Forschungsmethoden für Pädagogen, Psychologen, Soziologen, Königstein/Ts.

Wilson, Thomas P., 1973: Theorien der Interaktion und Modelle soziologischer Erklärung, in: *Arbeitsgruppe Bielefelder Soziologen*, a.a.O., 54-79

Zimmermann, Ekkart, 1972: Das Experiment in den Sozialwissenschaften, Stuttgart

Sachregister

UTB
FÜR WISSEN SCHAFT

Auswahl Fachbereich
Soziologie, Sozialpädagogik

372 Holm (Hrsg.): Die Befragung 1
(Francke). 2. Aufl. 1982. DM 19,80

373 Holm (Hrsg.): Die Befragung 2
(Francke). 1975. DM 17,80

433 Holm (Hrsg.): Die Befragung 3
(Francke). 1976. DM 19,80

434 Holm (Hrsg.): Die Befragung 4
(Francke). 1976. DM 18,80

435 Holm (Hrsg.): Die Befragung 5
(Francke). 1977. DM 17,80

472/473 Popper: Die offene Gesellschaft und ihre Feinde 1/2
(Francke). 6. Aufl. 1980. Je DM 24,80

541 Weber: Soziologische Grund-
begriffe
(J. C. B. Mohr). 6. Aufl. 1984.
DM 7,80

656 Schwendtke (Hrsg.):
Wörterbuch der Sozialarbeit und
Sozialpädagogik
(Quelle & Meyer). 2. Aufl. 1980.
DM 19,80

657 Kupffer (Hrsg.): Einführung in
Theorie und Praxis der Heim-
erziehung
(Quelle & Meyer). 3. Aufl. 1982.
DM 15,80

740 Lamnek: Theorien abweichen-
den Verhaltens
(W. Fink). 2. Aufl. 1983. DM 22,80

765 Mayntz: Soziologie der öffent-
lichen Verwaltung
(C. F. Müller). 3. Aufl. 1985.
DM 19,80

832 Filser: Einführung in die
Familiensoziologie
(Schöningh). 1978. DM 19,80

884 Buß/Schöps: Kompendium für
das wissenschaftliche Arbeiten
in der Soziologie
(Quelle & Meyer). 1979. DM 18,80

996 Schäfers (Hrsg.): Einführung
in die Gruppensoziologie
(Quelle & Meyer). 1980. DM 25,80

1131 Schäfers: Soziologie des
Jugendalters
(Leske). 3. Aufl. 1985. DM 19,80

1142 Feser: Psychologie für
Sozialpädagogen
(E. Reinhardt). 1981. DM 19,80

1167 Vilmar/Kißler: Arbeitswelt:
Grundriß einer kritischen Soziologie
der Arbeit. (Leske). 1982. DM 19,80

1240 Schlüter: Sozialphilosophie
für helfende Berufe
(E. Reinhardt). 1983. DM 21,80

1301 Kißler: Recht und Gesellschaft
(Leske). 1984. DM 16,80

1304 Pross/Buß (Hrsg.):
Soziologie der Masse
(Quelle & Meyer). 1984. DM 23,80

1323 Henecka: Grundkurs Soziologie
(Leske). 1985. DM 16,80

1324 Konegen/Sondergeld: Wissenschaftstheorie für Sozialwissenschaftler. (Leske). 1985. DM 14,80

1331 Kromka: Sozialwissenschaftliche Methodologie
(Schöningh). 1984. DM 19,80

Preisänderungen vorbehalten.

UTB
FÜR WISSEN SCHAFT

Auswahl Fachbereich
Politische Wissenschaft

58 Hildebrandt (Hrsg.):
Die deutschen Verfassungen des
19. u. 20. Jahrhunderts
(Schöningh). 13. Aufl. 1985.
DM 14,80

165 Lenk: Theorien der Revolution
(W. Fink). 2. Aufl. 1981. DM 14,80

431 Theimer: Lexikon der Politik
(Francke). 9. Aufl. 1981. DM 22,80

577 Staritz (Hrsg.): Das Parteien-
system der Bundesrepublik
(Leske). 2. Aufl. 1980. DM 16,80

702 Woyke (Hrsg.): Handwörterbuch
der Internationalen Politik
(Leske). 2. Aufl. 1980. DM 24,80

877 Naßmacher: Kommunalpolitik
in der Bundesrepublik
(Leske). 1979. DM 16,80

1032 Schoeps, Knoll, Bärsch:
Konservativismus, Liberalismus,
Sozialismus
(W. Fink). 1981. DM 19,80

1037 Reichel: Politische Kultur
in der Bundesrepublik
(Leske). 1981. DM 24,80

1056 Grosser/Goguel: Politik in
Frankreich
(Schöningh). 1980. DM 26,80

1067 Czempiel: Internationale
Politik
(Schöningh). 1981. DM 19,80

1114 Pfetsch: Die Außenpolitik
der Bundesrepublik 1949–1980
(W. Fink). 1981. DM 24,80

1200 Görlitz: Politikwissenschaft-
liche Propädeutik
(Leske). 2. Aufl. 1983. DM 24,80

1205 Mewes, Einführung in das
politische System der USA
(C. F. Müller). 1986. DM 29,80

1243 Goetze: Entwicklungspolitik 1
(Schöningh). 1983. DM 24,80

1280 Rudzio: Das politische System
der Bundesrepublik Deutschland
(Leske). 1983. DM 24,80

1299 Andersen/Woyke (Hrsg.):
Handwörterbuch Internationale
Organisationen
(Leske). 1985. DM 22,80

1339 Grosser (Hrsg.): Der Staat in
der Wirtschaft der Bundesrepublik
(Leske). 1985. DM 29,80

1345 Löw: Warum fasziniert
der Kommunismus?
(K. G. Saur). 4. Aufl. 1985. DM 22,80

1358 Lieber: Ideologie
(Schöningh). 1985. DM 19,80

1384 Pawelka: Herrschaft und Entwicklung im Nahen Osten: Ägypten
(C. F. Müller). 1985. DM 34,80

1397 Czempiel: Friedensstrategien
(Schöningh). 1986. 24,80

Preisänderungen vorbehalten.

Das UTB-Gesamtverzeichnis erhalten Sie bei Ihrem Buchhändler oder
direkt von UTB, 7000 Stuttgart 80,
Postfach 80 11 24.